林慶彰　總策畫

民國時期稀見期刊彙編

第一輯

政學科研究年報⑦

（公法篇）

臺北帝國大學研究年報

第廿二冊

臺北帝國大學文政學部

政學科研究年報

第七輯

臺北帝國大學文政學部 政學科研究年報 第七輯 公法篇

目次

政治學と國家論との聯關

——史的考察を基礎として——

堀　豊　彦

目次

政治學と國家論との關聯は政治學の濫觴以來、即ちギリシャ・ローマ以來の斯學における傳統的型態であり、且つそれは政治學における傳統的定說であると廣く言はれてゐる。いま、この傳統的解釋に即して考へ、且つ政治學は古典的ギリシャ時代にその始源を有する、といふ最も一般的に通用をみて居る見解を肯定的に認めるとして考ふれば、人は政治學はその始源において既に國家論との關聯を根源的に具有して成りたちし學であつた、と考へなければならないのであらう。この前提に即して觀れば、政治學は尠く共その學としての生起成立を、何等かの形式において、また何等かの意義において、國家論との聯關・交渉に負ふものたることを豫定しなければならないであらう。尤も、人々のあまねく理會してゐる如く、古典的ギリシャにおける特殊的現象であつた所の市邦國家內における公的社會生活の諸經驗の種々相が、政治學の成立の實在的基礎であつた、といふ經驗的實證からして此兩者の聯關は既に不可避的に必須的關係の下にあつた、と考ふ可きものなのであらうか。斯く考ふれば、政治學は古代ギリシャの市邦國家を媒介體として國家論を以て或る程度、自らの學的內容となすといふことにおいてその性格を規定し、且つその始源を劃したと觀ることが出來るものかも分らない。或はまた、この種の思惟においては政治學の生起以前に國家論は既に何等かの形態においてその學問的體系を一應整備し得て居り、而して或種の要因に基いて前者と後者との交渉、關聯が誘發せられて成りたち、政治學のよりよき生成發展を促成せしめたものかとも考へ能はないこともない。茲において、端的に言つて國家論こそ取も直ほさず政治學であつたとも、亦前者が政治學となつたとも、考へられるに至つた、としてこの課題を定立することも可能であるといふ見解が樹立せられるかも分らない。

併乍ら、惟ふに政治學と國家論との關聯は、しかく根源的に必須的であり又しかく規定的である、とはなし難く、そこには多くの究明を要する問題が存在する。寔にこの課題は多面であり且つ多義に亙る。そこで、政治學の生成發展の過程に副ふて、この課題の內含する意義と沿革とを考察するならば、それは寔に興味深きものがあるであらう、と思ふのである。併し本稿は其樣な廣汎なる構圖を豫定するものではなく、政治學の始源的時代に主たる關與をおいて、他はそれとの聯關においてのみいささか考究しようとするのみである。茲に敍述の源流を簡明にするに資す可く豫示してをきたいと思ふのは、われわれがこの課題を採上ぐるに際して、政治若しくは政治現象は決してひとり國家にのみ獨占的に顯現し、認識せらるゝところの特殊現象ではない、といふことをわれわれの政治概念につける根本見地とするといふ點である。これは政治が國家において最も典啓的な仕方において顯現する、といふことを强ひて積極的に拒否する意ではないことは特に斷はるまでもないであらう。たゞ政治と國家との聯關を獨占的・特殊的とは觀ないといふことである。わたくしは此點については嘗て小論をもつて私見を敍述したことがあつたが故に、玆には其見解を繰返さないであらう。

わたくしは先きに、拙稿『政治概念の究明』――一九三八年一〇月二九日稿了――(臺北帝國大學文政學部政學科研究年報第五輯第一部)において、政治概念につける私見を說述したことがあつた。それはもとより一つの貧しい小稿であり、未熟の點も多々あつて更に思索を重ぬべく促されつゝある箇所もあるのである。併し、その根本見地においては未だ改變を覺ゆる節はない。この小稿の內容に關しては、今中次麿教授より反駁的批判的論文を寄せられて、敎示せらるゝ所が多大であつた。同敎授の御高敎にはわたくしとしては猶從ひ得ないと思ふ節もあるが、わたくしは爾後の自らの思索と考究との熟せざるものがあるが爲めに未だその御高敎に御答へ致して居らないのであり、本小稿も亦先記の拙稿との緣りをもつものではあるが、今中敎授の御高敎に對してなほ全面的に御答へするものではない。これらの點、同敎授の御寬容を乞はなければならない。

猶、同教授の論文は下記の如きものであつたことを附記しておく。

今中次麿教授『政治概念について――大石教授及び堀教授の教を乞ふ――』（九州帝國大學法文學部法制研究第十卷第二號）

二

プラトンはその對話篇『政治家』（ポリテイコス）のなかで、政治の性格について下記のやうな興味深き見解を披瀝した。プラトンは全體の學を二種に分別し、一つを以て實踐的學となし、他を以て純粹に認識的學として定立した。(1) 而して後者即ち純粹なる認識的學は更に二種に分たれて、一つは判斷するの能力を有する學（判斷的學）、他は命令をなすの能力を具ふる學（命令的學）であるとなした。(2) この兩者中、命令的學を任務とする所の代表的なる者が眞の政治家たるもの（王者）である、と考へられるのであるが、この命令的學を司る者は又そのものゝ性質から二つの類型に區別せられる。即ち、自ら命令を發する者と、他よりの命令を他へ傳達する者との二種である。(3) そこで、これを要約すれば命令的學そのものには下記の二類型が存在する譯である。即ち（一）最高にして自律的なる命令的學、（二）從屬的にして他律的なる命令的學、の二種である。

かくして、眞の政治家たるもの（王者）に關する學は前者であり、其の他の者に關する學は後者である。且つ斯くの如く命令的學を二分して、政治に關する學は前者即ち最高自律的學である、とプラトンは說いたのである。尤も茲に一言してをかねばならないのは、プラトンにあつては哲學と科學とが未分化であつたのみならず、學（Wissen）と術（Techini ko Techinik od. Kunst）とも亦未だ區別せられなかつた。從つて政治に關しては、學としての政治と術としての政治とが分離せられてゐなかつたといふ點である。これは學者の屢々指摘する所であるが、[4] 當面の事態の記述上必らずや附記してをかねばならないと思ふのである。要するにプラトンに取つては、哲學者とは科學者であり、科學的敎養ある人であつた。從つて知識・敎養ある者が政治上の任務を帶びなければならない。即ち、政治家たらねばならないといふことであり、これが取りも直ほさず彼の哲學者支配（Philosophenherrschaft）につける要請であつた。從つてそれはもはや人による支配ではなく知による支配（Hernschaft der Wissen）であり、しかもプラトンに取つては亦正しく卓越せる哲學者・科學者であると同時に倫理的に劣等なる者といふが如きことは、考へ得られないことであつたのである。[5]

プラトンは政治竝に政治學をみること上述の如くであつたが、彼は上掲の對話篇『政治家』に於て、政治即ち彼に取りては同時に政治學の性質について、次の如き對話を展開した。

即ち、『政治家、王、主人即ち家長は皆ひとしいものであり、是等各々に夫々呼應せる學又は術が存在するか』と設問し、『眞に王者たるの學の知識を有する者は治者たると、はたまた私人たるとを問はず、其の學術に關する限りにおいては眞に王者と呼ばる可き者ではあるまいか』と語らしめて居る。而して、『……これらの凡ての者（政治家、王、主人、家長の意、〔註〕）に關聯して一つの學が成立つことが明らかに認められないであらうか、而して其の學が王者の學、或ひは政治學、或ひは經濟學（家政學）と呼稱せられるのではないか……』と對話を進めて居るのである。(6)

〔註解〕

Str. And are Statesman, King, Master or Householder, one and the same; or is there a science or art answering to each of these names? or, rather, allow me to put the matter in another way.

……………………

……………………

Str. And will not he who possesses this knowledge, whether he happens to be a ruler or a private man, when regarded only in reference to his art, be truly called royal?

……………………

……………………

Str. Then..........do we not clearly see that there is one science of all of them; and this science may be called either royal or political or economical; we will not quarrel with any one about the name.

——Plato, Politikos, 558–259. [The Dialogues of Plato, tr. by B. Jowett, Vol. IV. 4, ed. 1924. pp. 453–454.]

茲に現はれた所ではプラトンは政治を以て政治家といふ、特定の職能者にのみ限定的に遂行せられる學や術ではなく、その他の人々にも關係せられ能ふ類のものたるのみならず、且つそれは前者と後者とにおいて、何等の差異なく關聯するものとして一應は考へようと努力して居る。茲にては政治と呼稱せらる可き學を、そのもの丶性質の內容的構造から理會しようといふ志向の下に、そのもの丶機能的關與の對象の何んたるかに基いて、そのものに本質的差異を辨じようとするが如き理會の仕方を斥けようとしてゐることが觀取せられる。從つて政治の概念を特定の社會的集團の構造的特性や特殊的機能、等々との關聯からして理會し構成しようとする仕方を排して、政治として成りたゝしめらる可き概念をそのもの丶妥當する事態の一般的意義の認識からして理會しよう、とする意圖が仄示せられて居ると解せられるのである。このことは寔に興味深い思惟であつたが彼においてそれは、惜むらくは有終の美を完ふしなかつた。たゞ政治は一切の學や術の上位に君臨するものである、といふ思惟は如何にもプラトン的なものとして變る所はなかつたが、[7] 謂ふ所の政治は結局國家に纒つて成りたつ所の學術である、といふ見解に終りを告げたの

である。(8)

〔註　解〕

Str. The review of all these sciences shows that none of them is political or royal. For the truly royal ought not itself to act, but to rule over those who are able to act; the king ought to know what is and what is not a fitting opportunity for taking the initiative in matters of the greatest importance, whilst others should execute his orders.

Y. Soc. True.

Str. And, therefore, the arts which we have described, as they have no authority over themselves or one another, but are each of them concerned with some special action of their own, have, as they ought to have, special names corresponding to their several actions.

Y. Soc. I agree.

Str. And the science which is over them all, and has charge of the laws, and of all matters affecting the state, and truly weaves them all into one, if we would describe under a name characteristic of their common nature, most truly we may call politics.

——Plato, Politikos, 305, 〔op cit, pp. 510–511.〕

プラトンの設問、卽ち政治を以て、王者や政治家などの如き所謂專門家のみに獨占的なものといふ仕方において理會しないといふ解釋試論は、これを他の表現を以て換言すれば、政治は國家にのみ獨占的に排他的に顯現する現象としてのみ理會するには當らないといふことになるであらう。卽ち政治の妥當領域として國家に限定性が求められないといふことである。この思惟はプラトン自身も最終までは貫徹しなかつたことと上示の如くであるが、これはまたアリストテレスが其の著「政治學」(Politica)の開卷第一に、激げしき態度を以て反駁した所であつて、廣く人々の熟知せる所であらう。卽ちアリストテレスによれば上示の思惟は政治家、王、家長及主人はいづれも本質的に同一であると考へる說は肯綮を失してゐる。卽ち、それは是等各々が質的に異らず只量的にのみ異るものであるとなす說、例へば少數者を支配すれば主人(奴隸使用者)、それ以上ならば家長更により以上の者であれば政治家若しくは王である、と考へようとする考方そのものは事態を本質的に觀ない仕方であるとして反對し反駁したことであつた。9)

上來みる如くプラトンにあつても、政治は結局國家概念に纏つて成りたつものと考へられたのであるからして、此點からして一概に政治概念につけるプラトンの思想に對するアリストテレスの反駁とか、從つてそれについて兩者間に對立的見解があつた、などと全般的に論結する譯にはゆかない。只茲にプラトンが政治家、王、家長及主人の行使する支配といふ現象に共通性を觀取し得ないであらうか、進んでまた支配・統治といふ現象一般を對象として一つの共通な學が成りたち能はないか、といふ試論を提起してゐることは、われわれの深く止目するに値することである。而してアリストテレスは此點につけるプラトンの提出せる試論の意義を全幅的に適正に理會し得てゐるかに關しては、疑ひなきを保し難いものがあるかにも考へられる。しかも此點においてアリストテレスが支配の對象たるものゝ數量に即して支配の主體者を分別して定立して考察しようと解釋してゐる點は、他面亦彼自身の政體分類論の基礎的思想と照應するものあるを思はしめ、而してそこに一種の文獻考證的興味があるとも言ひ得る。併し、その方面の追求は本稿の直接的課題ではない。

寔にプラトンの政治學の性質をめぐる此の興味深き思想が若しや其の有終の美を完ふし得たであらうならば、それは政治概念の生成發達の行程上、延ては政治學の生長發展の上において、爾後斯學が實際上經由し指示せるが如き事態とは或ひは根源的に異れるが如き類型・樣相が成りたち得たかも計られない、とも考へ能ふのである。而して斯る意味の感慨に充たさるゝ者は蓋し單に筆者ひとりのみに止まらないであらう、と思はれる。(10)

京城帝大の戸澤鐵彦教授も嘗て、プラトンが政治竝に政治學の性格に關する所謂廣義的解義による思想を呈示したことにつき、推敲を重ねられし論文をもつて詳述せられたことであつた。(前掲・註(6)及10)參照)其際同教授もプラトンの政治につける解釋試義が、その試義の發展的成果を結ばざりしことに關して深き感慨を表せられた。拙稿は多くの點において同論文に負ふ所が深い。この點、厚く謝意を表さねばならない。

さて、政治學的思惟はギリシャにおいて、既にプラトン以前から活氣を呈して居り、それがプラトンやアリストテレスを經て組織的知識體系の下に整備せられた、といふことは廣く多くの學說の認むる所である。このことの爲の多種多樣なる要因は暫く問ずとして、尠く共その基本的原由の一つとして、それは當時ギリシャ全土に普く存在した所の『ポリス』(Police) 卽ち市邦國家にありて經驗せられし社會生活の下における社會的生活の諸相に基ける原理的考究を擧示することが出來る。プラトンやアリストテレスはこれを『ポリテイケー』(Politike) 又は『ポリテイケー・エピステーメー』(Politike episteme) と呼んだが、この名辭は『ポリス』なる名稱に負ふものであつたことは周知の如くである。これが後世の、而して現時に至るまでの政治學につける一般的名辭の淵藪である。斯樣な點に基いて、政治學は其の淵藪からして國家との關聯において成立した科學である、といふ類の思惟が斯學における謂はゞ傳統的解義ともなつて居るのである。併乍ら實は玆に政治と國家との聯關の問題において論者の見解の分起が生起し能ふ契機が存在すると考へられる。もとよりそれが此課題につける全般的要因ではないが、其處に尠く共一つの始源的な、しかも基本的な契機が求められると考へられるのである。

そこで、問題は次の如くである。卽ち、謂ふ所の政治學の始源的な實在的基礎となつたといふ『ポリス』の社會的乃至國家的性格如何といふことである。いひ換ればかの『ポリス』が今日の概念としての國家と自同的に考へられ能はないといふ點に問題が存するといふことである。プラトンやアリストテレスにあつて政治學の實在的基礎となつた當時の『ポリス』は、國家として表象するよりは、それは一種の共同社會として表象することを以て、より妥當とする性格のものであつた。このやうな所にも、先示のプラトンの對話のうちに試論せられたやうな政治の性格につける見解が生起し得たであらうことを思合せることも出來る。このことはプラトンの國家觀において明瞭に示されて居る。プラトンの國家が形式上竝に內容上示して居る觀念は、全幅における文化の觀念に外ならなかつた。從つてそれは國家の外に立つ所の、且又國家より獨立なる人間の文化生活なるものは存在し能はず否全く考へられ能はない、といふギリシャ的觀念に呼應するものとしての文化國家觀であつたのである。それ故に、プラトンやアリストテレスが經驗した所の、卽ち古典的時代のギリシャ人が『ポリス』と呼稱した社會はその構造や性質上、竝にその概念上それを直ちに以て今日の國家と自同視する譯にはゆかないのは明らかである。その外形的形態的構造からしても『ポリス』は近世の、而して後世の國家の如き領土的國家（Flächenstaat）ではなく、それは偏へに彼等の居住する住民團體そのものを意味した。いひ換ゆれはポリスの概念は彼等住民の總括概念であり、而してこの場合住民の土地に對する關係は何等重要なる意義を有してゐなかつたのである。[11] 尤も國家と地域との必須的關聯の思想は比較的近代のことに屬するもの丶如くである。イエリネツク (Georg Jellinek) の如きは、國家存立の概念構成のために一定地域の具備を必然的と考へるようになつたのは、極めて近世のことに屬するとなし、[12] 國家の概念規定において、市民的社會としての國家に、一定地域の具備を以てこれを定立したるものは、彼の知れる限りにおいては B. Klüber を以て最初とする、と説いたことであつた。[13] 然りとすれば、それは漸く第十九世紀に入つてよりの事となるのである。この説の當否はわたくしの判定し得ない所であるが、われわれは國家に關し、その住民の土地との關係が重要視せられるに至つたのは差程遠き過去の時代のことではない、といふことだけは窺ひ知り得ると思ふのである。ともかくも當時の『ポリス』は後代の國家とは可なり概念的に距離が介在するといふこと、更に率直に、社會學的概念表示を以てすれば、兩者は質的相違を呈するといふ點が判明するであらう。斯く考へきたれば、主としてプラトンやアリストテレスに依つて政治學に圓かなる發展と整備とが齎らされし場合の基本的なる實在的基礎として役立ちし、當時の『ポリス』の樣相に就きいさ丶か考證することも、あながち徒爾なることではないと思ふ。

〔註〕

（1）Plato, Politikos, 258 (The Dialogues of Plato, tr. by B. Jowett, Vol. IV. 4. ed. 1924, p. 453.)

（2）Plato, op, cit, 260. (by Jowett, p. 454)

（3）Plato, op, cit, 260-261. (by Jowett, pp. 455-457.)

（4）戸澤鐵彦教授「政治學の始源と將來」（思想第九十四號昭和五年）

同　教授『「ポリテイコス」に於けるポリテイケーの意義』（國家學會雜誌四十四卷第三、四、十二號昭和五年）

（5）K. Sternberg, Die politische Theorien in iher geschichtlichen Entwicklung vom Altertum bis zur Gegenwart, 1922, S. 48.

（6）戸澤鐵彦教授『「ポリテイコス」に於けるポリテイケーの意義』（一）（國家學會雜誌第四十四卷第三號十八―十九頁）參照

Plato, Politikos, 258-259. (The Dialogues ot Plato, tr. by B. Jowett, Vol. IV. 4. ed. 1924, pp. 453-454.)

（7）Plato, Politikos, 304-305 (by B. Jowett, pp. 510-511.)

（8）Plato, op, cit, 304-305 (by Jowett, pp. 510-511.)

（9）Aristoteles, Politica, I. 1., 1252. (Aristotle's Politics, tr. by B. Jowett, 1923. p. 25.)

（10）戸澤鐵彦教授（前掲の諸論文）參照

（11）G. Jellinek, Allgemeine Staatslehre, 4. Anfl. 1922, S. 129.

（12）G. Jellinek, a. a. O. S. 395; SS. 404-406.

（13）B. Klüber, Oeffentliches Recht des deutschen Bundes, 1. Aufl. 1817.

三

古代ギリシャ全土にあまねく存在した『ポリス』の始源の時機は精確には判定し難い。併し、ポリス成立以前にギリシャには一定の社會的組織があり、そのものゝ崩壞の中よりポリスは多分發生したものであらう、といふことは稍々確實らしい。而して此のポリス以前の社會はホーマー(Homer)の詩において、Mycenae や Sparta の諸大王に依つて代表せられる所の Achaean と呼ばれる文明の時代に屬し、大略西曆紀元前一千年位の時代であり、その文明は北方よりのドリア人(Dorian)の侵擊に依る壓迫に依つて滅亡したものと考へられる。從つてポリスの始源はこの時機以後であらう、と推定されるのである。(1) 而して多數のポリス結成成立の原因竝にその態樣は同一ではなく夫々相違があつたが、其中最もその成立が顯著であり且又其の形態の傳說を最も良く且つ最も分明に保存したものがアテナイのポリスであつた。併し、これとても詳細の點に至つてはなほ不明の點が多々あるが、ギリシャ全土のポリスに關する後世の見解は、凡むねアテナイ・ポリスに關する知識よりの類推に基くことが多い。而してアテナイ・ポリスの成立當時に關して後世からみて最も信賴せられ能ふ見解は、その成立より後年に屬するアテナイの歷史家ツキシデス（Thucydides）の記述に基くものである、と言はれる。[2]

そこで、それは彼に依れば、次の如くである。アテナイの初代の王の時代から、テゼウス（Theseus）の統治に到るまでの間においては、アテナイは數個の市區（Commune）に分たれて居り、各市區は夫々政廳と役人とを有したといふ。全市民は重大事件に非らざる限り集合することなく、各市區は獨自的に夫々の業務を遂行し時として數個の市區が相合して意見を提出するのみであつた。併乍ら、テゼウスが王位に卽くと賢明にして且つ實力に富める彼は、アテナイの統治行政上諸種の改革を施した。例へば數個の政廳を癈してアテイカ（Attica）の全住民をアテナイの都市の中に統合統一して、唯一の政廳を樹立したといふ。尤もアテイカ全土の住民は依然昔乍らの土地に居住を繼續したが、彼等はアテナイを以て首府（Metropolis）として此處に歸屬せしめられ、アテナイの市民權を賦與せられたのである。これがアテナイの都市卽ちアテナイ市邦國家の生誕であつた、と記錄せられてゐるのである。なほ『ポリス』なる名稱はツキシデスが初めて之を使用したと言はれ、其の當初の意味は蓋し城壁を以て包圍せられざる村落（マウメー）と城壁に依つて他と遮斷せられる都市――狹義的な、嚴格な意義におけるポリス――との中間的結合狀態を指示するものであつたらしいが、[3] この中間的狀態が漸次發達して後代のポリスといはれる狀態に變遷し推移したものであつた。[4]

各ポリスはその生成の原由・過程並に形態等にはいづれも多少の相違が存したにもせよ、要するに其の各々は共通の利害と相互扶助或ひは共通の宗教的儀典とを以て一つになつた、例へばアテナイの場合に徴すれば、一朝有時、危機に際しては其援助をアテナイの高丘城砦たるアクロポリス（Acropolis）なる首都に求めんとして、少なる市區の自治やそれに關係する特殊的儀禮を棄てゝ結合して唯一の政廳を樹立したのであつて、其の場所がアテナイであつたのである。從つてポリスは市邦國家と言つても依然村落的部分をも含んでゐたのである。これは當初數世紀間のギリシャ人の主たる職業が他の多くの場合にも等しく農牧であり、商業や手工業の成立は紀元前七世紀頃以前においては見られなかつた、といふ當時の事情にも呼應して居る。アリストテレスの如きは既に其時代にはマケドニアの武力的勢威によつてギリシャ全土の政治的・國家的獨立すら脆くも弊え去らんとする狀態を經驗しつゝあつたにも拘らず、なほ彼はポリス的國家觀を堅持して居つたのであり、しかも彼は農牧を以て國家の而して國民の唯一の自然的收取・收入の方法として是認したのである。[5] これはひとり彼のみならずギリシャ古代の哲學者はポリスの自給自足を以て社會的・國家的生活の理想的狀態となし、廣く農牧を奬勵する傾向が特に濃厚であつたからして、其由來する所はこの民族、この國土と共に深きものがあつたと言はなければならない。

併乍ら、農耕地の漸次的窮乏と、人口の増加とは必然に食糧を國外に仰がねばならなくなり、加はるに商業や手工業の交易・生產品の増加は又海外、主として植民地との通商を隆昌ならしめ自給自足の狀態を維持することは困難となつた。從つて政治家や哲學者が理想となした所の自給自足的市邦國家なるものは、ギリシャの進歩的部分については既に過去の事蹟たらんとしたのである。(6)

次にポリスの內含せる住民の階級的構成の態樣を顧みるに、元來ポリスは其の範域が廣大ではなかつた丈けに各社會階級は親密なる相互交渉を持續し得たと一般に傳へられてゐる。即ちそこには出生、身分、地位、財產或は敎養等における個人的竝に社會的階級的特權は存在したであらうが、各人はアテナイ市民權を有するといふ立場においては、相互に平等にも等しき立場を持して親密なる個人關係を形成した。茲からしてポリスに對する個人の關係は、後代國家の夫れとは比較し得ざる程に極めて親密なるものがあつたことは容易に推定せられる。更に又、その點は殆んど質的にも相違するとも考へられ能ふものがあつたとも考へられる。

又人々も知る如く氣候の温暖・明朗なる關係上、人々の生活をしてよく戶外に親しませた。人々は廣場に出でゝ共に集り、共に談じ又共同の運動競技場において共に運動をなし、雨の日には彼等はギリシャの市に當時は遍く所在した柱廊（Colonnade）を共に散步しつゝ論談した、などとは多くの文獻の報ずる所である。まことにバーカー教授（Prof. E. Barker）が卽妙に評したるが如く、ポリスは廣場や競技場や柱廊に其の『頭腦の中心』（Brain-Centers）を有した譯である。[7] 人々は討議のために集會所に集合すると、旣に隨所において論議し盡して得たる意見を以て多くの事件を決定するといつた有樣であつた。斯くしてポリスは政治・統治の舞臺ではあつたが、一面また俱樂部にも等しい面影があつた。[8] ポリスは上述の樣に政治上自治であり社會的討論の自由は極めて廣く、各階級は近密なる關係において接觸したが故に、社會的並に政治的平等につける衆民政的理想が讃へられ言論の自由が廣く得られたのは自然の事象であつた。[9]

次に煩を厭はずアテナイ・ポリスの政治生活の一面を顧みれば次の如くである。卽ち、アテナイ・ポリスが衆民政治下に到つた頃には、市民は平等に市民集會所、卽ちアゴラ（Agora）と呼ばれる廣場に參集して、執政官（Archon）の選出を行ひ、或は戰爭並に媾和に關して討論、協議、並に決議をなした。[10] 更に又統治に關する諸多の討論、協議を行ひ、大小の立法的協議、或は又他のポリスに對する外交官派遣に關する決議の如き、純然たる行政的事務をも處理したのである。而して斯る直接衆民政の實施に當り、是れに伴ふ技術上の種々の不便不備を補塡する爲に委員制度が設置せられた。卽ちこの意義を荷ふ所の評議會（Boule）は事實上市民集會の委員會であり、市民團體に由つて毎年選擧せられる選任制であつた。この評議會は市民集合に備ふる可く萬般の案件を準備し、又特定の集會の順序（Agenda）を作成した。人口の多數なるポリスではこの評議會も廣大であつたので、このものゝ分會——慣行的には部落の評議員達——が副委員として諸種の下準備を施した。これはアテナイではPrytangと呼ばれ、他の多くのポリスにてはこれをアテナイの制度に倣つて設置した。而してこの分會は、市民集會が開會成立して最終の行事を取ると、市民集會の內に自ら解體する仕組であつた。

二

既に知らるゝが如く、古代ギリシャのポリスは其の範域において後代の國家の夫れの如く廣大ならず、唯都市とそれを圍繞する郊外の地方より成る狹き範域において成たち、しかも人々の國家觀念にありては住民と地域との關係は重要視せられず、その國家概念は人民の都市生活に即する總括概念であつたのである。然らば、そのポリスの住民の總數はおよそ幾千位であつたかを檢せんが爲に、試みに紀元前五世紀頃卽ち最も繁榮を呈した時代におけるアテナイ・ポリスの人口を徵すれば大略下記の如くであつた。もとより古代のこと故統計的資料や文獻は缺除乃至乏しきが故に、其の數量の概數に過ぎないことは斷るまでもあるまい。

卽ち

四三一年（BC）における

アテナイ・ポリスにおける人口總數　約三〇萬

内譯

一、十八歳以上の市民團體を構成する男子總數　約五萬

一、成年男子のメテイクの總數　約一萬五千

一、自由市民の總數　約二〇萬

一、奴隷總數　約八萬乃至一〇萬

この人口統計は W. L. Westermann; Greek Culture & Thought (in "Encyclopaedia of the Social Sciences" ed. by Edwin R. A. Seligman, Vol. I. 1930, P. 12.) に據る。

以上の中メテイク (Metic) とは無權被護民とも言ふ可き人々でアテナイ・ポリスにおいて元來アテナイ・ポリスに對して本源的に外來的血統の種族にして、このポリス内に特別に共同に居住することを認容せられて定着せるものを言ふ、從つて彼等は市民權を享有せず、唯居住による保護を受けてゐた人々である。メテイクにして例外的には市民たるの資格に昇格せしめられたものもあつたが、これは極めて稀有の例外に過ぎなかつた。彼等は市民により保護は受けたが官職に就くことは出來なかつたし、又不動産の所有も許可されなかつた。而して彼等は

幾人かの保證人を自由市民の間から得なければならなかつたらしい。併し彼等は一定の直接課税を納符する義務を帶びた。（男子は十二ドラッハマス—12 drachmas— 未婚婦は六ドラッハマス）以上の外の諸點では市民と平等の地位に立ち、軍務にも共同に服し、ポリスの宗教的議典にも參列した。唯ギリシャ人の間の古來の特殊的、種族的、親愛を示す行事や種族的儀式には關係し得なかつた。併し、その生活還境は別段に差別せられず、いはゞポリスの生活中に殆んど同化せられたる形であつた。而してアテナイのメテイックは他のギリシャのポリスにおける同類型の種族と同樣に、概して多くは熟練職工、小賣商人、或は行商人を其主たる職業となした。

以上は古代ギリシャの所謂ギリシャ的衆民政生活の圓熟せる時代を基調としてのアテイ・ナポリスの狀態であるが、これを歷史的に點檢する場合には、もとより其間に種々の遝庭があり、變遷があつたことは多言を要さない。アテナイ・ポリスが漸く其の形態においても、亦本質においてもギリシャ的衆民政と稱し能ふ段階に到着した時代にあつても、其社會的基調には自由人と奴隸との峻別は存し、亦階級的には貴族と庶民との差別が存した。併し、アテナイの奴隸階級は被征服民——スパルタの夫れの如く——であつたのではなく、貴族、庶民の兩階級間にも種族的、傳統的、區別があつた譯ではなく、且つその階級的差別も當代の他の事例に比較すれば緩和であつた。[12] 加ふるに前示の如く多數の外來の住民は次第に增加して、アテナイの社會的竝に經濟的生活に同化的に生活を營んでゐた。

併乍ら、政治的にはアテナイ・ポリスの制度は貴族と庶民との二者を單位となし、此兩者が共に市邦國家の市民團體を形成してゐたと觀られた。併し、ギリシャ的衆民政がやがて漸次に整備するに到ると、此兩者は政治的權限に關する範圍においては、兎も角も殆んど平等なる位置に立つに到つた。併し究極における政治的權威は少數の特權階級の掌中に掌握せられてゐたことは確實とみて差支へない。[13] 其事例を試示すれば、最高の政治機關は年々選任せられる九人の役人に依つて構成せられたのであり、これが後に執政官（Archon）と呼ばれたものである。次には既述の評議會であつて、これも要するに貴族階級の獨占する政治機關であつた。これは大略紀元前七世紀以前のアテナイ・ポリスの狀勢であつたが、一代の政治家ソロン（Solon, c. 638–558 B. C）の改革に依つて變革をみた。其改革に基く新制度の根本的特質は、政治的權力への關與の爲の根據として出生・身分の代りに財產を以て代替せしめたといふ點に存した。即ち政治的權力への貴族階級の獨占的特權は打破せられた譯である。但しなほ庶民はその財產に比例して政治上の勢力に關與し得るといふ制限は存したのである。更に點検すれば、社會は四階級に分別せられ、最高の地位即ち執政官の如きは唯第一階級に依つて壟斷せられ、其他の總ての官職は上級の三つの階級に依つて占據せられ、第四階級は何等の官職に就けなかつた。第四階級とは即ち無所有地者の階級である。此等凡ての社會階級の標準は結局收入即ち私有財產の多寡に基いたと言はれる。古代のこと故、私有財產の多寡に基くといふことは要するに一般的には貴族階級をして、社會的に且又政治的に有力ならしめたといふことに歸したのである。事態かくの如くであるからして、古代ギリシヤのポリス政治における衆民政などは思ひも到らない、といふ反批判的見解もあるが、[14]それは時代即ち文化的啓蒙の歷史的階梯を顧慮しない觀方である。しかし斯樣な時代を無視した見解は學者の間にも稀有ではない。ソロンの改革に基く此種のギリシヤ的衆民政治は其後ピイジイストライス（Pisistratus）及其子等に依る暴君的專制的僭主政治によつて一時（即ち西曆紀元前五六〇年より五一〇年頃迄の間）阻害せられたがソロンの設けし制度の政治形態は依然繼續した。而して後代クライステネス（Kleisthenes）に依りこの狀態は再び改新せられた、彼は僭主政治を打倒せんが爲に大衆に政權を與へることに依つて民衆に接近したが、彼の改革の主要點は左記のやうな諸點に求められる。即ち全市民を四つの部族の代りに十部族に分け、一層多數の人々を政權に參與せしめんが爲にこれが混淆を試みた。次に長老會を四百名の代りに各部族から五十人づゝ五百人を以て組織する五百人會を作つた。更に彼は土地を若干の區（Demoi）より成る三十の部分に分つといふ區制を作つた。この點は深く意を用ひられたもの丶如く、區制三十部分中十は市の附近、十は海岸地方、十は奥地から取つて三種に分け、三つを抽籤して各部族となした。これは各部族が各地方の凡てに加はるが爲であつた。而して各區の住民を凡て區民（Demotes）と定めた。これは新市民を識別するのに爾來父祖の名によらず、區別によつて公稱せんが爲であつた。爾來アテナイ人は自分達を區の名に依つて呼ぶことになつた。[15] かように彼の改革は血縁的、身分的、階級的特權を打破して大衆を目標とした所に特色があり進歩があつた。従つてこれらの改革によつて制度（Politeia）はソロンの夫よりも更に衆民政的となつた。[16]

このアテナイ・ポリスのギリシャ的衆民政は更に後代ペリクレス（Pericles, ca. 490-429 B. C）に至り、更に憲法をして彌々衆民政的ならしむるに到つた。ペリクレスに依る衆民政治の中心を成すものは市民會議（ekklesia）であり、これが最高政が機關であつた。その權限、職能は立法よりも寧ろ執行を第一義的となした。民事に關する個々の行政はソロン時代の制度より繼續しきたれる四百人の元老院の手に實際上歸してゐた。この團體は市民會議により抽籤で選出せられた。軍事と外交的事項に關しては、部族と呼ばれし十の行政區の人民に依つて選擧せられたる將軍、卽ち十名の委員に依つて掌理せられた。後者はアテナイ衆民政下にあつて、抽籤に依らずして選擧に依つて選出せられたる唯一の重要なる機關であつた。次に、裁判權の執行は政治や行政の統制からは寧ろ現代以上に解放せられてゐたとも觀られる。それはデイカステリイス（dikasteries）と呼ばれる民衆的なる裁判を以て行はれた。即ち、市民會議の中から抽籤を以て定められたる五千人の市民を十部門の陪審官に區分して、一切の重要なる裁判事項を管掌せしめたのである。而して、各陪審官は俸給を與へられたが、この點については『陪審官の品質を墮落せしむる惡例を殘すものだと非難する』向きもあつた。(17) ともかくも市民會議が實際上執政官や元老院の一切の政治機能を行つたからして、是等の古來からの諸機關の諸種の行政的權能は五百人元老會に移り、司法上の權威は民衆裁判に歸した。而して、執政官は今や市民會議において抽籤を以て選出せられて、民衆裁判の單なる司宰者たるに外ならなかつた。

上來顧みし如くアテナイ・ポリスの政治體制は其究極の形態においては、各市民にあらゆる種類の政治的權威の關與について共通の機會を與へんとしたものであつた。この故にアテナイ市民權を享有する者に關する限りは衆民政は完備したと考へられ能ふのである。(18)

併し茲に述べし如く、それは一定の制約の下に立てるギリシャ的衆民政治であつて、總人口のうちには數多の無權被護民や奴隸及び外來民住民があつたのであり、夫等に關しては毫も現時の衆民政の概念を以て事態を表象するに足るものは、何ものもなかつたことは特に多言を要さないであらう。又婦人には政治上の公權行使は許容せられてゐなかつたことも附言するまでもあるまい。これらを以てギリシャ的衆民政を抹殺し或は否認する譯にはゆかない。古典的ギリシャ時代にあつては奴隷や外來民住民等は政治的分野においては單位的存在として毫も認められてなかつたことは、寧ろいはゞ何らの奇異の感をも與へないであらう。一度人は古代における、ギリシャ以外の諸邦、諸種族、別して古代東方諸地方に觀られし諸々の政治的　社會的、國家的、體制とギリシャの市邦國家の夫れとを對比して考察すれば、前者の世界には總じて濃度高度なる專制政治以外の範疇において考へ能ふ政治體制は、何處においても發見し得なかつたことを思ひ合すれば、自ら事態は明瞭となるであらう。

　われわれは以上主としてアテナイ・ポリスに關して說述してきたが、それは其のポリスがギリシャ・ポリスの典啓的なるものであり、加ふるに其の事蹟が後世にまで最も顯著であるからである。紀元前第五世紀及第四世紀頃のギリシャ全土には數百の小規模の市邦國家が併存して居り、其内の多數は衆民政的政體を有してゐた。其内の君主政を採つてゐた政體の下でも、君主の權限は選擧民や市民會議の立法權に依つて制限せられた。而して如何なる政體の下においてもギリシャ市民たるについてのこの種族の種族的特權は繼續して認容せられた。市民權は市民權を有する兩親よりの出生を要件とすることを原則とし、その外においても時としては父系の親の側のみより、市民權を享有することもないではなかつた。斯くの如く出生に基く血緣的特權を何等有せざる者にして、市民權を賦與せらるゝことは特別なる場合であつて、唯市民團體の投票決議に依つてのみ決定した。尤も特別必要なる有事の際には市民權を或る特定の種族の團體に擴張することもあつたが、それは極めて稀有の場合に限定せられてゐた。近世の衆民政の觀念から觀れば市民並に市民權の概念に關して大いなる逕庭が存するであらうが、人は玆においても紀元前の古典的時代といふ歷史的、文化的、社會情勢を條件として論議す可きことは又事更に斷るまでもないであらう。

古代ギリシャ人は既に明らかなる如く早くも特色ある進步せる政治生活の經驗を有した。ギリシャ文化がその濫觴より他の文化系統と著しい對蹠的個性を有し、その他よりの相違の一目瞭然たりしが如く、其の文化を發生したる彼等の生活環境も亦特色があつたことは人々の廣く知れるが如くである。このことは往時數百も併存せし彼等の市邦國家は、共通性、類似性こそ缺がなかつたにもせよ、なほ夫々特殊的個性を呈し、幾分の相違を備へ又おもひ〳〵の地方的色彩をも帶びてゐた點。[19] にも現はされてゐる。其の最も顯著なる比較對象として普通、アテナイとスハルタの兩市邦國家が擧げられる。それには夫々の住民の性情や種類、住民の生得的感情、その諸々の社會的、政治的經濟的要件も、さること乍ら、なほその地理的條件も重視せらる可きであらう。ギリシャ全土を貫通する幾條かの山脈は政治的關係におけるギリシャ人の地方的分裂をも強固にした。斷崖に依つて鎖され唯荷馬車道のみ通じたる各山脈地方はそれ丈けでも別個の世界を形成した。(20) しかも各地方は一般に城壁を以て隔てられ、言語上にも幾分かは地方語の區別も存し、又風俗習慣においても隣者と區別せられて居たので、彼等は各自夫々特殊の獨自的なる社會的、政治的生活形態を形成することを寧ろ正當とさへ信じたかの傾きがあつた。かくて多數の市邦國家の結合より成る都市以上の廣汎なる地域を以て單位と成せる政治社會の如きは當時の彼等には考へられず又歡迎もせられなかつた。先きにも一言したが、古代ギリシャの市邦國家の始源については其歷史的年代を轄すことは出來難いと言はれるが、これは又延ひて古代ギリシャの市邦國家の間において展開せられしギリシャ人の政治的生活、乃至政治的活動の最高頂時の何時たるか、の決定をも困難ならしめるが、いづれにしても彼等は社會的市邦國家的生活形態においてローマの盛時の如く帝國(imperium)の形態を採らず、精々聯邦的形態として出現し、その組織中にあつて各都市の政治的位置は甚だ鞏固なるものがあつた。これは當代の社會觀・國家觀の特に顯著なる特徵であつた。此點が諸々の要因中政治學の生成發達に無類の寄與を致したと廣く言はれるのである。卽ち斯學の如き科學の生起發展の爲には單一的なる政治社會體系の存在よりも古典時代のギリシャの如く各ポリスが、各自獨立を維持して相對立したる狀態の方が、却つて批判的・合理的究理心の豐かなりしギリシャ人の間に眞に科學的思惟に基ける政治學說が構築せらるゝには望ましき條件でさへあつたと評せられるのである。加ふるに彼等は實に歷史の橫斷においても比較考證する爲の資料として多種類型の政治社會の形態を有した譯である。玆にも政治的活動乃至政治生活の實際的發達促進の爲の有力なる原由があり、これは又政治學理論の進步發達にも擧つて力のありし事は改めて數へ立てるにも當らない。これらのことに關聯して、シジイウイック（Henry Sidgwick）が社會の概念が近世の如く發達せざりし古代において、ギリシヤにあつては都市と國家との精微なる區別を現はす語の發達せること竝に其用語の豊富なりしことを恰も歎賞せる態度を以て述べて居るが、[21]古代ギリシヤ人が謂はるゝが如く近世人をも驚歎さす程の複雜なる概念構成や概念分析に練達であり、豊富なる語彙を使驅したことに就いての禮讃は別として、都市と國家との概念の區別といふ點に關しては必らずしも此の論者の賞讃は其儘にはうけ容れ難いものがあると考へられる。而して却つて其處にこそ、われわれの止目したいと思ふ問題が橫つて居るのである。

〔註〕

（1）W. W. Fowler, The City-State of the Greeks & Romans, 14. ed. 1926, p. 47

（2）G. Busolt, Griechische Geschichte, Bd. III. Teil 2, SS. 621 ff.

（3）B. Jowett, Thucydides, Vol. I. p. 104

（4）Kuhn, Entstehung der Städt der Alten, S. 43

（5）Aristoteles, Politica, VI. 4. 1319, a 4-61.; E. Barker, Greek Political Theory, Plato & His Predecessors, 2. ed. 1925, p. 18.

（6）W. L. Westermann, Greek Culture & Thought, in "Encyclopaedia of the Social Sciences" ed by E. R. A. Seligman, Vol. I, 1930, p. 17.

（7）F. Barker, op cit, p. 19

（8）E. Barker, op cit, pp. 19–20

（9）Zimmern, Greek Commonwealth, 4. ed. pp. 57-61.

（10）F. Geyer, Griechische Staatstheorien, Platon u. Aristoteles, 1926, S. 9.

（11）W. L. Westerman, op cit, p. 12.

（12）ギリシヤ文化繁榮隆昌の一原由として奴隷の所在は看過し難い。ギリシヤ人は肉體的勞働・苦役を奴隷の勤務に依つて充足し、精神と時間との餘裕・餘暇のうちに其の壯麗偉大なる文化創造をなし得たとさへ言はれて居る。併乍らこの奴隷制度の存在の社會的事實を以て一概にギリシヤ文化の劣性・低調を難叱することの早計たるは言ふを俟たない。人はその時代の歴史的階梯を考慮しなければならない。

（13）W. A. Dunning, A History of Political Theories, Ancient & Mediaeval, 1923, pp. 12 ff. Grote, History of Greece, Pt. II. Ch. XI.

（14）F. Engels, Der Ursprung der Familie, des Privateigentums u. des Staates, 2. Aufl. 1922, SS. 107-108.

（15）アリストテレス『アテナイ人の國家』第二十章及第二十一章（原隨園氏邦譯、岩波文庫昭和三年四五頁―四七頁）參照

（16）アリストテレス、前掲、第二十二章（前掲邦譯四七頁）參照

（17）アリストテレス、前掲、第二十七章（前掲邦譯五四頁―五五頁）參照

(18) W. A. Dunning, op cit, pp. 14-16.
(19) Zimmern, op cit, p. 219.
(20) F. Geyer, op cit, S. 8.
(21) H. Sidgwick, The Development of European Polity, 1904, pp. 134-135.

四

そこで古代ギリシャ人に取つて國家は如何に觀念せられたか、といふことが問題なのである。旣述の所からして明瞭であらう如く、彼等においては國家と社會とは自同視せられてゐたのである。それにしても古代ギリシャ時代においては、土地と國家、いひ換れば國家につき住民と土地との關係が何等の顧みるに足る程の意義を帶びてゐなかつたといふ點からしてもかの『ポリス』の概念が後代の國家概念とは距離の存したことの一端が判明する。これは事態そのものとしては相當なる差異ある事項に屬するとしても、『ポリス』の後代國家に對する特殊性の解明の上から觀れば、他により以上の重要なる特性が存在したのであつて、そのためには人は『ポリス』の謂はば內面的性質を顧慮しなければならないであらう。

そこで轉じて、內面的にみれば『ポリス』は一種の倫理的社會であつたともいひ得る。さればこそ、政治學は斯くの如き社會に關する學としてギリシャ人の手にあつては、特殊な且又著しく倫理的なる學として成立つたのである。アリストテレスに對しては『憲法は國家である』とは廣く知られてゐる所であるが、謂ふ所の憲法は單なる法學的構造をもつものたるのみならず、それは道德的精神とさへ觀られた。而してこれが其の內的精粹であり又生ける本義であつた。寔に人々の普く知れる如く、政治學はプラトンやアリストテレスに取つては全社會の倫理であり且つあらねばならず、從つて政治學は人間の全社會生活における最高善の實現達成に關する學であつたのである。アリストテレスはその師プラトンのイデア論が現實の世界から隔離し過ぎた點を補正せんとするかの如くであつたが、その國家觀においては毫も師の根本觀念より離るゝことなく、なほよくこれを傳承してゐる。實に彼に取つても政治學は、人々の共同的行爲に依つてのみ實現せられ能ふ所の、社會的善を追求する全體的・道德的社會につける學として正しく至高の倫理學であつた。人は屢々彼において又彼に依つて、政治學は倫理學から分別せられて一つの獨立科學となつた、と說明することがあるが、それは明瞭に謬見であり、彼の倫理學は政治學の一部であつた。只彼は個人における靜的な心理學的條件としての道德と、社會における人間の動的なる力としての道德とを區別したに過ぎなかつたのである。(1) これらは凡て識者のあまねく知悉せる事理であり、古來數多の文獻論述が既に論議し盡したことでもあるから今更事新しく取上ぐるまでもない所である。それにも不拘、われわれがこれらを問題となしたのは政治學がその搖籃の時期に觀念論者たりしギリシャ正統哲學者の手に、取扱はれて課題とせられたといふ關係からのみ當時斯學と倫理學との不可分的聯關が成立したのではなく、斯かる兩者の關係の據つて以て生起するには、かの時代に其處にはそのための實在的基礎が具備してゐた、といふ點も亦ひとしく顧慮せらる可きである、と思ふからである。

ギリシャの諸々の市邦國家、とり別けアテナイ・ポリスにあつては、市民たるには種々の傳統的・特權的制約があり、奴隷階層は言ふまでもなく市民權を享有せざる數多の居住民が存在してはゐたにもせよ、公的社會生活は全市民相互に依つて衆民政的理念を生かすものゝ如き、自由なる活氣あるものとして營まれてゐたことであつた。洵に彼等は政治を明朗に樂しみ享受せるものであつた。そこには市民權を與へられず、從つて公的政治生活に關與しなかつた諸々の居住民もおしなべて言へば、かのポリスといふ特殊的國家生活の中において公民たる市民達と融合して、ポリスに傳來的なる社會規範の下に市民と等しく諧調的に服し、こゝにポリス全成員は恰も有機的全體を形成しつゝ濶達なる社會生活を營んだのである。しかも古代ギリシャの市邦國家はいづれも小規模であり、其の人口もアリストテレスの如きはその過多に亙らざることを以て國家の理想的條件とさへなしたが、(2) 實際においてもそれは僅少であつたからして住民の公的竝に私的生活は親交を持し得た。加ふるに諸々の市邦國家は或は競技において或は文化的優越性において或は又政治的・社會的實力竝に聲望において、相互に競合したが故に各ポリスの全住民の間には絶えず集團的竝に文化的統一の觀念が強く生きて働いてゐたのである。これらの諸々の要因は全住民をして其の所屬するポリスに對する愛着や恭順や忠誠を篤くし、國家のために活動し、奉仕することによつて初めて各自の生存は意義を有するといふ信念を與へたのである。この意味で國家こそは彼等にとつて自足的・完了的存在者であつた。國家は全體の市民住民をその內面に包攝して存在し、活動し、而して發達しつゝある所の全體である、との國家觀は古代ギリシャ人に對して不拔不動の力強い觀念であつた譯である。そこで若し斯る類の國家觀を全體主義國家觀といふとすれば、それは確かにその典啓的なる類型の一つとして其の呼稱竝に其の概念に適正するものと言ひ得ないことはないであらう。併乍ら、それは現時唱へられてゐる所の全體主義國家觀とは全く範疇を異にするものである。今日一般に全體主義國家觀と稱せられる國家觀は極めて特殊的な概念的構造をもつて定立せられるものであるからして、古代ギリシャの市邦國家における彼等の特殊なる國家觀を全體主義國家觀の類型において理會し、取扱ふといふことは必らずしも當を得たるものとは考へられない。

聊々、全體とはそれだけでは非規定的な概念であり、即ちそれは部分に對する相對的なる概念である。故にこれを觀るもの、觀られるもの〻關係からして、一つの立場からは全體たるものも他の立場からすれば部分たることもあるのであり、かくして全體は恒に多數存在する譯である。而して全體は宇宙に存在するもの〻總體を網羅し盡し得るといふ意味に用ひられることは出來ないからして、全體は多數存在すると言はなければならない。併し、現時唱道せられてゐる所の全體主義國家觀の表象する全體は人も知る如く斯樣な形式的な又抽象的な論理的な意味をになふ概念表象ではなく、それは極めて具體的な特殊的なしかも亦政治的なる概念表象なのである。そこにては恒に民族・國民とか國家とかの現實的實存が意味せられるのである。いひ換れば、それは全體的存在としての特定の民族・國民或は國家の存在理論に外ならない。即ち特定の民族・國民に關してそれを實質的內容的なるものと觀てこの民族・國民の內容性・實在性の容器として國家を觀ようとしたり、[3]（ナチスの如し）或は又斯る民族・國民に具體的實在性を賦與し、又形態を供與するものが國家である。[4]（フアッシズムの如し）と觀ようとしたりする特定の理說なのである。更に現實的には現時の全體主義國家觀の主張は其の特殊の民族・國民或は國家を著しい特殊性の立場に立つて、全體の特殊的存在價値と優越性とを構成しようとして、全體主義を特殊的に極度化しようと努めるのである。茲では一般性、普遍性は斥けられて特殊性、相對性が著しく前景に持出される。斯樣な所に現時の全體主義國家觀の特質があり、從つてそれはこの故に一種の反動的理説たるの性格を具有するのである。

尤も現時の全體主義國家觀が語られる場合それは決して單に上述の如き民族・國民或は國家のみが其の規定的契機ではないことは明らかである。その爲の恐らくは究極的なる要因は獨占資本主義組織、就中その後進資本主義の地盤における該組織の漸次的崩壞・推移過程並にその作用に對する再統合の志向及びそのための强權的實踐的努力において、これが求められるであらうと思ふ。而して謂ふ所の再統合の要請せらる可き分野として更にその外に諸々の文化財の關與せる部門が包含せられることも論を俟たない。併乍ら、是等の著しい諸々の要因もナショナリズムに纏はれる深く廣き諸分野との關聯なしには、問題の對象とはなつてゐないといふことは、飽くまでも現時の全體主義國家觀の有する一つの特質であると言ひ得よう。從つてこゝでは文化を文化の問題として考へようとする考へ方は止揚せられ、文化の社會的・政治的關心が高められるのみならず、後者の意味を伴はずしては文化はその妥當領域をさへ與へられないのである。そこでは政治、法律、經濟等は言ふまでもなく、哲學も科學も藝術も道德も倫理も宗教も信仰等々も凡て社會或は國家における問題として、社會的・國家的・政治的決斷と結付けてのみ考へ、且つ對置しようとする志向が基本的な、從つて典啓的なる形態において現はされるのである。玆では文化の危機が文化の危機としてではなく、特殊的なる社會的政治的イデオロギーの、而して又そのもとに立つ國家・社會の危機として更に又、そのものに統合せられし民族・國民の夫れとして考へられ、そこに社會的・政治的決斷に伴ふ所の强權的統合が要請せられるのである。

ところで、斯樣な構造をもつ近時全體主義國家觀と古代ギリシャ人の國家觀とを再び對比するとすれば、後者につける最も代表的國家觀はプラトンやアリストテレスの夫れであつたことは疑ひなきを得よう。

さて、古代ギリシャ人が堅持した特殊な市邦國家觀は一種の包括的社會觀の上に立つものであつたといふこと、而して其の最も輝しき典啓的なるものとしてのプラトン及びアリストテレスの、就中前者の國家觀は全幅的意義において文化の觀念を現はしてゐたといふことは既に先示の如くである。併し、これに對して玆にいさゝか檢討せし所で明らかなるであらう如く全體主義國家觀の類型が擬せられることは失當である。プラトンやアリストテレスの如きは當時においてすら、其樣な國家理念に對しては蓋し不滿であり、科學や哲學や倫理等を國家の下屬物としては考へなかつたのである。(6) 彼等に取つて其の樣な意味において、國家は家族はじめ諸々の社會、科學や哲學や藝術や宗教等々の各々の、すべてをこめての全體の別名ではなかつたのである。彼等に取つては、別してプラトンに取つての文化國家觀の意味する所はクルト・ステルンベルグ博士が要約して語れるが如く「科學的・道德的及び藝術的文化の觀念に外ならなかつた。形式上から觀ればプラトンの國家は、その構成の動す可からざる論理が示すが如く、科學的思惟の一所産であり、力強き審美的な卽ちこの國家を藝術的な、それにも不拘透徹せる組織を以て正しく一つの藝術品に作上げるやうな——包裝が示すが如き藝術感情の一所産である。內容から觀れば、科學的要素は、科學的敎養の上に甚だ大なる價値が置かれ、而して科學的敎養ある者に支配が委ねられるといふ所に現はれて居り、道德的要素は、科學的敎養が同時に道德的敎養とみられ、而して科學的敎養ある者をして同時に道德的敎養ある者として支配權力が信任せられるといふ所に、現はれる。藝術的要素は、道德的敎育への關與が正しく藝術について關係があり、而して一般に個人竝に國家の倫理が凡ての部分の諧調的な、それ故に藝術的な協働の中に定められる、といふ所に現はれる。斯樣にプラトンの國家は徹底的に文化國家である。』(7)

かくの如く、プラトンの國家觀の根基をなすものは科學的・倫理的・藝術的文化觀念であつた。これはギリシャ思汐の一源流たる主知主義、合理主義と符合するものであり、認識の客觀性が基調を形成してゐたのである。これを現時の所謂全體主義國家觀の基調たる反主知主義、非合理主義と對比すれば、兩者の漫然たる類同を論ずることの甚だしき無稽たるは極めて明瞭である。ギリシャの古典的正統哲學者達にも現時のナショナリストにも劣らざる程の民族的・種族的な自負や矜恃は高く、ギリシャ文化の卓越性への確信や愛着はいかにも激しく、それらは殆んど絕對的な熱情ある確信でさへあつた。併し、それは現時の全體主義國家觀の下におけるが如きナショナリズム的基調に立つ所の單に主觀的な人爲的ミトス的な且つ政治的な類のものではなかつた。斯樣な類のものをこそ、彼等はソォフィスト的啓蒙・文化として嫌惡し憎惡し且つ排斥したのである。

次に人は往々是等ギリシャ正統哲學者の國家論を以て空想的・理念的乃至理想主義的・觀念的國家觀であつたとなすことがあるが、このことは先づ肯定的に認めなければならない所であるとしても、彼等の國家觀や政治學理說は當代の國家生活や社會的・政治的生活の現實の態樣に對しては無緣なるもの或はこれを全然無視したるものであつたなどと考へてはならないであらう。[8]プラトンが勉めて政治の現實に關與す可く努力したことは著名である如く、アリストテレスに至つてはその國家乃至政治學理說は勉めて科學的・實證的たることを期したことは普く人々の認めて居る如くである。旣述の如く彼等が生活した國家は屢說せる如くその機構の凡てにおいて小規模あり、國家全成員の公的・私的生活は政治的・經濟的には言ふまでもなく諸々の社會的な意味における生活面においても極めて緊密であり、從つて其の層面の諸生活の現實は甚だ濃厚に身近く反映せしめられる狀態であつた點なども看過せられてはならない。しかもギリシャ文化の正統的源流を身を以て代表し擁護し高揚するといふことを最も矜恃高く自覺せる彼等の立場はよしんば全幅的には肯定し得ないものがあるにもせよ、當代の思汐、志向、傾向などと全然或は極めて緣りなしなどと考へることとそのことが寧ろ清算せらる可きものを内含してゐる、と言ふ可きであらう。要するに當代の國家生活は社會生活と區別せられることがなく、從つて國家そのものは社會と根源的に合體せるものであつた。故に社會的倫理はとりもなほさず國家的倫理であつたのである。プラトンやアリストテレスの政治學が倫理學と合體せるものであつたことの如きは、從つてもとより事理の自然なる樣相であつた。彼等に對して特にアリストテレスに對しては、個人的世界に卽して倫理を研究對象とするものが倫理學であり、これに對して社會的世界に卽して倫理を研究對象とするものが政治學であつた、と解說せらるゝこともあるが、今はその點は問題としないであらう。

上來古代ギリシャにおける、その市邦國家の機構及びその内に展開せられる政治的國家生活の體樣につき、竝に當代を代表する古典的正統哲學者の國家觀竝に政治學理說につき簡單なる概說を試みたことであつた。而して其の場合に生活の面にも思想學說の上にも常に「國家」が力強く全面的にも表現せられてきたことをも顧慮したのである。既に斯くも古代より「國家」が政治學の名において前景に持ち出だされて居るといふことが、後世の而して現時にも及ぶ所の政治學の淵叢となつたことであらう。これは大方の人々の疑ふ所なきものゝ如くして、政治學は古來國家に纏はれる科學として考へられ、政治なる現象の妥當領域として國家が恒に單に不可缺的な必須的なる意義を帶びるのみに留らず、恰もそれは獨占的特殊的意義においてすら理會せられる、といふ傳統的なる通念が樹立せられたことであつた。人は政治の國家との關聯の深く廣きことを認めなければならず、且つ政治が國家において或は最も精確なる語の意義において、最も典啓的なる仕方において顯現するとさへ理會しなければならないであらう。併乍ら、人は政治の國家との關聯の意義をこれ以上進めて、獨占的特殊的として理會し、解說し、主張することは、政治なる現象の意義を歪曲するものであると思ふ。われわれはこの問題を本稿の主たる課題たらしめないことは冒頭に說述した。玆で卽ち本稿で問題たる點は旣說の如く國家と政治との關聯につける所謂通說が、若し夫れ自說を以て政治學の始源よりの傳統的解義である、としも主張することがあるとすれば、それは斯學の生成發達の歷史的考證上から觀ても妥當ならずとなしたいのである。いかにも古典的ギリシャ時代、政治學の濫觴を轄したる時代からして、われわれの觀たるが如く「國家」は全面的に前景に顯現してはゐた。併し謂ふ所の「國家」が後世の、特に近世國家とはその社會的・集團的性格において、その全體社會內における社會的地位において、はた又そのうちにおける人々の社會的・國家的生活の諸々のいとなみや、其の他の種々なる點の凡てにおいて、著しく異るものであつたといふことは上來の考察からしていさゝか判別するを得ることゝ思ふ。若し夫れ然りとすれば、政治の國家との獨占的・特殊的關聯の定説の如きは或は修正を施さる可きか、或は何等かなる條件を前提して措定せられなければならないのである。

〔註〕

（1） E. Barker, Greek Political Theory, plato & His Predecessors, 2. ed. 1925, pp. 5-6.

（2） Aristoteles, Politica, VII. 4. 1326 b (Aristotle's Politics, tr. by B. Jowdtt, 1923, pp. 267-268.)

（3） A. Hitler, Mein Kampf, SS. 432 ff.
G. Branca, Der Staatsgedanke des Dritten Reichs, 2. Aufl. 1934, SS. 181 ff.

（4） B. Mussolini, Fascismus, S. 7.

（5） 拙稿「全體主義國家觀の二型相」（公法雜誌第四卷第一號昭和十三年一月）參照

（6） L. T. Hobhouse, The Metaphysical Theory of the State, rep. 1921, p. 73.

（7） K. Sternberg, Die politische Theorien in ihrer geschichtlichen Entwicklung vom Altertum bis Gegenwart, 1922, SS. 22-23.

（8） 例へば、この場合にもアリストテレスは兎も角も別として、プラトンに就ても單にその「國家論」（理想國家論）篇のみが顧慮せらる可きではなく、「法律篇」は言ふまでもなく"Theatetus", "Sophist" "Philebus" "Protagoras" "Gorgias" 等々の諸篇も注目せらる可きである。

五

われわれは本課題の設立の線に副ふて最も源泉的分野に先づ着目して、古代ギリシャ人の國家觀やその市邦國家の構造について考究しきたつたのである。從つてこの究明の目標を更により良く達成せしめんが爲には進んでギリシャ時代に隨ふ次々の世代に關聯して、なほ同趣の考究を繼續しなければならない。併乍ら、今はそれを追求し繼續するの餘裕を持合せてゐないし、加ふるにまた後述するであらうような事由にも基き本稿の課題に卽し、且つ前段の考察の意圖に準據して、次代の樣相につき謂はゞ一つの素描、卽ちプログラム的なる一つの『スキッツェ』(Skizze)として、そこばくの考察を續けようと思ふ。

そこで古典的ギリシャ時代を去つてローマ時代、中世紀時代に想ひを致すならば、形式的に或は外觀的には當代の政治學乃至政治學理說の構造は前代とは著しく相違を呈したことが觀取せられる。しかも亦中世紀を通覽して其の國家の現實的構造形態も、社會內における國家の地位並にそれに纒つて生起せる諸々の社會的・國家的事情、等々はまた前代とは甚だしく異り、極めて特殊的樣相を呈した。中世紀における國家的事情は斯くの如くであり、從つて當世代の國家觀に至つても亦前代と趣きを異にせる特殊的構造を有するものであつたことは多くの學說の敎ふる所である。而してこの世代における政治學乃至政治學理説のありかたにおいても、國家との聯關はもとより絶無ではないが、それは深き意義を荷ふことなく、寧ろそれはより深くより濃く宗教的分野に關聯して形成せられ、展開せられたといふ所に當世代の政治學理説の著しい特質があつた。かの卓越せる中世紀歴史學者トゥレエルチ（E. Troeltsch）に依れば、中世紀には古代の如き、はた又近世の如き、國家概念は存在しなかつたと明瞭に述べられた。[1] 而してこれらはひとりトゥレエルチに限らず多くの學者のひとしく論述する所でさへある。われわれは今はこの種の問題を論證しないが、聊々この種の中世紀政治學理説や中世紀國家論の指示する意義は極めて明瞭である。これを本稿主題に即して言へば中世紀にあつては、政治は國家に特殊的なる仕方においてのみならず、極言すれば寧ろこゝでは一般的に觀ても必須的關聯性をもたなかつた、とさへ言ひ能ふであらうといふことである。わたくしは本稿においてこの點の事情を更に解明しつゝ論證したいと思ふのであるが、これは他の場合に比較すれば幾らかは人々に知悉せられたることでもあり、又わたくしも他にいさゝか説述するの機會を與へられたことでもあるので、[2] 玆には改めて敍述することを差控へようと思ふ。玆には、中世紀を通じて、政治と國家との關係は政治學における通説の所謂定説を積極的に裏付けるものはないといふことを繰返してをかうとするのみである。バーカー敎授が中世紀の政治學理説の特徵を說きつゝ力強く論斷したるが如く、中世紀政治學理説を通じて其處には何等見る可き國家論とてもなかつた、其處に人々の持ち能ふものは只君主論のみであつた、といふ評説はこの意味において深く味識さる可き意義あるものを内含してゐる。[3]

政治が眞に政治としての、ともかくも獨自的な自由なる立場を占據し能ふに至つたのは、ニコロ・マキアベリ（Niccolo Machiavelli 1469–1527）以後であると言はれる。[4] このことはさまざまなる意義を内含して居り、從つてこの種の段階規定的な見解を肯定するが爲には幾干かの條件が前提せられなければならないであらうが、尠く共彼において眞正の近世的意義における政治學理論が成立したとは廣く一般に理會せられ、論證せられる所である。併し、彼を通じての政治學理論、從つて政治學それ自體の構成の爲の寄與、貢獻は寔に轄期的であり深甚であつたことは疑なき所であるとしても、なほ政治が眞に政治としての獨自性を得て成りたたしめられる運びに至るの地盤と諸々の條件とを確實にせられたのは第十六・十七世紀のレフォルマチォンに依つてであつたと考へられる。[5] このことの意義する所を端的に表明すれば、それは近世國家の成立といふ事實と符合するものであつたといふことである。卽ち、第十五・十六世紀以降擡頭せる民族主義の發達と、ルネッサンスに依つて育成せられた所の新しき智的文化的な精神志向とは益々接近し、これらの新たなる世界觀は合併して中世紀的傳統を打破し得て始めて近世國家生成の基礎が据へられたのである。併し、われわれが更に想を致さねばならないのは近世國家が眞に[illegible]く近世國家たるの特性を獲得し得たのは更に後代のレフォルマチォンを巡ぐる鬪爭の經過後であつた、といふ點である。斯る意味においてレフォルマチォンはルネッサンスの眞の精華であつたとも言はれ、レフォルマチォンの究極的偉業の一つとして近世國家の確立が語られるのである。[6)] 今こゝにこのことの表象する所に着目して考ふるに政治が通常言はるゝ如く、國家とのいみじき聯關を有し、その聯關を得てはじめて成り立つといふ所謂定說の如きは寧ろこの時機において、卽ちそこで率直にいひ換れば、漸くこの時機において始めて、其事の始源を轄したと考ふ可きではないか、とさへ言はざるを得ない、といふことである。而して其の時期は漸く第十六乃至第十七世紀に屬したのである。政治と國家との必須的・獨占的關聯といふ見解、而して茲では、そのことの政治學の始源的時代よりの傳統といふ見解を、われわれが無條件に採上げ得ないとなす所以の一端は茲からも判明するであらう。

　茲において誤解なきを期す可く言及したいのは、われわれは政治乃至政治現象に關する理說が政治學理說として成りたち、確立し得たことが斯くも近世以降であつたなどと強調しようといふ意圖ではない、といふことである。或ひはある特定の觀點からすれば斯る見解も亦充分に成立し能ふであらう。試みに、古典的ギリシヤ時代のことは暫く措いて、敎父哲學、スコラ哲學の歩みに伴つて政治學理說の發展過程、即ち中世紀哲學の第一期たる第二世紀から近世の黎明の到來をみるまでの時期を回顧すれば、政治學理說の、從つて政治學そのものゝ嚴格なる語の意味においての眞に自由なる、獨自的なる成立が確證せられ能ふのは漸く近世においてであつたといふ見解こそ或ひは最も支持せられなければならないかも分らない。なんとなれば爾前にあつては、諸種の形面上學的理念就中宗敎的理念が政治的乃至政治學的理念の內に根深く織込まれてゐたが故に、概括的に言へば政治的乃至政治學的理說の討議は同時に形面上學的、就中宗敎的理念との妥當に關しての究明を伴ふことなくしては、存立し得なかつた觀すら呈してゐた。そこでは端的に言つて、政治も國家も倫理も亦宗敎も夫々共に一つの高次的・統一體的なる組織の一部分を成すに過ぎなかつた。斯かる各者が夫々各自の立場を求め、確立しようとするに至り、又そのことが可能になるに及んで漸く中世紀は近世紀へと變貌しつゝ推移することを完ふし得たのであつたからである。(7) これらのことはそのことの限りにおいて、われわれ自身も堅く肯定的に承認しようと思ふ筋である。(8) 併し本稿の課題の立場からしてもわれわれが力強く主張したく思ひ、且つ錯誤に陷入つてはならないとなすことは、言ふまでもないこと乍ら、近世以前には政治學的思惟や政治學理說が缺除してゐたなどと考へてはならない、といふ點である。古代ギリシャ時代の雄大なる政治學理說は言ふまでもなく、とかく最も斯學の貧困を訴へられる中世紀の長き世代の間においても所謂形式や外貌こそは異つたが、其處にもなほ政治學的思惟は古代にも近代にも劣らざる程に力を湛へてゐた、と觀るの有力なる學説も存する程である。(9) 左様な學説の吟味は別としても、その見解が中世紀政治學理説につける秀れたる碩學の(R. W. & A. J. Carlyle)夫れであることを思合すれば、そのものゝ語る意義は、とにもかくにも一應は重視するに足るものが內含せられると言はなければならない。然るに人はこの世代をひとり政治學のみならず哲學も諸々の科學も極めて低調であつたとなし、これを恰も逆説的に表象するものゝ如く屢々呼んで『大いなる信仰の時代』と稱することがあるが、これは中世紀の生活と經驗との裕かさや多彩なる多樣性を不當に簡易化せんとする表徵である、として近代史家に多くの反駁乃至修正的なる批判を受けてゐる。(10)

われわれは政治學や政治學理説の近世以前における發達についてこれ以上事更に事例を求めて解明するの必要を認めない。たゞ玆に明瞭にしてをきたいのは、それらの世代にあつては、政治と國家との關聯といふことの態樣、形式、竝に意義等が所謂斯學通説における所謂定説の場合に觀られたが如き事態とは自ら異るものであつたといふことである。而してこのことは該定説への積極的なる支持を愈々躊躇せざるを得ざらしむる、一つの歷史的實證的典據となり能ふであらうといふことである。

・さて一般に、政治學にあつて如何なる社會力に依據せるにもせよ、その社會力の把握者と社會全體との交渉・結合、或ひは對峙・反撥の相を研究することは本來的な基本的課題の一つである。かういつた意味からして斯學において、國家とその社會力の把握者との結合が屢々斯學の中心的課題とされるのである。しかも其の際政治と國家との交渉・聯關に關する所謂斯學通說が知らるゝが如き特殊的限定的意義を以て成りたつ一つの根源があると思ふのである。われわれは、政治の成りたちのためには、社會力の把握者と社會全體との交渉といふことが假令、基礎的素材であるとしてもそれはその凡てではなく且つあり能はずして、只その一つでしかあり得ないと考へるのである。この點からもわれわれは論理的に、所謂斯學通說の本課題への解義に隨從し得ないものがある。更に又轉じて惟ふに、若し夫れ社會力の把握者と全社會との交渉に纏はれる問題を以て、斯學の一基本課題として採上ぐるといふことが許されるとすれば、われわれは更にこれを斯學發展の史的考證からしても亦斯學通說の見解には從ひ難いのである。これは斯學の史的發展につける瞥見によつてでも敎へらるゝ如く、政治は決してひとり國家との聯關を以てのみ成りたつものではなかつたことを以ても明らかに諒解せらる可き所である。これをあざやかに實證的に指示し證左するものゝ一つが中世紀の政治學理說であり、又その數世代における政治のありかたや、國家の諸々の實相である。

轉じて併乍ら、このことは政治學や政治學理說が國家論と何等の聯關・交涉がないとか或は又政治學理說の構成・樹立が國家論との聯關・交涉を積極的に意識的に排除して始めて企圖せらる可きであるとか、といふことを要請したり又は慫慂したりすることでは毫もない、といふことは事更に斷るまでもないことではあるが、この點特に明瞭に言明してをかねばならない。玆にも問題は甚だ多岐に亙りしかもいづれも重要である。それはある觀點からしてはこの種の課題が斯學の一つの「基本的課題である、といふことから丈けでも自明であらう。寔にこの課題は檢討せらる可き諸問題を內藏してゐるのであつて、たしかに獨立の單一的課題としての考究に値するものである。

〔註〕

(1) E. Troeltsch, Die Soziallehre der christlichen Kirchen und Gruppen. (Gesammelte Schriften, Bd. I, 3. Aufl. S. 241. 1923.)

(2) 拙稿『中世紀の政治學』(これは近く「政治學叢書」の一册として收錄刊行せられる筈である)。

(3) E. Barker, Mediaeval Political Thought (in "The Social & Political Ideas of Some Great Mediaeval Thinkers," ed. by F. J. C. Hearnshaw, 1923, pp. 20-23.)

(4) K. Vorländer, Von Machiavelli bis Lenin, Neuzeitliche Staats und Gesellschaftstheorien, 1927, S. 17.

(5) J. N. Figgis, Political Thought in the 16. th. Century (Cambridge Modern History, Vol. III, 1907, Rep pp. 736 ff,)

(6) 拙稿『宗教改革と近世的政治思想』(臺北帝國大學文政學部政學科研究年報第一輯) 參照

(7) H. J. Laski, An Introduction to 'A Defence of Liberty against Tyrants": A Translation of the Vindiciae Contra Tyrannos" by Jurius Brutus, 1924, p. 4.

(8) 拙稿『中世紀の政治學』(前揭) 參照

(9) R. W. & A. J. Carlyle, A History of Mediaeval Political Theory in the West, Vol I. 1927, pp. 1-3. ibid, Vol. VI, 1936, pp. 503-526.

(10) A. P. D'entrèves, The Mediaeval Contribution to Political Thought, 1939, pp. 7-8.

六

政治學と國家論との聯關が問題とせられる場合、本稿において上來取扱ひきたれる所に關係ある問題として、先づ念頭に浮かぶものは第十九世紀初頭からドイツ公法・國家學界に頓みに擡頭せる『一般國家論』(Allgemeine Staatslehre)と、この立場の方法論に劇しく反批判を呈したる、ハンス・ケルゼン(Hans Kelson)の純粹法學的國家觀のことどもである。前者は人も知る如く、アルブレヒト(W. E. Albrecht, 1800-76)、モール(R. v. Mohl, 1799-1875)、ブリユンチユリー

(J. K. Bluntschli, 1808-81)、イエリネック (G. Jellinek, 1851-1911)、等々と連らなる當代のドイツ公法・國家學界の一連の巨星を其の典啓的代表者とする。これらの人々は必らずしも嚴格なる語の意味において、同一學派を形成しなかつたにもせよ、それらは概觀的にみて一連の系譜をなせる如きドイツ公法・國家學界の正統派的一學系である。この『一般國家論』の根本的特徵は、如何にかして能ふ限り自らを政治學や社會理論から區別し、これらを自家の體系より拒否するか、といふ意圖の上に自家の立場を構築せんとして成立せるものであつた。これはそのもの〻カント學派的立場の方法二元論の避け難い歸趨でもあつた。この立場を最も典啓的な仕方において代表したのが、イエリネックの一般國家論における方法論であつた。これに對してその國家論のカント哲學的純粹化がケルゼンに依つて企圖せられたことであつた。

われわれは茲に何にを見出すのであらうか。前者即ち、近世ドイツ公法・國家學は能ふ限り政治學や社會理論を拒否して自らの國家論を構築せんとして、遂に二元的對立といふ方法論的破綻を呈した。これに對して、ケルゼンはドイツ『一般國家論』の最大の代表者の一人たるイエリネックが、その一般國家論を「社會的國家論」(Allgemeine Soziallehre des Staates) と「國法學」(Allgemeine Staatsrechtslehre) とに分別して、この兩者相合して始めて完全なる國家論が成りたつ、[1] と說いたことへの劇しき反批判を以て謂はば發足點となした。イエリネックの國家論は彼の兩面說として爾來久しく學界の定說たるの地位を占めてきただけ、ケルゼンの批判、とり別けそのイエリネックの方法論に對する峻烈なる反批判が人々の關心を喚起したことは識者の凡ね認むる所である。ケルゼンは知らるゝが無く、規範科學と因果科學とを嚴格に區別す可きものとなし、對象の同一性は唯、認識方法の同一によつてのみ齎らさる可きであるからして、規範科學たる國法學の對象としての國家と、因果科學たる社會學の夫れとしての國家とはその概念を異にす可きことを主張したことであつた。(2) 而して、全然性質を異にしたる二つの認識成果を何等の基準もなく漫然と結合せしむることに依つて構成せらるゝ國家觀を反駁して、斯る方法論の無稽を劇しく排擊したのであつた。かくして國家概念の構成、把握は偏へに純粹に法規範の認識範疇の下においてのみ可能である可きである、と論證せられた。實に彼に對しては社會學的國家概念なるものは存立し能はざるのみならず、全く認識の對象たり能はなかつたのである。(3)

ケルゼンの所說はその方法の首尾一貫する所に論理的精緻と銳悍との特徵の存する點は人々に凡ね異議ない所である。併乍ら、法規範は現實の具象的世界から遊離して獨自の存在をもつものではなく、その存在のためにはひとり法のみならず法以外の種々なる社會的なる要因に依據するものであるから、この諸々の要因を全く無視しては認識し能はないものである。人は國法學と社會學的國家論とは區別す可きものたることは認めなければならないとしても、國家概念の社會學的構成も亦可能であることは認めなければならない、と考へられるのである。寔にケルゼンの國家論は實體のない、單に形式にのみにすぎない國家論であり、それは又實に社會理論のない、抽象的な形式的な國家論として說かれるものとなつたのである。

かくの如く『一般國家論』のカント哲學的純粹化はケルゼンの純粹法學によつて發展せられたが、それも結局その辿りつく可き所に到達して行詰りとなつた觀がある。しかも此處にわれわれが止目せんとする所は、斯樣にいづれも政治學、社會理論をひたむきに斥けて國家論の建設に專念努力したるドイツ公法・國家學界は今や又一變してその國家論に對して、如何に緊密に、如何に銳意に、政治學や社會理論を採入れ、結合せしめてその國家論に對する根本的性格轉換を計る可く多忙を極めてゐるか、といふことである。われわれはその民族共同體理論を基調とする、新らしきドイツ國家論の成果や、その展望に關しては今は何等觸れる意圖を有さない。

併し、玆にこれらの逞ましきドイツ一般國家論の成行の敎示する所を極めて端的に表現すれば、政治學と國家論との關聯といふことの內含して示唆する問題の多樣性といふことである。政治學や社會理論を能ふ限り拒否して構築せんとした『ドイツ一般國家論』も、それに對しての方法一元性を根基とせる銳き反批判に立脚せるカント哲學的純粹化も、共に政治學としても、はたまた國家論としても、要するに一つの形式的なるものとして、ひとしく行詰に逢着してしまつたことは、われわれに敎しゆる所極めて深甚なるものを內藏してゐる。而して政治學のありかたにつき廣く深き省察を促すものがある。併乍ら、われわれがこの問題につき改めて顧慮したのは、政治學界の所謂通說の見解の如く政治學と國家論との關聯の特殊的獨占性をいさゝかなりとも肯定的に提唱しようなどといふ意圖からでは毫もない。それは正しく「ナイン」(Nein!)である。只これは先示の如く、われわれの日頃の素志が政治學の構成に關して、そのものと國家論との關聯・交涉を意識的に排除否認することに依つてのみ、斯學の編成・樹立を要請せんとするものには非らざる旨を特に言及し、明瞭ならしめんが爲の用意に外ならなかつたのみである。

然らば、政治學はその理論體系の構成竝に解明の爲めに如何なる社會を實在的基礎、いひ換ゆれば如何なる社會を自らの基礎的素材として成りたつか、といふ問題が生起するであらう。これも亦多くの究明を要する根本問題であるが、これに對してはわれわれは今は只次の如く解明するに止めるであらう。卽ち政治學の理論體系構成のために、如何なる社會がその場合の基礎的素材たり能ふかを規定し、決定するものは夫々の所與たる歷史的階梯における、社會の文化的・歷史的社會性に依據する、といふことである。しかもこれは嚴密なる場合における、基礎的素材たる可き社會に關する規定であつて、この他に副次的素材たり能ふ數々の社會集團の謂はば複合的なる存在は、この場合もとより認めらる可きである。從つて、政治と國家との恒なる必須的竝に特殊的・獨占的關聯への肯定的承認の如きは、しかく簡單に取扱はれる可きではなく又同樣安易に認容せらる可きでもないのである。

翻つて、わたくしは本稿前段に示した所のプラトンの政治の性格につける所謂廣汎なる解釋試義の意味の深長なることを、自らの政治學的思惟の自己なりに進むと覺ゆるにつれて、一段と趣深く味識させられるのである。尤も、それはプラトン自身は如何程の確信、或は如何樣なる意圖を以て、提起したるものなるかは眞に良く測り知られないのみならず、それも結局のところ結實の域には到達せず、遂には、所謂斯學の傳統的通説となれる所の見解と其の軌を一つにしたるが如くであつた。それにも拘らず、アリストテレスは『科學と論理』との名及び權利とにおいて師の解釋試義を正面より採上げて分析し、論評して、恰も意氣揚々としてこれを粉碎したるが如くであつた。由來一般には政治と國家とに關することの限り、アリストテレス的解釋・方法を以て妥當となしてそれが斯學の正統派的傳統的立場の如き足場を堅めつゝきたつたことであつた。國家の機構・構造も、人間の社會生活竝に國家生活における諸々のいとなみや經驗も、思想學說の示教する所も、諸々の精神態度の志向も、更に又あらゆる一切の文化部門の複雜化や進歩發展も、いづれも古典的時代の夫等とは或ひは著しく異りつゝ變遷し、推移し、發展しつゝ辿つた次々の世との歩みを今日にまで顧み、而して又來者への展望にふける時、われわれは政治學の性格につける擊破せられしプラトン的解釋試義と、勝利者的なるアリストテレス的見解とのいづれに『科學代論理』との名と權利とを與ふ可きであらうか。

〔註〕

（1） G. Jellinek, Allgemeine Staatslehre, 4. Aufl. 1922, SS. 9–12.; ibid, II. Buch u. III. Buch. (SS. 129 ff.)

（2） H. Kelsen Der soziologische u. der juristische Staatsbegriff; Kritische Untersuchung der Verhältnisses von Staat u. Recht, 1923, SS. 114–132.

（3） Derselbe, Allgemeine Staatslehre, 1925, S. 20.

（臺北にて、一九四一年二月二七日稿了）

フランスに於ける新自然法論

中井　淳

目次

一　緒論

此處に新自然法論とは十九世紀末からフランスに勃興し來つた「法典萬能主義（一）(fétichisme de la loi écrite et codifiée) への反撃」を企てた一群の人々の主張を云ふのである。

蓋し十九世紀に於けるフランスの學界は大體に於て近代自然法論の後退による註釋學的な傾向が支配して居り、從つて其理論的基礎として國家主權のとりわけ立法權の最高性が認められたのであつたが（二）、十九世紀末に近づくに從つて斯樣な基礎に對する深刻な反省が生ずるに至つた。即ち十九世紀の最後の年に Beudant が Le Droit individuel et L'Etat (1899) を著して以來註釋學派的法實證主義に對する反撃は漸次熾烈となり Gény は Méthode d'interprétation et sources en droit privé positif の第一版を同年に Duguit は L'Etat, le droit objectif et le droit po itif を一九〇一年に Saleilles は Ecole historique et droit naturel d'après quelques ouvrages récents を一九〇二年にと續々業績を發表し遂に一九一〇年 Charmont をして Renaissance de droit naturel を書かしむるに至つた。斯くして現代フランスの學界は Le Fur の所謂 renaissance quasi-universel de droit naturel の時代となつたのである（三）。

此等の主張は法實證主義の行き過ぎに對する抗議として謂はゞ「法理想主義」（四）的な共通性を

持つものであり、從つていづれも法律に對して優越する自然法的者の存在を含む。其名稱は必ずしも Droit naturel と稱せられず例へば Droit objectif, Droit rationnel, Droit moral, Droit intuitif などと呼ばれるのであるが、孰れも法律一元主義に對する多元的な思惟に於ては共通なるものであり、法思想類型としては自然法論に屬するものと考へられ得る。

偖、自然法論は元來危機の法理論たるの性格を有するものであるが、法實證主義が齎した法律と現實との乖離の救濟理論として此新自然法論は如何なる成果を擧げ得たであらうか。近代自然法論の輝かしい戰果の回憶をこの自然法論は再び新たになし得たであらうか。法學の領域に於ける「市民階級の古典的世界觀たる運命」を擔つてゐた法實證主義理論に對し、それはまた何を以て戰ひ得たであらうか。本稿の意圖は斯樣な問題を新自然法論の極めて概括的な解說を通して探究する事にある。便宜上探究は專ら新自然法論に於ける Résistance à l'oppression を中心として行はれるであらう。ブウダンも云へる如く自然法は「實定法により暴壓せられた個々人の避難所」(五)なるが故に自然法對實定法の鬪ひは暴壓拒否の問題に於て最も明確な表現をとるのであり、從つてこれが解明の上に全問題の解答の鍵がかゝつて居ると云ふも敢へて過言ではないと思ふ。

尙以下の敍述に於て新自然法學者としてヂエニイ、オーリユウ、デユギー、を對象とする事に就き一言附加したい。この稍恣意的な選擇に就ては或は異論の生ずる場合も在り得ると思ふが、私見を以てすればこの三人に於て新自然法論は最も特徴的なものを表現してゐると考へるのである。デエニイとオーリユウが新自然法學の代表者たる點は異論ないと思ふ。唯デュギーの場合は自ら自然法論者たる事を否認するのであり、論者も彼をこの範疇に含ましむる事に就ては反對する場合もあるのであるが（六）、然しながらデュギーが自己の學說を自然法學と稱せらるゝを嫌惡するの理由は彼自身の學說が根本的に背馳する事より由來するのではなくして寧ろ近代自然法の形而上學的獨斷性に對する感情に基くものであり、彼の忠實なる後繼者 R. Bonnard も師の Droit objectif を自然法と解して居り（七）、デュギー批評家の大半もこの見解を持して居る樣であり（八）、時にはデュギー自身も近代自然法に見らるゝ形而上學的獨斷性と混同せられざる限り自らの所說が自然法論と稱せらるゝも敢へて反對せざる態度を示すのである（九）。故に彼をこの陣營に加へる事も許され得ると思ふ。最後にル・フュールをも討究のうちに加へる豫定であつたが準備の都合上別の機會に讓る事とした。

（一） F. Gény, Méthode d'interprétation et Sources en droit pribé positif, 2 ed., 1919, t. I, p. 90

（二） マクシム・ルロアの適切な表現によれば (La loi, montée sur le trône de Capet, resceoit les honneurs royaux), Maxine Leroy, La loi, p. 51

（三） Le Fur, La Théorie du droit naturel, Recueil des Cours de Haye, Tome 18 p. 353

（四） Charmont, Renaissance de droit naturel, p. 221

（五） Beudant, Le droit individuel et l'Etat, p. 29

（六） 宮澤俊義氏「ル・フュールの自然法論」公法雜誌四卷三號二頁

（七） R. Bonnard, L'Ordonnancement, Mélange de M. Hauriou, p. 68

（八） 例へば Fr. Gény, Science et technique en droit privé positif, t. II, pp. 191, 252, 262, 264; t. IV p. 224; J. Charmont, op. cit., pp. 189, 199; J. Dabin, Lat philosophie de l'ordre juridique positif, 1929, p. 278; Lucien-Brun, Une conception moderne du droit, 1927, pp. 25, 116; M. Waline, Les idées maîtresses de deux grands publicistes français, Année Politique novembre, 1929, pp. 391, 395, 400; Le Fur, Droit individuel et droit social, Archives de philosophie du droit et de Sociologie juridique, 1931, p. 293; W. Y. Elliot, Pragmatic Revolt in Politics, 1928, pp. 279, 297; W. Willoughby, Ethical Basis of Political Authority, 1930, p. 397; A. Mentzel, Beiträge zur Geschichte der Staatslehre, 1929, S. 530; J. T. Kunz, Die Rechts-und Staatslehre Leon Duguits, Revue internationale de la Théorie du Droit, 1926-1927, pp. 140, 204.

（九） Traité de droit constitutionnel, 2e ed., t. I, p. 72

二　Ａ　デュギー

彼の學說の核心は屢々云はれる如く社會聯帶の事實より出發して社會に於ける Règle de droit の存在を主張し其處に法の本體を見出さんとするにあつた（一）。彼にとつて Loi は法の本體ではなく旣に存在せる Droit の確認たる以上の意味を持たない（二）。故に Droit に違反せる Loi はそれ自體何等法的意味を持ち得ないのである。

この彼の生涯を通じて變らなかつた主張はことに Traité de droit constitutionnel の第二版以後に於ては règles de droit normatives と règles de droit constructives との問題と相聯關して詳細に取扱はれたのであつたが（二）a)、斯様な所説が傳統的法律學に與へるものは第一に法律の全能に對する拒否であり、第二に法律制定者たる主權的國家に對する否認である。即ちデユギーによれば法律は議會に於ける多數黨の意思に過ぎぬものであり（三）、其自體としては單なる事實であつて何等法的價値を持ち得ず（四）、唯 Droit に合致せる範圍に於てのみ眞に法たる事を得るのである（五）。從つて Droit に合致せざる限り全社會成員の一人を除く合意を以てしても最後の一人を拘束し得ざるものであり、反之一人の意思を以てしても Droit に合致せる限り全成員を拘束し得るのである（六）と。

この Loi に對する Droit の優位の主張は直ちに鋒を無制約的法律制定者としての國家にも向ける。デユギーは十九世紀に於けるドイツ公法理論の中核をなす主權的國家の全能を排撃し、國家が自ら把持する權力を無制約的に行使し得るとの思想を斷乎否定する事によつて國家の專制に對する個人の防衛を保たんと考へ、統治者は須く自己に優越する Droit 即ち社會聯帶事實に由來する行爲準則の支配下に服す可き事を主張する（七）。

斯く法律制定者としての國家の外に眞の法の源泉としての社會を認め且社會に由來する Droit

の優位を主張する事により、デュギーは Loi と Droit との對立を解決せんとしたのであつた。その最初の著たる國家論は傍題たる Le Droit objectif et e Droit positif の示す如く此問題の提起と解決とを目指したものであり、彼の生涯はまことに此が解決を目的とする「羅馬的王權的ヂャコバン的ナポレオン的集産主義的形式」(八)たる主權的國家の思想に對する闘爭であつた。

偖、上述の如くデュギーは法の基礎を二元的と見たる結果、必然的に生じ來る Droit と Loi の對立乃至衝突に際して(九)、彼の Droit 上位思想の展開は裁判官に對し法律適用を拒否する權限を與へ(一〇)、更に一般人民に暴壓拒否權をさへ認むるの具體的解決手段を採るに至る(一一)。

元來自然法の究極的な效力は Droit de résistance à l'oppression にあり、現實的に之が效力發揮の可能性ある時にのみ自然法が實定法に眞の優越を示し得るのである。今デュギーは彼の法思想の展開によつて斯樣な暴壓拒否權の存在を容認するに至つたが、果して彼は之にどの程度の實效性を賦與し得たであらうか。此問題は Droit と Loi との對立に於ける兩者の力の割合によつて決せらるゝのであり、それは亦それぞれの法の根基たる社會と國家との間に於ける力の割合によつて決定せらるゝ。故に兩者がデュギー學說に於て占める位置を檢討する事によつて容易に之が解決の鍵鑰は獲らるゝであらう。然るに彼の國家の對社會的位置は嘗つて私が取扱ひし如く(一二)時期によつて甚しく動搖するが故に Loi と Droit との位置的關係も亦それに伴つて變遷し從つて彼の拒否權の實效性も一括的な表現を以ては示し得ないのである。以下その變遷の跡を一瞥しつゝ彼の拒否權の限度を究めよう。

最初、國家論二卷をものした一九〇〇年代の初頭期に於ても、彼の學說の裡に、Loi の擔當者たる國家に對して Droit objectif の根基たる社會は勿論考へられては居たのであつたが、未だ極めて具體性の乏しい取扱はれ方を受けて居たに過ぎず、後に見らるゝ如く其をとりわけ職業團體に結び付け其に對して Droit の主たる擁護者たる役割を果さしめんとする如き意圖は見られなかつた。從つて社會が國家に對立する態度も甚だ漠然たるものに過ぎずたゞ〳〵國家內の一機構たる議會に於て眞に全社會の各構成分子を反映せしめ、以て Loi を Droit から乖離せざる樣努力すべしとする程度のものであつた(一三)。斯くてデユギー法思想の理論的展開は此時期に於て既に暴壓拒否の權にまで辿り着きながら實際的には殆んど意味を有せず、チェニィの指摘せる如く(一四) Sanction pratiquement nécessaire を認め難いものなのであつた。

然しながら一九一〇年代の所謂「三變遷論」(一五)時代に至るや社會の對國家的位置は明確となつた。卽ちデユギーは社會を強く職業組合團體と結び附ける事によつて現實的に國家の對立物たらしめんとし、サンヂカリスムを以て主權的國家が社會國家に轉化し得る楔機たらしめんと考へたのである。彼によれば、社會裡に於て職業別に統合せらるゝ組合團體は協約的規律に基いて相互間の關係を統合整序し經濟秩序を樹立する結果國家とは無關係に自己の法的構造を獲得し國家に對して自治と獨立との意識を抱くに至る(一六)。斯くて協約的規律に基く經濟秩序は社會の Droit として國家の Loi と竝存し而も斯樣な Droit の發達は漸次國家の職能を減殺せしむるに至る。かゝる社會の現實的な地位は、Loi と Droit との衝突それに對する保障を甚しく强化し、暴壓拒否權もより實效性を考へらるゝ樣になつた。卽ち强力な組合團體の形成は總ての社會階級に屬する一切の個人を結合せしむるの結果、國家權力に對する有力な保障を確立する。從つて組合團體の形成の裡には一切の壓迫に對する抵抗力の富んだ構造が含まれて居るのであり、壓迫に對する防禦的抵抗の永續的組織としての組合團體こそ暴壓拒否權の力强き保障たり得る(一七)。故に此時期に於て始めて社會は國家に對し眞に Droit の把持者たる地位を保ち得たのであつた。

然るに一九二〇年代「憲法論」第二版以後に至るやデュギーは國家を甚だ重視するに至り、グルヴイッチの言を籍りれば「國家が自らの裡に社會を吸收し終る」(一八)の結果を齎來した。卽ちデュギーは經濟活動を公共役務として組織する事を主張し(一九)、職業組合を國家の枠內に嵌め込み、國家の無制約的な權力を經濟團體の內部にまで及ぼし、斯くしてサンヂカーによつて特に擔はれた社會を自己の隷屬下に服せしめんとする。勿論此際デュギーは斯樣な國家を公共役務國家卽ち「統合者により組織せられ統制せらるゝ公共役務の協同體」(二〇)と定義し、權力國家たらざること従つて公共役務の増加は何等國家權力を増大せずと論ずるが（三二）、而も其反面彼自身も國家權力の増大化を防止する「公共役務の分權化」の進展度が、必ずしも現實國家に於て、國家の活動範域の擴大に伴はない事を肯定せざるを得ないのである（三三）。斯くて經濟國家は現實の示す所によれば必ずしも無權力ではなく伊太利の如く絶對的權力把持者ともなり得るとのエリオットの鋭き示唆の如く（三四）、デュギーの公共役務國家も亦高度の權力的者たるを免れないものと考へらるゝに至るのである。

偖社會は上述の樣な地位に置かれるに至るや Droit と Loi との關係も當然之に伴つて變化し、社會が國家に統合せらるゝと同樣に Droit は Loi に吸收し盡さるゝ事となり嘗つて Loi をその下に服從せしめた優越性を全く喪失するに至る。即ちデュギーは現代の如き立法制度時代に於ては Droit は Loi と殆んど一致すると告白して法律至上主義に墮し（三五）、その結果彼の二十世紀初頭より戰ひ續けた法律一元論への闘爭は事實上無意味となつてしまつた。

勿論他方に於て「憲法論」二版以後に於てもデュギーは法による國家への制限を主張するのであり、從つて Droit に違反する Loi に對して人民は唯に消極的反抗をなし得るに止らず理論上は Droit d'insurrection さへ認め得るとするのであるが（三六）、然しながら既述せし如き社會の對國家的位置の變化は此等の主張を矛盾に陷らしめ自らの言に於て否定せざるを得ぬ結果を生じ來らしむるのである。即ち彼は拒否權に就ても其具體化の方法として殆んど示す所なく、反亂權の如き其の行使が反つて成法上重大な犯罪たるの現實を如何とも爲し得なかつた(三六)。此處に於てか彼は實質的制裁なき法は無力であり、而もかゝる制裁力は專ら國家の獨占物なるより國家に背く物質的制裁は無いと告白して、結局のところ法による國家の制裁てふ主張は一片の Formule d'école に過ぎず(三七)、現實的には殆んど無力であり、唯斯樣な考へを人々に浸潤せしむる事により權力把持者たる國家が公々然と法治國家理念に違反するを防ぐ效果を期待するに過ぎない(三八)と主張せざるを得なくなつた。斯くて暴壓拒否權は何等實效性を認め難いものとなり終つた。

以上探究せるところにより明らかとなれる如くデュギーは終始理論的には暴壓拒否權を主張しつゝも一九〇〇年代では未だ國家に對立する社會の面貌の明らかならざるより拒否權の內容も漠たるものであつたし、一九二〇年代に於ては Droit の根基たる社會が國家の下に服する事によつて理論的には容認せらるゝ拒否權も實際的には無に歸したのであつた。たゞ一九一〇年代に於て彼がサンヂカリズムを強く主張しこれによつて經濟秩序を國家秩序に拮抗せしめた時に拒否權は極めて具體的な效力を發揮し得る機會を與へられて居た。故にデュギーの法理論が何等か革新的法理論たるに値する爲には正にこの時代の主張を飽くまで發展せしむ可きであつた。然るに晩年の思想はサンヂカリズムの急激なる展開に就ては寧ろ恐怖と嫌忌とを抱いて居た。そして彼の社會聯帶主義的立場から現實に眼を瞑つて職業組合を公共役務に組織する事により社會を國家と苟合せしめた。國家の規制下にある社會が產む Droit の意義は敢へて言を贅する要もない。蓋し Droit が何等か國家を制し得るのはその根基たる社會が全き自主を保持する限りに於てのみ可能なからである。かくてデュギーの法理論は傳統的學說への批判の鋭さにも拘らず建設的部面に於ては自ら顕る如き結果に至らざるを得なかつたのである。

（一） L'Etat, Le droit objectif et le droit positif 1901 pp 30 et s.

（二） L'Etat op. cit., pp. 115, 557-558;

（二）(a Traité 第二版以後に於ては Règle de droit normative と Règle de droit constructive とに法を分類し Loi の Constructif な性格を詳細に論じてゐる Traité, op. cit, 3e ed., t I, pp. 105 ets
尙好富正臣氏「デュギーの實證法學」（國家學會雜誌四一卷九號 四三頁以下）參照

（三） Droit social, droit individuel et la transformation de l'Etat; 1908, p. 35

（四） L'Etat, op. cit., pp. 424-425

（五） L'Etat, Les gouvernants et les agents, 1903, pp. 124-125

（六） L'Etat, 1901, pp. 272, 350; Traité, 2e ed., 1923. Tome III, p. 736

（七） L'Etat, 1901 pp. 1 et s.

（八） Droit social, droit individuel, et la transformation de l'Etat, 1908, p. 40

（九） Traité, op. cit., tome V, pp. 293 et s., 649 et s.

（10） Traité, op. cit., tome III, p. 556

（11） ibid., pp. 660, 746, 749; Cf. L'Etat, 1901, pp. 312 et s., 421; Leçons de droit public général, 1926, p. 273

（一二） 拙稿「レオン・デュギーの國家論」（法學五卷九號）

（一三） 同三三頁參照

（一四） F. Gény, Science et technique, 1924, tome IV, p. 138.

（一五） 三變遷論とは即ち

1) Droit individuel, droit social et. transformation de l'Etat, 1903

2) Transformation du droit privé, 1911

3) Transformation du droit public, 1912

（一六） Droit individuel, droit social, et transformation de l'Etat, 1908, p. 105.

（一七） ibid., p. 129.

（一八） G. Gurvitch, L'idée de droit social, 1932, p. 621

（一九） Traité de droit constitutionnel, 2e ed., t. III, p. 92

（二〇） op. cit., t. I, p. 589; op cit., t. II, pp. 54

（二一） op. cit., t. II, pp. 63-66

（二二） ibid., p. 133

（二三） W. Y. Elliot, The Pragmatic Revolt in Politics, 1928, p. 311

（二四） Traité 2e ed., t. III, pp. 551, 556; Leçons de droit public général, 1926, pp. 46-47.

（二五） Traité, 2e ed., t. III, pp. 660, 749.

（二六） ibid., pp. 746, 749.

（二七） ibid., p. 549

（二八） ibid., p. 550

B　オーリユウ

オーリユウの學說は複雜なる體系構成をなすのみならず全生涯を通じて不斷の發展を示せしが故に極めて把捉し難いものであるが、その間一貫して見らるゝものは國家主權の絕對性從つて Loi の全能を否定すると共に（一）主權を多元的に解釋する事により國家權力を Droit に服せしめんとする（二）意圖であり、これによつて彼もデュギーと同じく傳統的理論へ鬪爭を試みたのであつたが、斯る態度の根底には彼の獨自の法理論ことに自然法的思惟が存して居たのであつた。

オーリユウに於ける自然法の內容は年と共に漸次明確となつて行つた。最初彼は「自由と正義との理想を含む永遠の自然法」の基礎を espèce humaine なる概念に結び付けたのであつたが（三）、次で Précis de Droit constitutionnel の第一版を經て（四）彼の最後の著たる同第二版に至るや內容は層一層明瞭となつた。即ち自然法の構造は法一般のそれと同じく正義の契機と秩序の契機を含むものであるが（五）而も此二契機の配合に就ても「平等の正義の最大量を集積すると共に社會建築が崩壞せざる最極限の範圍まで社會秩序の動力を減殺せしむるが如き法」（六）たる事を理想的なものと考へ、歷史上此が典型として古代羅馬に於ける jus gentium 及び近世に於ける普通法を見出す（七）。斯く民主制時代に於ける文明民族の普通法に見出さるゝ性格裡に自然法の理想的形態を見出さんとする（八）オーリユウは、自らも認むる如く自然法を甚だ「特殊化」（九）して特異な社會的・歴史的性格を賦與するに至るのである。

偖、斯樣な自然法は常に個人主義原理の légitimité juridique として或は憲法及憲法制定力自體をも拘束し（一〇）或は Constitution nationale（一一）を通じて Loi に對し優越的效力卽ち Super-légalité を發揮する（一二）。その結果或は成文法化され或は慣習法的存在としてある自然法と立法者の恣意により制定せらるゝ法律との間に不合致とか對立とかが生じ來る場合は（一三）勿論、Communauté nationale に於てそれ〴〵の institution が自主的に所持する法と法律との抵觸が惹起せらるゝ場合に於ても前者が自然法により根據付けらるゝ限り法律は效力なきものとならねばならない（一四）。斯くてオーリユウは先づ裁判官に Contrôle de constitutionalités des lois の權限を認む可き事を主張し（一五）次で法律に限らず一般に國家權力の濫用に對しての Légitime défense の存在を人民に容認し（一六）更にその極限に於ては Droit a l'insurrection をさへ否定しないのである（一七）。

但しジエニイの指摘せる如く（一八）オーリユウの Droit a l'insurrection は事物を主觀と客觀との二面より同時に把握を試みる彼獨自の立場から取扱はるゝ關係上 Loi と Droit naturel の衝突も一方的でなく寧ろ「社會力の實際的な均衡」に導きて解決せんとする所に、デユギーの如き強靱さを持ち得ないが、他方デユギーよりも個人主義的立場が明確な爲に個人主義的秩序擁護の熱意は甚だ熾烈なものであり底に潜む迫力は決して劣るものではないのである。然らば斯の反抗權はオーリユウに於て如何の程度の實效性を見られ得るか。この事は專ら彼の社會の對國家的位置によつて決定せらるゝ。然しながら彼の學說の不斷の發展はこの決定を容易に行はしむるものではない。故にデユギーに於て試みし如き探求を再び此處で反覆せざるを得ない。

元來 Droit と Loi との對立の問題は國家以外に法の根基を國家に對して自主的な社會の存在を認むる事によつてのみ可能となるのであり、從つて必然的に法多元論に至らざるを得ないのであるが、オーリユウに於ては此問題は主權の多元論的主張と關聯して論ぜられた。

卽ち初期ことに一九一〇年 Principe de droit constitutionnel 以前にありては、彼は國家主權の絕對性を認めず（二九）斯樣なドグムは歷史に徵するも事實に卽して見るも何等根據なき誤りなりとし（三〇）「主權は寧ろ相對的にして法に服するものたる」（三一）事を主張する。この相對主權の觀念から直ちに主權の分離が行はれる。彼は本來主權は三つの形態に於て存するのがあつて、その第一のものは秩序の根源たる Souveraineté du droit établi であり第二のものは權威の根源たる Souveraineté de gouvernement であり第三のものは自由の根源たる Souveraineté de Sujétion であり（三二）、この第一と第三の主權は相合して「法主權」となり第二の政治主權と對峙するとなすのであるが、斯樣な政治主權と法主權との關係は初期に於ては明確に各自の獨立を保つて居たのであつて、後述する如く彼の思想が稍絶對主權說に轉せんとするきざしの見える Principe de droit constitutionnel の第二版に於ても、尙彼は(二三)政治主權は國家に屬し其支配的意思の裡に現はれ法主權は社會に屬し政治的結合體としての nation の掌により保有せられる(二四)、而してこの法主權によつて、nation は政府に對し優越を保持し得らるゝのであり、從つてそれは又政治權力への制約となる(二五)、卽ち主權の分離は政治權力を法に服せしむるに至るのである(二六)、と主張する程であつた。

偖、斯樣な主權の分離化は國家以外に同等又はそれに優越する幾つかの秩序の存在を認むる法多元論に特に好ましきものとなるのであつて この結果國家以外の諸々の institution が社會たる立場に於て國家に對し法的制肘を加へ得る事を可能ならしむるのである(二七)。元來 Institution は或程度の法形成力を有し國家權力の及ばさる範圍に於て斷えず新たなる法を規約、慣習、前例の如き形式の下に形成し行くのであり(二八)、之をオーリュウは制度法(Droit institutionnel)と呼ぶのであるが(二九)、之は其限りに於て直ちに法的價値を有し Loi は之を確認する以上の作用を營み得ない(三〇)。從つて國家は自らと竝存する幾つかの法秩序を認めざるを得ないのである。斯樣な考は既に一八九八年に明確な形で述べられて居つて、卽ち彼は國家は外部的には國際法秩序によリ(三一)內部的には經濟社會及教會などの秩序により(三二)制約を受けるものとしてゐる。同樣の主張を一九一〇年 Principe de droit constitutionnel の第一版以後に於ては主として國家と Nation との對立の形に於て取扱ひ(三三)、社會は Nation の形に於て國家支配の外に存しその所持せる主權はかゝるものとして國家權力への均衡的者たり得たのであつた(三四)。而して Principe 以後に於て特に興味を索くはオーリユウがサンヂカリズムを重視し Nation の主權の一顯現として其が國家主權を制約する事を認め(三五)且サンヂカーの如き自主的な Institution が國家の公共役務と相竝存して互に獨立し相均衡しつゝも協力す可き事を主張する點である(三六)。そして對立と均衡の裡に個人は自らの自由を確保し得る(三七)との彼の持論は此處にも亦意味を持つ。このサンヂカリズムの重視は——晩年に於ける其への自重的態度をも含めて——デユギーと揆を一にするものであり、且主張の時期も相合致するは甚だ注目すべき點と思ふ。

以上の敍述を要約すれば、此時期に於て社會は國家に外在するものとして位置し、自主的な諸々の Institution を——とりわけサンヂカーのそれを——通じて國家に對し制約的立場にさへ立つたのであつた。さればこそオーリユウは此時機にあつて「主權及法律の時代」は去つて「Institution の時代」が來つたと云ひ(三八)又現代こそは慣習的な Institution と成文法律との鬪爭史に於て Institution の反擊」の行はる可き時代と叫び(三九)その限りに於て正に「法律の危機」であり今や法律は不當な高座から正當の場所に下る可き事を主張したのである(四〇)。

斯様な時期に於ては暴壓拒否權は Droit institutionnel の迫力によつて、とりわけサンヂカリズムの現實的な威力によつて實效性を認識し得たのであつた。

然るに一九一六年 Principe de droit constitutionnel の第二版を出すやオーリユウの相對主權說は漸次國家絶對主權說に轉じ來り(四一)、その最後の著たる Précis de droit constitutionnel 第二版に至つて明白に國家絶對主權說を採り Souveraineté de gouvernement と Souveraineté de sujétion とは Souveraineté de l'Etat の裡に統合せらるゝに至つた(四二)。斯く法主權たる Souveraineté de sujétion を國家主權の裡に包攝する事により國家の法に服從する事も國家の自己制限(auto-limitation)によつてのみ行はるゝ事となり、彼は此を Institution による客觀的制限にして國家の恣意的制限に非ずとして、自己制限說への批難を免んとするも、結果的には法主權を無にする事と同一となつた。卽ち法主權とは國家外の法の主權であり國家が自らに獨立なる法の支配を受ける時始めて法の國家權力への有效な制約が可能なのであつて、嘗つて唱へられた主權の相對性が國家の內部的制限と化し去るに及んでは殆んど意味を持ち得ないのである(四三)。

斯様な國家主權の絶對化は一方オーリユウの此時期に於ける國家其ものへの價値評價とも關係を持つのであつて、彼は國家を以て個人主義的原理を擔ふ自然法の理念に最も適合するものとし(四四)國家こそ本質上からも最も完全にして傑出せる institution であり排他的な仕方で公の利益と nation の目的とを化身するものと考へたのであつた(四五)。

オーリユウに於ける此思想の轉化をグルヴイッチは Thomisme の影響と斷ずるのであるが(四六)、デユギーの晩年に於ける國家重視の傾向と奇しくも合致するは興味深きものと云はねばならない。

偖以上の如き國家重視の傾向に伴つて社會の其に對する地位の變動は最早多言を要せぬものがある。即ち社會は最早國家への對立物としてではなく其に包攝せらるゝものと考へられ、社會の基礎をなす個人權の國家に對する先在性に就ても彼は從來の持論を覆してまで之を拒否するに至り(四七)、斯くて社會は國家の枠内に於て政府に對して僅かに相對的な自主性を保つのみとなる。從つて Nation てふ社會をとりわけ擔ふサンヂカーの役割も甚しく低下する。即ち初期と同じくそれが Nation の裡に在つて嘗つて家族團體が營みし如き機能を現在より將來にわたつて果す事を容認し(四八)且經濟的分野に於ての Institution として國家權力が社會へ擴大し來る事への防衞的者たる事を主張しつゝも(四九)飽くまで國家に對し第二次的な存在たる事を強要し(五〇)サンヂカリズムの展開が漸次權力國家を經濟的結合體に轉化せしめ行く如き社會による國家の變貌を肯んせず(五一)政治權力と經濟權力を嚴別する事により(五二)飽くまでサンヂカーを經濟的私法的分野に跼蹐せしめそれが職能代表として政治權力の一部に登場するさへ拒否する。(五三)即ち彼はこの兩權力がサンヂカーの掌に歸する時は人民は恐るべき壓制を受けるに至ると(五四)云ふのであるが、斯樣な主張の口吻のうちに如何に彼が社會による國家の統合を疑懼してゐるかを察知し得らるゝのであつて嘗つて如何に國家による社會への壓制を嫌惡したかを想ふ時兩者のけざやかな對照の裡に國家と社會との間に彼が行つたアクサンの移動をまざ〳〵と見る事が出來るのである。

以上の如くして社會は全く國家の下に服するに至りその結果當然に Loi は他の法源に對して優越的地歩を占め(五五)デユギーの晩年に於けるが如き Loi の Droit に對する制覇を此處にも亦見出し得るのである。斯くて彼の暴壓拒否權は遂に實效性を喪失してしまつた。

以上の敍述よりオーリユウも亦デユギーと同じく終に社會は國家の前に骸を曝すに至るのであるが、デユギーの中期たる三變遷論時代に見られし如き社會の積極的な位置はオーリユウでは初期たる Principe de droit constitutionnel を出す時期に於て見られ、サンヂカリズムの潮に乘つて對國家攻勢も現實的な意味を持ち得、その限りに於て暴壓拒否權も實效性を發揮し得る可能性を保持して居たのであつた。故にオーリユウにしてこの傾向を畢生保ち得たとしたならば彼の自然法論も或は近代自然法が果した役割と同樣なものを演じ得たであつたかも知れない。とまれルナールの「デユギーとオーリユウとは相爭ひつゝ相求めて居た」(五六)との語を私は此處でもなほ興味深く想起するのである。

(一) Science sociale traditionnelle, 1896. p. 385

(二) Précis de droit constitutionnel, 2e ed., 1929, p. 86

(三) Le droit naturel et l'Allemagne, 1913, reproduit dans le livre "Aux Sources du droit," 1933, pp. 21-22, 42.

(四) Précis de droit constitutionnel, Ier ed., 1923, pp. 43 et s.

(五) Precis de droit constitutionnel, 2e ed., 1929, p. 59

(六) ibid, p. 60

(七) ibid., Aux Sources du droit, p. 68.

(八) Précis de droit conotitutionnel, 2e ed., p. 60

(九) ibid.

(10) ibid., p. 255

(一一) 之は Constitution politique と異り Communauté nationale の構成法たるもの (ibid., pp.242 et s.)

(一二) ibid., p. 239.

(一三) 斯様な疑ひある法律の事例に就ては (ibid., pp. 288 et s.)

(一四) Institution juridique として組織せられたる Droits individuels に特にこの適例を見る (Cf. ibid., pp. 612 et S.)

(一五) ibid., pp. 263 et s.

(一六) ibid., pp. 137, 712.

(一七) ibid, p. 712; Principe de droit constitutionnel, 2e ed., 1916, p. 657.

(一八) F. Gény, Science et technique, 1924, t. IV, p. 140

(一九) Science Sociale traditionnelle, p. 385

(二〇) ibid., p. 386

(二一) ibid., p. 84

(二二) Principe de droit constitutionnel, IIe ed., 1916, pp. 620 et s.

(二三) ibid. pp. 625 et s.

(二四) ibid., pp 33 et s.

(二五) ibid., p. 625.

(二六) ibid, p. 39.

(二七) Principe de droit constitutionnel, Ie ed, 1910, p. 247

(二八) Principe de droit constitutionnel, 2e ed., 1916, pp. 128 et s.

(二九) Précis de droit administratif, VIe ed., 1907, pp. 6, 17 et s.

(三〇) グルウッチによれば斯様な考は既に一八九九年 Leçons sur le mouvement social (pp. 139-140, 161) に現はれてゐる (Gurvitch, L'idée de droit social, 1932, p. 666, note (5))

(三一) Science sociale traditionnelle, 1898, p. 394

(三二) ibid., p. 384

(三三) Principe de droit constitutionnel Ier ed., 1910, pp. 244 et s.

(三四) ibid., p. 248

(三五) ibid., pp. 246 et S.

(三六) ibid., pp. 494 et S.

(三七) Science sociale traditionnelle, pp. 64-65, 370

(三八) Précis de droit administratif, 1907, pp. IX, 6.

(三九) Principe de droit constitutionnel, 2e ed. 1916, pp. V, X, XII,

(四〇) Police juridique et fond du droit, Revue trimestre de droit civil, 1927, p. 307

(四一) Principe de droit constitutionnel 2e ed., 1916, p. 618 et s.

(四二) Précis de droit constitutionnel, 2e ed., 1929, p. 91

(四三) 相對的主權說が單に國家の内部的制限たる事への歪曲的變說は既に Principe de droit constitutionnel の第二版に於見出される (ibid., p. 618)

(四四) Précis de droit constitutionnel, 2e ed., 1929, p. 623

(四五) ibid., pp. 65, 78

(四六) Gurvitch, op. cit., p. 708

(四七) Précis de droit constitutionnel, 2e ed., p. 623

(四八) ibid. p. 93

(四九) Principe de droit constitutionnel, 2e ed., pp. 735-736

(五〇) E. Cayret, Le procès de l'individualisme juridique, 1932, p. 272

(五一) Précis de droit constitutionnel, 2e ed., p. 106

(五二) ibid., p. 105

(五三) ibid., pp. 559-560

(五四) ibid., p. 105

(五五) Principe de droit constitutionnel, 2e ed., pp. 30-31, 33, 236 et s.

(五六) G. Renard, Théorie d'institution, 1930, p. 237

C　ジ　エ　ニ　イ

人の知る如くジェニイは新自然法論の巨擘であり、其傳統的法律理論に與へた衝擊は、公法に比し註釋學派の勢力が牢固たる私法の分野に於て行はれただけにより高く評價せらる可きであるが、彼は實定法解釋の方法論的反省から出發して立法權の萬能從つて國家主權の絶對性を排擊し（一）法律の專制に對して自然法の再建を企てフランス法學に新なる展開を與へたのであつた。斯樣な業績の基礎には彼獨自の法理論が在つたのであつた。

卽ち彼は法を以て宗教道德習俗等と竝存する行爲準則にして其の自體のうちに自らを規整すべき自然存在たる事を主張するのであるが（一）a）斯樣な法は二つの因子卽ち法の內容をなす所の實質（matière）と其の實質を表現し且それが强制を刻印付ける所の「形式」（forme）とより成る。前者は法存在の絶對要件であつて彼はこれを Donné と呼び、之に形式を與へて明確に表現せるものを Construit と呼ぶ（二）。Donnée は形式を缺くも仍は法の存在を可能ならしむるものであり（三）從つて Construit は旣に存在せる法を確認する所の法の構造に於ての人爲的（artificiel）な部面に過ぎない（四）。而して donné が Construit を缺く場合に於て法は自然法の形態を採り、Construit を伴ふ場合には實定法として成文法乃至慣習法の形態を採る。

偕 donné はジエニイによれば實在的所與、歷史的所與、理性的所與、理想的所與、の四種に分たれるのであるが(五)この四種の donné の裡 donné rtionnel を以て最も重要なものとする。即ち法は本質的に理性的な所產であり(六)、他の三種の donné は理性的所與を中核として法の形成をなすのであり、理性が人間の性情及人の外界との接觸から抽出するこの理性的所與こそ自然法の本質をなすものなのである(七)。而してこれは歸する所一に正義の――社會活裡に秩序と平和とを樹立するを得せしむる正義の――觀念に外ならない(八)。正義の觀念は客觀的正當 (juste objectif) たる事を要するが故に、これが發見には理性が實在的所與を觀察し歷史的所與を考慮すると共に理想的所與を直觀しなければならない。斯くて獲らるゝ客觀的正當觀念の內容は「各人に彼のものを歸屬せしめよ」(Attribuer à Chacun le sien) と「何人をも害してはならぬ」(Ne fait tort à personne) との原則に歸着する(九)。

然しながら斯樣な正義に就ての抽象的な觀念は餘りに一般的であり過ぎ且漠然極まるものである故に、より事實に近い「中間的な原理」(principes intermédiaires) を指示す可きものとしてジエニイは純粹理性より事實に至る過程を幾段階かに分ちそれぞれの段階に於ての原理を示す。即ち第一段階に於ては客觀的正當それ自體であり第二の段階では人格觀念及それに從隨する諸觀念であり第三段階はより具體的な諸法則例へば絕對的隸屬の廢止、生命權の確認、諸々の自由權、勞働所得の個人への歸屬、契約自由、過失損害賠償、不當所得の返還、婚姻後見相續夫婦財産制等家族關係より生ずる諸々の權利義務、勞働權、全勞働收益權、危險の社會保障等々が擧げられる(一〇)。斯くの如くして極めて具體的な段階まで押し行き「Science」の領域を出でて遂に「Téchnique」の領域にまで立入らんとするに至る(一一)。

ジエニイは以上の如く正義の全組織を構想するのであるが、斯く段階的に內容の具體化が行はれつゝもその全構成の基底は常に理性と絕對正義の理念の裡に根ざし「所與」の力に依存してゐるのであり、從つて自然法は實定法のとりわけ「科學的」な生成に對して優れた原理たり得るのである(一二)。斯くて自然法は謂はば法の根基として彼の所謂「還元す可らざる」(irréductible)存在となり(一三)ジエニイ自身も肯定する如くデユギイの droit objectif に於て見られしと同樣な歸結を齎し來るのである(一四)。即ちデユギーに於ける règles de droit normatives と règles de droit constructives との對照は大體に於て donné と construit のそれに比し得る(一五)。

此處に於てかデユギーの場合と同じく donné の construit に對する優位が必然的に考へられ(一六)從つて亦自然法の principe の loi に對する優越が歸結せられるのであるが(一七)、その結果ジエニイに於ても亦法の根基としての社會と國家の二元的存在及前者の後者に對する優越が見られ得る譯なのである。

偖自然法のLoiに對する優越は時として生じ來る兩者の衝突を豫想し得るのであるが、この際自然法を保障する立場からジェニイも亦自然法違反の制定法に對して暴壓拒否權を認めそれが構成條件を詳細に規定し résistance passive, résistance défensibe のみならず極限的な場合には résistance agressive さへ容認する。そしてそれこそ「正義と法との最高の守護神」であるとさへ極言する(二八)。唯ジェニイは自然法と實定法との衝突をオーリユウに於けると同じく「諸々の社會力の實際的な均衡」に於て解決した爲(二九)デユギーの如き激越さは見られないのであるが、理論的構成の精緻はデユギーもオーリユウも比肩し得ざる程であり、從つて彼の暴壓拒否權が若し何等かの形に於て實效性を具現し得るならば新自然法理論はジェニイに於て眞の樹立者を見出したであらう。然るに實際は正にこの期待を裏切る如き結果を示すのである。

ジェニイの暴壓拒否權の構成が尙明確を缺き滿足す可き類のものならずとするダバェンの批評の當否は暫く措くとするも(三〇)拒否權の具體化に際しての彼の態度は確かに一變する。即ち彼は、社會一般人の考へは個人に强大な力を與へる事を懼れるが故に拒否權の行使の機會は殆んど在り得ぬと云ひ(三一)、又拒否權の問題は人權宣言の確認する所にも拘らず實定的な解決は何等獲られて居らず、從つて單なる理性に基く考察の解決を以て諦めねばならぬ(三二)と告白して彼が理論の展開に於て到達した拒否權の實效性を空しくするに至るのである。

この事は一面彼の自然法の根基たる社會が何等具體的者としての存在を示さぬに基因するのであつてデュギーやオーリュウに於ては國家への制約物として社會を擔ふ可きものと考へられた職能團體や宗教團體もジェニィに於ては法律の獨占的基體たる國家に對抗する自主的な法基體たる事を認められず(三三)、從つて彼の社會は現實的には自己の法を國家に强制し得る足場を有しない事となる。其の結果彼自身も認むる如く自然法が餘りにも抽象的であり一般的であり過ぎ實定法を規束する事が困難となるのである(三四)。斯くては理論の展開が如何に拒否權を强調するに至らとも現實的な效力は持ち得ないのである。

本來ジェニィは法理論としては自然法至上主義を唱へつゝも解釋論としては實定法優位主義なのであり、法の適用は成文法(三五)慣習法(三六)自然法(三七)の順位を以て行はれ、從つて彼の所謂「科學的自由探究」(libre recherche scientifique)(三八)も形式的法源缺除の場合にのみ許されるに過ぎず、斯くて法理論と解釋論との間には救ふ能はざる矛盾が存するのであるが、斯樣な矛盾を惹起せしむるに至つた根底には、動かす可らざる國家のとりわけ立法權の優越的な立場が存在するのであつて、如何なる團體も——たとへどの樣に權威ある如く見え樣とも——議會の裡に座を占むる國民主權に對して制肘を加へ得ない(三九)との現實が不可避的に斯樣な歸結を齎し來るのである。

從つて拒否權の實效性を無にする論議も他面この強大なる國家てふ存在の前に社會が屈服した結果とも見られ得るのであり、寧ろこの點にこそ彼の眞實の相が現はれてゐると考へらるゝのである。斯くてジェニイも亦デュギー、オーリユウに於けると同じく理論が現實の前に崩壞したのであつた。

斯くてジェニイは自己の學説の矛盾を敢へて冒して結局成文法の優越を原則としては容認するのであるが(三〇)、其の根據となるものを稍々詳述すれば、抑々正義は社會保持の爲の秩序を要請し、秩序は亦確固不動の準則の存在を豫想するのでありその準則こそ成文法に外ならず、從つて其が成文法たる限り「技術的」な全く人爲的な方法たる事を免れないが、然も其は donné の要求により否應なくに導かれてゐるものである結果成文法の優越と云ふ事の生起し來るは殆んど自然法の如きものであり、その結果「科學」は「技術」を吸收代位しより高き統一原理の裡に衝突は解決せらるゝに至る。斯くて成文法の權威的な命令は其が正義の要請たる秩序の原理を表現してゐるてふ事から、反つて理性に示唆せられた具體的な準則卽ち自然法的者に優越するに至る(三一)と。

斯く彼は議論を歪曲する事により法理論に於ける歸結を解釋論の立場に導き來るのであるが、その結果拒否權は其自體意味なきものと化し去るのである。

以上の如くジェニイに於ては國家對社會の問題に於ける矛盾が法理論と法解釋論との間に見ら

れ、その限りデュギー、オーリュウの如く時間的經過に於て看取せられたよりはより一層明確に把握し得らるゝのであるが、いづれにしても新自然法に於ける三大法學者が悉く暴壓拒否權を主張しながら結局に於てはそれが殆んど無に近きものに墮するは、まことに不可思議な事實と云はねばならない。この異様な結果は果して何に由來するものであるか。結語に於て些かこの點を討究してみよう。

(一) Méthode d'interprétation et sources en droit privé positif, 2e ed., 1919, t.I, pp. 70 et s. 105
(一)a) Science et technigue en droit privé positif, t. I, pp. 45–51
(二) ibid., p. 353; Cf. op. cit., t. III, pp. 16-19.
(三) op. cit., t. II, p. 353
(四) op cit, t. III, pp. 18–19.
(五) op. cit., t. II, pp. 369 et s.
(六) ibid, p. 390
(七) ibid., p. 380.
(八) ibid, p. 390.
(九) ibid., p. 392.
(10) ibid., pp. 396-397
(11) ibid., pp. 398
(12) ibid., p. 399. Cf. op. cit., t. IV, p. 60; Méthode d'interprétation et sources en droit privé 2e ed., 1919, t. I, pp.

107-108.

（一三） Sous-titre de la t. II, de Science et technique en droit privé.

（一四） op. cit., t. II, pp. 416-417

（一五） op, cit., t. III, p. 19 note 2. ジエニイは但デュギイの考は正しいが餘りにも狹いとしてゐる

（一六） 兩者の衝突の具體的を例示としては op. cit., t. IV, p. 73 et s.

（一七） ibid., pp. 120-125

（一八） ibid., p. 133

（一九） ibid., p. 140

（二〇） J. Dabin, La philosophie de l'ordre juridique positif. 1929, p. 722

（二一） Science et technique. t. IV, p. 126

（二二） ibid., p. 117

（二三） op. cit., t. I, pp. 58 et s.

（二四） op. cit, t. IV, p. 81

（二五） Méthode d'interprétation et sources en droit privé positif, 2e ed., 1919, t. I, pp. 240 et s.

（二六） ibid., pp. 317 et s.

（二七） op. cit., t. II, 74 et s.

（二八） ibid.,

（二九） Science et téchnigue, t. IV, p. 104.

（三〇） ibid., p. 137

（三一） ibid., pp. 76-77

二〇 ジエニイ

三、結　語

私は以上に於て甚だ不充分ながらフランス新自然法論を粗描してみた。そしてそれが暴壓拒否權の主張にまで理論上展開を示しながら實際には何等實效性なき結果に至る事を目のあたりに看取した。斯くて自らの主張自體からしても近代自然法論の如き戰鬪的理論としての鋭さを有し得ないフランス新自然法論が嘗つて近代自然法論の齎せし如き華々しき戰績を再び繰返し得ると期待する事の如何に困難であるかは容易に想到し得るところである。

然しながら前世紀末から世紀の始めにかけてあれ程果敢な鬪爭を試みたフランス新自然法論がかくも空虛な本體を露呈せざるを得なかつた事實は如何なる原因に基くものであらうか。以下近代自然法論との對比に於て新自然法論の內容を概括しつゝこの點に些さか觸れてみやう。

元來新自然法論もそれが自然法論の名に値する事からしても當然に近代自然法論が保持して居た思惟構造を大體踏襲してゐるのであつて、近代自然法論に於て構想せられた永久不變の自然法と人爲によつて制定改廢せらるゝ實定法との對立、從つて又自然法の下に生活する自然狀態と國家及實定法の下に生活する國家狀態との對照竝びに自然法の國家狀態への妥當は、この際も亦根本的には同樣な構想の下に採り上げられたのであつた。唯思想史的な考察から直ちに想到し得る樣に新自然法論は歴史法學の洗禮を受けた當然の結果から近代自然法論の致命的缺陷である歴史的所與及歴史的發展への考察の缺如を充分に意識し、その限りに於て補正を試みた點は確かに輕視せらる可きでないのであつて、實定法に對立する自然法も根本原理としては近代自然法の如き永久不變の性格を有しては居るもの丶具體的な顯現は歴史的空間的制約の下に極りなき變化の樣相を示すものとし(一)又自然狀態と國家狀態との對照も近代自然法論に於て見られし如き一切の社會的歴史的制約から超越して孤立的に存在する個人てふ概念から出發せず寧ろ社會てふ事實を始源的なものと考へその社會裡に於ける個の概念に基礎を置いたのであつた(二)。

然しながら特に注意す可きはフランス新自然法論に於ても近代自然法論と同じく全構成を貫くに個人主義原理を以てした事であつて、これこそフランス新自然法論の性格を最も露はに特徴付けるものなのである。即ちオーリユウに於て彼の自然法は既述せる如く平等を目的とする正義と(三)民主々義的秩序とより成る「特殊化」せられた性格を持つものと考へられるが(四)その性格自體正に個人主義原理を示せる事は敢へて贅言を要せぬのであり、ジェニイに於ても彼の「最小限の自然法」たる正義は個人格の觀念の裡にその全本質的要素を含在せしむるのであつて(五)既に述べし如く「各人に彼のものを歸屬せしめよ」との正義の第一原理こそ人格に就きての高き價値認識を意味するものであり(六)又この認識に基いてこそ平等の理念——それ自身正義の概念に含在する(七)——の發現たる正義の第二原理「何人をも害する勿れ」が生じ來るのである(八)。唯デュギーを個人主義的原理に基くとするは一見彼の社會連帶思想と相背馳する如くであるが故に些かこれが論證を試みるの必要があるであらう。

本來スペンサーの使徒として出發をしたデュギーは(九)、當初から社會的觀點を重視する傾向のあつた爲にスペンサー自身程頑固な個人主義原理の信奉者ではなかつたが、然しながら彼が師に對して滿足しなかつたのは其の形而上的獨斷性にあつて個人主義原理自體ではなく、從つて本質的には何等相背くものではなかつた。次で世紀の始彼が最初の體系的著作たる國家論第一卷「客觀法と成法」をものした時の意圖は正に國家の專橫に對する個の防衛であつた(一〇)。「三變遷論」時代より死に至るまで彼が強く主張したサンヂカリズムも亦統治者の專斷に對する個の救濟を目的とするに外ならなかつた(一一)。更に彼の學說の完成期たる「憲法論」第二版に至つて、デュギーが社會規範に對し法的性格を刻印附ける集團意識の構成因子として社會性の感情(Sentiment de la socialilité) と共に正義感情 (Sentiment de la justice) を數へ且後者を從來明確に取扱はなかつた事を重大な過誤として彼自身告白した(一二)のは實に個への高き評價に基くものであつた。何故ならこの正義感情こそ「個人的自治の感情」(一三)(Sentiment de l'anomie individuelle)なのであり、論者も指摘する如く其處に個人主義原理を強く感じさせるものが存在するからなのである(一四)。

斯様にしてデュギーは全生涯を通じて個へのひたむきな熱情を示したのであつたが、この事と彼の社會連帶思想とは如何にして調和し得るであらうか。既に述べた様に歴史法學の洗禮を受けて誕生した新自然法論は社會を始原的事實として認識する事から出發する結果、社會に於ける個なる思想を中心とせざるを得ないのであるが、然しながら、この際個は決して全體なる社會の裡に吸收隷屬し終るのではなく寧ろ社會裡に於て全き活動の自由を得ると考へるのである。デュギーの場合に於ても Solidarité なる語自體が示す樣に社會てふ全體的者の裡に個が没入するのではなくて寧ろ個の連帶による社會てふ思惟が強く動いてゐる。この事は彼が社會連帶を Interdépendance Sociale なる語で表現する際に最も明らかとなる(一五)。即ち彼に於て Solidarité は Interdependance なのであつて決して absorption ではないのである。斯くてデュギーも亦社會てふ迂路を通つて結局個人主義原理に到るのであるが、唯「クラシックな個人主義への破壞者としてのデュギーが新な基礎の上に同じ個人主義の再建者としての彼より目につき易い」(一六)爲デュギーの底に流れる個人主義的原理はともすると看過される惶れがあるのである。

惟近代自然法論は個人主義的原理を核心として新興ブルヂョアジーの勝利への理論的武器たる役割を果したのであり、從つて又それは私有財産制度及契約自由制度を支柱とする現資本主義社會に於ける法律秩序の根本前提たるものであるが、資本主義社會の法的觀念態としての國家主權從つて法律主權への鬪爭を目指したフランス新自然法論がその樞軸に近代自然法論と同じく個人主義的原理を持つてゐる事は甚だ奇異の感を抱かしむるものがある。然しながらこの不可解はもう一歩踏み込むことにより直ちに釋き得らる。卽ちフランス新自然法論に於てとりわけ資本主義社會の觀念形態たる個人主義的原理を採つたのは、單に恣意的に現實との關聯を絕つた上でイデオロギー自體としてそれを攝取したのではなく、更に進んで全資本主義制度の容認の前提の下にそれが理論的顯現たる限りに於て採り上げたのである(七)。而して甚しき矛盾と見ゆる此樣相も、同じく資本主義的觀念形態として在りながら國家主權乃至法律主權說が近代自然法論に根ざす「孤立せる人間自體」を出發點とするに反しフランス新自然法論に於ては「社會に於ける個」を基とする點に兩者の差異あり、此相異こそ資本主義社會に於ける發展の量的差異が齎らす異なる社會階梯の對應的顯現たるの意味を持ち、恰も下構に於ける兩者間の相剋の對應物としてこの二つの個人主義的原理も亦法的觀念形態の領域に於て相鬪ふを知る時、了解し得らるゝ。卽ちフランス新自然法論の國家主權乃至法律主權說への鬪爭は同一社會段階裡に於ける異なる社會階梯間の相對的な對立に過ぎず、近代自然法論が封建社會の觀念形態との戰ひに見られた如き異る社會段階間の對立を意味さない。かくて新自然法論は飽くまで「改良」の理論であつて「變革」のそれではあり得ない。その故に新自然法論に於て論理の展開が自らの限界を越えて恰も近代自然法論が封建的乃至絶對制的國家に對峙せし如く、その暴壓拒否權を以て現存國家機構そのものに直面する時、自らの手を以て頽る如き崩壞を示すのである。

唯デユギーの中期及びォーリユウの前期に見られたサンヂカリスムの重視の傾向は、之を發展し行く事によつて或は新自然法論を變革の理論に導くを得せしめたかも知れない。然しながら斯樣な期待の全く實現の可能性なきものである事は上述せる新自然法論の性格自體から容易に察知せらるゝ所であつて、本來資本主義社會に根ざす新自然法論の裡には次の時代を擔ふ可き萠芽が充分成育し行く壤土を見出す事は出來ない。故にデユギー及ォーリユウの後期に於てサンヂカリスム「社會」は惰性的に尙殘滓を留めながら其の具體化は現實の問題たり得ず實際には殆んど否認し去られたと同樣な樣相を呈するに至つたのは寧ろ當然であつて(一八)ジエニイに於ては無自覺的に「社會」にデユギー及ォーリユウに於ては自覺的に「サンヂカリスム」に、仄かに具現し始めてゐる新なる世界は他の新らしき法理論の誕生を待つて自已の全き姿の表現を試みるより外はないのである。或程度批判的であり闘爭的でありながら究極的には現存社會機構の肯定に墮する小ブルヂョア階級のイデォロギーたる性格を完全に啓示する此新自然法論は正にそれだけの意味を持つに過ぎない。ジエニイに於ての法理論と解釋論の矛盾、デユギー、ォーリユウの後期に於ける變說、が悉く現實國家の肯定に歸着するは、かくて、全く無理からぬ事であつて、彼等の理論の地盤を以てしてはルソウの「法律は總意（volonte generale）の表現である」（一九）「總意への服從を拒む者は何人と雖ども全體により强制せらるゝであらう。この事は人が彼に對して自由である事を强制する以外の何ものをも意味さない」（二〇）てふ個人主義的原理に根ざす法律至上主義的思想を究極的に克服するを得ないのである。

（一）斯様な考へ方は新自然法論の通有な思惟型式であつてシュタムラーに於ても見らるゝ所であるが、フランス新自然法論に於ても例外はない。本稿に於て取扱つた三者に就て見れば、自然法は卽ちジエニイに於て un fond permanent, de caractère universel, avec des détails extrémement divers et changeant (Science et technique, t. IV, p. XIII) であり、オーリユウに於て immuable, aussi bien dans ses principes d'ordre social démocratique, que dans ses principes de justice, mais, d'une part, il ne se réalise qu'en des chefs-d'oeuvre classiques, qui d'ailleurs peuvent être en progrès les uns par rapport aux autres (Precis de droit constitutionnel, 2e ed., 1929, p. 61) であり、デュギーに於て permanent en principe, infiniment changeant daus ses applications (L'Etat, le droit objectif et le droit positif, 1901, pp. 11, 93-100, 150-152, Traité de droit constitutionel, 2e ed., t, I, p. 18) である

（二）Duguit, Traité de droit constitutionnel, 3ed., t. I, 1927,p. 66; Hauriou, Eléments de droit public, 1916, p. 491 Précis de droit constitutionnel, 1ed., 1923, p. 17; Gény, Science et technique, t. II, p. 392.

（三）Précis de droit constitutionnel, 2ed., 1929. p. 36

（四）ibid., p. 60

（五）Science et technique,t. IV, p. 121; Cf. op. cit., t. II, pp. 395-399, 401-405

42

(六) op. cit, t. II, p. 394

(七) ibid., p. 391

(八) ibid., p. 394

(九) デュギーがスペンセリアンとして出發せし事に就きては拙稿「デュギーの集團議論」(法學一巻三八號八一頁以下)「デュギーに於ける法思想の發展」(東北大學法文學部十週年紀念「法學論集」五六六頁以下)「レオン・デュギーの國家論」(法學五巻九號一三頁以下)を參照せられたし

(一〇) L'Etat, le droit objectif et le droit positif, pp. 1, et s.

(一一) 例へば Droit individuel, droit social et transformation de l'Etat, 1908, p. 125; Mannel de droit constitutionnel, p. 100; Traité de droit constitutionnel, 2ed., t. I, p. 665; ibid., t. II, pp. 197-198

(一二) Traité, 2ed., p. 46

(一三) ibid., p. 51.

(一四) E. Cayret, Le procès de l'individualisme juridique, 1932, pp. 214 et s.; J. Dabin, La philosophie de l'ordre juridique positif, 1929, pp. 279-280

(一五) 例へば Traité de droit constitutionnl, 3ed, t. I, p. 84

(一六) E. Cayret, op. cit,, p. 28

(一七) 全私法制度の肯定の上に立論するジェニイに就ては何等立證を要さない。又オーリュウの「特殊化」された自然法に於て Ordre Social は ordre démocratique なる事既述の如くなるより贅言を要しないが彼の資本主義社會肯定は特にブルヂョア國家の是認 (Principe de droit constitutionnel, 2ed, 1916, p. 372) 經濟生產裡に於ける個人企業の國家に對する優位 (Précis de droit constitutionnel, 2ed., 1929, pp. 43-44) 革命的サンヂカリスム、社會主義共產主義等への強き反對 (ibid., p. 106) 等のうちに見出される。デュギーに於ても社會連帶てふ考へ方自體沒階級的見解であり然も個への重視は沒階級的全體主義への偏きを許さぬ故微温な改良主義として究極的には現存社會機構の是認に至るのであるが、この事はとりわけ經濟と政治との矛盾に基く現存國家機構の崩壞てふ主張への否認（Droit individuel, droit social et transformation de l'Etat, p. 47）階級對立の否定と資本家階級の將來性への是認（ibid., pp. pp. 119-120）革命的サンヂカリズムへの絶對的否定（ibid, pp. 108-113; Traité de droit constitutionnel, 2ed., t. I, pp. 663-664; Souveraineté et liberté, pp. 188-189）等に看取せられ得る

（一八）Duguit, Traité de droit constitutionnel, 3ed., t. I, pp. 663 et s; t. II, p. 763; Hauriou, Précis de droit consitut-tionnel, 2ed., p. 93

（一九）J- J. Rousseau, Contrat social, Livre II, Chap. VI, Edition Garnier, p. 259

（二〇）ibid., Livre I, Chap. VII, p. 246

化學戰國際法の現狀

山下康雄

序論

今次歐洲戰爭に於ては未だ化學兵器を大規模に使用せる實例を聞かぬのであるが、これは、一つには今次大戰が今までの所（昭和十六年二月二十五日）陣地戰の形を採る事なく、所謂電擊作戰に依り陸上の戰鬪が一段落を告げたるに因ると思はれる。化學兵器の使用は前大戰の實驗の示す如く、戰線が一般に膠着狀態となり陣地戰、持久戰の形勢を示すに至れるに及び攻擊を企圖する交戰國が戰爭の趨勢を再び運動戰に導き自己の優秀なる火力を遺憾なく發揚し以て最後の勝利を得んとする時、初めて着目せられる所である。即ち化學兵器の使用が狙ひどころとするは、堅固に防備された塹壕・堡壘等に據る敵は通常の砲兵火力のみを以てしては粉碎し得ざるを以て、化學兵器を以て敵をしてかゝる防禦物内に永く滯留するを得ざらしめ、敵が陣地を棄て開豁地に出現するを待ちて、之に運動戰を挑み以て勝敗を一擧に決せんとするに在る（一）。陣地戰に至らざりし今次大戰に於て化學兵器が未だ大規模に使用せらるゝに至らなかつたのは以上の理由より想像し得られるのであるが、化學兵器の使用は獨り前記の如き目的を以て行はれるのではない。第一次世界大戰後各國に於ける化學兵器研究の結果たる所謂空・化學戰 la guerre aéro-chimique 即ち瓦斯空襲の技術がたゞに戰場に於て利用せられるのみならず、敵國内の政治、經濟、產業、軍事の中心地に對しても大規模に實行される事は豫想し得るところである。尤も鑛業施設及工業施設に對する毒瓦斯爆彈の效果に關しては、他の高性爆彈に比して必ずしも絶大なるものありとは言へないかも知れぬが(二)、それは瓦斯爆彈のみを單獨に使用する場合の事に屬し、高性爆彈や燒夷爆彈と併用したるときは其の慘禍の誠に恐るべきものがあるから、交戰國が之を使用するに至るべき事は充分豫想し得る所である。今次大戰に於ても化學兵器使用の公算が消滅せりと未だ必ずしも斷ずるを得ないのである。

本稿は、化學兵器使用の公算存する現在に於て、化學兵器に關する國際法規は如何なる現狀に存するかに付き私見を披瀝せんとするものである。

(一) 前世界大戰に於ても、マルヌ會戰後、戰線膠着し陣地戰となりたるにより、之を打開せんがためにイープルの鹽素ガス放射が行はれたのである。この點に關しては、Völkerrecht im Weltkrieg 1914-1918 (Das Werk des Untersuchungsausschusses der Verfassunggebenden Deutschen Nationalversammlung und des Deutschen Reichstages 1919-1928) IV. Bd S. 19 に於けるハーベル博士の證言を參照。

(二) 一九二四年國際聯盟軍備縮少臨時混合委員會報告書中に、コロンビヤ大學 Zanetti 教授の意見として掲げられてゐる所である。

過去に於て有效に成立せる國際條約中、化學兵器使用に直接關係ありと思はれる規定を拾つてみると概ね次の樣である。

（一）海牙陸戰條規（三）

（a）第二十三條第一項イ號

（b）第二十三條第一項ホ號

（二）海牙毒瓦斯禁止宣言（四）

（三）毒瓦斯及細菌戰禁止に關するゼネバ議定書（五）

この外、間接に關係ある條約規定を掲げると、聖ピータースブルグ宣言前文中の字句（六）陸戰條約前文中の字句（七）等があり、又條約としては成立せるも遂に批准せらるゝに至らなかつた、ワシントン五國條約（八）があり、又ヴェルサイユ條約第一七一條も關係があると思はれ（九）、公的な條約案としてはマグドナルド軍縮條約案（一〇）がある。是等は何れも化學戰國際法の直接の淵源とは認め得ないものである。

（三）精確には「陸戰ノ法規慣例ニ關スル條約」（本稿にては「陸戰條約」と略稱する）附屬書「陸戰ノ法規慣例ニ關スル規則」（本稿にては陸戰條規と略稱する）

（四）精確には「窒息セシムヘキ瓦斯又ハ有毒質ノ瓦斯ノ散布ヲ唯一ノ目的トスル投射物ノ使用ヲ禁止スル宣言」（本稿にては「海牙宣言」と略稱する）

（五）精確には「窒息性、毒性又ハ其ノ他ノ瓦斯及細菌學的戰爭方法ヲ戰爭ニ使用スルコトヲ禁止スル議定書」（本稿にては「ゼネバ議定書」と略稱する）

（六）一八六八年「セント・ピータースブルグ宣言」前文中に曰く『……戰爭ノ必要カ人道ノ要求ニ一歩ヲ讓ルヘキ技術上ノ限界ヲ云々……』、又『戰爭ニ於テ國家カ遂ケムト勉ムル唯一ノ正當ナル目的ハ敵ノ兵力ヲ弱ムルコトニ在ルコト』又『此ノ目的ヲ達セムニハ成ルヘク數多ノ人ヲ戰鬪外ニ置カハ則チ足ルヘキコト』等の字句に表はれたる諸原則は、又もつて、化學兵器の合法性を考察する場合の規準となるべきものと思惟せらる。

（七）　陸戰條約前文中に曰く『締約國ノ所見ニ依レハ右條規（陸戰條規を指す）ハ軍事上ノ必要ノ許ス限リ努メテ戰爭ノ慘害ヲ輕減スルノ希望ヲ以テ定メラレタルモノニシテ云々』

（八）　精確には「潜水艦及毒瓦斯ニ關スル五國條約」（一九二二年ワシントンにて調印）。毒瓦斯に關する規定は、其の第五條に揭げられてゐる。本條約は一九二二年二月六日調印せられ、アメリカは一九二二年三月二九日に、イギリスは一九二二年八月一日に、日本は一九二二年八月五日に、イタリーは一九二三年四月一九日に夫々批准手續を完了したのであるが、今一つの締約國たるフランスが批准を爲さゞりしため、本條約第六條に因り締約國全部の批准書寄託が實現せず、結局實施せられるにいたらなかつた。フランスが本條約を批准せざりし理由は潜水艦條項に關するもので毒瓦斯條項に關するものではなかつた。それは、第五條に關して Respecteux des engagements internationaux,auxquels la France a souscrit, le Gouvernement Français s'efforcera au début d'une guerre, et d'accord avec les Alliés, d'obtenir des Gouvernements ennemis l'engagement de ne pas user des gaz de combat comme arme de guerre.Si cet engagement n'est pas obtenu ilse réservera d'agir suivant les circonstances となしたる聲明にかんがみても察知出來るのみならず、本條約はほとんどその儘の形でゼネバ議定書條文中に採用されてゐるから、實質的には化學戰國際法規の一部と考へることが出來ると思はれる。

（九）　ヴエルサイユ條約第一七一條に『窒息性、毒性其ノ他ノ瓦斯及之ニ類似スル一切ノ液體、材料又ハ考案ハ其ノ使用ヲ禁止セラレアルニ因リ獨乙國內ニ於テ之ヲ製造シ又ハ輸入スルコトヲ嚴禁ス』とありて、その前半部の條文は、新に國際法上の規則を創設せるものなりとする說（Marcel Le Goff, Traité théorique et pratique de droit aérien, Paris 1934, p. 502-503.）あるも、本規定の存するヴエルサイユ條約第五編の性質より考へ（第五編は雙務的一般的國際法規の創設を目的とするものに非ずして、獨逸の一方的軍　を目的とするものである）、又、條文の文言より考へ（條文には「禁止セラレアルニ因リ」étant prohibé なる語を用ひてゐる）正當となすを得ず、本條は、獨逸に對する要求を正當化せんが爲の粉飾的字句に過ぎず（Overweg, Die Chemische Waffe und das Volkerrecht, Berlin 1937, S 67）せいぜい既存の原則を確認したるものと解すべきであらう（Eysinga, La guerre chimique et le mouvement pour sa répression Académie de droit international, Recueil des Cours, Tome 16, 1928, p. 349).

（10）即ち第四七條乃至第六二條を參照。

前記條約規定の内容を研究するに先立ち、これらの條文の形式的效力の問題に觸れる必要が存する。即ち、陸戰條約にせよ、又海牙宣言にせよ、所謂「總加入條款」なるものを存し（一）又、ゼネバ議定書には「相互拘束條款」が存し、是等の條約は或場合に於て條約として全然發效せざる場合が存する。今之を總加入條款と相互拘束條款とに別つて考察する事とする。

先づ總加入條款であるが陸戰條約第二條には『第一條ニ掲ケタル規則（陸戰條規を指す）及本條約ノ規定ハ交戰國カ悉ク本條約ノ當事者ナルトキニ限リ締約國間ニノミ之ヲ適用ス』とあり、海牙宣言には『締約國中ノ二國又ハ數國ノ間ニ戰ヲ開キタル場合ニ限リ締約國ハ本宣言ヲ遵守スルノ義務アルモノトス』とあり、これに依れば、交戰國中に一國たりとも條約の當事國たらざる國ある時は、其の非締約國參戰の時より條約及び宣言中の規定は條約としては適用され得ない事になる譯である。總加入條項の趣旨とするところは、條約上の義務を負ふ國家が條約上の義務なき國家との戰爭に於て、例へば兵器使用上不利となること無きを斟酌して條約上の義務を免がれしめ以て戰爭遂行上の自由を平等に享有せしめんとするにありて、相當の理由を有するものであるが、此の條項を形式的に貫く時は戰爭法規の適用を免がれる機會多くして戰爭法規履行の保證を失はしむる結果となり、立法論としては餘り感心せぬ制度であると言ふべきである(一二)。それはともかくとして、總加入條款が存する限り之を無視する事を得ず從つて今次戰爭に於て陸戰條規及び海牙宣言が發效せるや否やを、此の條項の規定に關し吟味する必要が存する。

第一に一九〇七年の陸戰條約に關しては、今次戰爭の交戰國たる、イギリス、ドイツ、フランス、イタリー、ポーランド、ノルウエー、オランダ、ベルギー、ギリシャの各國のうち、イタリー及びギリシャの二國が之を批准してゐない。その結果、陸戰條規第二三條第一項は、イタリーの參戰以來適用なきものであるとの議論が一應成立する如くである。此の議論は一九〇七年の陸戰條約のみを考へのうちに入れた場合に起るのであるが、このほか尙第一回平和會議(一八九九年)に際して成立せる陸戰條約をも考慮に入れる必要があると信ずる。一九〇七年の陸戰條約は其の前文中にも明かなる如く一八九九年の陸戰條約の修正の結果であり、一方に於て一八九九年の陸戰條約の失效を宣したものではないのであつて、しかも第二十三條第一項に關する限り兩陸戰條規は全然同文であつて、第二回平和會議に於て第二十三條第一項に關する修正は行はれなかつたのである(一三)。從つて第二十三條第一項は、一九〇七年の條約規定としては總加入條款によりイタリーの參戰の結果適用なきも、一八九九年の條約規定としては尙適用の餘地を殘すものと解せねばならぬ。若し、イタリー及びギリシャにして一八九九年の陸戰條約をも批准してゐなかつたならば、玆に於て初めて第二十三條第一項は今次戰爭に適用なきものと解して可なるべきであるが、イタリーは一九〇〇年九月四日に、又ギリシャは一九〇〇年四月四日に夫々一八九九年の陸戰條約の批准を行つたのであるから、第二十三條第一項に關する限りすべての交戰國が一九〇七年か、一八九九年の陸戰條約に加入しあるを以て、今次戰爭には適用せられるものと思惟せらる（一四）。

第二に一八九九年の海牙宣言を批准せざる現交戰國はポーランド一國のみである。此點に於て再び本宣言の適用も問題となる餘地が存する如くである。この場合、ポーランドがドイツ及びロシャによる征服・分割の結果國家として消滅せりや否やによつて議論の結果が一應別れる如くである。若し、ポーランドが征服・分割・併合の結果、國際法上の國家として消滅せりとの見解に從へば（一五）、ポーランド國消滅のときより、海牙宣言は再び適用せられるに至るとの議論が可能である。これに反し、一交戰國が征服の結果對手交戰國により併合せられても、尙其の同盟國が戰爭を繼續する限りは、その併合は國際法上の效果を伴はず被征服國は尙國家として存立するとの見解（一六）に從ふときは、ポーランドの同盟國たるイギリスが戰爭を繼續する限りポーランドは國家として消滅せず從つて同國の參加する今次戰爭の現段階に於ては海牙宣言の適用なしとの結論に到達せざるを得ないのである。併しながら、かゝる推論は全くの形式論にすぎずして總加入條款の趣旨とするところに照合せて考へるとき全く不當といふべきである。ポーランドは今や獨立の作戰軍を有せず、自己の發意にもとづく禁止兵器の使用は實行不能であり、總加入條款が目的とする締約國側に生ずべき戰爭遂行上の不利の救濟を必要とすることが全く無いのであるから、現戰爭に於て海牙宣言はポーランド軍潰滅の時より適用ありと認むべきであらう(一七)。

次に、ゼネバ議定書の相互拘束條項について一言するに、同議定書は毒瓦斯禁止につき締約國は『相互ニ本宣言ノ規定ニ從ヒ拘束セラルヘキモノナルコト』を規定してゐる。此の相互拘束條項を文字通りに解するときは、總加入條項の場合と稍趣きを異にする如くである。總加入條項の場合に在りては、交戰國中一國たりとも非締約國なるときは、條約規定は、かゝるものとしては適用されざるに至り、爾後非締約國が交戰國たる限りは、他の交戰國たる締約國間に於ても條約規定に拘束されることはない。これに反し、ゼネバ議定書の相互拘束條項に依るときは、たとへ非締約國が參戰するに至るも、條約規定は締約國たる交戰國相互の間に於て尙拘束力を有し、たゞ非締約國たる交戰國に對する關係に於てのみ拘束せられることなきのみである。ゼネバ議定書の形式的效力が、非締約國參戰の事實のみによつて左右せられることなきは、海牙諸條約の場合と著しく相異せる點である（一六）。今、現交戰國を通觀するに何れも本議定書の批准國であるから本議定書は現に適用されてゐる化學戰國際法規であるといひ得る。

（二） Völkerrecht im Weltkrieg, Bd. IV 中のクリーゲ博士鑑定意見によれば、海牙宣言には總加入條項なしとするも、何かの誤りであらう。

（三） 註一四を參照。チーテルマンは總加入條項廢止論者の一人である樣であるが（Kunz, Kriegsrecht und Neutralitätsrecht, Wien 1935, S. 30）海牙諸條約に於ける總加入條項は大戰の結果廢止せられたと見るべきであるとなしてゐる。その理由とするところは、大戰中總加入條項に基づいて海牙諸條約の無效なることを主張せる事例は見出し得ざること、從つて本條項は慣習的に廢止せられたと見るべきであること、慣習法の成立には必ずしも長期なることを要せずその適用のケースの數が多いことを以て足ること、に存する樣である。實際に於て前大戰中各交戰國は相互に海牙條約侵犯を非難し合つて眼中總加入條項なきかの如き觀があつた。（この點に關しての研究は、Garner, International law and the World War, Vol. I, p. 19 et s.）その動機の奈邊にあつたかは容易に推察できるところであるが、これを法律的に見るとき必ずしも總加入條項發效の機會があつたと斷ずべからざる點も存する。たとへば一九〇七年の陸戰條約は交戰國中批准し居らさる國家ありしこと後述註一四中にも說く如くなるも、一八九九年の陸戰條約は交戰國のすべてが（少くともサンマリノ參戰までは）これを批准して居たのであつて、總加入條項發效のことは開戰當初には存せざりしが如くである。してみれば、チーテルマンの論旨は稍疑なきを得ないといはざるを得ない。Zitelmann, in "Wörterbuch des Völkerrecht," S. 31–32

（三） 一九〇七年の陸戰條規と一八九九年の陸戰條規との比較については、Scott, Hague conventions and declarations of 1899 and 1907, p. 100–129. を參照。

（四） 一九〇七年の陸戰條規と一八九九年の陸戰條規とを、總加入條項に關聯せしめて、本文の如く解する者としては、「クリーゲ鑑定」及び Overweg 前掲書五六頁、チーテルマン前掲論文三一—三二頁。Pfankuchen, A documentary textbook in international law, 1940, p. 754, note 1. A. F. Franguilis, Les conventions de la Haye et la Guerre Mondiale. "Dictionaire Diplomatique, Tome I, p. 542-544

前世界大戰に於ける陸戰條規適用の有無に關し(特に化學兵器の問題に關し)消極説をとる獨逸の學者がある。たとへばクンツ (Kunz, Gaskrieg und Völkerrecht, Wien 1927, S. 27-28) 及びホルト・フエルネック (Hold-Ferneck, Lehrbuch des Völkerrechts, Bl. II, S. 266) がこれである。クンツに依れば、セルビヤ(一九一四年七月二十八日宣戰)、モンテネグロ(一九一四年八月七日宣戰)、トルコ (一九一四年十一月三日宣戰) は何れも一九〇七年の陸戰條約を批准してゐなかつたから前大戰に於て陸戰條規は初めから適用がなかつたとするのである。併し乍ら本文所説の如く解するときは、セルビヤは一九〇一年五月十一日、モンテネグロは一九〇〇年十月十六日、トルコは一九〇七年六月十二日に、夫々一八九九年の陸戰條約を批准したのであるから陸戰條規第二十三條第一項は前大戰に於て適用を受けたと解すべきであつて、後にいたつて一八九九年の陸戰條約も一九〇七年の陸戰條約も批准してゐなかつたサン・マリノの參戰(一九一五年六月三日)以來初めて形式的拘束力を失ひたるものと思はれる。Piankuchen 前掲書七五四頁註(一)を見よ。Overweg 前掲書五六頁は、リベリヤの參戰(一九一七年八月四日)以來形式的拘束力がなくなつたとするが、此點前者の見解を正しとする。しかし乍ら、サン・マリノにせよ又リベリヤにせよ、世界大戰に於ける實戰に關係なき國家の參加によつて戰爭法規の適用が排除せられることは、果して如何なものであらうか。總加入條項が感心せぬ制度であるとは、玆のところを指すものである。

(五) 例へばモイラーの如きは、被征服國の同盟國が戰爭繼續中であつても征服國の併合は國際法上有效なりとし、實際併合を行ふと否とは政策の問題にすぎぬとする。Meurer, Die völkerrechtliche Stellung der vom Feinde besetzten Gebiete, Tübingen 1915, S. 3.

(六) Oppenheim, International law, (1939) Vol. II. p. 427. Heyland, Die Rechtsstellung der besetzten Rheinlande, Stuttgart, 1923, S. 5.

（一七）前世界大戰に於ける海牙宣言の形式的效力については本宣言を批准せざりしアメリカの參戰（一九一七年四月六日）以來適用なしとする說（Overweg 前揭書五九頁）あるも形式的にはサン・マリノの參戰（一九一五年六月三日）以來適用なしとする說（Pankuchen 前揭書七〇頁）を正しとする。尙 Pitt Cobbett's leading cases on international law, 1924, Vol. II, p. 138. は前說に屬する。

（一八）ゼネバ議定書は總加入條項を形式的には排除せるものに非ずとは、國際聯盟主催軍備縮少會議に於けるピロッチ報告（一九三二年十一月八日）の採る見解であるが、相互拘束條項と總加入條項との相違は條約の文言通りに解すれば、本文に述べた如く明かなるものと思惟せらる。

一 海牙陸戰條規

陸戰條規第二十三條第一項は、『交戰者ハ害敵手段ノ選擇ニ付無制限ノ權利ヲ有スルモノニ非ス』と規定せる第二十二條の後を受けて、具體的に如何なる害敵手段が不法なるかを例示してゐる。卽ち、『特別ノ條約ヲ以テ定メタル禁止ノ外特ニ禁止スルモノ左ノ如シ』となし、以下（イ）乃至（チ）に至る八種の害敵手段を擧げてゐるが、其のうち、（イ）『毒又ハ毒ヲ施シタル兵器ヲ使用スルコト』及び、（ホ）『不必要ノ苦痛ヲ與フベキ兵器、投射物其ノ他ノ物質ヲ使用スルコト』の二點は玆に特に化學兵器の使用に關係あるものと思惟せられる（一九）。そこで先づ、

（イ）毒又は毒を施したる兵器を使用することであるが、毒物の使用が古來慣習法上不法とせられてゐたことは疑の存せぬところで陸戰條規は偶々この原則を條約化せるに過ぎぬといふことが

出來る。學說に於てもグローテイウス以來ほとんど一致して認めるところである（三〇）。「毒ヲ使用スルコト」とは毒物を毒物として單獨に害敵手段として使用することであつて、「毒ヲ施シタル兵器ヲ使用スルコト」とは、其れ自體既に殺傷力を有する兵器に毒物を塗布してこれを害敵手段として使用することで、兵器の殺傷力を確實ならしめ、「死の原因を二重にする」（グロテイウス）を目的とするものである（三一）。何れにせよ結局、問題は毒の使用といふことに存する。

化學戰國際法の問題としては、此の毒物の使用のうちに化學兵器又は毒瓦斯（三二）の使用が包含されるか、毒瓦斯は第二十三條第一項（イ）にいふところの「毒」の一種であるかといふことが、爭はれてゐる。これは、前世界大戰に於ける毒瓦斯使用に關聯して提起された爭論であつて、積極說と消極說にわかれる。積極說は、毒瓦斯は第二十三條にいふ毒であつて、毒瓦斯の使用は本條によつて禁止された害敵手段であり、從つて前大戰に於ける獨逸の毒瓦斯使用はこれによつても國際法違反であるとなすものである。積極說を最も明確に主張せられる立博士は次の樣に言はれる。『此の規定に所謂毒といふのは必ずしも醫學上藥學上に所謂毒のみを指すのではないので人の身體の生活機能に對して急遽に著るしく有害な作用を爲す物質は總て此條文の所謂毒の中に含まるべきである。醫學上所謂中毒なる作用を惹起すを要するといふ八釜しい意味で使つたのではないと認むべきである。又其の形狀が瓦斯體になつて居らうが液體になつて居らうが固體になつて居らうが其の毒の形狀も亦問ふ所でないのであると認むべきである。故に瓦斯の狀態に在る毒を使つて敵人を苦しめるといふことは……陸戰條規第二十三條のイ號に依つて不法であるといふ事が出來ると思ふのである(三三)』。

これに反し、消極說は毒瓦斯は毒物ではないから毒瓦斯の使用は本條によつて禁止されてゐるとはいへない、といふ點が論者の主眼であるか、その理由とするところは概ね次の諸點に約められる樣である。

(1) 毒物使用禁止が成立せる理由は、毒物の使用か背信行爲たるの性質を有するに在る。毒を以て敵を害するは敵をして適當なる防御手段を講するの餘地なかしむる隱密的又は暗殺者的の行爲たる點に存する。然るに毒瓦斯の使用はかゝる背信的性質を有せず、毒瓦斯の使用に對してはこれを事前に探知し事後に感知し、防毒面の裝着等によりて防御手段を講することも出來る。故に毒瓦斯は毒と同一視すべきでなく、毒物とはことなれるものである(三四)。

(2) 毒瓦斯に關しては別に海牙宣言がある。第二十三條第一項イ號に毒瓦斯使用の禁止が含蓄されてゐるとすれば、同宣言成立の意味がないわけになる(三五)。

(3) 毒物使用を禁止する一つの理由は、それが戰爭に關係なき平和的人民に對して危害を加へる可能性があることに存する。然るに毒瓦斯は其の使用の如何によつては、其の效果を軍隊にのみ集中することができる(二六)。

(4)　毒物禁止の理由は毒物使用が軍事的效用が甚だ少ないことがある。軍事的效果少ないのに比して人道的非難が大であるため結局これを禁止する慣習法が成立したのである。これに反して毒瓦斯の效果はとうてい毒物の比でない(二七)。

今、兩說の特色を約言すれば、積極說は廣義毒物概念を採り毒物作用に重點をおいてゐるが、消極說は狹義毒物概念に依り毒物禁止理由に論據を求めてゐる(二八)。此の兩說を批判すれば、先

(1)　積極說は、毒瓦斯の科學的定義によく合致してゐる。例へば、近來毒瓦斯なる語を避けて戰用瓦斯 gaz de guerre なる語や戰用毒劑なる語が用ひられるが、此の戰用瓦斯なる語の意義に付、國際聯盟軍縮臨時混合委員會報告中に次の樣に言つてゐる。『戰用瓦斯なる概念は所謂「瓦斯」の科學的定義と一致しない。實際に於て瓦斯體のみならず極微粒子狀又は雲霧狀として空中に散布せらるべき固體又は液體の物質を包含する。是等の物質が人體に與へる傷害の特質は化學的變化たる點に存し、此の點、機械的(物理的)效果を與へる炸藥とは明らかに區別せらるべきである』。此の科學的定義によれば毒瓦斯も毒物の一種にほかならない。實際に於て、毒瓦斯のうちには、青酸や砒素の如き古來毒物として著名なる物質の化合物たるもの多く、化學的成分からいへば、

毒瓦斯と毒物との間には何等絕對的區分は存しない。又、物理的性狀からいつても、毒瓦斯とは言ひ條、常温に於ては多く液體か固體かであつて唯出現時に於て瓦斯體たるものが多いといふのみで、此點からいつても毒物との絕對的區別は存しない。更にまた、生理的作用の點からいつても、毒瓦斯は吸入毒として呼吸器系統より入り又接觸毒として皮膚、粘膜より人體に傷害を與へるを通常とし、毒物は飮用毒として消化器系統より人體內に吸收せらるるを通常とするも之又絕對的の區別たり得ない。或は又、毒物によつて飮用水たるべき水を毒化するも毒瓦斯によつて空氣を汚毒するも共に有毒物質を人體內に進入せしむる可能性に於ては何等逕庭はない。科學者が毒瓦斯に戰用毒劑なる語を用ゐることも又宜なりといふべきである。併しながら、科學的概念そのまゝが法的概念たり得ざること、吾々が何かなしに毒物と毒瓦斯との間に相違あることを感ずることのうちにも表現されてはゐないだらうか。その「なにかなしに」を明らかにしようとしたところに消極說にも正しさがあると認めてよいではなからうか。それはともかくとして、毒物と毒瓦斯とは必ずしも常に一致し得ないことの一つとして、私は毒物とは常に致死的毒性を有するものでなければならぬといふことを主張したいのである。そも〳〵、毒物として古來使用され、又國際法が禁止せんとしたものは、通例純然たる殺害の目的を以て使用された致死毒であつたのである。國王、將軍その他敵國の主要人物の毒殺を目的として使用された致死的毒物であつたのである。このことはグローテイウスその他の記述によつても明らかである。故に本條にいふ毒物とは、致死的效果の可能性を有するものをいひ、それ以外の一時的生理障害を起し回復し易き刺戟劑の如きはこれに含ましむべきでないと考へられる。毒瓦斯中にても、臭化ベンジルの如く、刺戟毒たる點に特色を有しその毒性が實際上問題とならざる物質の如きは、本條にいふ毒物たらざるものと見るべきである。もとより、この際に於ける致死的效果の可能性といふも化學實驗室に於ける絕對的可能性たるよりも、むしろ、實戰に於ける相對的可能性の意味に用ゐ、實際の野戰に於ける致死的效果の實現可能性如何に關して決定せらるべきである。

(2)　消極說は積極說に反し、毒物禁止の慣習法成立の理由を論旨の重點となし、毒物概念を法學的に構成せんとする點に特色を有するのであるが、その理由として掲ぐるところ必ずしも首肯し得ざるものがある。先づその

第一點たる、毒物使用禁止の理由が背信行爲たるの性質を有するといふ點に關してはこれを一應肯定することを得る(三九)。毒物使用は祕密的犯罪であり不信の行爲であるとは古來主張され來つたところである。しかし乍ら例へば毒物を井泉中に投入し之を祕密にせず毒物を投入せる旨の掲示をなす等の手段によつて周知の方法を講じたるときは、か〻る毒物使用は背信ならざるを以て不法たらずとの議論の成立つ餘地が存する。か〻る行爲は背信の行爲ではないが尙平和的人民

に不必要なる苦痛と危險とを與へるものであるから許さるべきではない(三〇)。してみると毒物の使用は背信の行爲たるが故に禁止されてゐるのではなくして、むしろ後述第三點卽ち平和的人民に對する不必要なる苦痛といふ點に存すると見るべきであらう(三一)。それはともかくとして、毒物が假に背信行爲なるものとしても、毒瓦斯の使用が背信行爲たる性質を有せぬといふ第一點後段の論旨は容易に肯定するを得ないのである。無色無臭無刺戟の毒瓦斯は世界大戰に於て出現せず、かゝる毒瓦斯は化學兵器の Idealtypus たるにすぎずとするも、それが祕密裡に發明され製造されてゐることを否定することも肯定することもできぬのであつて(三二)、かゝる背信的性質の毒瓦斯こそ各國が祕かに硏究してゐるところで、それが實現されぬ實行されぬとの保證は存しないのである。現に所謂イペリット劑の如きは相當高度の背信性を有し今尙「毒瓦斯の王者」と稱せられてゐるのである(三三)。次に、

第二點たる、第二十三條第一項イが毒瓦斯を禁止してゐるとすれば海牙宣言は無用なりとする點に關しても、直ちに左　するを得ない節が存する。陸戰條規と海牙宣言が共に同一の第一回平和會議に於て成立せるものとしても、其の加盟國が常に同一であるとは豫想できぬことであり、且現に陸戰條規に加盟せるも海牙宣言には加盟せざる國が存するが故に、今假に兩者等しく全く同樣の方法で毒瓦斯を禁止してゐるとしても何の不都合もない。若し消極說の論旨を是とするな

らば、加入國が全然同一でしかも加入國間に何等の留保も爲されてゐない陸戰條規第二十三條第一項(イ)及び(ロ)の關係に於て、(ロ)號は旣に背信行爲を禁止してゐるから(イ)號は無用なりとの議論が成立つわけである。かゝることが行はるべきでないのは明らかである。要之に、陸戰條規第二十三條(イ)と海牙宣言とは等しく毒瓦斯を禁止してゐるとしても、その禁止の方法が全然ことなるのである。次に、

第三點たる、毒物は平和的人民に對して危害を加へるが毒瓦斯はこれを避けることができるといふ議論については、その前段の論旨は之を認めるに吝でない。實際背信行爲たるの故を以て毒物使用を禁止すべきではないと爲す者(Christian Wolff)すら毒物を井泉等に投入することは平和的人民に危害を加へるを以て禁止せらるべきであるとしてゐる(三三)。Quos interficere non licet gladio, eos nec interimere licet veneno. しかし乍ら、毒瓦斯攻擊が平和的人民に對して危害を加へずに行はれ得るといふことの保證はない。前大戰に於て平和的人民に毒瓦斯被害がなかつたとしても(三五)現在及び將來の戰爭に於ても同樣であるといふことは出來ない。糜爛瓦斯撒毒地帶を通過する場合、平和的人民が傷害を受けることも有得べく、又瓦斯空襲、瓦斯彈射擊等の場合に於て、いかに軍隊のみを目標としても尙、撒布された毒瓦斯が平和的人民の食物や飮用水等を汚毒することがないとはいへないのである(三六)。最後に、

第四點たる、毒物の軍事的效用はさして大ならずこれが毒物禁止の有力なる理由であるが、毒瓦斯は然らずして其の效用は毒物の比でないといふ點は、一應頷かれるが尙疑問の餘地がないでもない。此場合軍事的效用を絕對的意味に用ふるならば、毒物の軍事的效果必ずしも大ならずといふを得ない。毒物を敵の飮用すべき水源、井水等に投入して退却する場合、敵軍の追及をよく免がれ得るところであつて、退却に當つて撒毒地を殘す場合とその效果に大なる相違を見出すことは困難である。毒瓦斯の場合には消毒處置を講ずることを得るが、毒物の場合には速急に消毒するが如きは期し得られず、毒化せられた水源は多く之を爾後の使用に供することなく別に水源を求めるほかはない（野戰に於ける鑿井作業）。此場合、敵の大軍の追及は多く不可能となるであらう。次に、相對的意味に於て軍事的效果の大小を論ずるならば、敵が報復處置として毒物使用を考慮することが第一に想ひ付かれる。味方が使へば敵も使ふといふことになれば毒物使用の效果は薄らぎ戰爭の慘禍を加重するのみである。毒物使用はこの意味で軍事的效果が少ないといふことができる（三）。しかし、毒物が相對的意味で軍事的效用が少ないならば、毒瓦斯でも同樣である。前世界大戰に際して相方の毒瓦斯戰の應酬を見ても、毒瓦斯戰が結局五分々々の勝負に終り戰局を左右するほどの效果がなかつたのである。結局するに、軍事的效果の點からいつて、兩者を完全に區別する根據に乏しいといふことができるのである。しからば、軍事的效果といふ點から兩者を區別する理由は絕對に存しないであらうか。私はやはりある點に於て區別せられ得ると考へる。それは、交戰國の科學上、產業上の實力がその軍事的效果に及ぼす影響の度が毒物と毒瓦斯とに於て相違するといふ一點である。毒物の場合には　科學的知能や工業上の能力といふものは、毒物の軍事的效果をさほど左右するものではないが、毒瓦斯の場合には、高度化學工業國ほど毒瓦斯の軍事的效果を多分に滿喫し得る可能性に富む(二八)。從つて、毒物禁止の場合には、國家の利害が略一致したのであるが、毒瓦斯の場合には然らずして國家の利害が相反する可能性多く毒瓦斯の絕對的禁止は行はれ難いのである(二九)。しかし、このことは本條に所謂毒物の禁止中に毒瓦斯が入るか否かの解釋問題とは直接關係のないことを注意せねばならぬ。

要之、積極說・消極說共に一長一短をまぬがれぬが、その根本の原因は、毒瓦斯と總稱せられるものが實に雜多の性質を有するところに存する。ある一定の時期に行はれたもののみを念頭に描き、ある特定の種類のもののみを先入主としてゐるために議論が紛糾するのである。毒瓦斯は今現に成長しつゝある戰鬪方法である。それが第二十三條(イ)に禁止されてゐるものなりや否やは個々の場合について考察せられねばならぬ。

(一九)　本條に所謂「特別ノ條約」とは、例へば聖ピータースブルグ宣言、ダムダム彈使用禁止宣言等を指すものと思はれる。
(二〇)　グローテイウス平戰條規第三卷第四章第十五―十七節。ヴアツテル國際法又は自然法の原理第三卷第八章一五五節。

ヴーシ第二部第十節第五。尙 Eysinga 前掲論文 一四六—七頁參照。

（二一）クリーゲ鑑定三四頁。

（二二）化學兵器といふときは、尙毒瓦斯よりも範圍廣く、煙幕・燒夷彈等を包括する。毒瓦斯が最も代表的であることはいふまでもない。尙マクドナルド軍縮案第四八條に掲げられたる定義を引用すると『化學兵器使用の禁止とは、固體たると液體たると又瓦斯體たるとを問はず若くば中毒性たると窒息性たると刺戟性たると又發疱性たるとを問はず、いやしくも人體又は動物體に對し有害なる天然的又は合成的物質を害敵の目的を以て使用することを其の種類及び方法の如何を論せず禁止することをいふ。

該禁止の及ばざるもの次の如し。

（イ）炸藥

（ロ）炸藥の爆發又は炸裂に際し發生すべき有毒物。但該炸藥が有毒物發生を目的として製造又は使用されざりしことを要す

（ハ）目標の照明其の他の軍事的目的の爲有用なる煙劑及び雲霧劑。但該煙劑及び雲霧劑が通常の使用條件に於ては何ら有害なる作用をも有せざることを要す』

（二三）立博士「戰爭と國際法」大正五年、一六三頁。同博士「支那事變國際法論」昭和十三年、一三八—一三九頁。

（二四）Overweg 前掲書四九頁。Kunz. Gaskrieg 三三—三四頁。Kunz 戰爭法と中立法、八一頁註八五。コベット前掲書一三五頁。尙、第一回平和會議の際、アメリカ代表マハン大佐は、毒瓦斯には背信的性質なく毒物と同一視すべからずとなした（Overweg 五〇頁）のであるが、ワシントン會議に於てアメリカ全權團準備委員會報告書中に於ては、その末尾に於て毒瓦斯は毒物と全く同様フエヤならざる戰爭方法なりとした。

（二五）クリーゲ鑑定三三頁。Overweg 四九—五〇頁。

（二六）田岡博士「國際法學大綱」（下）二三五頁。

（二七）同右、一三五頁。

（二八）積極說をとられる立博士は毒物禁止の理由を無視せられてゐる譯ではない。博士は毒物禁止の理由を 背信的性質を有するとか、人道に反するとかいふことよりも俠勇の精神に求められてゐる。前掲書一六五頁。

（二九）グローテイウス前掲書第三卷第四章第十六節の二。

（三〇）グローテイウス前掲書。立博士前掲書。

（三一）Christian Wolff, Jus gentium methodo scientifica pertractatum, par. 879.

（三二）Hanslian, Der Chemische Krieg, 1937, S. 322-336.（W. Mielenz の見解參照）。尙、軍縮臨時混合委員會報告中に表はれたるバテルノ教授の意見參照。

（三三）Hanslian, a. a. O. S. 329.

（三四）註三一を見よ。

（三五）Eysinga, 前掲論文三三一頁。

（三六）Erwin Riesch, Die Verwendung der Ultragiftwaffe durch Luftstreitkräfte im Lichte des Völkerrechts, Niemeyers Zeitschrift, 50. Bd.（1935）, S. 18.

（三七）グローテイウス前掲第三卷第四章第十五節の一。『此の點（毒物禁止）に關して意見の一致するに至つた理由は、旣に頻繁になり初めてゐた戰爭上の禍害を餘りに廣汎なものたらしめざらんとする共通の利益の考慮に存する。しかも、かゝる意見一致の淵源が、武器に對しては餘人よりも良く防護されてはゐるが、毒物に對しては法尊重心や不名譽を嫌惡する感情によるのほか全く安全でなかつた諸國王にあることは容易に信じ得るところである』ヴァッテル前掲書一五六節『加ふるに、味方が毒を施したる武器を使用すれば敵も亦同じことをなすに至り結局のところ勝敗の決をとる上に何の益もなくして唯戰爭を一層苛酷なものにするに過ぎぬ。La guerre n'est permise aux Nations que par nécessité.』

（三八） 前世界大戰に際し、萬國赤十字國際委員會は、一九一八年二月六日交戰各國宛毒瓦斯使用反對の勸告を行つたのであるが（Documents relatifs à la guerre chimique et aérienne, par le Comité international de la Croix Rouge, Genève, 1932. p. 6）これに對し、獨逸の官的方面では次の樣に言明したといふことである。「不必要なる苦痛を伴ふ兵器の使用が非難さるべきは明白である。併し瓦斯はかゝる苦痛を與へるものではない。瓦斯は他の兵器と同樣敵を戰鬪外に置くための兵器であつて他の兵器より慘酷ではない。瓦斯戰の發頭人が何れであるかの爭を蒸し返さうとは思はないが、今日相方共瓦斯を以て有效な兵器となしてゐることは實際が示す通りである。此の戰爭方法を使用する上に敗衄を喫せん恐れある者のみ、その禁止を爲さんとする』以て意氣軒昂たる獨逸側の自信の程が知れる。實際イペリットの如きは獨逸側に遲れること一年近くにて初めて聯合國側に於て製造に成功することを得たといふのである。獨逸化學工業の大戰に於て演じたる役割は大きいといふべきである。

（三九） 化學戰軍備制限の困難は、化學戰資材が平戰兩用に供せられるといふ、カメレオン的性質 Caractère de Caméléon に基因する。Eysinga 前掲論文三三三頁以下參照。

（ホ） 不必要ノ苦痛ヲ與フヘキ兵器、投射物其ノ他ノ物質ヲ使用スルコト

本條は聖ピータースブルグ宣言やダムダム彈禁止宣言の精神とするものを條約の明文を以て表はしたものであつて、

(1) 此條文で最も重要なる語句は、いふまでもなく「不必要ノ苦痛」maux superflus である。此場合、何が不必要であるかはいふまでもなく苦痛、即ち兵器その他の戰爭方法のもたらす苦痛そのものであつて、兵器その他の戰爭方法の必要・不必要即ち其の軍事的效果ではない。此點に關し、前掲クリーゲ鑑定が毒瓦斯を本條に適用して考察するに當り、此戰爭方法そのものゝ軍事

的効果を中心として考察を進め、毒瓦斯に特異なる軍事的効果や毒瓦斯による損害が他兵器によるそれよりも著大であつたことを以て此の戰爭方法が軍事的に不必要ならざりしことを論證してゐるのは稍議論の順序を誤つた樣に思はれる(四〇)。化學兵器の戰果が他の兵器の企圖し得ざる特異なものであることは(四一)、化學兵器の着眼とするところ及び化學戰の實際に徵しても肯定すべきであり、又其の與ふる軍事的効果の相當大なることも承認できるのであるが、それのみを以てしては化學兵器が本條にいふ禁止兵器に該當せざることを充分に論證するを得ない。

「不必要ノ」なる形容詞は「苦痛」なる語に冠せられたものであるから、不必要の苦痛卽ち苦痛の必要性不必要性が問題となるべきである。此の場合、必要性判斷の規準となるものは、本條の直接述ぶる所ではないから戰爭法の精神に立かへつて考察せねばならぬ。戰爭法の基本原則を宣明せるものといはれる聖ピーターースブルグ宣言の前文中には『戰爭ニ於テ國家カ遂ケムト勉ムル唯一ノ正當ナル目的ハ敵ノ兵力ヲ弱ムルニ在ルヘキコトヲ惟ヒ　此ノ目的ヲ達センニハ成ルヘク數多ノ人ヲ戰鬪外ニ置カハ則チ足ルヘキコトヲ惟ヒ旣ニ戰鬪外ニ置カレタル人ノ苦痛ヲ無益ニ增大シ……スル兵器ノ使用ハ此ノ目的ノ範圍ヲ超ユルコトヲ惟ヒ　此ノ如キ兵器ノ使用ハ人道ニ反スルヲ惟ヒ……』とあるにより、不必要の苦痛とは　敵兵力衰耗といふ戰鬪目的を逸脱して旣に戰鬪外に置かれたる人に對して與へられたる　通常の適法兵器が與ふるよりも過度にして苛酷なる苦痛と解すべきであらう。かゝる苦痛は、主として戰爭の慘禍を輕減し人道上の要求を滿足せしむべく禁止されたものであつて、本條の主旨は軍事的必要に對して人道上の制限を加ふるにあり、軍事的必要のみではなくして人道上の要求をも併せて考慮するを要するのである。例へば或る新規の兵器が戰鬪外に置かれたる兵員に與ふる苦痛にして從來の適法なる兵器よりも苛酷なる場合に於ては原則として無益なる苦痛を與ふるを以て戰鬪の目的の範圍を超ゆる違法なる兵器であるが、若し該新兵器にして「成ルヘク數多ノ人ヲ戰鬪外ニ置」かんとする戰鬪の目的卽ち敵兵力衰耗の目的を達成するに於て舊來の兵器より優るところある場合に於ては、該兵器の適法性は一應考慮の餘地を殘すのである。之に反し該兵器に依らずとも他の舊來の兵器を以てしても尙同樣の軍事的效果を得る樣な場合には、該兵器は不必要なる苦痛を與ふる全く違法なる兵器となるのである。要之に、本條は陸戰條約前文に所謂『軍事上ノ必要ノ許ス限リ努メテ戰爭ノ慘害ヲ輕減スルノ希望ヲ以テ定メラレタル』規定の一つであつて人道上の要求と軍事的必要との均衡及び調和を主眼とせるものである。從つて、軍事的效果さへ大ならばその與ふる苦痛が如何に苛酷であつても許されるといふのではなく、その間に一定の均衡が必要である。本條は、たゞその原則を宣明せるのであつて、具體的場合に於ては、個々の兵器につき、前述の均衡・調和の存するや否やを檢するのほかはないのである。

(2)　本條に於ては、「兵器、投射物其ノ他ノ物質」なる語を用ひてゐるから、害敵の爲め用ひられる總ての戰爭方法は、不必要なる苦痛を與ふるものたる限り禁止せられるのである。卽ち、いかなる戰爭方法にもせよ、「不必要ノ苦痛」を與ふるといふ要件に該當する場合には禁止せられるのであつて、毒瓦斯でも本條の要件を具備すれば禁止せられたるものと見らるべく、此點後述の如く海牙宣言中「投射物」なる語句に基因する爭ひは存しないのである。

(3)　毒瓦斯が不必要なる苦痛を與ふるものなりや否やに關しては議論が存する。二つの兩極端がある。一つは、毒瓦斯は無益の苛酷性を有する非人道的戰爭方法であるとなし、他は、毒瓦斯こそ戰爭の目的に適當せる極めて人道的害敵手段なりとなすのである。毒瓦斯非人道說は、前大戰に於て獨逸が初めて大規模に鹽素瓦斯を使用せる以後、獨逸攻擊の恰好なる辭柄となり、その非人道性を極度に誇張した觀がある(四二)。クリーゲ鑑定は、聯合國の嘘付き戰爭 Lügenfeldzug の一つであると嘆じてゐるが或程度に於て同情し得る餘地が存する。この毒瓦斯非人道說に正反對を往く極端は毒瓦斯人道說で、毒瓦斯こそ兵力衰耗の戰鬪目的によく合致し、しかも死亡率低く後遺症を殘さゞること高性炸藥彈の比ではないといふ。獨逸側の主張である(四三)ばかりではなくアメリカに於ても戰後此の種見解が强調された(四四)。思ふに、問題は毒瓦斯全體の問題ではなくして個々の毒瓦斯について之を研究せねばならぬのであるが、毒瓦斯の理想型が實現されたとき、その祕密性の故に毒瓦斯が非人道化するの憂は決して杞憂とはいへない。その樣な毒瓦斯が本條に違反する可能性も亦否定できぬであらう。しかし乍ら、毒瓦斯の軍事的效果は、人道の要求を必ずしも充分に滿足せしむることはない。軍事的必要の前に人道の要求がとかく後退し勝ちであることは歷史の示すところである。アメリカは海牙宣言に加入せざる殆んど唯一の化學工業國であるが、第一回平和會議に於てアメリカ代表たるマハン大佐は、海牙宣言不參加の理由として、『新規兵器の出現せる場合それを野蠻的であるといふ非難の行はれるのは何時の時代にも見られるところであるが、結局其の兵器は認められるに至る。中世に於ける火器の場合が正にそれであつて、初めは苛酷であると非難されたものである。しかるに其の後各種の彈丸が行はれるに至り最近には水雷の如きが現はれるに至つた。窒息性瓦斯の投射物が非人道的戰鬪方法又は不必要に慘忍なる戰鬪方法であつて何ら決定的效果を伴はざるものであるといふ證明は爲され得ない樣に思はれる(九五)』となしたのであるが、新兵器がその新規性の故に初めはその效果に眩惑されて非難されるを常とするが時日の經過につれて漸次世人も冷靜となりその效果の眞相が分明になるに至ると適法の兵器と化するは、以て毒瓦斯兵器の將來を暗示するものではなからうか。

(四〇) クリーゲ鑑定三四頁。

(四一) ワシントン會議に於ける毒瓦斯分科委員會報告第七點を參照。

(四二) 毒瓦斯の殘酷なる非人道的兵器なるを誇張せる記事に關しては、ガーナー前掲書一七五—一七六頁を參照。

（四三）前掲クリーゲ鑑定。ハーベル證言一五頁。Riesch 前掲論文一九頁註四七。
（四四）ハーベル證言前掲。Lawrence-Winfield, The principles of international law, 1930, p. 531.
（四五）Strupps Wörterbuch des Völkerrecht, Bd. I, S. 405-406, Higgins, Hague Peace Conference, Cambridge 1909, p. 493. von Romocki, Geschichte der Explosivstoffe, Bd. I, S. 280.

二　海牙宣言

海牙瓦斯禁止宣言は、その本文に於て『締約國ハ窒息セシムヘキ瓦斯又ハ有毒質ノ瓦斯ヲ散布スルヲ唯一ノ目的トスル投射物ノ使用ヲ各自ニ禁止ス』となしてゐるが、一八九九年の第一回海牙平和會議に於て成立せる本宣言は、毒瓦斯使用の禁止を明文を以て規定せる最初の條約である。一八九九年といへば、南アフリカに於けるボーア戰爭に於てイギリス軍が窒息性毒瓦斯を發生するリダイト彈（四六）を使用して國際紛議の種を蒔いた年である。これより先イギリスに於ては既にクリミャ戰爭に際して Dundonald 提督の建議による酸化硫黄ガス使用の計畫が考慮された事實があり（四七）、一八六八年の聖ピーターースブルグ會議に於てプロシャ代表の覺書中、ダンドナルド計畫を指摘するところがあつたのである（四八）。尤も此の計畫は、セバストポール攻城軍總指揮官たりしフランスの Pelissier 將軍の採用するところとならず、實行されるには至らなかつたのであるが、此のペリシェ將軍自身も、かつては（一八四五年）アルゼリヤ征討に際して岩窟内に逃げてゐた士族の多數を酸化炭素瓦斯を以て鏖殺せる經歷の持主であつた(四九)。ともかく、當時既に毒瓦斯の軍事的價値も認識され且使用の公算も亦高まつてゐたと思はれる。毒瓦斯禁止のことは、最初ロシャ側回狀中に示された會議のプログラム中には記載されず、會議の進行につれて問題となるに至り、遂にロシャ案の提出となり(一八九九年五月三十一日)海軍分科委員會の審議を經て海牙宣言として成立するに至つた。

本宣言は、前記の如く毒瓦斯の禁止を明文を以て禁止せる最初の條約であるが、種々の經緯から、毒瓦斯の絕對的禁止を規定するを得ず、條件付の禁止に止まつたのである。今、本宣言の內容を研討するに、先づ、

(1) **投射物** なる語に注意せねばならぬ。所謂毒瓦斯投射物とは、窒息性又は有毒質の瓦斯となるべき物質を充塡せる投射物 Projectiles であつて、夫れを害敵手段として使用するに當つて其の充塡物を氣化發散せしむるものである。いやしくも、投射されるものであつて其の內に毒瓦斯たるべき物質(瓦斯體たると液體たると又固體たるとを問はず)を包藏するものであれば、これを毒瓦斯投射物といふことを得るのであつて、人の腕力に依ると、弩弓の如き物理力によると、將又火藥の如き化學物質の爆發力に依ると、其の投射の方法如何を問はず、又、小銃彈たると砲彈たると手榴彈たると、其の種類の如何を問はず、更に又鐵製たると輕金屬製たるとガラス製た

ると、其の材料の如何をも問ふべき所ではない。要するに禁止の對象となれるは投射物であつてその他のものではない（五〇）。故に投射物に非ざるものは、たとへ毒瓦斯を發散するものでも、本宣言の禁止の對象とはなつてゐない。例へば瓦斯放射罐の如きである。瓦斯放射罐の使用は、風力又は瓦斯自體の重力を利用して毒瓦斯を敵前又は敵の頭上に送ることを目的としたものであるから投射物といふことはできない。放射罐より發散せる瓦斯も投射物より發生せる瓦斯も共に風力によつて擴散するといふ點は等しいが、放射罐自體は投射せられるものでなく投射物は投射せられるものであるといふ一點に於て異なるからである。效射罐は雲狀瓦斯放射の場合に用ひられ毒瓦斯使用法中の一分野に屬するのであるが、本宣言にては禁止されざるものと思惟せられる（五一）。このことは、本宣言の文言上より然るのみでない。一つには、同じく第一回平和會議で成立せる前述の陸戰條規第二十三條第一項（ホ）が「兵器、投射物其ノ他ノ物質」なる語句を用ゐ、投射物以外にあらゆる害敵手段を含ましめてゐるのに、本宣言にては、かゝる廣汎なる用語を採らざりしことが、かく制限的に解すべき根據であり（五二）、當時既に瓦斯放射なる技術が知られてゐたのにも拘はらず（前記ダンドナルド計畫）敢て投射物なる語を用ひたることも、同樣制限的に解すべき根據であると信ずるのである。實際會議に於ても、後述の如く「唯一ノ目的」なる語に關して問題を生じたる際にも、專ら砲彈の如き投射物に關して論議せられたのであつて放射の如き方法全くは問題とはならなかつた樣である。

(2) 窒息セシムヘキ又ハ有毒質ノ瓦斯

化學戰の歷史にかんがみても、窒息瓦斯がいつも着眼せられてゐたのであるから、窒息死を惹起する毒瓦斯が第一に禁止の目標となれるは容易に理解し得るところである。これに反し「有毒質ノ瓦斯」gaz délétère なる語は極めて漠然としてゐるとの非難(五三)もある程廣汎なる意味をもつたものである。クリーゲ鑑定によれば、délétères なる語はラテン語の delere 卽ち zerstören なる動詞に語原を有するから gas délétères の獨逸譯としては公定譯語たる giftige Gase よりも zerstörende Gase なる譯語を適當とする(五四)。同じことが我が公定譯にもいひ得る樣で、「有毒質ノ」よりも「有害ノ」といふ方が適當でないかと思はれる。卽ち、「有毒質ノ」なる語は giftig 又は poisonous なる語を連想し、陸戰條規第二十三條第一項(イ)に所謂「毒」なるものと同內容と解せられる恐れがある。私は前記の如く毒物使用の歷史から「毒」なる語の解釋として致死毒を意味するといふ見解をとるのであるかち「有毒ノ」なる譯語は本宣言に關しては不適當と思ふのである。本宣言にいふ gas délétères とは、毒物よりも範圍廣く、人體の健康狀態に何らかの障害を與ふる一切の有害瓦斯をいふのであつて、噴嚏性瓦斯はもとより、輕度の催淚性瓦斯も亦此の有害瓦斯の一つであつて、從つて本宣言禁止の對象となつてゐると解すべきである(五五)。

次に「瓦斯」なる語であるが、此の語が用ひられてゐるところから、投射物から散布せられたものが常に瓦斯體であるを要するのであるかといふことが問題である。文言通り解すれば瓦斯體たるを要し液體である場合や固體たる場合は問題とならぬと解すべきである(三六)。これに關して次の諸點を考察すべきである。卽ち(1)、砲彈の場合は多く問題とならない。この場合後述の如き「唯一ノ目的」なる語の解釋上炸裂效果をもつた瓦斯彈は本宣言の禁止するところでないから全然問題とならぬのであるが、たとへ此の解釋を採らぬとしても、砲彈の炸裂に際して多くの化學戰物質は高熱の爲めに氣化するを常とするからである。(2) ヂフエニール鹽化砒素やヂフエニール靑化砒素を充塡せる瓦斯彈(所謂「靑十字彈」Blaukreuz)の發散する瓦斯は、極微粒子狀の固體の集合で瓦斯といふことはできぬとの議論も可能であるが、本宣言にいふ瓦斯とは必ずしも科學的意味の瓦斯ではなくして空中に浮游し呼吸器や皮膚に傷害を與へる物質であれば足るのであるから、これまた問題とはならぬ。(3) 投射物から散布された瞬間に於て液體の狀態にある物質も、漸次氣化するに於ては瓦斯といひ得るのである(例へばイペリット、ルイサイト)。(4) 最後にたとへ瓦斯であつても窒息性又は有毒質にあらざるものは本宣言に禁止するものでないことは言ふまでもない(例へば煙彈による發煙、カモフラーヂ・ガス)。

（四六）ピクリン酸の鋭感性を緩和し以て裝甲その他の貫徹後炸裂せしめるため、テニトロベンゾール（十%）を鋭感劑として加へた炸藥を充塡せる砲彈であつて南イングランドのリダイト市の工場で作られた。この砲彈は炸裂に際し窒息ガスを發生してボーア人に傷害を與へた。

（四七）詳細は Julius Meyer, Der Gaskampf und die chemische Kampfstoffe, 1938, S. 24 ff.

（四八）Overweg 前揭書、四三頁。

（四九）Hanslian 前揭書五頁。

（五〇）Riesch 前揭論文一六頁。Overweg 前揭書五三頁。Hatschek, Völkerrecht als System rechtlich bedeutsamer Staatsakte, Leipzig, 1923, S. 316. Fenwick, International law, p. 474, note 2.

（五一）立博士は次の樣に反對される。『併しこれは三百代言的議論であるといはねばならぬ。（中略）然るに投射物を以てする如き小仕掛の有毒瓦斯使用の場合ですら之を禁ずるものとせば、有毒瓦斯貯藏器より管を以て出して敵に送るといふが如き大仕掛の使用は猶更之を行ひ得ざるべきである……』然して、放射は投射物にあらずといふが如きは「屁理窟」なりとせられる。（前揭書一六二頁）博士の勿論解釋（支那事變國際法論一四〇頁）は、瓦斯放射の效用必ずしも大ならず、放射は自然的條件にその效果を左右され、防毒面の使用等によりて漸次損害は少くなつたことより、又、瓦斯投射物の方が任意の地點に所望の瓦斯濃度を得るに便なるにより漸次瓦斯放射法の使用が大戰中にも行はれなくなつたことにより必ずしも贊成し得ない樣に思はれる。もとより瓦斯放射は經費の少いことより今後共行はれる可能性はある。

（五二）Overweg は「海牙第一宣言」を援用してゐるが、むしろ本文の如く陸戰條規第二十三條を援用する方が正當と思はれる。前者は、投射物の投射方法に關して、その範圍を擴充する餘地を殘したものであるからである。

（五三）Lawrence-Wienfild, The Principles of international law, 1930, p. 532.

（五四）Vanselow, Völkerrecht 1931, S. 239.

（五五）反對說、クンツ前揭書二六頁。

（五六）Riesch 前掲論文一六頁。但し彼は、Ultragift（イペリットやルイサイト）は液狀であるところから、これを論外とする如くである。

(3) 唯一ノ目的

本宣言は毒瓦斯の散布を「唯一ノ目的」but unique とする投射物の使用を禁止したものであるから「唯一ノ目的」なる語につき問題を生ずる。宣言の文言に從へば、窒息性又は有毒質の瓦斯を散布するを唯一の目的とする投射物を禁止するといふのであるから、毒瓦斯散布以外の目的例へば投射物の侵透力や炸裂效果による破壞作用を併せて目的とする投射物は禁止されてゐないといふ議論が成立つ（五七）。それによれば、毒瓦斯を發生せしむるほかに、炸藥の炸裂に因る彈體の破片により殺傷力を發揮する投射物例へば砲彈、手榴彈の如きは毒瓦斯散布を唯一の目的とするものでないから本宣言の禁止するところでなく（五八）、唯、毒瓦斯散布を唯一の目的とする投射物、例へば全然炸藥を充填せず、彈着時地表又は目的物との衝擊に因つて自ら破摧するか點火藥により瞬間に彈體を破摧又は燒失して、炸裂效果を伴はず毒瓦斯充填物のみを擴散するもの（世界大戰に於けるイギリス軍のガラス製催涙瓦斯手榴彈、フランス軍の臭醋酸エステル銃榴彈、初期のホスゲン砲彈、ドイツの綠十字彈のあるもの、鹽化アセトフエノン瓦斯雷）のみが禁止せられてゐることになる。同じく毒瓦斯投射物であつても、かくの如く一方は禁止されてゐるとされ、他方は禁止されてゐないといふ、此の別れ目は實にこの「唯一の目的」なる一字句に存する。「唯一の目的」なる語は此の樣な重要なる意味を有し、しかも、それは偶然に條文中にまぎれ込んだのではなく、愼重なる審議の結果、明白な意圖を以て採用されたいふのであるから、愈々以て此の語の意味を穿鑿する必要が存する如くである。

本宣言は、その成立の端緒を、第一回平和會議海軍分科委員會に提出されたロシア案に負ふもので、同案によれば、窒息性又は有毒質の瓦斯を散布すべき炸裂藥を充塡したる投射物の使用 l'emploi des projectiles chargés d'explosifs qui répandent des gaz asphyxiants et délétères を禁止せんとするものであつた。しかるに、一切の炸藥は多少とも有害瓦斯を發生するものであるから、同案によれば、すべての砲彈は禁止兵器となる恐れありとの反對あり、議長 Beernaert（ベルギー）は毒瓦斯を散布するを目的とする (dont le but est de répandre des gaz) 投射物の禁止であつて、炸裂に際して附隨的にかゝる瓦斯を發生する如き (dont l'explosion produit incidemment ces gaz) 投射物の禁止でないと説明するに至つたのである。その後の審議に於て、毒瓦斯を散布するを「明白なる目的」but exprès とする投射物を禁止せんとの提案もあつたが、分科委員會の最終決定たる報告書に於ては、「唯一ノ目的」なる語が採用されるに至つた(五九)。要之、「毒瓦斯を散布する投射物」から「毒瓦斯を散布するを目的とする投射物」へ、更に「毒瓦斯を散布するを明白なる目的とする投射物」へ、遂に「毒瓦斯を散布するを唯一の目的とする投射物」に落着くに至る間、用語變更のモチーフとなつてゐたのは、常に、あらゆる炸藥が多かれ少かれ毒瓦斯(一酸化炭素の如き)を發生するといふ事實と、これに因り將來紛議發生のことあるべしとの疑懼とであつた。實際、高性炸藥を充塡せる砲彈又は爆彈は建造物內例へば艦內、塹壕內、都市建築物內に於て炸裂するときは多量のニトロ瓦斯や一酸化炭素を發生し毒物を殺傷することがあるのであつて(六〇)、實戰にもかゝる例は少くないのであるから(六一)、此の點を充分考慮せずして、條約の規定を不精確のまゝにしておいたならば、戰爭に際して一方交戰國の使用せる通常砲彈が、偶々有毒瓦斯を發生せしめたる故を以て、これに對する復仇と稱して他方交戰國が毒瓦斯彈の使用を開始するやも知れず、かゝる場合を想像するならば、前記の疑懼も亦故なしとしない。單に「毒瓦斯を散布するを目的とする投射物」や「毒瓦斯を散布するを明白なる目的とする投射物」の用語を以てしては、かゝる場合の紛議を終局的に決定するは困難なるを以て「唯一の目的」なる語を採用するにいたりたる事情も亦、理由なしとしないのである。併し乍ら、既に會議に於ても、ポルトガル代表 de Mcedo 伯も極言せる如く、唯一の目的なる語句の挿入は、毒瓦斯禁止の對象を絕無にする憂なしとせず(六二)、現に世界大戰に於ける通常砲兵力による毒瓦斯彈は、「唯一ノ目的」なる語の解釋上本宣言に牴觸することなしとの議論も發生したのである。毒瓦斯爆彈の技術的進歩に伴ひ、高性爆破力、燒夷力及び毒瓦斯散布の諸性能を具備したる三位一體的投射物の出現が單なる想像の域を脱したる曉に於ては、かゝる投射物の威力の恐るべきは論を俟たず、禁止せらるべきは、正にかゝる「毒瓦斯散布を唯一の目的とせざる投射物」であつて、「毒瓦斯散布を唯一の目的とする投射物」こそ場合によつては許さるべきとの結果を將來するやも計られないのである。それは、單なる夢想とするも、世界大戰に於ける實戰に徵しても又近時の毒瓦斯砲彈の發達にかんがみても、「唯一の目的」なる語の本宣言の實質的效果に及ぼす影響は大なりといふべきで、「唯一の目的」なる語句の挿入は、所謂、角を矯めんとて牛を殺すの結果となれることを嘆ぜざるを得ぬのである。

(五七) クリーゲ鑑定三七—三九頁。Overweg 前揭書五三—五四頁。Kunz 前揭書二五—二六頁。Fauchille, Traité, II, p. 120 Pierre Yvon, La guerre aérienne, Paris 1924, p. 64.

(五八) ハーベル證言は、獨逸軍が大戰の初期に於て、即ち一九一四年十月 Neuve Chapelle 戰線に於て使用せる Ni 彈(Niese Pulver の略稱。デイアニシデイン複鹽を充塡せる噴嚔性瓦斯彈)を説明して次の樣にいつてゐる。『私共が當時使用してゐました砲彈は所謂 Einheitsgeschoss といふ砲彈で信管の位置如何で榴霰彈にも榴彈にもなるものでありました。榴霰彈彈子は炸藥中に入れてありまして榴彈として使用する際には炸藥の爆發によつて彈體が炸裂し其の效果によつて殺傷することになつて居りまして、此の際、彈子は效果のない粉末となつてしまひます。これに反し、これを榴霰彈として使用するときは、彈體のみが炸裂して彈子は其儘飛散する仕掛で、この際は炸裂效果は全然なく、飛散した彈子束を敵の頭上に散布することになつてゐました。即ち彈子を包藏してゐる炸藥はこの場合爆發せず唯燃燒するだけであります。Ni 彈の場合には、この彈子を包藏してゐる炸藥の代りに粘膜を刺戟する極微粒子を發散する Dianisidin 複鹽を充塡したものでありますから、榴彈としての使用は斷念して、專ら含毒氣體の沈下による效果と、彈子による效果とを期待したわけであります』となし、同砲彈は、榴霰彈的效果と毒瓦斯效果とを併せ目的とせるを以て本宣言禁止の對象たらずとするのである。

（五九）此間の經緯の槪要については、クリーゲ鑑定、クンツ前揭、Overweg 前揭參照。

（六〇）ワシントン會議に於ける毒瓦斯分科委員會報告第二點にも『高性炸藥の多くは戰用瓦斯又は人體に及ぼす影響に關し戰用瓦斯と同樣なる瓦斯を發生するものであるからあらゆる戰用瓦斯の使用を禁止せんとする企圖は、開戰の場合直ちに多くの誤解を惹起し易い。卽ち交戰國の一方又は相方に於て最初の會戰後旣に瓦斯死者又は瓦斯傷者が發見せられるであらう。從つて瓦斯が事實上かゝるものとして使用されたるや、又はかゝる死傷が高性炸藥の發生せる炸裂瓦斯の結果であるかにつき疑が直ちに生ずる。その結果はあらゆる種類の戰用瓦斯を以てする假借なき攻擊開始の機會を與へることになるであらう』となした。此の第二點は軍縮臨時混合委員會報告中でも、ピロッテイ報告（註一八を見よ）でも、マクドナルド軍縮案（註二二を見よ）でも確認されたところである。

（六一）例へば、日露戰爭の際、對島沖海戰に際して日本軍艦よりの砲彈がロシヤ軍艦內で毒瓦斯を發生せしめたとの、ロシヤ側の[illegible]がある。Hanslian, a. a. O. S. 7, 587 ff.

（六二）此點は稍誇張の觀がある。世界大戰に於て「唯一の目的」の語に適合せる毒瓦斯使用の實例もあつたからである。

三　ゼネバ議定書

前世界大戰は、前記海牙諸條約の下に戰はれたのであるが、これら條約の形式的效力及び實質的內容に缺陷があつたため、毒瓦斯使用を抑壓するに充分なる法的根據がなかつたのである。

大戰後、一方に於て大戰に於ける化學兵器の軍事的效果に着眼して將來戰に於ける之が使用を見通して各國に於て化學兵器の研究が祕密裡に隆盛となる傾向が生ずると共に、他方に於て、人道的見地より將來戰に於ける毒瓦斯使用を避止せんがための國際的努力が行はれた。この努力は更に一方に於て化學兵器の恐るべき效果を強調し世界の輿論をこの點に喚起し以て毒瓦斯禁止の必要なる所以を世界の人心に深く植えつけ、條約による化學兵器禁止運動の側面を強化し、併せて戰爭一般の防止に貢獻せんとする方向をとると共に、他方に於て、化學兵器使用禁止を條約によつて直接明定し、同禁止の完全化を計らんとする企圖として表はれたのである。軍縮準備委員會の具體的活動開始前の國際聯盟總會及び理事會に於ける斯問題に對する態度は前者に屬し、萬國赤十字國際委員會の事業は之を側面から補強せんとしたものである(六三)。化學兵器禁止條約の完全化といふ方面に於ては、ワシントン會議(一九二二年)武器取引取締に關するゼネバ會議(一九二五年)國際聯盟軍縮準備委員會(一九二六―一九三〇年)及び國際聯盟主催ゼネバ軍備縮少會議(一九三二―一九三三年)が夫々種々の努力を拂つたのであるが、ワシントン會議にて成立せる毒瓦斯禁止條約は未批准のため實施せられず、ゼネバ軍縮會議又條約案を採擇するに止まり成立するに至らず、わづか、ゼネバ武器取引取締會議に於て成立せる、毒瓦斯、細菌戰兵器に關する「ゼネバ議定書」のみが有效なる條約として現存するのみである。この意味で同ゼネバ議定書は、大戰後に於ける化學兵器禁止條約を代表するもので少くとも一般的性質をもつた唯一の化學兵器に關する條約といふことができる。元來ゼネバ會議の主たる目的とするところは、武器取引取締に關する條約の作製にあつたが、化學戰の問題は第二回總會議の席上アメリカ代表 Theodore E. Burton によつて提起された。アメリカの提案は、「近代戰の殘酷性を輕減する希望を以て有害瓦斯の取引」卽ち毒瓦斯の國外輸出を各締約國に於て禁止せんとするにあつた(六四)。同提案は、細菌戰禁止に關するポーランドの提案及び毒瓦斯輸出禁止は瓦斯防護手段には及ばざる旨のハンガリの提案と共に一般委員會に附託され、同委員會は更にこれを法律委員會及び軍事委員會の審議に移した。法律委員會の報告は何ら統一的決論に達せず、(1) 毒瓦斯取引を武器取引取締條約中に採用するを是とする意見、(2) 毒瓦斯の使用は國際法によつて禁止せられたる旨の宣言を最終議定書が獨立の文書で規定すれば足りるといふ意見、(3) 毒瓦斯禁止が國際法上禁止され居る旨を條約中の適當なる條項中に記載すべしといふ意見、(4) ハンガリ提案を條約案中に採用すべしとの意見、の四個の意見をサゼスチヨンとして記載するに止めた(六五)。之に反し、軍事委員會に於ける審議は興味あるもので、一般に、化學戰資材の輸出禁止は、同資材が多く平和產業上も不可缺のものであるため、不可能でないとしても困難であるといふ點、及び化學戰資材輸出禁止といふ處置のみでは片手落ちの觀があつて、一方に於て化學兵器そのものゝ禁止にも及ばなければならぬといふ點の二點に於て一致したもの丶如く、同委員會報告書は、(1) 化學兵器輸出禁止の結果は化學兵器生產國のみが化學兵器を使用するを何ら妨げられないといふ(不公平な)結果となり、(2) 製藥その他の平和產業上の化學製品と化學戰用の化學製品とを區別することは實際上不可能であるから、化學兵器輸出禁止は、將來に於ける化學兵器使用を防止するに足る有效な方法でないとし、問題解決のための決定的方法は、化學戰に訴へざるの一般的約束を取つけるに如くはなしとなし、各國代表はか丶る問題を決定するために必要なる訓令を所持せざるを以て、『か丶る禁止を規定せる一般條約に可及的速かに到達するが爲めにあらゆる努力が爲さるべきを勸告する』に止めた(六六)。一般委員會の報告も亦、軍事委員會の報告を採用したものであつたが、右勸告を會議の最終議定書中に挿入することを提案したのである(六七)。

この報告書に關する討議は六月五日の第十七回一般委員會々合より開始されたが、化學兵器禁止條約のための特別な國際會議を開催すべきやの問題が中心の論題となり、各國代表より各種意見の開陳ありたるも、再びアメリカ代表 Burton の新提案を見るに至つた(六八)。同代表は、取あへず本會議に列席したる各國代表は、夫々必要なる全權の委任を受けて毒瓦斯禁止に關する一の特別議定書に調印したる上、これを世界の各國に公開すべしといふのであつた。これに對し、戰爭は規律せらるべきではなく根絕せらるべきであるといふ、ノルウェー代表の反對意見もあつたが(六九)、各國代表の多くは、アメリカの提案に賛意を表し、ワシントン條約を批准せざりしフランスの代表ポール・ボンクールも亦、いかなる化學戰禁止條約にも無條件に參加す用意ある旨を聲明し、現行フランス陸軍々律令前文中の一句を引用するところがあつた(七〇)。

かくて、ゼネバ議定書案は六月八日の第二十回會合に提出され六月十日の第二十二回會合で全會一致で採擇、六月十七日の會議の總會議に於て採擇、調印された(七一)。

武器取引取締會議で成立せる「ゼネバ議定書」は同會議第二文書として「窒息性、毒性又ハ其ノ他ノ瓦斯及細菌學的戰爭方法ヲ戰爭ニ使用スルコトヲ禁止スル議定書」と題せられ、次の如き內容のものである(七二)。

『下記全權委員ハ各其ノ代表スル政府ノ名ニ於テ

窒息性、毒性又ハ其ノ他ノ瓦斯及一切ノ類似ノ液體材料又ハ考案ヲ戰爭ニ使用スルコトハ文明世界ノ輿論ニ依リ至當ニ非難セラレ居ルニ依リ又

右使用ノ禁止ハ世界ノ國ノ多數ヲ當事國トスル諸條約中ニ聲明セラレタルニ依リ

右禁止カ諸國ノ良心及實行ヲ均シク拘束スル國際法ノ一部トシテ普ク採用セラレンカ爲

左ノ如ク宣言ス

締約國ハ未タ右使用ヲ禁止セル條約ノ當事國ナラサル限リ此ノ禁止ヲ受諾シ右禁止ヲ細菌學的戰爭方法ノ使用ニ擴張スルコトヲ協定シ且相互ニ本宣言ノ規定ニ從ヒ拘束セラルヘキモノナルコトヲ協定ス』

（以下略ス）

本議定書に關して注意すべき諸點は次の樣である。

(1) **體裁**　前掲の議定書本文は、二つの「依り」Whereas 條項と、一つの「爲」End 條項（希望條項）と、一つの「宣言」Declare 條項、都合四段に仕組まれてゐる。このうち、二つの「依り」條項と「希望」條項ノ三者は全くワシントン五囘條約の條文と同文であつて、わづかに「宣言」條項中に存する「未タ右使用ヲ禁止セル條約ノ當事國ナラサル限リ」と「右禁止ヲ細菌學的戰爭方法ノ使用ニ擴張スルコトヲ協定シ」の二句が本議定書に特異なるものである。禁止の對象を明かにせる「窒息性、毒性又ハ其ノ他ノ瓦斯及一切ノ類似ノ液體材料又ハ考案」なる文言は、ヴェルサイユ條約第一七一條以來の慣用語であつて、Eysinga の如きが、本議定書はヴェルサイユ條約以上に出づることとなし（前掲論文三五五頁）とせるも其體裁の上からいへば故なしとしない。

(2) **性質**　本議定書は法創設的性質のものであるか、それとも法宣言的性質のものであるかといふことが問題である。細菌學的戰爭方法の使用に關しては問題はない。それは明らかに、不必要なる苦痛を與へる害敵手段であり戰場を荒廢せしむるに役立つのみで何らの軍事的必要も辯護され得ないものであるから、此戰爭方法の使用は既に慣習國際法により禁止されてゐるものと見るべきである。本議定書は細菌戰禁止を初めて明文的に規定した條約ではあるが、此點に關する限り法宣言的性質を有するに止まる。之に反して化學兵器に關しては本議定書は法創設的性質を有すると見るべきである。議定書の文言を注意して觀察すれば、第一の「依り」條項は、化學兵器の使用が道德的に非難されてゐることを述べたるに止まり、第二の「依り」條項は、化學兵器使用の禁止が既存の多邊的條約中に確認されてゐるとなすに止まり、希望條項は明らかに化學兵器使用の禁止が普遍的國際法となるべきことを希望してゐるのであるから、化學兵器使用の禁止が普遍的國際法でないことは、議定書の文言からも推察できる。實際、「窒息性、毒性又ハ其ノ他ノ瓦斯及一切ノ類似ノ液體材料又ハ考案」なる語に示されるが如き、廣汎なる範圍にわたる化學兵器使用の禁止は、前記海牙諸條約中にも規定されたと見るべき根據なく、わづかに、ある特殊條約即ち中米五國間軍縮條約（一九二三年）第五條中に規定されたるに止まるのである(七三)。ゼネバ會議に於いてイタリ代表が化學兵器使用の禁止に關する普遍的國際法規は存じないとしたのも故なしとしない(七四)。尙「未タ右使用ヲ禁止セル條約ノ當事國ナラザル」國の存ずる事は、又もつて本議定書が法宣言的ならずして法創設的なる性質を有するを證するに足るであらう。

(3) **内容**　本議定書は、其の形式的效力の點を除き、化學兵器使用を絕對的に禁止したものである。第一に、當然のこと乍ら、本議定書は戰時に於ける化學兵器使用そのものを禁止したものである。このことは、最初のアメリカ提案は化學兵器輸出の禁止に在つたが、軍事委員會の審議及報告に表はれた如き二つのモチーフによつて化學兵器使用の禁止に移行したことによつても知られる。

抑々化學兵器使用の禁止の方法には次の三つが考へられる。第一に戰爭そのものを禁止することである。戰爭そのものを條約によつて禁止すれば當然化學兵器の使用も法的に不能になり禁止されたも同然である。これは直接化學兵器の使用を禁止するよりは戰爭一般の禁止によりその間接の效果として化學兵器の使用が不可能となることを狙つたものであるから、化學兵器使用の法律的・間接的禁止といふことが出來る。六月五日の一般委員會の席上で、ノルウェー代表 Lange が Vous ne pouvez humaniser un tigre, vous pouvez le tuer. La guerre, une fois déclanchée, ne peut empêcher l'emploi des moyens les plus abominables. Le probléme qui se pose n'est donc pas la réglementation de la guerre, c'est son abolition ……とアイロニカルな言葉で表現した思想は、此の禁止方法を暗示したものである(七五)。しかし戰爭の法的不可能必ずしも完全なるものといふを得ず、又それが完全となつても、尙戰爭の事實的可能性が排除されたといふことを得ないから、此方法は理論的に誤つてはゐないが、現實の國際の實際からは緣遠いものである。次に、化學兵器使用の禁止方法としては、化學戰資材の製造及び輸出入を禁止すること、卽ち化學戰軍備の禁止が考へられる。化學兵器の製造、輸出入及び貯藏を禁止すれば、事實上化學兵器の使用は不可能であるから、化學戰は間接に禁止されたも同然である。これを、化學兵器使用の事實的・

間接的禁止といふことができる。最初のアメリカ案は、此の點を狙つたもので(七六)、化學兵器の輸出のみを禁止せんとした點に缺點を包藏する。實際、輸出の禁止のみでは實利は高度化學工業國に存するといふ不公平なことになるのであつて、五月二十五日の軍事委員會席上でユーゴースラビヤ代表 Kulafatovitch が、ドイツの如き高度化學工業國の代表が、毒瓦斯取引禁止に關するアメリカ提案に賛意を表し乍ら、化學兵器使用禁止問題に關して何ら意見を開陳せざること指摘して暗に皮肉つたのに對し、獨逸代表が、「獨逸は化學戰消滅を規定せる一切の國際規定に無留保で加盟するの用意ある」旨を聲明する樣な應酬があつたことは興味深きことである(七七)。最後に、化學兵器使用禁止の方法として考へられるのは、化學兵器の使用を條約によつて直接禁止する方法であつて、これを化學兵器使用の法律的・直接的禁止と名づけることができるであらう。

扨て、以上の三方法を通觀すると、本議定書は、戰爭の開始された曉に於て化學兵器を使用することを禁止するものであるから、第三の化學兵器使用の法律的・直接的禁止に屬するは明らかであるが、化學兵器使用の法律的直接的禁止といつても、問題は更に二つに分れる。一つは、化學兵器使用禁止に關する實體的規定の問題であり、他は手續規定の問題即ち實體的規定の實行・監視及制裁に關する問題である。後者はしばらく後述に讓るとして、前者即ち化學兵器使用禁止に關する實體的規定に關する根本問題は、絕對禁止とするか、それとも相對的禁止に止めるかの問題である。

此の點から考へると本議定書は大體に於て絶對的禁止の立場に立つてゐる。勿論後述の如く形式的拘束力に關し一定の條件があるから完全に絶對的な禁止とはいへないが先つ比較的に絶對的禁止に近いものといひ得ると思はれる。

第一に化學兵器に關し適法・違法の別を設けてゐないといふ點が擧げられる。「窒息性、毒性又ハ其ノ他ノ瓦斯及一切ノ類似ノ液體材料又ハ考案」なる語にはほとんとすべての毒瓦斯が含蓄されてゐる。此點に於て海牙宣言の用語「窒息セシムヘキ瓦斯又ハ瓦斯又ハ有毒質ノ瓦斯」より更に明確に一切の毒瓦斯を禁止することに關し一切の異論を一掃した觀がある。一般に致死毒を有せざる瓦斯はもとより、催涙瓦斯の如き輕瓦斯をも禁止してゐると思はれる(七八)。

第二に、化學兵器使用の方法についても區別を設けてゐない。瓦斯彈によると、瓦斯放射によると、又瓦斯空襲によると、更に又瓦斯投射機によると、その何れを問はす一切禁止されてゐる。從つて、海牙宣言に見る如く異論の發生する餘地かない。序でながら、陸戰たると海戰たると空戰たるとに關はらす本議定書が有效であることはいふまでもない(七九)。

第三に、化學兵器使用の對象に關しても區別を設けてゐない。平和的人民に對する使用たると、軍事的目標例へば軍隊に對する使用たると問はず、すべて禁止してゐる(八〇)。ワシントン會議に際して毒瓦斯分科委員會報告の第六點は『毒瓦斯の種類及び其の人體に及ぼす效果は制限の基礎として有用ではない。換言すれば、都市及び其の他平和的人民の密集に對する毒瓦斯使用を、此等の目標に對する高性炸裂物質の使用が制限されてゐると同樣に、完全に禁止することが實際上可能なる唯一の制限であること、これに反し、陸上及び海上に於ける敵の武裝兵力に毒瓦斯を使用することを制限するの可能性が全然存しないことは委員會の痛感するところである』となし、毒瓦斯使用の對象に關し區別を設けることを推賞したのであるが、ワシントン五國條約と同樣、ゼネバ議定書も亦、此の區別を設けなかつたのである。

(4) **制裁**　本議定書の禁止に違反して毒瓦斯を使用せる締約國に對する制裁一般の問題に關しては、本議定書は全然觸れてゐない。「文明國の共同力」による共同制裁に關するサゼスチヨンが、六月五日の一般委員會席上フランスのポール・ボンクールによつて提出された(八)が、本議定書は之を採用するに至らなかつた。從つて、化學兵器使用禁止の違反の問題は、『かゝる違反行爲に苦しめられた國家のみの問題ではなくして、條約を批准せる一切の國家の問題である』(ピロッティ報告)といふ根本的立場にもとづく共同制裁の制度は、本議定書の採るところに非ずして、唯、違反國に對する被害國の復仇行爲に俟つのほかはない。本議定書が復仇權を否定した根據なく、又後述の如くフランスを初めとして各國の留保條項中には復仇權を明示的に留保してゐるのであるから、違反國に對する復仇として毒瓦斯使用は當然許さるべきであらう。尙序でながら、他國の毒瓦斯使用以外の戰爭法規違反に對して復仇行爲として毒瓦斯を使用し得るかの問題は、實際伊エ戰爭に際してのイタリ軍の瓦斯使用に關して國際聯盟の問題となつた事實がある。イタリの主張は、エチオピヤ側に於けるダムダム彈禁止宣言違反、俘虜待遇條約違反及び赤十字條約（一九二九年）違反の行爲に對して毒瓦斯を使用せるものであるといふ點に在り、聯盟の立場は、マダリアガ覺書に記載ある如く、エチオピヤ側の戰爭法違反行爲を以てしては毒瓦斯使用を正當化し得ないといふ點にあつた。復仇行爲の性質と復仇行爲の原因たる違反行爲の性質とが同一でなければならぬといふ國際法規が存在しない限り、イタリ側の主張は正當であるが、復仇行爲が其目的の範圍を逸脱せざることが復仇行爲の限界であるとすれば、イタリ軍の復仇行爲としての毒瓦斯使用は尙問題となる餘地を存する樣に考へられるのである(六三)。

(5) **效力**　本議定書が相互拘束の原則に依つてゐること、從つて總加入條項の場合とは稍趣きを異にすることは既に述べた通りである。此の點に於ても本議定書はワシントン五國條約を踏襲してゐるのであつて、海牙諸條約よりは進歩の跡を認められるが、一九二九年の赤十字條約及び俘虜待遇條約が『交戰國ハ一カ本條約ノ當事者タラサル場合ト雖モ本條約ノ規定ハ之ニ參加セル交戰者ノ間ニ拘束力ヲ有スヘシ』となして、傍點の字句により此點を明白にせるに比すれば稍々明確を缺くの批評も可能である。それはともかくとして、本議定書は非締約國の參加する戰爭に於ても尙締約國間には有效であるが、この形式的拘束力に重大なる影響を與へるに至つたのは、本議定書の批准に際してフランス初め多數の國が留保を附したことである。留保をなした國は、イギリス、フランス、ベルギー、ポルトガル、ルーマニヤ、オランダ、ソヴエート・ロシヤ、印度、カナダ、オーストラリヤ、ニウジーランド、アイルランド、南阿聯邦、及びスペインの各國であるが、このうちイギリスは調印に際してイギリスの調印は英帝國のドミニオン及び印度を拘束するものではないとしたのに止まり、スペインの留保は單に相互拘束の條件を確認せるに止まるから、何れも重要でないが、その他の國が批准又は加入に際してなしたる留保は相當重要である。それらの國の留保條項は、最初に（一九二六年五月九日）本議定書を批准せるフランスの留保條項と全く同内容であるから、今フランスの留保に付て考察するに、同留保條項は次の樣なものであつた。

(1) 本議定書は本議定書を調印し批准したるか之に加入せる國家に對してのみ佛蘭西共和國政府を拘束するものとす。

(2) 本議定書は敵國の軍隊又は其の同盟國にして本議定書の規定せる禁止を尊重せざるに於ては該敵國との關係に於て當然に佛蘭西共和國政府を拘束するに至らざるべし。

この二つの留保條項中第一のものは、相互拘束條項を再確認せるにすぎぬから問題となる餘地はないが、第二の條項に關しては問題は別である。第二の條項に關しては二つの場合が存する。卽ち、(1) 敵國軍隊が本議定書の禁止に違反せる場合、及び、(2) 敵國の同盟國が本議定書の禁止に違反せる場合、の二つの場合が是である。第一の場合、該敵國が議定書の締約國でない場合は第一の留保條項にもとづいて當然に議定書の規定する禁止に拘束されることは初めから存しないから問題でなく、該敵國が議定書の締約國である場合でも、敵國の條約違反にもとづき自國も亦該條約の規定する義務から解放され復仇權の行使により同樣違反行爲を爲し得ることは多言を要しない。之に反し第二の場合卽ち敵國の同盟國が毒瓦斯禁止に違反せる場合に於ても該敵國との關係に於て條約義務を免がれることは相當重大なる結果を惹起するものである。此場合、相互拘束條項は重大なる制限をうけるに至ると思惟せられる。何となれば、禁止に違反せる敵國の同盟國が必ずしも議定書の締約國たらざることあるべく、この場合は該同盟國との關係に於ては既に相互拘束條項にもとづき條約義務は初めから存在せず、該同盟國の行爲必ずしも議定書の違反ではないから、かゝる同盟國の毒瓦斯使用の效果を敵國に及ぼすことは、相互拘束條項を以て說明することはできない。又たとへ、敵國の同盟國が締約國である場合に於ても、該同盟國の禁止違反行爲の效果を敵國にも及ぼし該敵國との關係に於て條約義務を免がれるは、相互拘束條項によつても、又復仇の法理によつても說明し得るところでない。復仇の法理は、義務違反國と復仇を加へられる國とが同一であることを必要するからである。してみると、かゝる留保の結果は相互拘束條項に相當重大なる修正を加へたものである。相互拘束條項は第三國の態度に關はりなく特定締約國間に義務の存續を保證するものであるが、それがたとへ交戰國とはいへ第三國の態度如何によつて當事國間に義務の變更を來すことは、議定書に規定なき權利を主張するものといはなければならぬ（八三）。尤も、此の場合に於ても、總加入條項に見る如く非締約國の戰爭參加といふ事實のみで條約義務が消失するのではなく、實際に毒瓦斯禁止違反の事實あるまでは議定書上の義務が存續するといふ點に於ては、尙、總加入條項と趣きを異にしてゐるのはいふまでもないのである。又、交戰國A・B・Cの間に於て、その化學戰軍備に於てA國最もすぐれ、B國之につぎC國は最も劣り且A・CがB國との間に戰爭狀態が存し、B國が前記の如き留保を爲し居る樣な場合に於て、A國の化學兵器の使用はB國との關係に於ては軍事的に有利なるも、もし之を實行せば、B國はA國の同盟たるC國に對して復仇的意味に於て之を使用するに至るべく此の際C國はA國の犧牲となることなきを保し難く、從つてかゝる場合、前記留保はA國の化學兵器使用を抑制するの效果を有し化學戰の出現を或程度に於て制止し得る實際的效果なしとしない。しかし乍ら、これは特殊な場合に屬し、且尙かゝる效果の發生するには多くの條件を必要とする。

最後に一言附加したいことは、本議定書の成立に終始努力せるアメリカが今尚批准してゐないこと、及びアメリカと並び稱せらる高度化學工業國たる日本が同様本議定書を批准してゐないことは、本議定書の實際的效果を著しく減殺してゐるといふ點である。

(六三) Documents relatifs à la guerre chimique et aérienne par le Comité international de la Croix-Rouge, Genève 1932

(六四) Actes de la Conférence pour le contrôle du commerce international des armes et munitions et des matériels de guerre (Genève, 4 mai -17 juin 1925). A 13 1925 IX, p. 130, 155, 745, 737.

(六五) Actes de la Conférence, p. 583, 603-4, 608 752

(六六) Actes de la Conférence, p. 746-747.

(六七) Actes de la Conférence, p. 783.

(六八) Actes de la Conférence, p. 314-315.

(六九) Actes de la Conférence, p. 317.

(七〇) Actes de la Conférence, p. 318 et S.

(七一) 此の間の經過の概要に關しては前揭 Kunz, S. 44-48. を參照。

(七二) Actes de la Conférence, p. 76-77.

(七三) Hudson, International legislation, Vol. II, p. 942.

(七四) Actes de la Conférence, p. 538.

(七五) Actes de la Conférence, p. 317.

(七六) 化學戰軍備制限案は、ワシントン會議の直前たる一九二一年八月二十四日からブエノス・アイレスで開かれた International Law Association の化學戰委員會の條約案に既にあらはれてゐる。Revue de droit international et de législation comparée, 1922, p. 537-539.

(七七) Actes de la Conférence. p. 540 et 541.

(七八) Overweg 前掲書八八頁　尚 Oppenheim, International law, II., p. 238, note, には本議定書の用語が餘りに包括的であると批評してゐる。

(七九) Möller, International law. II, p. 191, note 3.

(八〇) 前掲註六三所載文書三五頁。

(八一) Actes de la Conférence, p. 320.

(八二) von Nostitz-Wallwitz, Das Kriegsrecht im italienisch-abessinischen Krieg, Zeitschrift für ausländisches, öffentliches Recht und Völkerrecht Bd. VI, (1936), S. 681, besonders 688-689, 690, 717.

(八三) Overweg 前掲書八七―八八頁參照

結論

化學兵器使用禁止に關する國際條約上の規定は、以上を以て略々盡されたかと思はれるので私はそろ〳〵結論にとりかゝつてよい時機と思ふ。

化學戰條約法を通觀して先づ感ずることは條約規定の內容上の不備はともかくとして、條約が十分な形式的效力を發揮し得ない事である。ゼネバ議定書の如きは、其の內容から言へば殆んど絶對的禁止であつて條約上の義務を免がれる餘地は存しないのであるか、それでも尚形式的效力の點からいへは、條約上の義務が發生しない場合がないわけてはない。海牙諸條約に至つては、總加入條項が挿入せられてゐる爲その發效する場合が限られてゐる事は否めない。有力な國家にして諸條約の何れかに加入してゐない國もある。たとへは、アメリカの如きは海牙宣言にもヒネバ議定書にも參加してゐない。毒瓦斯禁止を明言せる有效な一般條約は今のところ此の二つに限られてゐるのに、その何れにも參加してゐないことは相當重大なことてある。ましてや、それが高度化學工業國であると共に其の化學戰軍備の充實を世界に誇示してゐる國てあつてみれば、事愈々重大であるといはねばならぬ。此の樣に考へて來ると、總加入條項や相互拘束條項の發效にもとつき化學戰條約が效力を有せさる公算頗る大なりといふべきで、一度ひ化學戰條約が效力を生せさるに至らんか、化學兵器使用に關する法的判斷は其の條約上の根據を失ひ、殘るところの慣習的戰爭法に唯一の基礎を求めるのほかはない。然るに化學兵器使用に關する特別な慣習法が存する譯でなく、不必要なる苦痛を與ふる兵器の使用を禁する慣習法とか、或ひは軍事的必要なくして平和的人民を殺傷するを禁する慣習法とか、要するに戰鬪手段一般に關する慣習法によるのほかはない。此等の慣習法は果してよく個々具體的場合に於て、正當な判斷を下し得る基礎となるであらうか。海牙諸條約が有效であるといふ條件の下で行はれた前大戰の化學戰の實際を眺め、これを巡る國際法理論上の議論を回顧するとき、疑なきを得ないのである。

要之、化學戰國際法の現狀は未だ必ずしも滿足し得る狀態ではない。世界大戰後國際聯盟を中心に種々努力が傾倒されたことは事實であるが、遂に最後の一點に於て立往生を餘儀なくされた。その最後の一點とは、世界各國の潛在的化學國防力の相異である。この相異の存する限りは、化學戰條約の完璧は望まれない。この相異を與へられた現實として理解し、それにもとづく新體系の上に打建てられた化學戰國際法は初めて實效性を附與されるであらう。もし然らずして、總加入條項の如きに表現された誤れる國家平等觀による平面的國際主義の下では、結局戰爭法規は實效力を有しないであらう。新國際秩序がいかなる形をとるかは知らないが、ともかく確固たる國際機構が生れない限り化學戰國際法も亦舊來の經歷を唯延長するのみであることは確かである。

（昭和十六年二月二十五日）

太平天國外交史論

（一八五三年——一八六四年）

秋永肇

目次

目次

はしがき

本稿は一八五三年より一八六四年に亘り中國外交史に折り重なつた太平天國の關係規定を主題とするが、題目はこゝに見らるゝ通り簡單にしておいた。太平天國か列國の政治的影響をとの程度に受けたか、又受けなかつたかといふ問題は太平天國の性格把握に關聯するのみならす、列國のこの時代における對支政策の本質認識とも絡がり、ひいては、その對支政策における史的性格の分析にも及ぼすところ大である。然るに從來尚ほ充分な檢討か行はれてゐない。極めて限られた資料を基礎としながらも敢へて本文を草した所以である。大方の御叱正を乞はなくてはならない。

I　太平天國南京建都時代に於ける三國との交涉

(一)　列國の「感傷的同情」と對淸關係

太平軍が一八五〇年廣西に兵を擧けて、一八五三年三月十九日南京を占領し、こゝに國都を定めるに至るまで、歐米資本主義の破壞的な力がかれら華南人の生活に特別強く影響したといふ以外に、又一アメリカ宣教師 Roberts と太平王洪秀全との間に個人的關係があつたといふ事實の外は、太平派の對外關係はこの時まで全く存在しない。

しかるに太平派が金陵に國都を建設するや外人は、それぐ\の職業的立場で、又それぐ\の國家の名において、だが終局においてその根本である西歐的産業資本主義の見地において、この運動を一つの「革命」とし、太平派を新興勢力として歡迎したのであつた。そしてそれは理由のないことではなかつた。

先づ五十年代の對淸經濟關係を列國の先頭に立つ英國について見ると、南京條約締結の際におけるイギリス全權 Pottinger が、「ランカシアの全工業を擧げて僅かに支那一州の需要をも充たし得ないほど廣大な新世界を諸君の貿易に開いた」(註1)、とマンチエスターの工場主達を喜ばしたにも拘らず、一八五〇年には一八四四年よりも輸出額において減少を見せており、逆に絹及び茶の輸入は非常に增大し、現銀と阿片によつて輸入超過のバランスが保たれたといふ狀態であつて、イギリス工業製品の急激なる進出は早くも支那市場に供給過剩を起したのであつた。

「イギリス工場主が支那の商品に對するイギリス需要の增大に正比例しない支那の購買力に驚いた」(註2)のも無理はない。イギリスは封建支那の驚くべき經濟的抵抗に直面して、五〇年代に入るや早くも、イギリス綿製品の進入にとつての障碍を除去すべく南京條約改正を必至の任務としたのであつた。イギリス綿製品の競爭者は支那の手工業綿製品であるが、天津條約後 Elgin 卿の率ひる揚子江流域調査團の行つた報告によれば、一八五八年當時にして、マンチエスターの綿製品は、漢口において土着手工業製品よりも四ヤードにて百錢がた高い。(註3)從つて、イギリス綿製品は充分に支那の國民大衆を捕へることが出來ず、高々、特殊な階級を對象とするか又は大衆にとつての贅澤品たり得たに過ぎぬ。差し當り、イギリスにとつて貿易を擴大し得る手段は、支那手工業製品に對する競爭力を增すために、支那の國內關稅たる釐金の改正を中心として、開港揚の數の增加、乃至國內運輸の改善によつて內國に新しい地域を開拓することにより、地域及び人口における言はゞ横の擴大を實現する以外にはないのである。こゝに支那商業交通路の大動脈である揚子江の解放問題も起つてくる。(註4)

かゝる經濟的背景を持つて、一八五四年には既にして英米佛共同して條約改正の第一回交涉を開始したのであるが、(註5)いはゞ條約改正の前夜に當る一八五二年、葉名琛が兩廣總督兼欽差大臣に任命された。清朝政府の承認せる唯一の外交機關が廣東にある欽差大臣であつたから交涉の成否は葉の態度如何にかゝつてゐる。然るに、この時以後外國代表無視の態度が清朝政府の確固たる政策の一部となつたのである。葉は直接的個人的會談を拒避した。そしてこの隔離的行動は「恐るべき外人より離れて完全な遮斷を維持せんと北京において計畫された方法の一部であつた」(註6)。「高慢なる官僚制!」これが等しく外人の口より洩れた言葉である。イギリス全權 Bowring は本國政府に、一八五四年、支那當局との直接的交通の不可能なることを最も重大な問題だと報告してゐる。(註7)

今や問題は「支那人の性格及び行政上の革命的變化」(註8)に依存する以外に殘された解決の道として武力あるのみといふ狀勢で、イギリスの第一回の砲火は經濟的にも政治的にも支那の封建的萬里の長城を破壞し得なかつたことが立證された。爾後列國は淸朝の首都北京に對する直接的威脅政策を採つて、ひたすらに北上の氣配を見せ初める。

英國を先頭とする列國と支那との關係が客觀的に、こうした狀勢に在る時に旣に南京に向つて武漢から下つてきた太平軍の狀勢が風說として列國の耳には入つて來た。列國はその眞相を摑み得ないまゝに、反亂の興起とその進展を注視することは怠つてゐない。南京に國都を定むるまで實に多くの檄文が太平軍によつて宣布されたが、最も早い又最も重要な東王楊秀淸の名によつて出された「奉天討胡」(註9)には、滿淸支配を覆滅して中國人の國家を建設せんとする民族主義的要素が極めて明瞭に見え、滿淸官僚機構の腐敗性を指摘し、之に對して强烈なる非難を投げつけてゐる。又幾多の檄文にかれらがプロテスタントに近いキリスト敎の敎義に立脚してゐることが表示されてゐる。かくの如き檄文の內容が風說として外人に傳へられ、英、米が特にプロテスタントに近いキリスト敎の集團として、又腐敗せる且つ高慢なる滿淸政府を覆滅して純粹な中國人の政府をこれに替えるといふ太平派に惹きつけられたのは當時の狀態から見て、蓋し無理ではないであらう。特に太平派のキリスト敎に重點を置いた見解によつて「アングロ・サクソンとの調和」(註10)の可能性を見透し、太平派の偶像・寺廟破壞の事實に支那封建の宗敎たる儒敎佛敎道敎との對立從つて太平派イデイオロギーの近代性を推斷したのである。かくして、一應列國の要望して止まぬ

「支那人の性格及び行政における革命的變化」が、太平天國に實現され得てゐるかの如くに思はれるのであつてみれば、列國も座視し得ない。然しながら問題は太平天國がデ・ファクトの政府となり得るや否やにかゝつてゐる。が、この點に關しては列國に未だ見透しを附しうる程の資料がはいつてゐない。「感傷的同情」たらざるを得ない所以であらう。又列國が相繼いで全權を先頭に南京訪問のエックスペディションを起した所以もこゝにあるのであらう。支那開國の前衛を以て任ずるイギリスが太平派の南京占領後二月足らずの中に眞先に南京に乘り込んだのは言ふまでもない。然るにアメリカ全權 Marshall はイギリス全權が南京に到着した翌日即ち一八五三年四月二十八日、國務長官宛に上海より「清朝政府は叛徒に酷使され居候諸種の事情を綜合して判斷仕るに現王朝顚ぷく致し革命の成果結實する日の來らんことを推測致すも誤なかる可くと存候」(註11)と報告して、太平天國樂觀説の第一聲を放つてゐる。

英、米の太平派に對する期待に引き換へフランスは最初より太平派に反對し、その態度は終始變らなかつた。理由は太平派がプロテスタント的なキリスト教を採用してゐるに、フランスは皇帝ルイ・ナポレオンの下、カトリック教が斷固として王座についてゐた點にある。ルイ・ナポレオン下のフランスはカトリック的農民の支持なくしては絶對に存立し得ない政情にあつたから、カトリック教に對する保護或ひは特權授與は實に徹底してゐたのであつて、苟もプロテスタントに近い太平派に好意を寄する如き態度を執る筈はないのである。打算的なイギリスはひたすら眞相を摑むにめに南京行を用意した。

（二）　列國との交渉

南京陷落の直前なる三月十五日に淸朝政府は南京救濟のために直ちに軍艦を派遣されたき旨の形式的申込を上海駐在の英米佛各領事に提出した。然しながら如何にも淸朝政府らしい高慢な仕方で。實は甚だ太平軍を恐れ、援助要請は眞劍でありながら、形式的ならざるを得なかつた封建主義。

淸國から援助要求を受けもしないのに直ちに飛び出して、その騎士たらんとしたのは帝政ロシアであつた。このロシアの救援の手は淸朝政府によつて拒絶されたが知れ亙つてゐる如く、帝政ロシアは五〇年代に於いて近代工業を尙ほ幼弱ながら育て上げ、進出可能な唯一の市場を東洋に求め陸路支那の北邊を脅やかしつゝあつた。その特徴的な對外政策　武力に護衞されて、その經濟的競爭力の弱點を補充し、排他的・獨占的な――を實現せんとして、既に支那とは一八五一年伊犁通商條約を結んで支那西邊國境貿易を獨占してゐたものを、更に、この機會に支那の北邊から太平洋岸をねらひ、淸朝の弱味を巧みに利用して、援助の代償を得んとしたが果さず、第二次英佛・淸戰爭中淸朝から遂に奪ふことに成功したのであつた。（一八五八年五月二十八日締結の愛琿條約。）

イギリスは北京政府に何事か秘かに通告するところあつて、明らかに太平派を利用せんとする。アメリカは、申込みの官僚的高慢さに託して之を取り上げない。

太平軍成功の誇大なる報導が上海に達し、更に上海を攻撃せんとしつゝあると言ふ噂が擴まつた。清朝政府は之に對して、太平軍を欺瞞するために、外國軍艦が叛徒鎭壓のために南京に送られつゝあるといふ宣言を發した。イキリス全權 George Bohnam は嚴正中立を決意し、清朝政府の宣言に關し中立の意志を太平軍に表明せんがため竝ひに太平軍の實狀調査に一八五三年四月二十二日上海を發し途中鎭江にて太平軍に砲擊され、二十七日南京に、先づ通譯 Meadows 豫備交渉に上陸、北王韋昌輝、翼王石達開に面謁、書を致して云ふ「最近支那に内亂發生し太平軍の南京に入城したることを聞けり。官軍の布告によれは、歐洲兵艦十餘艘を雇ひ、揚子江由り太平軍を攻擊するとの説をなせるあり。殊に事實と符合せす。英國の慣例は其通商國の國内戰爭に干渉せす。（略）總じて英國は太平軍と清政府との戰爭に對して完全に中立の地位に立つ」と。東王楊秀清天王に代り答へて曰く「爾遠人藩屬たらんことを願ふ、これ天王欣樂するところなり。天父天兄亦その忠心歸順を欣樂す」と。

遂に上陸はしなかつた Bohnam は之に對して「來書の語言理會し能はざるところなり。總じて中國は既に五港通商を許可したれば、則ち何人たる論ぜず、我が商務者に損傷を與ふる者に對しては我國は兵戎を以て處置せんとす」と答へた。（註12）

往復文書は數回繰返されたものゝ如くであるが、上記の往復文書によつて既にこの交渉が Bonham にとつて極めて不滿足であつたことは知られるであらう。彼は五月五日上海に歸着した。

この南京訪問によつて彼が得たる結論は、叛徒は彼等の現在の信仰を餘りにも敷衍し過ぎるきらひがある（神政國家）ことがその第一、次いで、かれらの敎理は實際キリスト敎の倫理的原則に基いてはゐるが、全く變形せしめられてゐる程に神人同性論を含んでゐること、太平軍の首腦部はこの敎理を把持してゐるが大衆に行き亘つてゐないこと、最後に滿淸政府に代り得るデ・ファクトの政府が樹立されたとは思はれないこと、從つてイギリス政府のとるべき眞の政策は交戰兩勢力の間に嚴正中立を維持すること、但し英國の權益が直接攻擊を受けた場合それを防衛する必要あること、等であつた。（註13）

フランス全權 M. de Bourboulon は軍艦 Cassini に乘つて一八五三年十一月三十日上海を出發したが散々冷遇されて歸つてきた。太平軍の軍紀の保持されてゐることに感心したが、中立政策を政府に具申。（註14）

ワシントン政府は Marshall の一八五三年七月十日附國務長官宛の報告（註15）を受け取つた。

それは「叛徒は政治權能に關する眞の槪念を持つてゐない。彼等は單に權力のため戰つてゐるに過ぎない。從つてかれらが權力の獲得に成功したとしても權力行使の實質乃至現在宮廷で行はれてゐる儀禮の形態が本質的に變るといふことはないだらう。（中略）兩軍共に軍事的茶番を演じてゐるに過ぎぬ」といふ報告であつた。にも拘らず、更に同報告が「事情と政策が都合よく運べば、支那はイギリスとロシアに分割されるかも知れない」と述べ、支那內政干渉、ロシアの手による叛徒抑壓を通じて太平洋岸に伸びるロシアの勢力を防ぐために如何なる犧牲をも（almost any sacrifice）アメリカは拂はねばならないといふ意見を具申し、且つ「支那は咬み手の前の小羊の如きものにして征服の容易なることは印度の州にも等しい。獲物に誘はれて　ロシア乃至はイギリスが貪欲なる野望を現はせば、アジアの運命は決まるであらう。而して米淸關係の將來は、今にして妥當なる政策を採つて不運なる結果を妨止しなければ、永遠に閉ざされるかも知れぬ」（圈點マーシャル）と述べたためであらうか、Marshall の後任者 McLane を支那に派遣するに當つて、米國政府はその訓令において、狀勢が風說の如くなりとするならば、デ・ファクトの政府として太平軍を承認するも可なりとしてその裁量權をかれに附與したのであつた。（註16）

ワシントン政府がかくも英露の野望に焦慮して嚴正中立ならざる內政干渉に等しい色氣を見せたのは、その背後に、次の如き事情があつた。一八四〇年以後アメリカの支那に對する視角は工業製品の無制限なる販賣市場としてゞあつて、現在の利益よりも無限に近い、東洋市場の將來性に着目して政策が指導された。既に一八八〇年以後がそうであつたやうに、當時においても門戸開放がアメリカ政策の中心であつた。(註17)門戸開放は自由なる競爭に他ならない。一八四七年にイギリスはアメリカとの競爭上、茶の輸入税を低下する必要を感じてゐたのである。(註18)

英米の競爭は激化する。然しながらロシアは別として、英米佛の對支政策はかゝる競爭(經濟的)對立にも拘らず常に本質的に政治的には天津、北京各條約の形成過程を通じて協調政策をとつたところにむしろ帝國主義時代と異なるこの時期の、特質が見出される。

當時 W. A. P. Martin の Caleb Cushing(望厦條約におけるアメリカ全權)に宛てた書簡が出版されたが、それは「殘忍性竝びに掠奪の點に關しては、太平軍は支那の革命團體と軌を一にしたまでのことだ。その表示する原理には老朽せる王朝には到底期待し得ないやうな新秩序の萠芽が含まれてゐる」ことを主張した。そしてこの書簡はアメリカ政府の上述せる如き判斷の資料の一つになつたかも知れないと思はれる。が、Martin は嚴正中立を要求してゐる。(註19)

それは兎も角、McLane は上記の如き訓令を携へて赴任、一八五五年五月二十二日上海を出發して南京を訪ねた。そして到着の通知に面談の希望を添へたが、その返答に「年々朝貢し、御機嫌奉伺に來ることを許可する」とあるを見て、かれは言つた「この運動に關して文明國の希望が何うであらうと、それがキリスト教の公然たる信仰に基くものではなく、否それを理解さへしてゐないことは今や明らかである。又政治權力の形態に關して眞實の判斷が何うであらうと最早や對等通交が設立され維持され得ないことは疑ひない」。McLane は國務省に中立政策を具申。(註20)

かくして英、米、佛三國の嚴正中立政策が決定され、太平派に對して列國が持つてゐた淡い期待は裏切られた。こゝには太平派自體の內部問題を取り上げる餘猶がないが、爾後行論において明らかにされる如く、この時以來崩壞の日まで、太平派自體の內包する政治組織の封建的性格その未成熟故に、及び宗教的にユダヤ的政體、キリスト教神學、支那哲學の混血の故に極少數の歐米人を除き、少くとも現實的に列國政府が太平運動を支持した例はない。

(註1) Sargent, A. J., Anglo-Chinese Commerce and Diplomacy, 1907, p. 106.

(註2) Sargent, op. cit., p. 135.

(註3) Oliphant, L., Narrative of the Earl of Elgin's Mission to China and Japan, 1859, Vol. II, p. 425.

(註4) 一八五四年第一回の條約改正交涉の際の英國政府の要求條項の第一は、一般に支那の全內地並びに沿岸都市への出入を認むること。そしてその代案が揚子江の自由航行權の獲得であつたことは偶然でない。(一八五四年二月十三日附 H. Clarendon の Bowring 宛への訓令) Morse, The International Relations of the Chinese Empire, 1910, Vol. I, p. 414.

(註5) 後出。

(註6) Williams, S. W., History of China, 1897, p. 231

(註7) Morse, The International Relations of the Chinse Empire, 1910, Vol. I, p. 413

（註8）Sargent, op. cit., p. 110.
（註9）Cf. Lin-le, Ti-Ping Tien-Kwoh, 1866, Vol. I, pp. 89-92.
（註10）Brine, L, The Taeping Rebellion, 1862, p. 355
（註11）Clyde, P. H., United States Policy toward China, 1940, p. 24.
（註12）李圭、金陵兵事彙略一卷
（註13）Morse, op. cit., Vol. I, p. 454.
（註14）Cordier, H., Histoire Générale de la Chine, 1921, IV, p. 35.
（註15）Clyde, op. cit., pp. 24-26.
（註16）Foster, J. W., American Diplomacy in the Orient, 1904, p. 210.
（註17）Dennett, T., Americans in Eastern Asia, 1922, pp. 74-75.
（註18）Sargent, op. cit., p. 167.
（註19）Martin, A Cycle of Cathay, 1897, p. 133.
（註20）Foster, op. cit., p. 211.

II　三國の中立政策時代（一八五三年―一八六一年）

（一）中立政策の意義

かくして、一八五三年より一八六一年に至る三國の中立政策時代が始まるが、この時代は同時に天津、北京兩條約の成生時代である。かくて、相戰ふ滿淸政府竝びに太平天國に對する三國の局外中立政策は南京條約改正の動向に制約され、條約改正實現の推進過程の中にとりあげられ、次の段階に於いて放棄されたところの文字通りの政策に過ぎなかつた。しかも終局、この全過程の内奥にあつて自己を貫徹したものはアングロ・サクソンか如何なる機會にも口にすることを忘れなかつたところの The Security and Extension of Trade 即ち、英米産業資本主義の發展に他ならないのであつて、この意味で、「天上帝國」も「太平天國」もそれに繰られた人形であつたと言ふも過言ではない。イギリスの通商は自からの手で生み出せる「天國」を自からの手で葬るだけの信義を盡くすことを忘れなかつたのである。

「支那帝國のキャスティング・ボート」（註21）を握つてゐる列國は、條約改正を目的とする武力行使によつて清朝政府の「全努力を英佛に向け」しめて「滿洲と叛徒との爭闘を延引した」。（註22）かくの如き、太平軍に對して清朝軍が有力な部隊を向けることが出來なかつた姿態は、太平軍にとつては一つの有利な條件であつて、十五年の長きに亙つてその勢力を保持し得た原因の一つに數へらるべきであらう。他の原因即ち內部的原因の忘るべきでないことは言ふまでもないが、かゝる外部的原因も充分その存在を指摘されて然るべきだと思ふ。

とも角、太平派を主體として全帝國に騷然と烽起せる一揆に惱む支那帝國に對し三國によつてとられた中立政策の意味は、かくて三國に即して言へば、太平派に對して反向し之を崩壊せしむることとなくむしろこれを滿清政府との勢力關係において牽制利用し、三國の經濟的利益に有利なる限りにおいて放任しつゝ、不利と見れば直ちに干渉政策へ轉換してこれを壓服する可能性を内包したるが如き、融通無涯なる消極戰法なる點にあつたとされ得よう。だから三國が條約改正の形態で當時現はれた經濟的要求の貫徹に當つて、太平派その他の一揆によつて餘儀なくされた滿清政府の戰略的政治的缺陷を注視し、これを利用することを怠らなかつたといふこともかゝる中立政策の當然の歸結であらう。

中立政策は帝國主義段階に見られる如き謀略的・積極的性質を内包しなかつたところ、列國間の非排他的非獨占的協調政策と關聯して當時の列國對外政策の本質を露呈したものであつた。然しながら、抑々滿清政府の鎖國主義が、自己の政治的特性たる異民族支配の故に、常に「外夷」に依る被支配民族たる漢民族に對しての使嗾支持を豫防して自己の政權を保持するためでもあつたことゝ關聯して、今太平天國が滿清政府にとつて充分脅威的である場合、列國は中立政策をとることによつて、滿清政府がもと〳〵政府保持のための鎖國主義から外國依存へ傾斜する必然性、何よりも通商の障壁であつた排外主義からの轉換を餘儀なくせしめる可能性、これらに着目して、利用することをも忘れなかつた。

之を要するに、三國の中立政策とは、太平派が政權を組織する程の能力も持たず、滿清政府又未だ崩壊するに至らずしてしかも排外的であるといふ現實的條件の上に自己の利益を貫徹すべく決定された政策なるが故に、かゝる條件にして一度變更する時は必然にその政策も終りを遂げなければならない。從つて一八六〇年咸豐帝が熱河に蒙塵せられ、滿清政府崩壞の危機に直面した時、クリミヤ戰爭における英佛共同の極東における再版が、ヨーロッパにおける露佛接近への轉換を反映して極東においても露佛の接近が次第に形を整へ初めイギリスの孤立狀態にまで進まんした時、英國は焦慮に驅られ、恰も一八五四、五年當時のアメリカが同樣なる狀態においてとつた態度——卽ち太平派をデ・ファクトの政府として承認せんとする態度を示した。Lord Elgin の心境の轉換が卽ちそれであつてフランス全權（Gros に抑止されて中止したとはいへ、以つて當時の中立政策の意味が呈示されてゐるであらう。（註21）

事態かくの如きであつて見れば、中立政策が中立の許す限度で三國によつて十分活用されたことは疑ひない。而して現實の過程は列國の局外中立を通じて滿清政府の對外妥協の方向に進み、太平派は單にかゝる效果のために利用された素材に止まつた。

（二）　條約改正交渉

早くも一八五四年二月三日の訓令によつてイギリス政府は佛清、米清條約の條項に依據し、最惠國條項に基きて、條約改正交渉に關し駐清イギリス全權に指示を與へたが、その場合二つの條件を顧慮した。(一)內亂の結果の見透しをつけ、それによつて交涉を開始するために若干の猶餘期間をおくこと。この場合イギリス政府は、殆んど支那全土に瀰蔓せる反亂一揆のために、從來通商の擴大を妨げてきた支那の障壁の最早保持され得ないことを確信し、それによつて清朝政府竝びに支那人自體の性格、而して根本において支那の外國貿易の成功が依存する諸條件を、この際洞察し、他面滿淸政府の誇示せる優越も何處へやら、太平その他の反亂のために外人に援助を求め來つた實踐が示す如く自己の無力によつて列國に對する態度の變更され得る可能性、一言以て蔽へば、新條約を强制し得るに先づ以つて不足はない程滿淸政府は太平軍のために弱體化されおる事態に大きな注意を拂つた。(二)若干の猶餘期間の中に英、米、佛三國が共同步調をとり得るに至るであらうこと、既にも述べた如く自由主義的對外政策の線に沿ひ、イギリス政府は三國の共同行動を至上命令とさへみなし、單一行動の滿淸政府に與へる效果の薄弱なることを充分に握持してゐる。(註23)

既述の如き經濟的諸條件に基くところ、三國の條約改正交涉開始に意見一致しない筈はなく、又クラレンドン訓令の要求條項を米佛二國が支持協調するも當然に相異なく一八五四年九月、十月の二箇月間廣東上海白河口において三國相協調し外交々涉を試みたが清朝政府官僚の封建的排外主義はこの試みを完全に不成功に終らしめた。今や「對支關係を擴大し改良するために重大な措置をとらんとするならば、軍艦が絶對に必要」（註25）なことは三國共通に痛感したところである。

（三）一八五四年、佛國の中立侵犯

これより先、一八五三年九月七日上海は小刀會によつて佔領されたが、（註26）この場合列國にとつては、むしろ清軍の無規律なる租界侵入に對して防衛しなければならぬ有樣で、一八五四年四月三日以後の清軍による英米の租界侵入に對して陸戰隊を揚陸せしめて擊退した。言ふまでもなく、直接權益を侵害されたる場合の局外中立、但書に依るものである。（註27）

然るにこの時フランスが皇帝ルイ・ナポレオンの對外政策を上海において小型に實踐したのは興味がある。一體フランスは絹物をそれもロンドンを通じて輸入する以外支那とは殆んど經濟的關係を持つてゐないとさへ言へる。にも拘らず、廣東、太沽、天津、北京と英軍と聯合して對清戰爭に參加してゐる。理由とするところはカトリック宣教師 Chapdelaine の殺害事件である。太平軍に對する反對と言ひ印度支那における武力行使と言ひ對清戰爭と言ひ今又小刀會との鬪爭と言ひ、總てカトリック教と關聯してゐるが故に既述の如く國內政治的要請に依據するものであるに相違ないが、必ずしも、しかく狹く限定するのみでは意を盡したものとは言ひ難い。ルイ・ナポレオンの對外政策の特殊な性格が露呈されなければならない。皇帝ルイ・ナポレオンは社會經濟的自由主義者として、その治政の下にフランス產業資本主義は飛躍的に發展したのみではなく、對

外的にイタリアの獨立運動の同情者であり、ドイツ國民統一運動に對しても少くとも反感は持つてゐなかつた。だが、彼は同時に冒險好みであつて、最初はナポレオン一世の傳統を再現し、ヨーロッパにおいて特に目立つた役割を演じたいといふ欲望に驅られ、兼ねて自己の專制主義からフランス民衆の注意を逸らす目的に役立たしめんがため、後には、國內において衰萎せんとする自己の威信を回復するためには絕對に必要となつた對外的成功を求めて冒險を敢てしたのである。かれはかれが同情を寄せる者に對する支持乃至同國の敵對者に對する中立の代償として苛酷なる定約を逼り領土割讓を要求する。或ひは又、遠方の軍事的冒險に突進する。かくしてかれの治政の下において、フランスは殆んど絕えず大なり小なりの戰爭をしてゐたのであつた。ナポレオンの中に住む二人の人間――理想家と陰謀家――の鬪爭こそ、フランスを惱ましヨーロッパを惱まし、危機の瞬間にフランスを孤立せしめて帝國を崩壞せしめたボナパルティズムに他ならない。(註28)

かゝる氣紛れな軍事的冒險は一八五四年十二月六日上海において小刀會に對する武力行使となつて現はれ、一年半に亙る叛徒の佔領から上海を解放して、僅かに五百碼の土地ではあつたが兎も角もルイ・ナポレオン流に獲得したのであつた。英米がこの「怪しげな正義に基く無鐵砲」に援助することによつて敢へて中立を涜さなかつたのは蓋し當然の事であつたらう。(註29)

(四)　第二次條約改正交渉(一八五六年)

第二回目の條約改正の試みは米佛の對淸條約に規定された改正期日たる一八五六年八月十九日以前に行はれた。この度は敏腕なるアメリカ全權 P. Parker の首唱の下に。フランスは兎も角イギリスがこの際アメリカの後塵を拜し、加ふるに單に外交支援のみに甘んじなければならなかつた理由は一に、一八五三年九月より五六年一月パリー條約に至るクリミヤ戰爭から建直つてゐなかつたことに歸しなければならぬ。Parker が僅かに二隻の軍艦を以つて北上せんとすることを知つたイギリス全權 Bowring は、不充分なる武力を以てする企ての成功せざることを確信して同行を拒み、フランス全權 Comte de Courcy には訓令が屆かないといふ仕末で遂に Parker は單獨で七月一日香港を出發して上海に向ひ同地にて軍艦の事故と淸朝官吏の巧みなる外交手腕に白河行の機を失し、遂に第二回の條約改正交涉も失敗に終つた。しかし、この條約改正交涉に際して Parker 等三國全權が、咸豐五年(一八五五年)十月より翌六年(一八五六年)二月に亙り太平軍が瑞州、臨江、袁州、吉安、撫州、建昌等江西の七府五十餘縣城を陷れてより同年十二月に至つて武漢三鎭を初め湖北の一帶が淸軍の手に囘復する(註30)までの數箇月間、卽ち淸軍が太平派との攻防戰に勢力を消耗しつゝある機會を巧みに捉へたことは、三國側に武力の用意が不充分であつたことゝ併せ考ふるならば首肯され得る。それのみに止まらない。Parker は上海に北上の機を狙つて焦慮しつゝある時、淸朝政府が困窮の果て外援を求めんとしつゝあるを知つて「最も重大な結果」「政治的・經濟的讓與」を條件として內政干涉の提案をさヘイギリス側に提起したのであつた。(註31)然しながら未だ機は熟してゐない。

かくして Bowring は「絕えず中立に留意しつゝも支那の現狀の供する絕好の機會を利用することが全く出來ない」(註32)焦燥を洩らさねばならなかつたが、今イギリスに必要なるものは、クリミヤ戰爭後の武力回復を措いて他に何があり得よう。この主體的條件にして整ふならば、客觀的條件は既に滿を持してゐるといふ形ではないか、一八五六年八月二十一日 Bowring は本國政府に今後の對策に關するフランス全權と一致した、意見を具申してゐるが、それは三國を代表する相當數の軍艦が天津河を溯航するための輕裝艦を伴ひ一八五七年五月又は六月渤海灣に落ち合ひ、訓令により全權は出來るならば直接北京に行き信任狀を奉呈すべしといふ內容である。

(五)　一八五六年に於ける英國の對淸政策

一八五六年こそはまさに所謂阿片戰爭の成果を完成しつゝ中國の爾後の運命を決定する諸過程諸事件の前夜に當る。この時に當つてイギリスは如何なる見透しと對策を持つてゐたか。

強大なる武力を伴はずしかも單獨行動によつて支那から重大なる讓步を獲得するといふことは望み薄である。これはイギリス政府不動の見透であつた。支那の甚しき無政府と無秩序のさ中にあつてイギリスが全然行動を起さないことはある程度まで在支英國權益を危險に曝らしてゐることは事實だ。が、されぱと言つて英國の生命財產保護に必要な限度を越へ內政に干涉して何らかの政治的結果を招來せんとする意圖も必要もなかつた。むしろ重大なる目的遂行に絕對的に必要だとされる武力が北京政府に加へられることは、北京宮廷の滿洲への蒙塵、あらゆる外交々涉の拒否といふ如き事態を惹起するのではないかとの虞をさへ感じてゐた。この一八六〇年に事實となつて現はれた現象が既にこの時に推斷されてゐるのみならず、更にイギリスが行動をとるととらざるとに拘らず、一八五七年の夏までに清朝政府の位置に重大なる變化が來ることが豫想されてゐるのは既述の如き當時の太平派の甚大なる軍事的成功に依存してのことであつた。清國政治の力關係を英國の經濟利益に利用するが、今の場合は太平派の力をあるがまゝの姿でむしろ傍觀的に利用し、あくまで經濟領野に重點がおかれる。卽ち外國貿易に依存してゐる、廣大なる揚子江域の茶絹生產地帶を地盤としてこれを各國の國旗によつて保護してさへゆけば、滿淸政府にはこれを積極的に防害する程の力はないのである。かくて如何なる政治的事態が發生する共恐るゝ必要はなく、斷固たる通商第一主義を貫徹する。こゝに英國政策の本質があつた。(註33)

(六) 天津條約(一八五八年)

さて、五七年度の計畫は一八五六年十月八日の Arrow 號事件で一つの追加を得た形である。Seymour 提督は二十日から二十二日にかけて廣東を攻擊各處の砲臺を占領して廣東城壁に迫つたが、米國は兎も角佛國も中立の態度をとり、言ふまでもなく武力も不充分であつた。之だけ不利な條件が揃へば先づ成功の見込みはない。不成功の豫想が確實なるにも拘らず武力を行使した所以は、廣東の特殊事情があるからである。所謂阿片戰爭後の平英團以來、廣東民衆の反英抗爭は熾烈を極めたもので此の時に至るまで英國は廣東城に安全に足を入れることが出來ない狀態であつた。

この事實は支那の革命を語る者の必ず指摘する「第一頁」的事實である。苟くも英國々旗を揭げる船に對して支那側官憲が權力を行使した場合之を默殺してはいよ〳〵民衆の意氣を昂めるに相違なく、その時の廣東の排外的空氣を知つてゐる提督が之に反撥するといふことはあり得ることである。

この事件を契機に一擧對淸戰爭にまで進んだが、これが原因でなかつたことは言ふまでもない。筋書にとつては偶然の出來事である。唯これが契機となつて條約改正問題と併せて廣東問題が片ずけられたと言ふに止まる。

一八五七年七月二日英國全權 Lord Elgin 香港着任。八月七日英軍の廣東封鎖。十月六日佛國

全權 Baron Gros 香港に着任。十二月十二日佛軍の廣東封鎖。クリミヤ戰爭のために餘儀なくされた條約改正の筋書における主體的缺陥たる武力が整備されて愈々英佛聯合軍によつて（佛國は一八五六年二月二十九日といふ事舊聞に屬するカトリック宣教師 Chapdelaine の殺害事件を理由とする）對淸攻擊の火蓋が切つて落されたのは豫定の筋書より後れて一八五七年の暮も押詰つた十二月二十八日であつたが、早くも三十日には廣東城內に突入してゐる。

この場合「支那市場の未來性」に注目する米國政府は武力行使には加擔せず、拔目なく立廻つて取得すべきものだけは逃がさない態度をとる。

一八五八年四月相前後して英、佛、全權及び米國全權 Reed それに露國全權 Count Putiatin も加はつて、各々自國の軍艦にて北上白河口に到着した。

クリミヤ戰爭後國內の農奴解放を問題とする露國が武力を行使し得ないことは言ふまでもなく恰も調停者の如き態度で立ち現はれ、邊境の取得といふ地理的條件も幸ひして、その獨占的政策たる領土割讓に遂に成功せることは前にも觸れた。

對淸問題における前衞たる英國、その後衞たる佛國は共に太沽砲臺を二時間足らずで攻陷し、五月三十日天津入城。早くも六月十三日には露淸天津條約調印、六月十七日米淸天津條約、六月二十六日英國、二十七日、佛國と條約調印を終る。

然るに清英間の條約を除いて三國の條約は、眞に支那における通商の擴大を要望すべき必然性を有するならば、恐らく不可缺であるところの、最も重大なる條件を含んでゐないのであつた。卽ち北京公使館設立問題竝びに國內旅行の自由問題は獨り英國の努力によつてのみ達成せられ成文化され、他の三國は最惠國條項によつて之に均霑し得たに過ぎないのである。こゝに如何に英國の支那開門の要請が必然的根據を持つてゐたかゞ證明されると同時に、列國の對清關係における英國の地位の重要性、積極性も露呈されてゐるであらう。

（七）　北京條約に至る諸過程と太平軍の動向（一八五八年—一八六〇年）

天津條約が支那に對して與へた影響が如何なるものであつたかは後の事實自體が答へるところであるが　さし當つては、皇帝は列國が北京まで侵入し來らず、ために廣東の欽差大臣葉名琛が廣東から連れ出されたと同じ運命に陷ることを免れ、更に條約を履行するためには何をなさねばならぬかを學ぶために一年の猶餘を得たのであつた。皇帝は又條約の締結によつて列國が太平軍と共に企てるかも知れぬ、支那帝國征服のための進軍からも救はれたのであつた。（註34）これは又何といふ結果であらう。列國を相手に支那皇帝が演じた茶番劇であらうか。戰爭も條約も之だけでは何らの意味を持つてゐなかつたのである。

果して天津條約後一年間清朝政府は太沽、天津の砲臺を再築して英佛に對する戰備を整へ、捻匪征討の勇將僧格琳沁を防衛の欽差大臣に任じ、白河口も閉塞するといふ有樣であつた。

かくの如く萬端の戰備成れる折しも英國公使 Bruce 佛國公使 M. de Bourboulon 米國公使 Ward は批准交換のために、一八五九年六月二十日白河口に現はれ、六月二十五日白河を強行溯航せんとし、英佛聯合軍は清軍のために大敗を喫し退却せざるを得ない結果となつた。ロシアの批准交換は五月北京において、米國は八月十六日北塘において夫々行はれた。

清軍に、かゝる勝利を得せしめたものは一つに太平軍の沈滯であつた。恰度英佛聯合軍の天津攻陷に至る約一年の間は太平軍が異常な活躍をした時代であつて、陳玉成、李秀成等の率ひる太平軍は安徽において、石達開は安徽より大軍を率ゐて、江西の東南部諸地を攻掠したのであつた。天津の易々たる陷落と併せ考ふるべし。然し一八五八年五月には江西は殆んど平定し安徽も亦五八年から九年初めにかけて清軍に恢復されたのである。のみならず江蘇においても一八五八年春太平軍の諸城は回復され、南京又清軍のために包圍さるゝに至つた。

この太平軍の不振の時期たる一八五八年から五九年にかけて清朝政府は武力に餘裕を生じ天津防備に力をいたし、英佛聯合軍を大敗せしめ得たのであつた。

英佛聯合軍敗れ、清朝政府の條約無視が歷然となるや、英佛は反撃の準備を進めて一八六〇年三月八日北京政府に最後通牒を送つた。四月五日最後通牒は清朝政府によつて拒否される。

一方太平軍は一八六〇年三月十九日杭州を陷れ一週間佔領の後臨安孝豐建平等の諸縣を連陷し南京に向ひ江南大營の攻擊に移るが、五月三日南京の包圍を破碎し鎭江を陷入れ、江南本營常州又陷落して六月二日には蘇州又太平軍の手に歸する。蘇州陷落に引續き太倉、松江、嘉興竝びに其屬縣多く陷る。かくして所謂江南大營は完全に潰破し終る。(註35)六月末再度の全權を任命された Lord Elgin 及び Baron Gros 上海に到着する。

常州陷ちて間もなき五月二十三日上海道臺(Taotai)は聯合軍が公式に太平軍に對して上海の保護を引受けることを要請すべく英佛領事を訪問したが、(註36)二十六日英國公使 Bruce の名に於て「上海は外國貿易に開かれたる港である。………若し攻擊及び內亂の舞臺となるならば商業は甚大なる打擊を蒙むるべし。………故に上海居住者の逆殺掠奪に曝さるゝを防止し、如何なる攻擊に對しても同市を保護するべく本官は吾が陸海當局の司令官に適宜の處置を執ることを要求するものなり」(註37)といふ聲明を發表した。この時佛國の陸軍總指揮官 Montauban 將軍は蘇州防衞のため英佛聯合軍を動員すべきを提案したが英佛公使はかゝる動員は危險なるのみならず、北方の狀勢と睨み合はせる時拙策なることを指摘す。

更に蘇州陷落後常州より上海に逃亡せる兩江總督何桂淸は六月九日特殊の任務を帶びて Bruce と會談した。特殊の使命とは「帝國政府と英國との和解を試み、江南地方の平定のために軍隊を動かすことを提議せん」とするものである。(註38)更に佛國とも相談した模樣であるが、兩者共に滿足すべき返答を與へてゐない。

七月九日 Lord Elgin 大連灣到着。十日 Baron Gros 芝罘着、八月一日英佛聯合軍北塘上陸。この間六月二日米國人 F. T. Ward 上海の愛國商人の組合長たる銀行家に雇用され、外國船員を以て後の所謂「常勝軍」を組織、松江府城を攻擊して擊退され、Burgevine、Forrester なる二人の外人副官とマニラ人を以て改編せる兵を率ゐて再び松江を攻擊七月十六日之を攻略す。

八月十八日に至るや、上海在住の佛人その他の商人の「切なる要求」により「友好關係」を結ばんがために、忠王李秀成は手兵若干竝びに三千の兵（攻擊の目的よりもむしろ護衛として）を率ひて上海に來る。如何なる抵抗をも豫想せずに(註39)。然るに忠王の意外なることには、英佛聯合軍の攻擊を受けたのであつた。八月二十一日太平軍上海を徹退す。恰もこれ英佛聯合軍が太沽を攻陷せると同日の事である。

既に英佛聯合軍が何らの抵抗を受けずに北塘に上陸して以來清朝政府は猛烈なる文書戰を開始し再三再四休戰を提議したのであつたが協定まとまらず、八月二十五日英佛全權天津に入り、八月三十一日八里橋に於て僧格琳沁の軍を破つたが、同日清朝政府は皇弟恭親王を欽差大臣に任じ十月六日には咸豊帝行啓中の圓明園を佛軍攻擊。十月十三日北京占領。既に九月二十二日咸豊帝は熱河へ蒙塵の後である。十月二十四日英清北京條約調印、天津條約の批准交換。十月二十五日佛國、十一月十四日露國北京條約調印。

（八）　中立政策の本質

さて中立政策時代も終りに近ずかんとして、上海における英佛聯合軍の太平軍攻擊、外人部隊の支那側への加擔等、中立政策の轉換をさへ思はす現象が現はれて來たが、未だ之を放棄するには至つてゐない。

一八六〇年五月二十六日上海道臺との會見後發表された上海防衛に關する聲明は決して中立政策の放棄ではないのである。然らば如何なる意義？「國内鬪爭に參加することなく或ひは兩派の權利に關し何らかの見解を發表することを差し控へ、しかも上海を攻擊に對し防衛し靜穩を保持するべく清當局を援助し得るであらう」（註40）といふ見地は英國全權 Bruce に依つてとられてゐるところであるが、あの場合太平軍の「攻擊？」自體の意味は兎も角として通商基地を守衛することに本來の目的があつたのであつて何らかの政治性を包藏するものとは言ひ得ない。反對に太平軍が上海到達の直前英佛によつて李秀成に送られたる書簡においては上海港の北方作戰の中間基地としての性質上、上海防衛は「純粹なる軍事的措置」であつて「いかなる政治的動機をも否認」してゐるのである。（註41）

又何桂清との會談直後の六月十日 Lord Russell への報告書において Bruce は內亂下の支那における干渉の正當性、揚子江解放と關聯しての諸都市の回復の通商上における有利性等の如何を問はず「武力によつて帝國政府の權力を回復せんとする政策に疑ひを挿む」といふ見解を呈示してゐる。（註41）

既述の如く北京占領後の北京政權の危機に臨んで露佛接近、露の北京政府への接近の事實に焦慮した Lord Elgin が對抗的に太平政府を承認せんとする意思を表明したといふ事實でさへ、外國商業と癒着せる揚子江流域を地盤としての通商第一主義（既述の Parkes の言を參照）の表現であつた。

のみならず清軍と協力太平軍討滅のため積極的に戰つた「常勝軍」の總指揮官をイギリス提督 Hope は一八六一年五月海員脫走幫助を理由として捕縛の上米國領事に引き渡し、ウォードは米船に拘禁されたが後脫出したといふ事實は（註42）以て英國政府の中立政策堅持の態度を證するものではないか。「常勝軍」を支持し初めたのは干渉政策へ轉換後のことであつた。

窮局において一八六一年に至る對淸中立政策における英國の立場（特に一八六一年當時の支那に對する認識によつて、これを裏つけてゐる）を代表するものと解せられる Parkes の言葉は看過出來ない。「過去八年の間くにの要所を劫掠し現在なほこれを續けてゐる南京乃至揚子江の叛徒は成る程破壞する力はあるが建設する力がないのである。彼等は現王朝の顚覆には大した事が出來る又しつゝあるのであるが、破壞の後に之に代る他の政府を設立する段になると、私は全くその力を疑ふ。……窮局において放認しておけばこの國は自分で囘復すると私は信じてゐる」。(註43)

旣に北京條約によつて各國の要求が容れられ、一八六一年三月二十五日北京公使館設立後、條約によつて與へられたる最も現實的な結果たる揚子江の外國貿易への解放を通じて商業活動が開始された時にさへ、この流域にばん踞する叛徒を問題とせず、叛徒に構はず、直ちにイギリス商人によつてこの機會が捕へられ、十二隻の汽船(!)が漢口に向つて遡航、動亂下にあるにも拘らず、漢口における貿易隆盛が適確に豫測され、何時かな干渉へ轉換する萠しも見えないのは、通商第一主義の中立政策の現象形態以外の何ものでもないのである。(註44)

一八六二年に至つて干渉政策へ轉換の決定的要因が出揃ふまでは、總ての現象がたとひ一見中立政策の放棄の如き外容を持つと言へ、本質において之は該政策のアンティ・テーゼではないといふことが立證されゝば足りるのである。換言すれば政策轉換の必然性のなきところに政策放棄もあり得ないのであつて、何故に一八六二年に至つて政策轉換が行はれたか、又行はれ得たかは節を改めて述べる。

(九)　内亂下の貿易狀態

内亂下の貿易狀態は又何故にイギリスが中立政策をとつたかといふ客觀的基礎を呈露するが如きものであつた。

主として綿製品によつて構成さるゝ清國の一般輸入品はその制限されたる市場のために明らかに商人の倉庫に集積されてゐた。然るに、輸出は反對の結果を產んだ。動亂期中に輸出量額共に非常に增大してゐるのである。茶は揚子江の危險なルートを通らすに安徽、江西福建浙江から山越えで運搬されて上海市場に現はれた。一八五二年に至る上海からの輸出は六千萬封度に增加したが、一八五三年には六千九百萬封度、太平軍の揚子江域への進出、南京國都建設の最初の結果は一八五四年に五千萬封度と現はれて減少を示したが、一八五五年には八千萬封度を下らず、輸送路の遮斷によつて一八五五年以後は一部福州から積み出さるゝに至つたが、兩者を併せて、茶の輸出は一八五五年　九千五百萬封度、一八五六年——九千萬封度、一八五七年—　七千三百萬封度、一八五八年　七千九百萬封度、一八五九年——八千五百萬封度、一八六〇年——九千三百萬封度となつてゐる。

蘇州、杭州の間に橫はる絹業地帶の絹物の輸出は、國內市場の閉鎖によつて、外國市場に出るべく餘儀なくされたとは言へ、動亂下に飛躍的な增大を見せてゐる。一八五二年に四一、二九三梱であつた輸出は太平軍南京攻陷の年たる一八五三年には五八、三一九梱と增大、一八五八年には

八五、九七〇梱と飛躍してゐる。(註45)

かくて茶、絹を主品とする輸出額に對して輸入額の率が極めて惡くならざるを得ず、從つて貿易尻は支那にとつて極めて有利である。卽ち一八五　年をとつてみれば、輸出は一〇、〇二三、二九二磅、輸入は僅かに三、〇一〇、五一一磅であつて、貿易差額は七、〇一二、七八一磅である。然るに同年の阿片の輸入は四、二七二、五五五磅であつて、現銀四、二八七、九九〇磅の輸入と相俟つて辛うじて輸出入バランスが淸算される狀態であつた。(註46)

かくて、多量の現銀が工業製品の補充として輸入されねばならなかつたが、それにしても阿片の本期間における輸入の增大が貿易上の缺陷を救ふべく現はれたのであつた。卽ち、一八四七年―四九年、年平均吳淞揚げ阿片の量は千八百函、千百萬スペイン弗、一八五三年には二千四百函、千四百萬弗に增大、一八五七年、三萬千函、價格においては却つて減少して千三百萬弗、一八五八年、三萬三千六十九函、一八五九年三萬三千七百八十六函、一八六〇年には二萬八千函に落ちる。(註47)

この狀態は所謂阿片戰爭以前の廣東における貿易狀態に逆轉したかの觀があるが、むしろ支那市場征服の困難性に基く非發展性と解釋されねばならぬ。

以上の如き貿易狀態を單純に太平派その他の動亂によつて說明しうるであらうか。

太平派の支配領域は卽ち茶、絹の生産地帶であつて、この生産地帶が動亂によつて破壞されず茶、絹の輸出がかへつて動亂下に增大し購買力が擴大的に培養されたにも拘らず、輸入のみ動亂の影響を受けて不振であるといふ事があり得るであらうか。この輸入不振の原因は單に太平派その他の動亂の存在に歸するといふ、動亂なる言葉に眩惑されて實體を看過した見解を認める譯にゆかぬ。その本質的な原因としては第一節に指摘しておいた如く、南京條約によつても尙ほ征服不可能な從て輸入品をより競爭力あらしむるために條約改正を必然ならしめた、土着の家內工業手工業製品の持つ絕大なる力をあげねばならない。この製品の支配する市場への侵潤の困難性こそ、この期間の輸入不振の窮局原因であつた。

然しながら太平派その他の動亂が全然輸入に影響が無かつた譯では勿論ない。茶、絹の生產地帶は同時に外國特に英國工業製品の大部分を消費する市場であつて、この方面に對する戰鬪、必ずしも太平派に限らない淸軍をも含めての劫掠、又必ずしもかゝる直接的影響許りでなくてもかゝる無秩序が惹起する不安が購買力を減退せしめたことも爭はれない事實である。然しながらそれは致命的な影響としては現はれてゐないのである。(註48)

又太平天國南京建都の年たる一八五三年に創設實施された釐金は內亂鎭壓の特別出費を捻出するためのものであつて、常關稅の上に二重に課された地方稅であつた。之が外國商品の支那市場進出に大きな制約を課したことは事實であるが既に天津條約によつて解決されてゐるのである。何にもまして「秩序」と「安全」を要請して止まぬ通商利益を主樞とする英國がそれにも拘らず、内亂下の兩派に干渉せず中立政策を保持し續けた原因は上記の如くそれによつて貿易の受ける影響が無きに等しき程度であるといふことであつた。

（註21）Martin, op. cit., p. 141.

（註22）「太平軍の指導者は支那帝國のキャスティング・ボートが外國商人の手にあることを認識せず、又上海における通商手段竝びに外國武器によつてみずからが强化され得るにも拘らず、直ちに上海に來らずしてあたらこの利益を敵の手に渡して終つた。實に上海こそは兩派にとつて運命の岐路であつたらうに。」Martin, op. cit., p. 134.

（註23）「支那と英佛との葛藤が滿清と叛徒との爭鬪を永引かした。帝國軍隊の全努力は英佛に向けなければならない。その軍の集中のために太平軍に對して、少くとも勇敢さにおいては同等で數においては優勢な軍隊があるにも拘らず弱い徴集兵をあてざるを得ないのである。」Cordier, H., Histoire générale de la Chine, 1921, T. IV, p. 36.

（註24）Lord Clarendon より Bowring 宛への訓令（一八五四年二月十三日附）Morse, op. cit., Vol. I, appendix Q, p. 671. 因みに同訓令の改正條約主點は(1)「沿岸諸都市竝びに支那帝國の全内土への進路を一般に獲得すること」。もしこれに失敗した場合は 2) 揚子江の自由航行權の獲得竝びに南京（も含めて）に至る沿岸都市、更に浙江省沿海地方の人口稠密なる大都市への出入權の獲得。(3)阿片貿易の合法化、(4)輸出入品に對する内國税又は通過税免除その他である。條約改正の依據すべき規定は望廈條約三十四條・黄埔條約三十五條。

（註25）Bowring より Clarendon への一八五六年七月一日附報告書。Morse, op. cit., Appendix U.

（註26）小刀會は閩粤人の組織したるものであつて、その首領は劉麗川である。太平軍が金陵を占據し淸軍後顧の際に乘じて

上海を占領したのであつた。當時小刀會と太平軍と同一視されたが、前者は三合會の支派であつて太平軍に呼應して起ち聲氣は相通じてゐたとは雖も形勢隔絶してゐて、小刀會の文告等を見ても太平の體制とは大いに相異があり、特殊な性格を持つてゐて之とは無關係であつたと言ひ得る。

（註27）英、米が嚴正中立を宣言したとは言ひながら、既に Bohnam か太平軍に寄せた書には「英國は英國所有の各種船隻を以て兩交戰團體に雇用せしむることを嚴禁す。英人が私人所有の船隻を以て出賣するに至りては法律の禁止するところにあらず。」（謝興堯、太平天國史事論叢、商務印書館發行、二四〇頁）とあり、何れにしても太平軍に對して外國が少くとも私人的に密かに武器彈藥その他の軍需品を販賣してゐたことは否定されない事實であらう。外國商人の一部が太平軍に「同情」を寄せたのも專ら武器賣付けによる利益をねらつたことにあらうとは想像されりるところである。（Cf. Morse, op cit, Vol. II, p 63）後に水夫が太平軍に從軍したるも高給を目的としたものである。太平軍と溫那治（Bohnam）との「聯絡通款」並びに後者による太平軍への洋槍火藥供給に關し、更に劉麗川が共揚に對して「具摺稱臣」したことに就いて夏燮の「粤氛紀事」には次の如く書かれてゐる。「咸豐三年八月、上海劉麗川功陷滬城據之、欲勾結金陵以圖內應、時外洋有領事之寄居上海者曰溫那治劉逆之陷城也。夷館在北門外之黃浦濱、賊不敢援而陰與之通、溫那治欲乘間以微利、許之。初粤逆踞金陵、溫以火輪携帶洋槍火藥、由旌道馳入下關、遂與粤逆聯款通欵、受重賂而歸。至是麗川復借溫以通好金陵、遂具摺稱臣、以黃刀爲贄日麗溫介紹焉。溫乃遣火輪二、復帶洋槍火藥通貿易於金陵、又寄逆書致殷勤云々」。溫自から太平軍に賣つたか單なる商人が賣つたかは何れにしても大した問題ではない。少くとも中立の現實とは殆んどかうしたものであることは國際關係の公然の祕密である。劉と共揚の關係が「稱臣」の間柄であつたとしても政治的、軍事的連絡がなかつたことは事實である。

（註28）Cf. Ashley, P., Twice Fifty Years of Europe, p 120

（註29） Morse, op. cit., I, pp. 461-462.

（註30） 矢野仁一博士「近代支那史」三七六頁―三七七頁。

（註31） Dr. Peter Parker より Sir J. Bowring 宛の一八五六年八月十二日付書簡、竝びに同年八月二十一日付の Bowring の返書。

「滿淸政府が現在國內運動に依り未曾有の困窮を感じ居り候事は一點疑惑の餘地も無之候如何にも支那獨特の流儀に依るとは存じ乍ら彼等は既に內敵に對し外援を求むることの得策なるを考慮しつゝありと結論し得る證據を小生所有致居候若し現在英佛米三國北京に出頭の用意有之候へば余は最も重大なる結果の隨伴するを確信致す者に御座候三國が眞に現王朝の好友なることを確信致候はゞ皇帝政府は現在陰密に要求致居候事を直接且公然嘉納致す事と存ぜられ候」― Peter Parker より。「若し帝國政府が該政府に加擔する英國の武力干涉を政治的乃至商業的讓與の條件と相成す可き所存に御座候へば余は直ちに貴殿に余は如斯干涉を約束するの權限を有せざる事を御注意仕可く候」― Bowring よりの返簡。

（註32） Sir J. Bowring より Lord Clarendon への報告書。（一八五六年七月一日附於香港）。

（註33） Sir J. Bowring より Lord Clarendon への報告書（一八五六年八月二十一日於香港）を參照。イギリスの當時の對支政策が與へられた政治的條件を利用する以外には何らの政治的要求を本質的には內藏しておらず、專ら經濟面を主樞としてゐたことに干しては Oliphant の次の如き言葉がある。卽ちイギリスの通商的目的が充分に果されない場合「吾々は恐らく漠然とそれを支那政府に歸して慰めるであらう。疑ひもなく支那政府に多くの責任がある。然しながら、支那政府は經濟學の根本原理に影響を及ぼすことも出來なければそうしようともしてゐない。」だが更に決定的な Lord Elgin の言葉を參照。「余の一般的印象では英國の製造業者が、この勤勉にして質素、且つまじめな大衆によつて片手間に農業勞動の餘暇をさいて生產された織物を土着の市場に於て相當程度にまで驅逐しようと思ふならば最善

の努力を盡さなければならないやうに感ずる。買手が外國製のキヤラコよりも土着品を好む場合はいつでも、術策を弄するマンダリンの影響があるものと想像するのは愉快ではあるが、致命的な誤謬である」。(Oliphant, L., Narrative of the Earl of Elgins Mission to China and Japan in the Years 1857, 58, 59, 1859, Vol. II, pp. 465-466.)

更に政治的混亂と通商との干係についてイギリス人の持つてゐる見解は仲々底深いものがある。即ち Parker の言葉「一つの方角で上げ潮が期待されると他の方角では、それに應じて引き潮を伴ふ。かくして漢口で景氣が期待されると廣東では不景氣が豫想される。この國が現在の混亂狀態を續けてゐる限りかへつて澤山の出入口を持てるので非常に有利である。一つの港が應じなければ他の港と言つた具合で……」。もう一つ。「この病める國の大動脈を貫通する商業の暖流が鐵砲や軍隊の進擊等よりもかへつてこの國を元氣づけ痲痺した精力を蘇生させるに相異ない。」

Lane-Poole, S., The Life of Sir Harry Parkes, 1894, Vol. I, p. 435.

（註34） G. Williams, S. W., A History of China, 1897, p. 309.

（註35） 矢野仁一博士、前揭書三八七—三九〇頁

（註36） Morse, op. cit., Vol. I. p. 591.

（註37） Lin-Le, Ti-Ping Tien-Kwoh, 1866, Vol. I, p. 271.

（註38） Morse, ibid.

（註39） Lin-le, op. cit., Vol. I, p. 273. 上海に於ける清國官憲と英佛との意味ありげな交渉、更に外人の誘導による太平軍の不可解なる上海進出と聯合軍の擊退等の間に干聯を見出すことによつて英佛が北方攻略のため政治的・軍事的タクテイクに太平軍を利用したとの解釋も成り立つであらう。

太平軍の上海進出の事情に就いては八月二十一日の英米佛その他各國領事にあてた忠王李秀成の通告を參照。因みに清國政府から明らかに金賄を受けたと太平派によつて認定された、佛國のみこの通告からは意識的に除外されてゐ

る。(Lin-le, op. cit., pp. 281-282) Williams は單に次の如く說明した。「聯合軍が條約を强請するために北京へ進擊しつゝありながら、一方同じ聯合軍が上海城壁を圍み、あらゆる遮蔽物を破壞するために近郊を燒き拂ひ咸豐帝のために上海を保持すべく援助してゐる——總て貿易を征服せんがため——といふことは支那のみに可能なる異例事態であつた。」(Williams, op. cit., p. 254) 然しながら、この事態が列國特に英國の對支政策の幹線に浮ぶものと斷定する自信はない。むしろ干涉を誘致せんとする淸國の策謀であつたとさへ解される。

(註40) Lin-le, op. cit., Vol. I, pp. 271-272.
(註41) Morse, op. cit., Vol. I, p. 592.
(註42) Lin le, op. cit., Vol.I, p. 379.
(註43) Lane-Pool, Parkes, Vol. I, pp. 434-435. 一八六一年四月七日上海よりパークス夫人宛への書簡。
(註44) Lane-Pool, ibid. 一八六一年六月十二日附於香港 E. Hammond への書簡。
(註45) Vide, Morse, op. cit., Vol. I, pp. 465-467.
(註46) Sargent, op. cit., pp. 135-136.
(註47) Morse, op. cit., Vol. I, p.465.
(註48) 「太平軍その他の叛徒が一八五四年以後區々たる期間に茶及び絹生産地方の大部分に對し、その勢力を擴げ、多くの戰鬪を行ひ、且つ多數の都市を攻めたり失つたりしたとはいへども、かゝる事情を知らない門外漢が上海年報を注意して調べた場合、平和的、向上的な普通の通商過程から少しでも離れてゐるといふ疑ひを起させるやうな項目を一つも發見しないことは絕對的事實である」。Brine, op. cit., p. 360.

III　英佛の干涉策への轉向（一八六二年—一八六四年 同治元年—同治三年）

一八六二年二月二十四日、浦東の高橋において、英國 Hope 提督の率ひる英佛聯合軍が Ward

の率ひる七百の淸軍と共に上海に進擊し來れる太平軍を破碎してより中立政策時代は玆に終りを告げ、明白なる干涉政策へ轉向して爾後積極的に淸軍と協力し、太平軍を潰破して完全なる崩壞に導いたのである。

（一）　一八六一年（同治元年）のクウ・デター（同治中興）

干涉政策への轉向の第一の決定的な楔機は一八六一年のクウ・デターによる滿淸政府の變革にあつた。

一八六〇年九月二十二日北京宮廷内の主戰派に擁せられてゐた咸豐帝は熱河の行宮に遁るゝ途すがらも盛んに主戰的上諭を出先の軍官僚に發してゐるが遂に病ひを得、餘命幾許もなきことを知つた主戰派の怡親王載垣、鄭親王端華、宗室肅順の三人は結託して主戰派の勢力を固めんとて貴嬪那拉氏（西太后）と結んでゐたが、才幹あり滿洲人に壓倒的な勢力を持つてゐた那拉氏の勢力の興起を怖れた三者はやがて之が排斥を企てるに至り、こゝに主戰派の勢力は分裂し那拉氏は自衞のため北京の恭親王と連絡し熱河の情勢を恭親王に逐一報告してゐた。一八六一年九月二十一日二箇月の間に五人交迭された五度目の欽差大臣に任ぜられた恭親王は滿淸政府における内治派的傾向を代表してゐる。

咸豐帝一八六一年八月二十二日崩御せらるゝや同治帝七歳にして卽位し、主戰派の三人は東西兩太后を除外しての前帝崩御の前日の御前會議において連帶攝政の地位を得、かくして兩太后を初め恭親王、皇室近親全部を殺害するの陰謀を用意し初めたのである。然るにその陰謀が西太后に探知され、靈柩に供奉して十一月四日北京に入るや三名は直ちに逮捕されてその他の主戰派の陰謀加擔者と共に十一月八日處分された。十一月二日附の新帝最初の上諭及び四日の上諭によつて東西兩太后は攝政に任ぜられ、恭親王その他の職位も決定されたが、この時前記三人の主戰派は一八六〇年の戰爭の責任を問はれ、むしろ北京條約締結の責任者である恭親王こそ國を救つたものとされた。恭親王は、一八六一年一月開設された總理各國通商事務衙門大臣の主座として一八八四年支那が新たなる列國の攻勢によつて一大轉回をなさんとする時まで外交事務を管掌したのであつた。

かくてこのクウデ・ターは恭親王、西太后の合作政權に終つて内治派の手に政權は歸したが、このことは列國と妥協しての太平派の平定を日程に上したことを意味する。既に太平派の叛亂の進行過程において滿新政府の分裂を惹起し反對派たる地方豪紳の勢力は蔽ふべからざるものがあり北京宮廷においてもこの事實は充分に感ぜられてゐたところであつて、恭親王こそかゝる事實を把持した代表者であつた。最早や列國との戰爭と叛亂によつて、その無力を暴露した清朝政府は舊來の基礎の上には立ち得ないのである。

新らしい反對派的豪紳によつて作られた政治的・軍事的基礎の中で主なるものは湖南において曾國藩によつて組織された湘軍、安徽における李鴻章の淮軍、浙江及び福建において左宗棠の組織せる郷團軍である。これらの地方軍團は北京政府とは何等の關係なくして自から軍隊を組織し既に地方の政治上の權力さへ確立して、太平派と執拗に戰つてきたのである。恐らくこれらの軍隊の活躍がなければ太平軍を眞に屈服せしめることは極めて困難であつたであらう。これらの豪紳は商人と極めて密接に結びついてゐたのであるが、紳商は既に歐米資本主義の利益と充分聯結してゐたのである。こゝに對外妥協的新政權の客觀的基礎が横はつてゐる。

かくの如く清朝はその保持を望むならばその政治的構成において既に主戰的立場をとり得ざる狀勢にあるのであつて、今や清朝の敵は最早や列國にはなく太平派の討滅に全力を盡すべき時となつたのである。一八六一年のクー・デターによつて文治派に政權が歸したことが示す教訓は以上の如き事實である。

條約において清朝政府より特權を奪取せんとして何よりも要望せる秩序を犧牲にして太平派を利用して來た列國が天津、北京兩條約において充分なる通商特權を獲得し、更に年來希求して止まなかつた政治的革命さへもかれらの望む方向に成就された。今となつては、新政權が政權確保のために主力を濺がんとする太平派平定の戰ひに協力すべき共通なる利益の基礎は既に形成されてゐるのである。

〜從つて、『「信頼し得る政府」の方向へ一歩も踏み出さず、政治體制若しくは商業制度を組織する試みもしなければ、秩序、規律ある行動、又は一貫せる目的等について、公的行動の中に何らの形跡も發見されない』やうな太平派が、一英國領事によつて「大規模の陸の海賊として、この廣大なる帝國と通商する文明國民、キリスト教國民の及ぶ限りのあらゆる手段を以て地表から拂拭さるべきものとして、扱はれる」ことを要求された時、旣にその運命は決定されたと見なければならない。(註49)

外人の立場を代辯する North-China Herald はクウ・デターが結終してまもない頃、一八六一年十二月二十一日の紙上で同治政變に就いて次のやうに書いてゐる。

卽ち「この特別な時に當つて、吾々は對支關係の他の如何なる時期よりも遙に帝國の現政府を支持する責任があることを忘れてはならぬ。一八四八年に歐洲を驚かしたパリー革命と同じ樣に突唐にして、尖銳な且つ決定的な國家革命がまさに北京に起つたのである。それは外人を安睹させ、かれらの利益に對する支那政府の誠實なる信念の吐露によつて、かれらは開國以後の如何なる示威よりも遙かに多大の感動を受けたのである。——實際、天津條約の批准承認はその實のある行爲の例である。かゝる事情にありながら、現在撰りにも撰つて叛徒を助け、そのために遠から

ず我々自身に向けられるであらう武器を叛徒の手に渡すべき時であるかどうかは問はずして明らかではあるまいか」。(註51)

かくして、恭親王を代表とする新清朝政府の成立は英佛の干渉政策への轉向の第一の決定原因であつた。(註41)

(註49) 當時の北京駐劄英國公使 Bruce の要求によつて提出された太平派の性質に關する寧波駐在英國領事 Harvey の報告書の一節である。日附は一八六二年三月二十日となつてゐて既にホープ提督によつて干渉政策への轉換第一歩が進められた後であるが、太平軍が寧波占領(十二月九日)直後に提出された一八六一年十二月三十一日附の報告書の內容とその主旨に於ては全然變更がない。Lin-le, op. cit, Vol. II. pp. 521-526.
序乍ら信用出來ないことで定評のある Lin-le の著書からの引用は原資料のみを引用し絶對に彼の意見は採用しなかつた。かれはイギリスの對太平政策を非難せんとするに急な餘り、客觀性を逸脫する傾向が強いのである。

(註50) Morse, op. cit, Vol. II. p. 63, note [42]

(註51) 既に英清天津條約第九條、第十條は外人の支那內地旅行の自由も揚子江航行權も太平派の鎭定後といふ條件を附してゐる。卽ち太平派が鎭定されざる限り、條約を無視して强行するのでなければ、條約上の特權はデッド・レターに終る譯である。にも拘らず直ちに太平派鎭壓の軍を起さない。こゝに當時の列國の政策の本質的意味がある。
Treaty signed at Tientsin. June 26th, 1858:—
Art. IX. British subjects are hereby authorised to travel, for their pleasure or for purpose of trade to all parts of the interior under passports which will be issued by Their consuls and countersigned by the local authorities. These Passports, if demanded, must be produced for examination in the localities passed through... ...... To Nankin, and other cities disturbed by persons in arms against the government, no pass shall be given until they shall have been recaptured.

Art. X. British merchant-ships shall have authority to trade upon the Great River (Yang-Tze). The upper and lower valley of the river being, however, disturbed by outlaws, no port shall be for the present opened to trade, with the exception of Chin-Kiang, which shall be opened in a year from the date of the signing of this treaty. So soon as peace shall have been re-stored, British vessels shall also be admitted to trade at such ports as far as Hongkow, not exceeding three in number, as the British minister, after consultation with the Chinese Secretary of State, may determine shall be the ports of entry and discharge.

英清北京條約も亦これらの點に於ては全くこの二條と同じである。Oliphant もこの點に就いて「この問題は叛徒が百五十哩に亘る揚子江岸の彼等の位置から放逐されるまでは解決され得ない。………一度この河が外人の商品に解放された場合、總ての交通をこの國の政府當局の區域に限る制度を工夫するのは容易でない」と言つてゐる。

Oliphant, op. cit., Vol. II, p. 466.

Brine も亦干涉政策への轉向の契機の一つとして、恭親王に代表される政府と外人との關係の變化を指摘した。Brine, op. cit., pp. 336-338.

（二）當時、太平軍の力量

清朝政府の變革は干涉政策への轉換の第一の決定的な原因であつたとしても、干涉政策に伴ふ責任は極めて重大で、それによつて發生すべき紛亂の程度を明白に豫測出來ないし、干涉政策のコースを結果がジャスティファイするかどうかも疑問だからこの條件の解決がない限り轉換は可能でないである。（註52）

事實、又一八六一年に至る迄中立政策を固持しきたれる所以は干涉政策が「占領地域を永遠に專有するか或ひは民衆の間に激しい怨恨を殘して退くかしなければならない一聯の事件」（註53）を意味したからに他ならないのであつた。從つて干涉政策に乘り出すためには、非常に厄介で高價な戰爭」にあらざることが豫想されてゐなければならない。干涉政策の「直接の費用」のみならず「貿易の結果」に關しても高價でないことが打算されねばならない。（31）

以上の如き條件を考慮して、しかも總てが干涉政策を不利ならしめないことを明らかにし得た後に初めて干涉政策に轉換し得るのである。こゝに產業資本主義的對外政策が帝國主義政策から自からを區別する一つの根據が橫たはつてゐるのである。卽ち干涉政策も產業資本の方向を變へた一政策に他ならぬ。

而して、かくの如き條件が既に具備されてゐたればこその轉換であつた。

先づ當時の太平軍の軍事的力量を見よう。浙江の藩障となつて居た南安徽の廣德寧國徽州等が淸軍の手に陷つた爲め、太平軍の江西安徽から浙江に進入する門戶はがら明きとなり、一八六一年（咸豐十一年）金華、嚴州、處州、紹興は連陷し杭州も十一月に再び陷つた。滿城も此の時に陷つた。臺州、寧波、溫州、湖州もそれから一八六二年（同治元年）にかけて陷つた。一八六一年十月曾國藩は江蘇、安徽、江西三省の軍務を統轄する外、浙江の軍務を統轄することゝなり、又其の年十二月、左宗棠は浙江巡撫となり、始めて浙江平定の曙光が見えるに至つた。而して一八五三年以來九年間太平軍の堅守した安慶は、一八六一年十月五日終に淸軍に恢復さるゝに至つた。この時太平軍の驍將程學啓は恢復に先だち、曾國藩の招撫に應じ出城歸降し、淸軍の名將となつたのである。この事實は可成り重大なことであつて、一八五六年から七八年にかけての楊韋の變以來各王間の內訌と幹部と下層との對立等のために甚だしく太平軍の力量は弱められ、この當時においては太平軍は單なる軍閥と化し裏切者も續出するし、兎も角內訌以前の太平軍ではなくなつてゐた。太平軍はえぬきの指揮官忠王の軍隊のみは、尙ほ、廣西より北上當時の精神を失はず、指揮者もよろしきを得たゝめに活躍したが、之とても昔の太平軍そのまゝではなくなつてゐる。

さて安慶の恢復は太平軍の運命を決したもので、其の太平亂に於て有する意義は極めて重大で遙かに南京恢復の及ぶ所でない。

安慶恢復後の兩軍戰爭の歷史は太平軍の糜爛した地方が曾國藩の指揮の下に、曾國藩、李鴻章、左宗棠等の率ゐた湘軍或は淮軍の力により漸次囘復さるゝに至つた歷史に他ならない。

江蘇に於ては既に李鴻章が曾國藩の推擧に依り一八六一年より其の恢復に任ずることゝなり、浙江においても左宗棠は前述の如く一八六一年十二月浙江巡撫に任ぜられ、一八六二年匆々其の軍は婺源より浙江に入り開化を陷して漸くこの地方も平定の緒についたのである。かくして太平亂はいよいよ最後の場面となつたのであつた。即ち今や、南京の攻陷戰と江蘇各地、浙江各地の恢復戰を主要な戰爭として殘すのみの狀態となつたのである。(註55)

かくの如く內亂は最後の段階にまで達し太平軍の力量は今や極めて消耗し、湘軍、准軍等の民衆に對する影響力は蓋し絶對であることを知る時、既に上記の如き干渉戰に入り込むべき條件は十分に備はつてゐると見なければならぬ。加ふるに、一八六〇年六月二日に組織された Ward の軍隊は、既に約一年半の戰鬪經驗に於て、洋式戰術の太平軍に對して有する優越せる價値を檢討し得た筈である。Hope 提督は軍を動かす二箇月前の一八六一年の末、松江の陣營に Ward を訪ねてその軍隊について調査すゝの用意周到さを示し、而して調査の上非常に高く評價したのであつてみれば、愈々機は熟したと言はねばならぬ。(註56)

(註52) Brine, op cit, p. 337.

(註53) Lin le, op cit, Vol I, p 230

(註54) 英國上海領事 Meadows の一八六一年二月十九日附外務大臣 Lord J. Russell 宛の報告書を參照せよ。この報告書の一節には次の如く書かれてゐる。「數年後ならば揚子江に沿ふた一部分で作戰する少數の英陸軍と艦隊の援助によつて、恐らく滿洲人をして、その支配に叛旗を飜かしてゐるこの特殊な中國を抑壓せしむることが出來るであらう。然し現在は揚子江沿にその大きな支流の千五百哩から二千哩に亘つて作戰する大艦隊と二萬人の部隊を要する云々」(Lin-le, op cit, Vol II, p 467)と。かくて、甚た高價な戰爭だといふ意見を提出してゐるのであるが、高價にあらざる戰爭の條件即ち太平軍力量の減衰は本文既述の如く、かれの豫想よりも早くやつてきた。が、ともあれ打算の事實!

(註55) 矢野仁一博士、前掲書、三九七頁―四〇二頁。

(註56) Morse, op cit, Vol II, p 72

干渉政策への轉向の直接的動機は恐らく太平軍の上海攻撃であらう。從來太平軍は清軍との戰ひにおける「運命の岐路」とも言はれた上海の價値を認識せず、從つてそれを占領せんとする意志を持つてゐなかつたのであるが、一八六二年初め、上海に對してなされた示威は南京と浙江海岸との間の地帶を全部支配せんとする熱望の證査である。清軍の攻擊極めて急で浙江南京一帶を確保し得なければ、最早やその糧食、軍需品、貨幣の供給地域を欠除するが故に太平軍最後の努力が必要であつた。しかも若しこの地帶特に最大の商港上海從つて吳淞にして太平軍の手に歸するならば失ひしものを償ひて餘りあることも事實である。

（三）　太平軍の上海攻擊

一八六一年の初め Hope 提督は南京なる天王に上海に接近せざる樣要求し、太平軍はこの要求を容れて一年間上海を騷がせなかつた。が、その後太平派と商議の目的を以てホープ提督は再び南京への打診旅行を企てたが商議成立せず、上海に歸來後愈々干渉の戰ひを起す決意をしたのである。大體一八六一年の終りかおそくも一八六二年の初めの事である。一八六一年十二月九日條約港たる寧波が太平軍のために占領されたがこの時は尙は英佛軍は武力が整つてゐなかつた。

太平派は寧波を佔領後海關設立の準備をさへ進めてゐた。

既にこの頃に至つては太平軍の上海攻略の決意は堅く Hope 提督の交涉も全然不成功に終る筈

であつたことは、太平派より「英國軍司令官」宛に送られた一文書を見ても明らかである。それは外國との衝突を出來るだけ避けんことを考慮しつゝも、堅い、倨傲でさへもある決意の程を示してゐる。卽ち「上海は小つぽけな所である。吾々は何らそれを恐れるものではない。今や吾々は全蘇州、浙江を所有してゐるので吾々の領土を完成するためには上海をとらなければならない。今沿海地方は通商の外人で出入が頻繁である。そこなる民衆を剿滅するために部隊を送れば、吾々の間の友愛の情が損はれることを恐れる。故に之を考慮して吾々は淸軍奴に附屬する場所で妨害しないように、この警告を送るのである。これによつて外人の商館は損害を免れるであらう。然しながら若し、貴公がばかげた眞似をして儲け許り考へると、上海が吾々のものとなる許りでなく全世界が附庸たらしめらるゝであらう。反對に若し貴公が淸軍奴のいふことを聞かず、悔ひて從ふならば貴公は貿易が出來るのみならず、莫大な絹及び茶を手に入れ總てが利益を受けるのである。だから之をよく考へよ」（註57）と。

（註57） Brine, op. cit., p. 335.

かくて英佛が固持した不干涉政策放棄の時點を一八六二年として呈露し得るであらう。而して今や淸軍、竝びに、むしろ Gordon の名に結びつけらるゝ常勝軍と協力して英佛軍が太平軍を破碎する歷史が展開さるゝが之は玆に記すまでもなく多くの著書に記述されてゐるところである。

たといふ。

——天京は一八六四年六月十五日の午下りに陷ちた。洪秀全は之より先自から毒を仰いではて

（昭和十六年三月十一日稿）

六三問題

――殖民政策史における憲法問題――

中村哲

目次

序

「六三問題」として知られる臺灣總督の立法權の問題は帝國憲法の問題史のうち帝國議會の内外において久しきに亙り論議せられた點においてその比を見ないものであつた。天皇の裁可と議會の協賛を以て行はれる立法權の一部が明治二九年法律六三號「臺灣ニ施行スヘキ法令ニ關スル法律」によつて臺灣總督に委任せられ、臺灣總督は「法律ノ效力ヲ有スル命令」を發する權限を與へられたのである。通常「律令」と稱せられるこの「命令」の形式はわが帝國憲法の立法權の原則と相容れぬ特殊なる法の形式として「臺灣ニ怪物アリ法律ニ非ス又命令ニ非ス律令ト自稱シテ白晝公行ス」（穗積八束博士論文集七三二頁）とまで極言され、帝國議會の政治問題としてのみならず、學界における純理論上の問題として明治中期より大正末期に至るまでひろく世の視聽を集めたものであつた。法律六三號は三年の期限を以て效力を有するものとされたため明治二九年第九回議會より第一三・第一六・第二一の諸議會に提出され、その效力は更新されたのであつたが明治三九年法律三一號によつて改廢され、さらに大正一〇年法律三號によつて改められて今日に及んでゐるのである。現行法たる法律三號「臺灣ニ施行スヘキ法令ニ關スル法律」はその條文の文字においては法律六三號の舊法とは異るものであるが、その立法精神においてはその延長であつて、これらの諸法を貫く立法精神こそはわが國の殖民政策の根本原則を意味するものである。

「六三問題」は今日においても外地における帝國憲法の適用の問題として、或は委任立法の問題としてつねに回顧せられるところであるが、「六三問題」として帝國議會の內外において論議せられたものは、單なる法律論ではなくて、その背後にはわが國の殖民政策に關する政治的見解の相違が潛在し、さうした政治的意味からわが憲政史の上において問題は重要視されたものであつたといへる。從つて「六三問題」はいまだ日の淺い殖民政策の問題としては貴重な經驗であつて、憲法論爭もさうした觀點から考察されなければならないのである。帝國議會における論爭も回を重ねる每に法律技術的な問題として提起されたのであるが、法律案の提出された最初の議會においては法律六三號を通じて現實の殖民政策の問題が論ぜられたのであつて、ことに最初に法律案の提出された第九議會の如きは反政府黨のみによつて論議された點においても、六三問題がいかにその政治的背景を考慮せずしては理解されないかを物語るものであらう。また一方、法理論としてはさまざまな疑義があつたにもかゝはらず、結局において殖民地政策の現實の必要性から法律六三號の規定の精神が是認されて行つたことにおいては、現實の政治と憲法論との聯關の問題について考へさせられる所が多く、興味の盡きないものがあるが、こゝでは六三問題の生じた背景としての領臺直後の臺灣統治の歷史を顧みつゝ帝國議會における論爭の政治的意味を觀てゆきたいと思ふのである。憲法の法理論上の問題としては外地に憲法の及ふとする積極説、及ばぬとする消極説及ひ折衷説が對立し、從つて之に觸れるへきてあるが、かやうな現行法の解釋の問題については次の機會に譲り、むしろ、こゝてはそれへの資料として一まつ「六三問題」の政治的背景を觀てゆくこととする。

一　領土の變更

一　明治二八年四月一七日の調印になる日清媾和條約は同月二〇日の批准、五月八日の批准書交換、同月一三日の公布により清國の領土たりし臺灣を大日本帝國の領土に歸屬せしめることゝなつた。條約第二條は「清國ハ左記ノ土地ノ主權並ニ該地方ニ在ル城壘、兵器製造所及官有物ヲ永遠日本ニ割譲ス　臺灣全島及其ノ附屬諸島嶼　澎湖列島、卽ち英國「グリーンウヰッチ」東徑百十九度乃至百二十度及北緯二十三度乃至二十四度ノ間ニ在ル諸島嶼」なりとして、「土地ノ主權」の割譲を認め、「而シテ本約批准後二箇月以内ニ右受渡ヲ完了スヘシ」（條約五條）とした。こゝに於いて明治二八年五月一〇日樺山資紀中將は海軍大將に昇任し（註1）同時に臺灣總督兼軍務司令官に任命され、內閣總理大臣伊藤博文より、臺灣接受及ひ施政方針に關する訓令を受けた。右訓令は「今回勅令ヲ以テ貴官ヲ簡拔シ、授クルニ臺灣總督兼軍務司令官ノ重任ヲ以テセラレタルハ、深ク貴官ノ材能果決ニ信倚セラルルニ由ルヲ以テ、今更ニ項目ヲ臚列シテ詳細示教スルノ要ナキカ如シト雖モ、剏メテ諸般ノ政治ヲ新領土ニ施ケルニ當リ、必ス先ツ其ノ要旨ヲ概定セサルヘカラス」とし、とくに外交については「貴官ト締盟各國領事官ト直接應對セラルルノ場合アルヘキヲ以テ豫シメ其ノ執務上ニ於ケル項目ヲ列記シ、以テ政府ト貴官トノ間ニ軒輊ナキヲ期スルノ要アリ」として國際關係に留意すべきことを訓令した。なほ右訓令は「詔命ヲ奉承シテ左ニ其ノ大綱ヲ開示ス其ノ意専ラ貴官ノ重任ノ執行ニ資セントスルニ存シ、固ヨリ貴官ヲ制肘セントスルニアラサルハ亦辨ヲ俟タサル所ナリ。若夫レ將來豫知スヘカラサル事情生シ而カモ其ノ性質急激ニ屬シ、政府ニ電稟シテ命ヲ待ツノ暇ナキ場合アラハ、貴官ハ本訓令ノ明文ニ適合セスト思料セラルルモノト雖モ臨機專行シテ後其ノ顛末ヲ報告スルコトヲ得」として臨時緊急の場合における臺灣總督の專行權を認めた(註2)。

訓令はさらに「恩威竝行能ク其ノ事情ヲ詳悉シ以テ其ノ行政組織ヲ實施スヘシ、今其ノ要領ヲ左ニ列擧ス」として治民部・財務部・外務部・殖産部・軍事部・交通部・司法部の七部を認め、その各部の方針を略示したが、具體的な官制を示すまでに至らなかつた。ために五月一一日樺山總督は自ら臺灣總督府條例及內閣における臺灣事務局の設置について私案を具し、內閣總理大臣に稟申した。之に對して五月一六日內閣總理大臣は「臺灣ニ總督府設置ニ付總督府條例起草稟申相成候處右ハ目下御裁可不相成候ニ付他日ノ參考ノ爲メ留置候也」と回答し、之を採用するに至らなかつた(註3)。この樺山私案は伊能嘉矩文書の「官廳記事」(日誌)にその一部が收錄されてゐるが、それによれば次のやうなものである(註4)。

總督ハ天皇ニ直隸シ其管轄區域内ニ在ル陸海軍ヲ統率シ行政司法ノ事ヲ統理ス

總督ハ管轄區域内ノ警備及防禦ヲ統理シ軍紀風紀ヲ統監ス

總督ハ麾下ノ艦隊ヲ本邦及清國沿岸ヘ派遣スルコトヲ得

總督ハ興軍ノ日ニ當リ特ニ進級補叙ノ權ヲ假スコトアルヘシ

この樺山私案そのものは、その內容について政府側の反對のあつたため採用されなかつたのではなく、たんに條文の文言の粗略なる點などにおいて不適當と認められたからであらうが、この私案とともに臺灣事務局案の提出されてゐることは、のちに之が內閣に設置されたことからみて意味のあることゝ思はれる。こゝにおいて樺山總督は五月二一日「臺灣總督府假條例」を制定し、同月二四日辨理公使水野遵ほか文武幕僚を率ゐ、宇品より橫濱丸に乘船、臺灣に向けて出港した。(註5)この「臺灣總督府假條例」(註6)は臺灣總督府の命令權その他の權限について觸れたものではなく、さきの總理大臣訓令に基いてその細綱を規定したものにすぎないが、行政各部を民政局の下におき、之を陸軍局・海軍局と並列せしめた點においてはかならずしもその訓令のまゝを具體化したものではなかつた。五月一〇日の內閣總理大臣訓令は軍事部については「陸海軍ヲ合一シテ本部ヲ置キ軍隊、要塞、憲兵竝ニ艦隊ノ巡航ニ關スル事務ヲ掌ラシム」としてゐるのである。

(1) 西郷都督樺山都督記念事業出版委員會「西郷都督と樺山都督」(昭和一一年)七〇頁

(2) 「内閣總理大臣ヨリ臺灣總督ヘノ訓令」伊藤博文編・祕書類纂「臺灣資料」四三四頁―九頁

(3) 臺灣總督府警務局「臺灣總督府警察沿革誌」巻一(昭和八年)二頁

(4) 臺北帝國大學附屬圖書館藏書になる臺灣總督府用箋の文書(以下伊能文書と稱す)中の五月一一日の箇處に「同條例案摘要」とあるもの。臺灣經世新報社編「臺灣大年表」に五月一一日の箇處に「臺灣總督府條例内定」とあるはこの私案の誤。

(5) 伊能文書「官廳記事」(日誌)。なほ同文書には「是ヨリ先キ軍艦高千穗浪速ハ二十一日先發トシテ臺灣ニ向ヘリ蓋シ先ツ臺灣受授ノ諭示ヲ島民ニ發セシカ爲ナリ」とあり、さらに「二十七日總督ノ一行沖繩縣中城灣ニ入ル、此ノ日樺山總督ハ文武諸員ヲ横濱丸ニ招集シテ訓示ヲ傳フ」とある。

(6) 臺灣總督府假條例、左の如し

第一條　總督府ニ左ノ職員ヲ置ク、民政局長官、陸軍局長官、海軍局長官、内務部長、外務部長、殖産部長、財部部長、學務部長、遞信部長、司法部長、參事官、祕書官、書記官、技師、屬、技手

第二條　民政局長官ハ總督ヲ佐ケ行政司法ノ事務ヲ整理シ各部ノ事務ヲ監督ス

第三條　陸軍局長官及海軍局長官ハ總督ヲ佐ケ軍政及軍務ヲ整理シ其下ニ幕僚ヲ置ク

第四條　各部長ノ命ヲ承ケ其主務ヲ掌理シ部中ノ事務ヲ指揮監督ス

第五條　參事官ハ總督又ハ長官ノ命ヲ承ケ審議立案ヲ掌ル

第六條　祕書官ハ總督ノ命ヲ承ケ機密事務ヲ掌リ又ハ臨時命ヲ承ケ各部ノ事務ヲ助ク

第七條　書記官ハ總督又ハ長官ノ命ヲ承ケ官房ノ事務ヲ掌リ又ハ各部ノ事務ヲ助ク

第八條　技師ハ各部又ハ各課ニ分屬シ上官ノ命ヲ承ケ技術ニ從事ス
第九條　屬ハ上官ノ命ヲ承ケ庶務ニ從事ス
第十條　技手ハ上官ノ命ヲ承ケ技術ニ從事ス
第十一條　總督府ニ左ノ三局ヲ置ク、民政局、陸軍局、海軍局
第十二條　總督官房ニ衞生事務總長ヲ置キ衞生ニ關スル事務ヲ掌理セシム
第十三條　總督官房ニ祕書、記錄、用度ノ三課ヲ置ク、祕書課ハ職員往復等ニ關スル事務ヲ掌リ、記錄課ハ記錄ニ關スル事務ヲ掌リ、用度課ハ物品ノ出納ニ關スル事務ヲ掌ル
第十四條　民政局ノ事務ヲ分チテ左ノ七部トス、內務部、外務部、殖產部、財務部、學務部、遞信部、司法部
第十五條　內務部ハ地方行政、警察、監獄、土木、地理及戶籍ニ關スル事務其他ニ屬セザル事務ヲ掌ル其分課ヲ定ムル左ノ如シ、庶務課、地方行政、地理、戶籍其他各課ニ屬セザル事項、警保課、警察、監獄ニ關スル事項、土木課、土木建築ニ關スル事項
第十六條　外務部ハ通商貿易及外國人ニ關スル事務ヲ掌ル
第十七條　殖產部ハ農、工、商、水產、林野、鑛山ニ關スル事務ヲ掌ル、其分課ヲ定ムル左ノ如シ、農務課、農業、林野水產ニ關スル事項、商工課、商工鑛山ニ關スル事項
第十八條　財務部ハ租稅及豫算決算ニ關スル事務ヲ掌ル、其分課ヲ定ムル左ノ如シ、主稅課、關稅ヲ除ク外租稅及豫算、決算ニ關スル事、關稅課
第十九條　學務部ハ敎育ニ關スル事務ヲ掌ル
第二十條　遞信部ハ鐵道、郵便、電信、船舶、燈臺等ニ關スル事務ヲ掌ル、其分課ヲ定ムル左ノ如シ、鐵道課、通信課、郵便、電信、船舶、燈臺ニ關スル事
第二十一條　司法部ハ民刑事件ニ關スル事務ヲ掌ル

第二十二條　各課ニ課長ヲ置キ所管部長ノ指揮ヲ承ケ課務ヲ掌理セシム

第二十三條　總督府ノ下ニ數縣ヲ置キ毎縣ニ知事、書記官ノ參事官警部長及支廳長ヲ置ク

樺山總督は六月二日清國の代表李經芳と横濱丸船上にて相會し「臺灣ニ於ケル主權並ニ城壘兵器製造所及官有物ノ受渡ヲ完了」(註1)し、同日、「臺灣島授受人民綏撫ノ諭示」を發した(註1)。その諭示は

「大日本國皇帝陛下ハ明治二十八年四月十七日下ノ關ニ於テ締結ノ構和條約ニ依リ大清國皇帝陛下所讓ノ臺灣全島及其附屬諸島嶼並ニ澎湖列島卽チ英國「グリーンウイツチ」東徑百十九度乃至百二十度及北緯二十三度乃至二十四度ノ間ニ在ル諸島嶼ニ於ケル永久完全ノ主權ヲ統有シ右各島嶼ニ於ケル城壘兵器製造所及官有物ヲ領有シ給ヘリ本官ハ玆ニ勅命ヲ奉シ皇帝陛下ノ御名ニ於テ前記ノ諸島嶼ヲ受取リ臺灣總督トシテ一切ノ行政事務ヲ施行ス大日本帝國ノ所領地ニ住シ從順ニ適法ノ業務ニ從事スル衆庶ハ終始完全ノ保護ヲ享受スヘシ」(傍點筆者)

としたが、之よりさき五月二八日、民政局長官の諭示として、次の如きものが發せられた(註3)。

此次大日本大清兩國欽差全權大臣構和條約ヲ議定シ臺灣各島自今全ク大日本國ニ歸ス頃日總督任ニ涖ミ先ツ員辨ヲ遣リ淡水口ニ前往セシム何ソ計ラン該處ニ在ル兵丁等槍ヲ放テ要撃シ進行スルニ由ナシ故ニ迂路之ヲ過キ將ニ臺北府ニ赴カントス凡ソ臺灣各地ノ民衆從事各自管有ノ田地家產等秋毫犯サス永遠舊ニ仍ル唯條約ニ載スル所ノ城壘兵器等ニシテ既ニ久シク官ニ歸スルノ物件ハ立ニ交接受授スレハ則可ナリ爾民衆各其堵ニ安シ並ニ蠢動事ヲ滋スヲ許サス違フ者ハ嚴ニ從テ處辨スヘシ」(傍點筆者)(註4)

この諭示が對象とした臺灣在民の抵抗は臺灣巡撫唐景崧、劉永福らの臺灣民主國宣言の擧に出づるものであつて、之に對して清國政府は「臺灣ノ人民ハ既ニ獨立ヲ宣言シタルニ付清國政府ハ該人民ニ對シテハ最早管轄權ヲ有セサルヲ以テ」(五月二九日李鴻章の伊藤博文宛電文)その責をまのかれんとしたが、六月二日の臺灣接授の際の公文書中にも、臺灣民主國の獨立を前提として、その責任を回避する如き意味の文言のあることを日本側は抗議した。清國政府は之に對して「日本國ハ今ハ臺灣ノ主權ヲ握リ、且ツ之ヲ統治スル爲メ總督ノ任命モアリタルコトナレハ、清國ハ最早其内事ニ關シテハ聊カ責任ヲ有セス」と答へた(註3)。かやうにして臺灣の接授は完了し、六月六日基隆に臺灣總督府を開設、ついで同月一七日臺北に移轉して臺灣始政の式典を行つたのであるが、一方、近衛師團による匪徒の討伐は現地に向つて續けられたのである。

(1) 伊能文書「官廳記事」(日誌)

(2) 臺灣總督府民政局文書課編「臺灣總督府ノ小史」(明治二八年)

(3) 樺山總督一行は五月二八日淡水港に着いた(伊能文書「官廳記事」)が、これは伊藤博文編「臺灣資料」中の「同件ニ付伊藤博文李鴻章ノ往復電報」にもある如く淡水を李經芳との會合の場所としたからであつた。その電報によれば伊藤博文は五月二六日李鴻章に對して「樺山海軍大將ハ明朝淡水ニ到着スベキ豫定ナリ」と打電したが、之に對して李鴻章は「予ハ早速皇帝ニ電報ヲ發シテ李經方ノ即刻出發ヲ奏請シタリ。惟今得タル報知ニヨレバ李經方ノ上海出發ハ明日即本月三十日ニシテ、天氣都合宜シケレバ六月一日若クハ二日ニ淡水ニ到着スベシト。然レドモ今聞ク所ニヨレバ臺灣ノ紳民ハ同島ヲ以テ獨立國ト宣言シタル由ナレバ、同島人ハ最早清國政府ノ命令ニ從ハザルベク、況ンヤ清國委員ノ命令ニ於テヲヤ……中略……臺灣ノ人民ハ既ニ獨立ヲ宣言シタルニ付キ清國政府ハ該人民ニ對シテハ最早管轄權ヲ有セザルヲ以テ、清國委員ハ單ニ條約ノ明文ニ從ヒ、儀式的ノ引渡手續ヲ爲シ得ルノミナリ」（傍點筆者）と答へた。

これに對して樺山總督は五月三一日伊藤博文に以下の如き電報を發してゐる。「李經方不日此地ニ來ラバ、本官ハ可成的速カニ形式上臺灣ノ受渡ヲ爲スベシ。然レドモ本島内亂ハ一ニ島民ノ一揆ニ止マラズ、清政府官憲ノ參與スル處ナリト判定セサルベカラザルモノアリ……中略……清國政府ロニ從順平和ヲ唱フルモ、其實陰險卑劣手段ヲ取レルノ形跡如斯ク蔽フベカラザルモノアリ、之レ宜シク清國政府責任ヲ負ハザルベカラザル事ナリ。後日奉天省ニ關スル談判上須ラク併ハセ談判スベキモノト思考ス」（臺灣資料「在臺清國官吏反抗擧動ニ付樺山總督上申」）

李經方と會合すべき淡水は不穩な氣配つよく、そのため二九日淡水を發して雞籠沖に至り、さきに南下せられし能久親王の統率せられる近衛師團と會した。近衛師團は三〇日戰鬪部隊陸揚を終り、六月一日雞籠に向つて前進したのであつた（伊能文書「官廳記事」）。樺山總督ば六月二日、伊藤博文に宛て「小官ハ之ヨリ雞籠ヲ略取シ續テ本月三四日頃ニ臺北府ニ進ミ、彼ノ所謂新政府ナルモノヲ撲滅シ終レバ第一次ノ小平和ヲ得ベク……中略……近衛師團第二ノ輸送ハ成ルベク速カニ相運ブ樣希望ス……」と電報を發した。

森鷗外は「能久親王事蹟」において、その事情をつぎのやうに記してゐる。「二十七日、午前八時頃臺灣總督樺山資紀横濱丸に乘りて至る（宮直ちに伺候せさせ給ひ、次いで資紀答禮の爲めに至りぬ）官總督の命令を受けさせ給ふ。午後六時此地を發して、基隆の東北尖閣島の南五哩（北緯二十五度二十分、東經百二十二度）の處に集合せよとなり。總督又告示して曰はく、新領土を治むるには、恩威並び行はれんを要す。清國政府の公報に據れば、島民其地の割譲せられたるを憤り、一部の兵辨と合して、清國の官吏等に抗すと云へり。若し不慮の變あらば、宜しく擊壞して假借することなかるべしと……中略……初め大本營の計畫に、淡水をもて第一上陸點となし、三貂角をもて上陸點となし、抵抗なきは彼より上陸し、抵抗あるときは此より上陸せんと定められたりき。師團は敵前上陸の命令を受けて、島民の抵抗せるを知り上下皆此行の徒ならざりしを喜びぬ。諸船の三貂角に向ひて發せんとする時、總督府の參謀横濱丸より至りて、進出命令を傳ふ。其略に云はく。我艦隊の小舩八船は、淡水の岸より射擊せられぬ。淡水方面には時々砲聲を聞く」

(4) 「李經方ニ於テモ一通ノ公文ニテ受渡ノ完了致度趣ニハ候ヘドモ、其公文中ニハ「トユ」ニ於テハ暴民變亂自主之國ヲ唱ヘ、清國官吏ノ強制セラレテ囚虜トナルモノ多シ。願クハ援護シテ早ク歸國候樣取計度ムヽノ文字モ有之、今ニ臺灣受渡シニ際シ公然自由ト獨立ト歟ノ文字アル公文往復致シ置候テハ、後來如何ニ面倒ヲ生ジ候哉モ難計ニ付、程好ク說ノ之末、李ニ於テ取消申候」臺灣接收手續ニ付島村公使館書記官書簡(臺灣資料・一六頁)

(5) 李鴻章ヨリ臺灣引渡濟並林公使赴任ニ付談判ノ委細報(臺灣資料・二〇頁)

二 國際法上の臺灣の割讓は右のやうな臺灣の接受に先だつて、日清媾和條約の效力の確定によつて效果を生じたのであるが、國內法の領土の變更もこの時を以てその效果を生じたものと言ふことが出來るのである。もつとも條約の效力の確定せる時とは批准書を交換せる時を意味するか、調印の時を意味するか等については國際法上の問題であるが(註一)、わが憲法上は領土の變更についての特定の形式手續がないため、條約の締結を以てそれが有效に行はれ得るのである。わが憲法においては領土の變更については法律の形式を以て規定すべきことも、議會の協贊を經べきことも要求されてゐないのであるから、條約の成立は直ちに國法上の效果を生ずるものと考へられる。わが國の事例はすべてこの原則に從つてをり、臺灣の取得の際のみならず、三八年の樺太讓受條約、四三年の日韓併合條約も領土の變更に關する特別の法律を公布してはゐないのである。かやうな領土の變更が領土權そのものゝ變更であるが、たんに領土權の行はるゝ地域の變更であるかについては憲法上問題のあることであるが、しかしそれは直接こゝにふれるべきことではないであらう(註2)。日清媾和條約に「土地ノ主權ヲ割讓ス」といひ、總督諭示に「永久完全ノ主權ヲ統有シ」といつてゐるのは(註3)領土權と概念的に區別せられた主權を意味するものでないことは言ふまでもないが、「主權ノ割讓」の一語を以て、領土の割讓が地域の變更に非ずして領土權そのものゝ變更であるとすることも出來ないことは言ふまでもない。條約の文字が國法上いかなる意味を持つかは條約の文字の表現とは別個の法的根據から解せられねばならないのであつて、およそ領土の割讓とは領土權の割讓なりと考へられるから、この際の「主權ノ割讓」とその意味に解せられるのである。かやうな日清媾和條約における領土の割讓の性質についてはとりたてゝ問題となることはないが、たゞその第五條の國籍變更の規定については問題とすべき點は少くないのである。

(1) 立作太郎「平時國際法論」昭和五年・三三八頁

(2) それに關する憲法上の論爭としては明治末年の美濃部博士と立博士の議論の應答がある。美濃部達吉「領土の法律上の性質」(明治學報・一〇號、一〇三號、)同「領土權の法律上の性質を論す」法學協會雜誌二九卷・二號—四號、立作太郎「國家併合の場合に於ける領土權と主權との關係を論して併て美濃部博士の駁論に答ふ」法學協會雜誌・二九卷・五號、美濃部達吉「領土權の性質を論して立博士に答ふ」法學協會雜誌二九卷・六號、立作太郎「國內法と國際法附主權と領土權(美濃部博士に答ふ)」法學協會雜誌・二九卷・七―一〇號、美濃部達吉「主權及領土權の觀念に就て(立博士に答ふ)」法學協會雜誌・二九卷・一〇號、一一號、同「領土權の法律上の性質」國家學會雜誌・三一卷・九號

（３）山田三良博士は日淸媾和條約の第二條の當然の結果として國法上つぎのやうな效果を認めてゐる（「新領地に關する法律關係を論ず」（國家學會雜誌・第九號、一〇二號）

一、我國家は主權の本質に基き自主自由に此新領地を統治す。二、主權の客體たる土地及人民は從來淸國に臣服せし如く我國家に絕對的服從の義務を有す、卽ち獨り土地のみ我國の領地と爲せるにあらずして從來淸國の臣民たりし住民は皆我國の臣民たり。三、淸國が主權運用の形式たりし臺灣法令は主權讓與に依りて悉く廢滅し我國家の新領地に關する法令は我國の自由に制定する所にして我帝國憲法の規定に從ふ。

三　日淸媾和條約第五條は臺灣住民の國籍選擇權（註１）を認めつぎのやうに言つてゐる。

第五條　日本國へ割與セラレタル地方ノ住民ニシテ右割與セラレタル地方ノ外ニ住居セムトスルモノハ自由ニ其ノ所有不動產ヲ賣却シテ退去スルヲ得ヘシ其ノ爲メ本約批准交換ノ日ヨリ二箇年ヲ猶豫スヘシ但右年限ノ滿チタルトキハ未タ該地方ヲ去ラサル住民ヲ日本國ノ都合ニ依リ日本國民ハ看做スコトアルヘシ

この條文は二年間にわたり臺灣住民の國籍變更の自由を認めたものであるが、その法的性質については二個の學說が對立したのである（註２）。その一は停止條件說であつて、條文中の二の條件、すなはち臺灣住民が二箇年間退去せざる事實とわが國家が臣民と視なす行爲との二の條件の成就するまでは日本國の臣民に非ずして、淸國臣民であるとするものであり、その他の一は解除條件說であつて、二箇年經過ののち臺灣住民は日本臣民となるに非ずして割讓の瞬間より日本臣民となり、二箇年內に退去するときは「割讓に因りて享有せる我臣民籍を解除するの義」であるとするものである（註３）。前者は山口弘一氏の說であり、後者は山田三良博士の說であるが、前者は領土の割壤を以て「土地を客體とする主權の讓與反言すれば領地處分權の讓受」であるとして、「領地の讓與は土地人民の二者を客體とする主權の移轉」なることに反對するのに對して、（註4）後者は領土の割壤を以て領地主權（註5）の割壤であつて、「領地主權とは一定の領域に行はるゝ國家主權の全量卽ち國土及人民の二者を客體とする主權を表はすの語にして…公法學者の語を借りて言へば淸國は臺灣全土に對する國土主權及び其住民に對する臣民主權を併せて我國に讓與したるもの」であるとする。この兩說の對立は領土權そのものの本質についての見解の差違に基くとともに、さらに第五條の但書を重視するか否かによつて生ずるのである。第五條但書に「但シ右年限ノ滿チタルトキハ未タ該地方ヲ去ラサル住民ヲ日本國ノ都合ニヨリ日本國臣民ト視爲スコトアルヘシ」とある點を重視し、山口說は解除條件が成就してもなほ「日本人の分限は必しも確定せざるなり、此れ解除條件の性質に反す」とし（註6）、割壤地の住民は日本の國民分限を取得する意思を表示して、之に對して日本政府が許可を與へたとき始めて日本臣民となると主張するのであるが、山田說はこの五條但書を輕視して「臺灣住民を臣民とするの權力は此條文但書に依りて生ずるにあらずして第二條領地主權の割壤に依りて取得した」ものとし、「法理上より論ずるときは此但書は全く無要の冗文なりと謂はざるべからず」と主張したのである。

（1）立博士は日淸媾和條約第五條にいふ國籍の選擇權（optional right）は日本國の選擇に基き日本臣民と認められることを

規定したものとして、普通の所謂選擇權、即ち個人の國籍選擇の自由とは異るといはれる（立作太郎「平時國際法論」三四〇－一頁）。

（2）山田三良「新領地に關する法律關係を論す」國家學會雜誌一〇一號、山口弘一「新附地住民分限及其所有不動產に就て」同誌・一〇七號、山口弘一「再び新領地住民の國民分限及其所有不動產に就て」同誌・一〇八－九號　山口弘一「所謂選擇權に就て」同誌・一一一－一一二號、山田三良「新領地臣民地位」同誌・一一二號、山田三良「占領地住民の地位」同誌・一一一號

（3）山田博士は停止條件、解除條件ともにその條件の效力の遡及を認めず、條件成就の日から效力を生ずるものとする（「新領地に關する法律關係を論ず」國家學會雜誌・一〇二號・六四八頁）

（4）山口弘一「新領地住民の國民分限及其所有不動產に就て」國家學會雜誌第九卷・一〇六號・一一〇二頁

（5）山口氏は日清講和條約第五條にいふ所謂住民とは割讓地に住居を定むる清國臣民の謂であるとし（「新領地住民の國民分限及其所有不動產に就て」國家學會雜誌・一〇六號・一〇一五頁）、さらにそれは日本政府の實際に行ふ事實であるとして、臺灣の住民で頭家に勳章を授けられたのは外臣の例に依つたことを擧げてゐる（「再び新領地住民の國民分限及其所有不動產に就て」國家學會雜誌・二〇八號）

かやうな學說の論議をよそに、臺灣總督府が臺灣住民を取扱つた仕方は停止條件說を裏付けるものであつたといふことが出來る。五月一〇日の總理大臣訓令は「臺灣在住ノ清國臣民ハ平和條約ニ依リ二箇年間其ノ屬籍ヲ變更セスシテ依然居住ヲ許サル、モ……中略……此等人民ノ戶籍及所有不動產ノ調査ヲ急ニスルヲ要ス」（傍點筆者）として（註1）、領土の變更後も二箇年間は臺灣住民の清國臣民たることを前提としてゐるが、二九年八月總督府內において設置された歸化法取調委員

會の國民分限令案はつぎやうに言つてゐる。「下の關條約第五條第一項に依れば臺灣住民は條約交換後と雖之を清國臣民と視做し日本臣民と見做さゞること明にして明治三〇年五月八日に至り日本國は其都合に依り、之を日本國臣民と視做すと視做さゞるとの自由を有せり故に臺灣住民に日本臣民の分限を附與せんと欲せば更に法律の效力を有する臺灣總督の命令を以て之を明示せざるべからず」（臺灣住民ニ關スル國民分限令理由書（草案））この草案の精神は二年間は日本國臣民にあらざるものとし、さらに臺灣住民に日本臣民たる資格を與ふるには法律を必要とするとしたことにおいて、外務省顧問のデニソンの意見に近いものである。*この草案に對しては閣議の決定により「臺灣人民國籍處分ニ關スル件ハ法律ノ效力アル命令又ハ行政命令ヲ以テ規定スルヲ要セス」（明治三〇年二月二二日拓殖務次官ヨリノ通牒）との通牒（註2）があり、こゝにおいて總督府は各官廳の住民取扱手續を統一するため明治三九年三月一九日、「臺灣住民分限取扱手續」を發し、その第二條は「明治三十年五月八日前ニ臺灣總督府管轄區域外ニ退去セサル臺灣住民ハ下ノ關條約第五條第一項ニ因リ日本帝國臣民ト視爲スヘシ」としたのである（註3）。

（1） 總督府は兵塵の中にあつて、直ちに戸籍、不動産の調査をなすことは出來なかつた。九月一日になつて始めて地方官の士民の取扱ひの區々なることを認め、臺灣總督府部内に於て「臺灣人民處分ノ方針」なる意見書を總督に陳し、之を各官廳に内訓せんとしたが、その意見書の内容の重大なことを顧み、總督は決裁を與へるに至らなかつた。「臺灣人民處分ノ方針」は土人追放、土人同化、土人放任の三方針について意見を具し、第三の土人放任主義を主張して、「土人ノ習慣風俗ヲ自然ノ改良ニ放任シ政府ハ干渉セス法律モ亦土人ノ状況ニ從テ設定スルコト」といつてゐる（臺灣總督府警務局「臺灣總督府警察沿革誌」（昭和一三年）二卷・六四七ー九頁

（2）この通牒によれば臺灣住民は猶豫期間に退去させる者をして始めて日本國籍を取得するものとし、さらに國籍に編入すべからざる者に國籍を附與することを否認することが條約の正文であるとしてゐる（臺灣總督府警察沿革誌・六五二頁）市村博士はこの二年間の住民は無國籍なりとす（帝國憲法論・三九〇頁）。

（3）明治二九年一一月一八日、日令第三五號を以て下關條約第五條に基き退居を希望するものは「臺灣彭湖列島住民退去條例」に依るべきことの諭告を發したが、これは住民に國籍取得の選擇權を認めたものであるにもかゝはらず、退去命令の如く解し、民情の動搖するところがあつた（臺灣總督府警察沿革誌・六五〇頁）

（＊）デニソン「臺灣及其ノ附屬島住民ノ現時ノ國民分限並ニ日本國トノ將來ノ關係」（前掲資料・一二七頁以下）

四　國籍變更の問題に關聯して問題となるのは條約第五條の「右割與セラレタル地方ノ外ニ住居セムト欲スルモノハ自由ニ其ノ所有不動産ヲ賣却シテ退去スルヲ得ヘシ」といふ退去者の不動産處分の問題であつた。山口氏は國際法上の既得權の原則により退去の際、賣却されなかつた不動産を日本政府は沒收するを得すとして、臺灣住民を以て二箇年間は淸國臣民なりと見做すとする根據より、「內地の規定は外國人に不動産の所有を許さす是を以て日本政府より外國人と見做されたる住民は此規定に依り當然不動産に對する所有權を喪失するが如しと雖も法律は既得權を犯すを得す（法律に特別の規定あるときは格別なれとも）內地の現行法は外國人が向後新領地に於て不動産を所有することを禁するを得るも此法律施行前に得たる不動産所有權を奪ふこと能はず、然らずして漫に其の所有權を認めざることあらば國際法違反の責を免るゝこと能はざるべし」とした(註1)。之に對して山田博士は「外國人に不動産の所有權を許與せざるは現今我國の法理上國家の生存を完ふせんとする一大政策より出てたる規定にして斯る政策的規定に撞着する一切の法律關係は領地の割讓により當然變更す」として既得權の原則を排したが、この際、援用された權利者なき不動産の處分の現行法とは明治七年一一月に發布された權利者なき土地は官有地に編入すとの布告一二〇號であつて、「所有者ナキ不動産及相續人ナクシテ死亡シタル者ノ遺産ハ當然國ニ屬ス」といふ舊民法財産篇二三條も未だ施行されてはゐなかつたのである(註2)。かやうな現行法が新領土に當然效力を有するか否かといふことも一つの問題であるが、山口氏は「新領地の住民が拋棄したる不動産は新領地の法律慣例に從つて處分すべきのみ」とし、さらに「新領地には到底斯る制度あるべき筈なければ該不動産は不定の權利狀態に彷徨するものなり」とした。之に反對する山田博士は英國の如く、清國の土地所有權は國家に存するから個人の所有權なき不動産は當然國家に歸屬するとして臺灣及び清國の土地制度に觸れてゐるが、山口氏が臺灣の土地所有權の說明として、これに關する新聞記事を引用してゐるのを見ても、當時の土地所有についての支那的形態の理解程度が知れるのである(註3)。

かやうに論義せられた不動産の處分が現實には如何に行はれたかについては記錄として殘され

てゐるものは少いが、退去者の所有地の調査は當時においては困難であつたばかりでなく、臺灣における土地所有權が何人に屬するかといふことについては、臺灣における土地所有權の性質が全く知られてゐなかつたことから言つても記錄せられてゐないのは當然のことである。しかし、ただ退去者の數は明治三〇年五月八日までに、臺中縣三〇一人、臺南縣約二二〇〇人、臺北縣一八七四人、澎湖島八一人であるとされてゐるから（註4）、これを手懸りに所有者なき土地を想像し得られるが、臺北縣下の事例によれば退去者の大部分は出稼人か或は清國に不動產を有するものであつて、臺灣に不動產を持ち、父祖の墳墓を有するものは極めて稀であつたとされてゐる。それは從つて「臺灣に於ては他國殖民地の歷史に見るが如き極端なる程度に於ての原住者の土地沒收、共有地の强制的分割等は行はれなかつた（註5）といはれるが、記錄に現れない面において、かへつて所有權の不明なる土地兼併や、新なる租稅を嫌忌するための形の上だけでの無主地に對する土地沒收も少からず行はれたものといはれてゐる（註6）。

「臺灣稅務史」は「當時清國政府時代の地租に關する諸帳簿は多く兵燹に罹り或は又散佚して賦課の以て據るべきものなく土匪猖獗の際卒かに之が調査を爲さんこと固より得べからず之を以て當時應急の策として人民の申告に賴り且つ徵收し且つ臺帳を作製するの外なく當時發布の地租規則も全く法三章に過ぎざりしは亦已むを得ざるなり」といひ、臺灣總督府內務局發行の「官有地の管理及處分」(註7)には「明治二十八年本島が帝國の領土となつた際、地租徴收に要する諸帳簿は其の大部分が悉く兵燹に罹つて燒失したので、再び淸以前の闇黑時代に歸り、各納税者の地租額は勿論納税者さへ判らないやうな狀態となつたので已むを得ず、明治二十九年八月臺灣地租規則を發布し、地租は舊慣に依つて之を徴收することゝし、納税資格者をして、官の指定する期限内に、舊政府時代の最近の地租領收證を添附の上、地租を納付せしめる方法を採り、其の氏名と納額を記載して地租領收證を添附の上地租を納付せしめる方法を採り、其の氏名と納額を記載して地租臺帳を調製したのである。このやうな譯で地租と土地との關係は不明で、土地に賣買が行はれても地租の分割をすることが出來ず、水害に罹つても免税も出來ないばかりでなく、土地の所有權さへ不明で、土地に關する權利關係が判つてゐない爲めに、本島に於ける人民の唯一の財產である土地に資本を運用することも出來ず」こゝにおいて土地調査を必要とし、明治三年臺灣地籍規則及土地調査規則は發布され、臨時臺灣土地調査局が設置されたのであつた。

(1) 山口弘一「新領地住民分限及其の所有不動產に就て」國家學會雜誌、九卷・一〇六號・一〇二四―五頁

(2) 山口弘一・上揭論文一〇二三頁

(3) 山口氏は「淸國が人民の不動產所有權を認めたる事實は下關條約第五條中割讓地住民の不動產賣却の事を記したるを見て之を知るべし」とし、たとへ下關條約にいふ「所有不動產」なる語が借地權の義であるとしても、外國人の借地權をわが現行法は禁ずるものではないから、退去者は不動產借地權を失ふものではないと主張した。山口氏の引用した臺灣

に於ける土地制度の新聞記事は全く幼稚な内容のものであつて、それはたとへば「臺灣は未開地なれば土地所有には何等の證據もなかる可しと世人の思へるは大なる誤なり臺灣には一定の習慣あり云々」といつてゐる。臺灣の土地所有については、東嘉生「清朝治下臺灣の土地所有形態」臺北帝國大學政學科年報第一輯、矢内原忠雄「帝國主義下の臺灣」一七頁以下。

（4） 臺灣總督府警察沿革誌第二卷

（5） 矢内原忠雄「帝國主義下の臺灣」（昭和一二年）三二頁、なほ臺灣においては「かつてアイルランドに於て見られしが如き計畫的なる土地の沒收が行はれたるものではない。即ち政府が人民の土地を沒收したものではなかつた。ただ之によつて土地權利の所有及取引が安全確實となつたに過ぎない」（上掲書・一二九頁）

（6） 臺灣稅務史（大正七年）上卷三六頁

（7） 臺灣總督府内務局「官有地の管理及處分」（昭和五年十月）一一頁

二　法律六三號の成立過程

一　「臺灣總督府假條例」の下に、討伐軍の軍事行動を統治の背景としつゝ（*）、臺灣總督府は政治の事務を開始し、六月二八日「地方官假官制」を制定し、臺北縣、臺灣縣（臺中）、臺南縣の三縣、一二支廳を設置したがなほ匪賊の出沒は治らすこゝにおいて軍政の要請が齎らされたのである。七月一八日内閣總理大臣は總督に宛て、つぎの如き電文を發した。

目下鎮壓ノ爲曩テ請求セラレシ中隊ヲ編制シ追々發送中ナリ然ルニ臺灣全島ノ中隊漸次增加セシヲ以テ之等ノ指揮及ヒ經理ノ節度ヲ明カニシ且ツ其働キヲ敏捷ナラシムル爲平定ニ至ル迄其總督府現在ノ人員ニ更ニ必要ノ

モノヲ充塞シ之ヲ軍事組織ニ改ムルノ必要ヲ感ス同感ナレハ其仕向ヲ爲サシムヘシ折返シ返事アレ

總督は即日「軍事組織ノ事ハ最モ御同意スル所ナリ至急其取計アランコトヲ望ム」と返電し、八月六日大本營より陸軍達七〇號を以て「臺灣總督府條例」（＊＊）が制定された旨通牒があつた（註1）。これにより總督府機構は軍事官衙となり、條例に付せられた「別表」の臺灣總督府編成表によれば總督府官吏はすべて武官相當官とされたが、假條例の下において軍政の事項が「凡テ軍事ト相關セサルハ勿論ノ義ニ有之」（七月一六内閣總理大臣伊藤博文ヨリ樺山總督ニ宛タル訓令）とされた當時とは一變し、民政局の如きも從來の民政局員に代つて幕僚副官部が之を爲すことになつた（註2）。軍政下の文官については「臺灣資料」中に勅令案として「朕茲ニ戰時若クハ事變ニ際シ軍衙ニ置ク文官ノ件ヲ裁可シ之ヲ公布セシム」とあり、さらにその際の文官は文官任用令（明治二六年勅令一八三號）、高等官々等俸給令（明治二五年勅令九六號）及び判任官俸給令（明治二四年勅令八三號）によらずして任用、叙等、陞給及び俸給可能なることの草案が掲げられてゐるが、之が實施されたものであるかはどうかは明ではない（註3）。かやうな軍政の實施の理由については伊能文書の「官廳記事」中に「初め當局者は近衞師團の賊徒を剿滅鎮定したる後を追ひ直に其地に民政廳（縣及支廳）を設け行政事務を施し漸次に其政域を擴むるの方針なりしか此間平時行政組織は大に征討軍隊を轄して一擧に全島の賊を剿絶するの大計畫を爲すに便ならすとし更に總督の下に軍事官衙を組織し爾後戰時的軍政組織を以て賊徒討滅の奏功を急速ならしむべしといふに在りしなり」と記されてゐる(註4)。この軍政下において高島鞆之助中將が臺灣副總督兼軍司令官となり、臺灣副總督制が設けられた(註5)のも臺灣統治史の上において興味のあることであるが、この軍政の統治形態はわが國においては數少い軍政の經驗であつて、今日通常軍部内閣制が軍政と稱はれてゐるのに對して、この臺灣の經驗は官廳の各機構が軍事官衙となつた意味での完全な軍政であつた。樺太統治の初期においても同樣の經驗はあつたが、それは軍事占領の延長せられたものであるにすぎなかつた(註6)。臺灣の軍政が臺灣統治史の上において有する意味は臺灣總督が長年の間、單に國務機關であるにとゞまらず、軍令系統としての機關を兼ね、武官總督制を續けて來たことの起原となつたことにある。大正八年總督府條例の改正によつて武官總督制が廢止されるまで、臺灣總督は官制上、國務機關であるとともに統帥機關であつたことは軍政に起原を發する總督府の組織原理であつた(註8)。かやうな臺灣の軍政はもとより國際法上の軍事占領とは別個の性質を有する領土内の軍事統治であるから、從つて國務と統帥の二系統がわが國法上明確に區別せられることに關聯して命令系統について行政技術的には複雜な問題を生じたのである。この軍政下の臺灣總督府と中央機關との關係においては次のやうな複雜な命令系統が示されたのである(註7)。

今般臺灣總督府ヲ以テ軍衙組織トセラレタルニ付テハ別ニ定ムルモノノ外大本營ト臺灣事務局トノ事務ノ分界

ヲ左ノ如ク定ム

一、民政ニ屬スル事件ハ臺灣事務局ノ所管トシ臺灣總督ハ臺灣事務局總裁ト直接往復ス

一、軍事ニ屬スル事件ニ就テハ臺灣總督ハ大本營又ハ陸海軍省ト直接往復ス

一、軍事ニ屬スルモノト雖トモ民政ニ關連スルモノハ大本營又ハ陸海軍省ヨリ事務局ニ協議シテ處分ス其急施ヲ要シテ協議ノ遑ナキモノハ大本營又ハ陸海軍省ニ於テ處分ノ後可成速ニ事務局ニ報告ス（軍衙組織ニ付大本營ト臺灣事務局トノ事務分界）

（1）臺灣總督府假條例（陸軍達七號）左の如し

第一條　臺灣全島鎭定ニ至ル迄臺灣總督ノ下ニ軍事官衙ヲ組織スルコト別表ノ如シ（別表略）

第二條　參謀長ハ總督ヲ補佐シ總督府內各局ノ業務ヲ監視ス各局長ハ總督ニ具申スヘキ件ニ付テハ必ス先ツ參謀長ノ承認ヲ經ヘキモノトス

參謀長ハ幕僚ノ事務整理ニ關シ總督ニ對シ其責ニ任ス

參謀及副官ハ參謀長ノ指揮ヲ受ケ各自擔任ノ事務ニ服シ其責ニ任ス

新參ノ陸軍佐官副官ハ專ラ總督府全體ノ給養ヲ掌ル軍吏ハ此副官ノ指揮ヲ受ケ會計經理ノ事務ヲ掌ル陸海軍尉官副官ノ內各一名ハ總督ニ專屬シ通常庶務ヲ分擔セス唯事務繁劇ナル時爲シ得レハ之ヲ幇助ス

第三條　各局長ハ各自擔任ノ局務整理ニ關シ總督ニ對シ其責ニ任ス

各部長各局ノ副官及事務官ハ局長ノ指揮ヲ受ケ擔任ノ事務ニ服シ其責ニ任ス

各部ノ職員ハ部長ノ指揮ヲ受ケ擔任事務ニ服シ其責ニ任ス

第四條　民政局長ハ民政ニ關シ適宜ニ課ヲ分チ又民政支部ヲ置キ總督ノ認可ヲ得テ隸屬スル人員ヲ配屬シ各自擔任ノ事務ヲ整理シ其責ニ任セシム

（2） 民政局については軍政實施に伴ひ總督の臺灣事務局總裁宛狀況報告書があるが、それによれば、たとへば中央會計部の如きも従來は「陸軍將校竝民政局員合同シテ事務ヲ取扱ヒ來リシカ是亦其事務ノ一部ヲ監督部ニ一部ヲ幕僚副官ニ移セリ」としてゐる（臺灣總督府警察沿革誌・第一卷・一九頁）。

（3） 「臺灣資料」二三九―四〇頁

（4） 軍政のことについてはのちに一三回議會において政府委員後藤新平は「軍隊との關係に付きましては種々むづかしいこともありましたが、民政に移つてから日も淺くあり兎に角反亂相踵ぐと云ふ所でありますから軍人の軍政を以てあそこを治めた所の餘習が仍ほ除かぬのである然るに今日民政を施いた上には此區域を一層判然にしなければならぬと云ふことは總督がひどく努められたことであります」

（5） 臺灣副總督の制度は内閣總理大臣伊藤博文の專斷に出づるところとせられる（大園市藏「臺灣事蹟綜覽」貳卷五七頁）。

（6） 樺太廳長官官房編「樺太施政沿革篇・維新以後・下卷・一二一頁」

（7） 「臺灣資料」二三九頁

（*） 討伐軍下の憲兵の活動については參謀本部編纂「日清戰史」第八卷・一三〇頁以下參照

（**） なほこの條例は軍政の編成なるを以て公に發布されたものではなかつたといはれる（大園市藏「臺灣事蹟綜覽・第二卷・六六頁）また竹越與三郎の「臺灣統治志」（明治三八年）が、臺灣總督府假條例の下の政治を稱して、「軍政時代の事と稱し、過誤別名となるに至る」といつてゐるが、之は臺灣總督府條例と混同したもので、誤りである。

（***） 武官總督の廢止により臺灣總督は軍令機關たる性質を有しなくなつたので、ここに八月一九日、臺灣總督府陸軍部は獨立して、臺灣軍司令部が設置されたのであつた。

なほ、この軍政下において臺灣總督の發した命令に「日命」といふ命令の形式があるが、之はのちの律令に比すべき法律事項に關する法規命令であつて、この當時においても臺灣に憲法の適用があるものとされるならば、「日命」は憲法違反であるとも云はれたのである。佐々木忠義・高橋武一郎の「臺灣行政法論」は之を憲法違反であるとしてゐるが（註1）、法律六三號の發令される以前において、臺灣の領有とともに憲法の效力が新領土に及ぶか否かはのちにも觸れるやうに問題のあるところである。もとより、法律六三號は臺灣に憲法の適用あることが前提とされて發せられたものとしても、この法律六三號が發せられたために、帝國憲法はこの日より適用があり、それ以前は適用がなかつたとはかならずしも言へないことであつて、かへつて憲法の適用があつたために法律六三號は發せられたのであるとも言えるのである。ともあれ、法律六三號以前においても憲法の適用がありとし、その期間において法律事項を命令の形式を以て規定した「日命」は憲法に違反であるとすることは妥當とはいへないであらう。統治權はかならずしも、つねに憲法の條規に從つて發動されるものではなく（註2）、新領土におけるかやうな場合には　天皇の大權の直接の發動に基き總督が命令を發することはもとより妨げなく、總督の命令權の法的根據は第一條の統治權の規定に直接基礎をおくものと考へられるのである。從つて山田三良博士が當時「我現行諸法律は未だ臺灣に行はれざることを論證し、臺灣總督は憲法的行政機關にあらずして憲法以外の國家統治機關なる事を說明し、臺灣住民に關する法令は主權者の命令即ち主權者の代理人たる總督の命令」なりとされる（註3）のはかへつて妥當な見解であつたと考へられる。

（1）佐々木忠義・高橋武一郎「臺灣行政法論」（明治四二年）一二頁
（2）美濃部達吉「律令と憲法との關係を論ず」憲法及憲法史研究・二六九頁
（3）山田三良「新領地に關する法律關係を論ず」國家學會雜誌九卷・一〇二號・六三〇頁

二　臺灣總督は軍政下においても民政に關するかぎり、中央官廳としては臺灣事務局と接衝することは「軍衙組織ニ村大本營ト臺灣事務局トノ事務分界」の文書によつて明かであるが、臺灣事務局は二八年五月一〇日樺山大將の臺灣總督就任に際して、その設置を要請せられたものであつた。この要求に基いて六月一三日勅令七四號を以て內閣に設置されたのであつた。臺灣事務局は「可成敏速ニ總督府ノ要求ニ應シ鎮定迄ノ間ハ法規等ニ拘泥セス」との目的を以て設置され、「總督府ヨリノ要求ハ各部各課ヨリ各省ニ直接ニ稟申スルトキハ區々ニ涉リ事端ヲ錯雜ナラシムルニ付統一ヲ旨トシ總テ總督ヨリ臺灣事務局總裁ニ稟申スル」ものであつたが註(1)、二九年三月に至り列國の殖民行政の例に倣ひ、臺灣に關する政務のみならず北海道に關する政務をも司掌する獨立の一省を設けることゝなり、こゝに「拓殖務省官制」（註2）（*）が發せられたのであつた。この拓殖務大臣として臺灣副總督高島鞆之助中將が任命されたが、この人事からいつても必しも臺灣總督の獨立を制御して之を支配する官廳であつたといふことは出來ないであらう。臺灣事務局がたんに擴大されたものにすぎず、臺灣總督の自主的な權限を左右するものではないが、この拓殖務省設置の必要性はいまだ輿論の支持するところではなく、財政緊縮の要求から一年餘り繼續したゞけで三〇年八月に廢せられ（註3）、再び内閣直屬の臺灣事務局が復活したのである。この拓殖務省設置は臺灣の治安平定に基き軍衙組織より民政組織への改組が要求されたことに關聯あるものであつて、軍衙組織に代る新たなる「臺灣總督府條例」の發布と前後して設置されたものであつた（註4）。

「臺灣總督府條例」（明治二九年勅令八八號）は原案とされたものが數次の討議・修正を經て勅裁となつたものであるが、その草案の一つとして「臺灣總督府官制案」（臺灣總督府警察沿革誌所載）があり、之が最初の原案と考へられる。この草案に比すれば、「臺灣資料」に所載されてゐる「臺灣總督府條例草案」（臺灣資料一〇三頁）の規定は「臺灣總督府條例」の規定の内容にはるかに接近してゐるから、之は修正案であつたと推測せられる。この「臺灣總督府條例」は二八年五月二一日の「假條例」をのぞけば、臺灣總督府の民政組織としての最初の官制であつて、それは今日の總督府官制の原型となつたものである。軍政下の「臺灣總督府條例」に對比すれば總督の資格要件、權限等について明文を以て規定した最初のものであることが判るが、大正八年の改正まで繼續された武官總督制（註5）はその第二條において明にされ「總督ハ親任トス陸軍大將若ハ中將ヲ以テ之ニ充ツ」とし、第三條は「總督ハ委任ノ範圍内ニ於テ陸海軍ヲ統率シ拓殖務大臣ノ監督ヲ受ケ諸般ノ政務ヲ統理ス」として軍令事務を司掌することを規定してゐる。臺灣總督が軍令機關を兼ねる點において注目せられるのは、新官制の第一二條に「總督事故アルトキハ民政局長軍務局長ノ中官等高キ者其職務ヲ代理ス」（傍點筆者）とあるのは第三條の「陸海軍ヲ統率シ」とある規定に反するものとして總督より拓殖務大臣に對して改正方を稟申したことである。この箇處の改正は行はれなかつたが（註6）、第三條の「委任」の主旨により、內閣總理大臣は軍事に關する權限を總督に御委任あらせられたことを傳達した（註7）（註8）。

（1）臺灣總督府警察沿革誌第一卷・二七〇頁、なほ臺灣事務局官制左の如し

第一條　內閣ニ臺灣事務局ヲ置キ內閣總理大臣ノ監督ニ屬セシム

第二條　臺灣事務局ハ臺灣及ビ澎湖列島ニ關スル文武諸般ノ事務ヲ管理ス

第三條　臺灣事務局ハ臺灣總督ノ稟議報告ニ就キ其意見ヲ內閣總理大臣ニ具申ス

第四條　中央各官衙及ビ臺灣總督府間ニ往復スル文書ハ臺灣事務局ヲ經由スヘキモノトス

臺灣總督ニ對シテ中央各官衙ヨリ發スル文書ハ豫メ臺灣事務局ノ審査ヲ經ヘキモノトス

第五條　臺灣事務局ハ總裁、副總裁各一人委員若干人ヲ以テ之ヲ組織ス

第六條　總裁ハ親任官、副總裁ハ勅任官ヲ以テ之ニ充ツ

第七條　委員ハ勅任官ノ內ヨリ、內閣總理大臣ノ奏請ニ依リ之ヲ命ス

第八條　總裁ハ調査及ビ議事並ニ局務整理ニ關スル規則ヲ定メ內閣總理大臣ニ報告ス

第九條　總裁ハ議事ヲ整理シ局議ヲ內閣總理大臣ニ具申シ並ニ局務ヲ管理ス

第十條　總裁事故アル時ハ副總裁ヲシテ事務ヲ代理セシム

前項ノ場合ノ外副總裁ハ議事ニ於テ委員ト同一ノ資格ヲ有ス

第十一條　委員ハ議事ニ列スル場合ノ外總裁ノ命ニ依リ其他ノ局務ヲ分擔スルコトアルヘシ

第十二條　總裁、副總裁及ビ委員ニハ一箇年千圓以內ノ手當ヲ給ス
第十三條　臺灣事務局ニ書記官二人ヲ置ク奏任トス其ノ官等俸給ハ別表ニ依ル、書記官ハ總裁ノ指揮ヲ承ケ庶務ヲ整理ス
第十四條　臺灣事務局ニ屬若干人ヲ置ク判任トス、上官ノ指揮ヲ承ケ庶務ニ從事ス

(2) 拓殖務省官制は南部局と北部局とに分たれ、臺灣及び北海道がそれぞれ司掌された。

(3) 山本美越乃「植民政策研究」(昭和二年)一八九頁

(4) 「拓殖務省官制」は四月一日に施行され、「臺灣總督府條例」は三月三一日に公布された。

(5) 軍部に挑戰的であつた原內閣は大正八年八月勅令三九三號を以て臺灣總督府官制の改正を行ひ(伊豆公夫・松下芳男「日本軍事發達史」三六三頁)從來は「臺灣總督ハ親任トス陸海軍大將又ハ中將ヲ以テ之ヲ充ツ」とあつたのを單に「總督ハ親任トス」としてその資格要件を削除し、文官總督の就任を可能ならしめた。從來は臺灣總督そのものが軍令機關を兼ねてゐたため、武官であることを必要としたのであつたが、この改正によつて、臺灣總督が軍令機關を兼ねるためには「總督陸軍武官ナルトキハ臺灣軍司令官ヲ兼ネシムルコトヲ得」として、陸軍武官のみが軍令權をもつ總督となりうるとした。從つて從來のやうに海軍武官が軍令權をもつ臺灣總督とはなり得ぬものになつた。

(6) 臺灣總督府警察沿革誌・七三頁

(7) 臺灣總督府條例第三條の規定により臺灣總督に委任せられた件左の如し
一、臺灣總督ハ陸海軍々政及人事ニ關シテハ各其ノ主務大臣國防及教育ノ重大ナル事項ニ關シテハ各其ノ主任官ノ區處ヲ承クルノ外下ニ列記スル事項其他管轄區域內ニ於ケル總テノ軍務ヲ統理ス
二、臺灣總督ハ必要ニ應シ麾下ノ船艦ヲ沖繩群島及舟山群島ヨリ澳門ニ至ル支那沿岸ニ派遣シ又修理ノ爲メ內地ニ派遣スルコトヲ得
三、臺灣總督ハ必要ニ應シ部下ノ軍人軍屬ヲ淸國南部、香港、柴棍及比律賓群島ニ派遣スルコトヲ得

（8）明治三六年一二月勅令二九六號は必要の場合には守備隊司令官より強大なる台湾守備隊司令官を設置しうることとし、台湾総督の命を承けて陸・海軍を統率し、その命を承くる遑なき場合軍事に関して総督と同一の権限を持つものであるとした。三七・八年戰役にその例あり（佐々木・高橋「台湾行政法論」四〇頁）

（＊）拓殖務省官制案としては左の如きものが提出された。

第一條　拓殖務大臣ハ左ノ事務ヲ掌ル

一　台湾ニ関スル文武諸般ノ事務但軍機軍略ニ関スルモノハ之ヲ除ク

一　北海道及沖縄縣ニ関スル事務但特ニ各省大臣ノ主管ニ属スルモノハ之ヲ除ク

第二條　拓殖務大臣ハ台湾総督北海道廳長官沖縄縣知事ヲ監督ス

第三條　拓殖務省專任參事官ハ　人專任書記官ハ　人ヲ以テ定員トス

第四條　拓殖務省ニ局ヲ置カス拓殖務大臣ニ於テ便宜分課ヲ設ケ書記官若クハ參事官ヲシテ之カ課長タラシム

第五條　拓殖務省屬ハ　人ヲ以テ定員トス

之に對する總督府側の修正意見左の如し

「本件ハ北海道及沖縄ニ關係アルヲ以テ之ニ對シ全然異論ヲ開陳スルヲ避クヘシ、唯台灣總督ヲ以テ北海道廳長官若クハ沖縄縣知事ト同一視スルノ觀アルハ何ソヤ、台灣總督府官制案第一條拓殖務省官制第一條、第二條ハ其ノ條項ノ中ニ於テ互ニ相矛盾スルノ嫌ナキカ、台灣總督ハ軍機軍略並防等ノ件ニ付テハ參謀總長若クハ海軍々令部長ニ軍事行政ニ付テハ陸軍省若クハ海軍省ニ稟申若クハ協議スルコトアルヘシ、一般ノ行政ニ付テハ一省大臣ノ指揮監督ヲ受クルノ必要ヲ見ス又假ニ一省大臣ノ指揮監督ヲ受クルノ止ムヘカラストスルトキハ台灣ノ行政ハ到底其ノ澁滞ヲ免カレス拓殖務省官制第一條第二項中台灣ニ關スル文武諸般ノ事務トハ台灣ニ於ケル司法行政ニ關スル總テノ事務（軍事ヲ除キ）ヲ稱スルモノナルヤ、果シテ然ラハ外國ニ關スル件其他各省ノ事務ニ屬スヘキ事件モ一切之ヲ拓殖務大臣ノ所管ニ屬セシメントスルカ、然ルニ其ノ第二項ニ於テハ北海道及沖縄縣ニ關シテハ特ニ各省大臣ノ主管ニ屬スルモノハ之ヲ除クノ規定アリ、若シ拓殖務省ヲシテ今日ノ台灣事務局ノ如ク各省ニ關係アル件ハ唯之ヲ經由スルニ止メシメハ可ナリ、若シ臺灣行政ノ事務ニ干渉ヲ爲サシムルカ如キアラハ到底同意ヲ表スル能ハサルナリ大島參謀長ノ談話ニ依レハ其ノ實際ニ於テハ臺灣事務局ノ變名ノミト此ノ如クナレハ拓殖務省ハ各省ト本府トノ關係事件ヲ經由スルノ府ト爲ルニ過キス、而シテ拓殖務省官制案第一條第二項第二條及臺灣總督府官制案第二條中拓殖務大臣ノ訓令云々ハ空文ニ屬ス、空文ハ之ヲ削除若クハ變更シテ後來ノ弊竇ヲ遺スヘカラス」（臺灣總督府警察沿革誌七〇頁）

三　明治二九年三月軍政の解體・民政の實施を期して臺灣總督府及び之に關する中央機關の編成替へが企圖され、それらの試案として右に述べた如く「臺灣總督府官制案」「拓殖務省官制案」「拓殖務會議規則案」（註1）などが提出されたが、之らの試案とともに臺灣總督の立法權を規定した「臺灣條例案」の提出されたことは臺灣における立法權の問題、即ち「六三問題」の最初の緒となつたものであつた。條例案は「立法會議ノ議定及勅裁ヲ經テ其ノ管轄區域內ニ法律ノ效力ヲ有スヘキ總督府令」について始めて觸れ、つぎのやうに記してゐる。

第一條　臺灣ニ臺灣總督ヲ置キ臺灣島及澎湖列島ヲ管轄セシム

第二條　總督ハ立法會議ノ議定及勅裁ヲ經テ其ノ管轄區域內ニ法律ノ效力ヲ有スヘキ總督府令ヲ發スルコトヲ得

第三條　緊急ノ場合ニ於テハ總督ハ其ノ管轄區域內ノ安寧秩序ヲ保持スル爲緊急府令ヲ發スルコトヲ得

前項ノ場合ニ於テハ次回ノ立法會議ノ承認ヲ經勅裁ヲ請フヘシ

若立法會議ノ承認ヲ得サルトキハ其ノ府令ハ將來ヲ向テ效力ナキモノトス其ノ勅裁ヲ得サルトキ亦同シ

第四條　立法會議ノ組織ハ勅令ヲ以テ之ヲ定ム
第九條　左ニ列記スル各件ハ立法會議ニテ議定スヘキモノトス
一　法律ノ效力ヲ有スヘキ府令案
二　豫算及決算案
三　人民ノ請願ニシテ特ニ重大ナルモノ

なほ條例案は二一個條の規定からなり、行政・司法・財政の各章について規定を設けてゐるが、第九議會に提出された「法律六三號」の法律案の各規定に比すれは、はるかに原初的な草案であつたことが判る。まつなによりも、この條例案は「條例」と名を冠することにおいて、多少とも法律の形式から區別されたものとも見られるが、當時の用語例においてはかならすしも條例なる形式が法律なる法の形式と對立する概念てはない、別個の範疇に屬する概念てあつたら、この條例案も法の形式としては法律たるべきことを期したものとも考へられる。なほこの他に「臺灣資料」中の文書に「臺灣統治法」と題して「修正ノ分・第一號・法律案」とせられたものがあるが(註2)、之は條例案の修正案と推測される。條例案の特質は立法會議の權限があたかも臺灣における帝國議會なりとの感を懷かせるものであつて、その第二條によれば總督は立法會議の議定と勅裁を經て始めて「法律ノ效力ヲ有スヘキ總督府令」を發することが出來るものとされた。從つて立法會議の否決ありたるときは總督は右の命令を發することは出來ず、第三條の緊急府令の如きも緊急勅令に對する帝國議會の如き役割を立法會議は果すものと考へられた。法律六三號においては臺灣總督府評議會とあるものが、この條例では立法會議とされてゐるのであるから、その名稱においても自治的な殖民地の立法會議を想像せしめるものであつて、このやうな立案に對して臺灣總督府は立法會議が總督の權限を制肘するものであるとして「立法會議の權限甚大にして總督の不認可權を認識せざるは何ぞや」(註3)といつてゐるが、この條例案の修正案と見られる「臺灣統治法」にはその第二條に「臺灣總督ハ勅裁ヲ經テ其ノ管轄區域內ニ法律ノ效力ヲ有スヘキ總督府令ヲ發スルコトヲ得」として、條例案第二條に要件とされてゐる「立法會議の議定」なる文言を削り、緊急總督府令についても、その第三條は「立法會議ノ承認」なる文言を削除して、「前項ノ場合ニ於テハ發布ノ後直ニ勅裁ヲ請フヘシ若勅裁ヲ得サルトキハ其ノ府令ハ將來ニ向テ效力ナキモノトス」と改めてゐる。條例案第五條に「立法會議ニテ議定スヘキモノトス」とあるのを、修正案は「第五條左ノ條件ハ臺灣總督之ヲ總督府評議會ノ評決ニ附スヘキモノトス　一、法律ノ效力ヲ有スヘキ總督府令案　二、豫算案及決算案」と改めてゐる。

條例案と修正案とは立法會議の權限についての變化を示してゐるが、之はたんなる規定の差違のみではなく、前者が自主的な殖民地議會を認めるのに對して、後者は之を否定するといふ殖民政策の上では質的な差違を示すものである。しかし、この「臺灣統治法案」もなほ殖民地の自主性を認めるものといはれてゐるが(註4)、かやうな自主性は政府傭外人カークードなどの主張するところであつたから、それらの進言も影響されてゐたものとみられる。

(1) 拓殖務會議案左の如し

第一條 拓殖務省ニ屬スル事務ニ付法律勅令ノ制定、廢止及改正ヲ要スルコトアルトキ又ハ其ノ他拓殖務大臣ニ於テ重要ノ事項ト認メタルトキ之ヲ諮問スルタメ拓殖務省中ニ拓殖務會議ヲ設ク

第二條 拓殖務會議ハ拓殖務大臣ノ次官及評定官ヲ以テ組織ス

第三條 拓殖務會議ノ議長ハ拓殖務大臣ヲ以テ之ニ充ツ大臣事故アルトキハ次官又ハ上席評定官之ヲ代理ス

第四條 評定官ハ 人以内トシ勅命ヲ以テ各省勅任官中ヨリ之ヲ補任ス

第五條 拓殖務會議ハ評定官半數以上出席スルニ非サレハ會議ヲ開クコトヲ得ス

第六條 議事ハ多數ニ依リ之ヲ決ス但可否平等ノ場合ニ於テハ議長ノ決スル所ニ依ル

第七條・拓殖務大臣ハ參事官ヲシテ會議ニ列シ議案ヲ説明セシムルコトヲ得

第八條 拓殖務會議ノ事務ハ拓殖務大臣之ヲ管掌ス

なほ之に對する總督府の修正意見左の如し

「拓殖務會議ニ至テハ全ク其ノ必要ヲ見ス、大島參謀長ノ談話ニヨレハ是レ臺灣事務局會議ノ變名ノミト、夫レ或ハ然ラン、然レトモ前項ニ於テ陳述シタルカ如ク拓殖務大臣ノ權限ヲ縮少スルニキハ此ノ如キ會議ノ必要アルナシ、此ノ如キ會議ニ依リテ臺灣政務ノ擧ルヲ望ムハ到底期スヘカラサルナリ」

(2) 「臺灣資料」一五一—五五頁

(3) 總督府側の修正意見左の如し(臺灣總督府警察沿革誌六九頁)

「臺灣條例案ノミヲ通觀スルトキハ立法會議ノ性質及權限明瞭ナラス、其ノ組織ニ至テハ勅令案ヲ觀ルニアラサレハ今之カ意

見ヲ開陳スルヲ得ス、且ツ總督ノ之ニ對スル關係ハ如何ニセムトスルヤ、第二條及第五條ヲ以テ推論スルトキハ立法會議ノ權限甚大ニシテ總督ノ不認可權ヲ認識セサルハ何ソヤ、此ノ如キハ條例ニ於テ明定シ置クノ必要アルヘシ大島參謀長ノ談話ニヨレハ此立法會議ナルモノハ時勢ニ隨ヒテ其ノ組織ヲ變更シ諸般ノ府令案若クハ豫算決算案ノ如キハ形式上此ノ會議ノ議定ヲ經由スルノミニテ、今ヨリ數年ノ間ハ部長會議若クハ高等官會議ノ變名ニ過キサリカ如クスヘシト、夫レ或ハ然ラン今日ニ於テ徒ニ外觀ノ美ヲ裝ヒ文明的ノ制度ヲ嚮背未タ定マラサル新領地ノ人民ニ適用スルカ如キハ斷シテ其ノ不可ナルヲ見ル、是等ノ點ニ就テハ法律若クハ官制ヲ以テ適當ニ規定シ置カサルヘカラス」

(4) 「當時ノ政府ハ如何ナル事ヲ申シタカ、臺灣統治法ト云フ草案ヲ、吾々ニ內々示シタノデアル、議場ニハ示サヌガソレハ統治法ト云フモノハ大層宜イモノト御歡迎ナサル諸君モアルカハ知ラヌガ、是ハ臺灣ハ殆ド半獨立ノ如キ有様ニナルノデアル、是ハ協贊ヲ得ヘキ望ミガナカラウト云フコトヲ、私ハ申シタトコロガ當時ノ當局者モ提出スル意思ハナイ、唯是ノ如キ草案ヲ作ッテアッタト云フコトデアル」(內務大臣原敬答辯・內閣記錄課「臺灣ニ施行スヘキ法令ニ關スル法律其ノ沿革竝現行律令」二六七頁)

四　この臺灣條例案及び臺灣統治法の二草案が六三號の法律案に對して著しい特徴を示してゐるのは六三號のそれが臺灣における立法のみを規定してゐるのに對して、前二者はひろく行政・司法・財政について規定し、あたかも臺灣憲法の如き法の構成を示してゐることにある。こゝで問題となるのは司法・財政の機構であるが、とくに興味を感ぜられるのは財政の事項についてであつた。有賀長雄博士は法律六三號の立法理由として臺灣の財政について述べ、次ぎのやうに云

「一體此の法律（引者注 律六三號）を作つた所から見ると、其本は財政のことから出たので、之を憲法通りにしなければならぬことにして置くと、豫算に於て總督府の經費は、一々協贊を經なければならぬことになるから、それでは面倒である故に臺灣の事は總督府が勝手に極める。さうして其勝手に極めたことは法律の效力を持つて居るといふことにしたのであります。ちよつと考へると臺灣の事柄は内地一般の法律命令では出來ないからして斯う云ふ特例を設けたと云ふ考へが普通に起るだらうと思ふが、其の實は豫算に付て必要の上から來てゐる」（國家學會雜誌一四卷・一七二號・六五頁）

有賀博士の言ふ財政上の獨立は法律六三號の法文の上では示されてをらず、法律六三號は總督の立法權のみが規定されてゐるのであるから、このやうな財政の獨立とは臺灣總督が「法律ノ效力ヲ有スル命令」を以て財政に關する法規を專斷的に決定せんとする意味を含ませてゐるところにあるとも解せられるが、臺灣條例案及び臺灣統治法は明文を以て直接に財政事項を規定してゐることにおいて、有賀博士のいふ總督府の財政制度上の意圖が明瞭になることと思はれる。臺灣條例案及び臺灣統治法案のうちで多少とも、臺灣財政の獨立性が意味せられてゐると思はれるのは、條例案一四條が「臺灣ノ行政及司法ノ經費ハ臺灣歲入ヲ以テ之ニ充ツ但シ歲入ニ剩餘アルトキハ之ヲ國庫ニ納メ若シ不足スルトキハ國庫ヨリ補助ヲ受クヘシ」とし、統治法案一〇條が「臺灣ノ行政及司法ノ經費ハ臺灣ノ歲入ヲ以テ之ニ充ツ但シ歲計ノ剩餘ハ之ヲ國庫ニ納メ若歲計ニ不足ヲ生スルトキハ國庫ヨリ支出スヘシ」としてゐる規定であるが、之はたかだか臺灣の特別會計制度を豫想したものであるといへるのにすぎない。本來、領臺當初臺灣總督府の諸經費は日淸戰爭に關する臨時軍事特別會計によつて臨時軍事費から支辨されてゐたが（註1）、この特別會計は明治二九年三月九日の法律一〇號によつて同年三月三一日限り終結することゝされたのであつた。二九年度においては臺灣の財政は一般會計に編入されたが、三〇年二月二六日法律二號を以て臺灣總督府特別會計法なる法律が制定されることになつたのである。これは法律六三號と一應關係のないことであつて、法律六三號の制定とは別個のことゝして行はれたのであるが、法律六三號そのものではなくて、法律六三號以前の、それの前身ともいふべき諸草案は少くとも臺灣財政の獨立を企圖してゐたと考へられる餘地は存するのである。それは右に揭げた條例案一四條及び統治法案一〇條の規定の精神にもうかがはれるとも言へるが、有賀博士のいふ如くには明瞭にそれを意圖したとは見られないのである。問題となるのは條例案において自主的な權限の大なる殖民地議會ともいふべき立法會議が豫算及決算案の議定權をもち、その一九條が「臺灣ノ歲出歲入ハ每年豫算ヲ以テ立法會議ノ議定ヲ經政府ノ承認ヲ得ヘシ」とある點であつてそれは統治法案の一四條が「臺灣ノ歲入歲出ハ每年豫算ヲ以テ政府ノ承認ヲ得ヘシ」とある規定に對比すれば、豫算の議定につき帝國議會より獨立なることを企圖したのは明瞭である。かやうな經費の支出につき中央官廳より干涉をうけないことは領臺直後においては、地理の遠隔なる點などによつて實際に行はれてゐたことてあつたとしても上(2)、臺灣の經費か自己の歳入のみによつて行はれ得るといふ意味での財政の獨立性か確保されたのは明治三七年になつてからのことてあつた(上1)。領臺當時の財政に關する獨立性とは總督府の支出に對して帝國議會の干渉をうけないといふことを企圖した獨立性であつたにすぎない。かやうな財政狀態てあつたから、明治二九年五月一一日法律九二號を以て臺灣に會計檢査院支廳設置に關する法律が公布されたのてある。もともと殖民地の財政の獨立の方針はさきにカークードの主張するところてあつたから、臺灣條例案の全體がいちぢるしくカークードの献言に基くかの如き印象を與へられるやうに、この財政の自主政策も彼の言說の影響を否定し得ないもののやうに思はれるのである。

（1）大藏省編纂「明治大正財政史」第一九卷・外地財政篇(下)一〇頁

（2）中央政府から隔たるために財政の紊亂してゐたことは、「臺灣資料」中の會計檢査院臺灣支廳設置說明書に「蓋シ臺灣ノ行政タル百事草創其事務自ラ紊亂シ易ク大ニ監督ノ勵行ヲ要スルノミナラス、且臺灣ハ地方僻遠ノ地ニシテ會計證明上頗ル日子ト手數ヲ要ス。今ヤ已ニ總督府會計上ニ關シテハ往々物議ヲ釀シツツアルニ於テヲヤ。故ニ臺灣會計ノ監督ハ寸時モ之ヲ忽諸ニ付シ去ルベカラザルナリ」と言つてゐる。

（3）北山富久二郎「豐かな臺灣の財政」臺北帝國大學政學科研究年報・四五二頁。矢內原忠雄「帝國主義下の臺灣」九二頁、なほ議員永江純一は年々國庫より臺灣に補助してゐるにかゝはらず、臺灣總督府の方針を國民を代表する帝國議會の協贊を求めないのは不當であると云つてゐる（律令議事錄・一四一頁）。

カークードは明治二八年五月三〇日司法大臣の依囑に應じて、列國の殖民制度を比較考察した

「殖民地制度記事」を捧呈してゐるが(註1)、之は「臺灣資料」の中の「殖民地制度」とある文書にあたるものであつて、同文書中に「右制度（筆者註植民地制度）ヲ構成スル方法ト新占領地ニ關シテ帝國議會ノ有ス可キ立法權又ハ其ノ施政ニ干渉ス可キ權利トニ付テハ憲法上重大ノ問題ナリ、故ニ如斯問題ニ關スル議論ハ暫ク他日ニ讓リ」とした意見書が「臺灣資料」中の「カークード氏臺灣制度、天皇ノ大權及帝國議會ニ關スル意見書」(註2)にあたるものであつて、こゝで彼は「臺灣ノ制度ハ帝國議會ノ協讃ヲ得スシテ　天皇大權ノ施行ヲ以テ之ヲ制定スルハ憲法的動作ニシテ違憲ニ非ラス唯夫レ臺灣ノ費用ヲ帝國國庫ニ仰ク可キモノアルニ於テハ、其ノモノノミハ帝國議會ノ協讃ヲ要ス」として「臺灣ニ關スル立法ハ帝國議會ノ協讃ヲ要スルノ議論」を排してゐる。彼はとくに財政については殖民地の自主性を強調して「偖テ憲法ニハ遠隔ノ殖民地ノ人民迄モ日本本國ノ臣民ト均シク在東京ノ本國議會ニ於テ之ニ課税ス可シトノ意義ヲ包含セシムルコトヲ得ル乎。納稅金ハ本國ノ歳入ニ加フ可シトノ意義ヲ包含セシムルコトヲ得ル乎。又各殖民地ノ歳入歳出ハ憲法第六十四條及第六十五條ニ『國家ノ歳出歳入ハ毎年豫算ヲ以テ帝國議會ノ協讃ヲ經ヘシ、豫算ハ前ニ衆議院ニ提出スヘシ』ト云フニ從ヒテ、毎年帝國ノ歳計豫算ニ編入セシムヘシトノ意義ヲ包含セシムルコトヲ得ル乎。余ハ斷言ス如斯政略ハ殖民地ノ康福ヲ害スルモノナリト。如斯キハ實ニ殖民地ノ日本臣民ノ幸福ヲ保護スルニ非ラスシテ却テ之ヲ毀損スルモノナリ。英國及其ノ在來殖民地ノ歴史ハ其ノ適例ヲ示ス」(臺灣資料六八頁)といつてゐる。彼はさらに「天皇ハ臺灣ニ關シテ絶對的行政權及立法權ヲ有スルモノニシテ、其ノ費用ノ支出ヲ帝國ノ國庫ニ請ハサル以上ハ萬事帝國議會ニ諮ハスシテ專決斷行スルコトヲ得ヘシ」(臺灣資料七七頁)と結論を下してゐるが、「臺灣條例案」の精神はカークードの殖民政策意見に多大の影響をうけてゐるものとみられる。カークードは殖民政策に關する最高顧問に擬せられてゐたのであるが(註2)、このやうに外國人の意見を尊重したのは、彼らが殖民政策について知識を有してゐたといふことからばかりでなく彼らの意見を參酌してをけば國際問題について紛糾することはないとの國際的な考慮も含まれてゐたのであるといはれる(註3)。六三問題に關聯して匪徒刑罰令が議會で問題とされた際も(註4)、それが臺灣在住の外國人をも規律するものであるかとの質疑が幾度となく議會において論せられてゐるが、かやうなことはすべて當時の日本が多少とも國際的關係に關聯ある殖民地の問題について國際問題となることを恐怖したといふことを物語るものであつた。後藤新平は「臺灣に於ける既往及現在の國際問題」なる講演のなかでつぎのやうに言つてゐる。「西洋人が異議を言ふとブルブル慄えて二の句が繼けぬと云ふ有様、これを輕蔑するのも惡いが、遂に此病を去らなければ大和民族の發展は出來ぬと云ふことは臺灣の形跡に見て明かなことゝ思ひます」(註4)。

(1) 「臺灣資料」中の「カークード氏臺灣制度、天皇ノ大權及帝國議會ニ關スル意見書」の註に、「此意見書ハ千八百九十五年五月三十日ヲ以テ大臣閣下ニ捧呈シタル植民地制度記事ニ參照シテ閲讀セラレンコトヲ乞フ」とある。なほ「臺灣資料」中にはミシエル、ルボンの「遼東及臺灣統治ニ關スル答議」(一八九五年・四月二二日)なる一文がある。

(2) 英人マイヤースを植民政策の顧問にして國際的な困難問題を避け臺灣の拓殖事業を行はんとした。英人カークードを總顧問に雇ふことは閣議の決定をみたが、之は排斥された(後藤新平「臺灣に於ける既往及現在の國際問題」國際法外交雜誌・一一卷・三號・二〇四—五頁)

(3) 後藤新平「上掲論文」二〇五頁

(4) 內閣記錄課「臺灣ニ施行スベキ法令ニ關スル法律其ノ沿革並現行律令」(以下律令議事錄と稱す)議員伊澤修二質問・六二頁、議員水野遵質問・四九頁、六三頁、議員野間五造質問・八二頁、水野、伊澤らの前總督府官吏は兒玉後藤時代において、この種の質問をしきりに行つた。

(5) 後藤新平「上掲論文」二〇五頁。なほ「臺灣資料」中には獨逸公使から提出した「臺灣總督行政紊亂ニ付獨逸公使提出覺書大要」なる文書があり、獨逸人の權益の侵害について抗議をしてる。臺灣統治に際して國際的な問題に關聯したのは阿片の問題、居留地問題、沿海航海問題等であつた(後藤「上掲論文」二〇五頁)。

三　法律六三號を繞る議會論爭

一　明治二九年第九回帝國議會において「臺灣ニ施行スヘキ法令ニ關スル法律案」が政府案として伊藤內閣によつて提出されたが、その全文は次のやうなものであつた。

第一條　臺灣總督ハ其ノ管轄區域內ニ法律ノ效力ヲ有スル命令ヲ發スルコトヲ得

第二條　前條ノ命令ハ臺灣總督府評議會ノ議決ヲ取リ拓殖務大臣ヲ經テ勅裁ヲ請フヘシ

臺灣總督府評議會ノ組織ハ勅令ヲ以テ之ヲ定ム

第三條　臨時緊急ヲ要スル場合ニ於テ臺灣總督ハ前條第一項ノ手續ヲ經スシテ直ニ第一條ノ命令ヲ發スルコトヲ得

第四條　前條ニ依リ發シタル命令ハ發布後直ニ勅裁ヲ請ヒ之ヲ臺灣總督府評議會ニ報告スヘシ
勅裁ヲ得サルトキハ總督ハ直ニ其ノ命令ノ將來ニ向テ效力ナキコトヲ公布スヘシ

第五條　現行ノ法律又ハ將來發布スル法律ニシテ其ノ全部又ハ一部ヲ臺灣ニ施行スルヲ要スルモノハ勅令ヲ以テ之ヲ定ム

政府委員水野遵はまづ提案の説明を爲し、臺灣總督がこのやうな廣範圍の立法權を必要とする政治的理由として、第一には人情風土の異る人民の統治に際して土匪の蜂起もなほ起りうる土地であること、第二には臺灣は遠隔の地であつて中央との連絡に不便なることを擧げ、このための廣範圍な立法權についてはつぎのやうな制限を考慮してゐる旨を述べた。第一に法律に代る命令を發することとて評議會の議決を經べきものとしたこと、第二には內地人には內地の法律を適用すること(註1)、第三には第五條の規定の精神によつてつとめて、內地の法令を施行し、第一條の總督府令は補充的に施行したきことを擧げたが、之に對してまづ「法律命令は我國では　天皇の外之を發する大權はございませぬが」(議員中村克昌質問)といふ憲法の規定に牴觸するものとの疑問が提出された。之に對して水野政府委員は「全く是は憲法とは關係ないのでございます、憲法は未だ臺灣には

全部行れて居りませぬ、即ち臺灣には憲法の效力はないのであります）（註２）として、新領土に
ては憲法の及ばないとする消極說を述べたが、つゞく質問に對して「憲法の全部が行れて居な
申換ゆれば、憲法の中でも此臣民の權利義務とか云ふこと抔は實際行れませぬ、併ながら憲
の　天皇の大權が臺灣に行れて居ることは勿論で」あると直ちに見解を修正した。水野政府
はさらに「政府の執りまする所は、憲法上の議論は固より攻究は致さんなりませぬが、臺灣
際の狀況如何と云ふことに就いて大いに注意を致しました」といひ、憲法の規定のうち臣民（
利義務についての規定は臺灣に施行されないとして、「行ひ得べきだけは無論行はれる、例
天皇の大權の如きは、主權の移動と卽時に臺灣へは行れて居る」と折衷說を述べた。

この答辯でも判るやうに政府は律令（註３）に對する憲法上の性質については明確な答辯を用
してはゐなかつたのである。第九議會においてこの律令の答辯にあたつたのはもつぱら水野民
局長官一人であつたが、その憲法的見解は右のやうに不明確なものであつた。第九帝國議會は一
年五月八日日清戰役の最初に召集された議會として內外關係において緊迫したものであつたが
この議會の政治的特徵は對立關係にあつた藩閥勢力と政黨とが始めて提携を行つた議會である
とにあつた。自由黨領袖河野廣中は「徒らに政爭を繰返して戰役經營の大計を誤るは策の得た
ものにあらず。寧ろ伊藤內閣と妥協し、舊閥政治家をして超然主義を放擲せしむるに若かず」、

して、伊藤首相と幾多の交渉を重ねたのち、こゝに提携したのであるが、その提携の條件として重要法律案及び豫算案を豫め自由黨に内示することを協定し(註4)、自由黨員板垣退助の入閣となつたのである。之に對して自由黨以外の政黨は改進黨、革新黨、太平倶樂部、中國進歩黨、財政革新會、國民協會の諸團體であつたが、之らの中、國民協會を除く五團體は遼東半島返還問題を機に内閣の責任を追究し、帝國議會開會劈頭、内閣彈劾上奏案を提出したのである。この上奏案は自由黨、國民協會の否決により一七〇票に對する一〇三票を以て敗れたが、これらの對外強硬派は律令問題に對しても攻撃の矢を向けたのは當然であつた。政府の自由黨とのこの提携はわが憲政史において政府が政黨と聯携した最初の事例であるが、この機會を利して政府は臺灣總督の委任立法を通過せしめんとしたのであつた(註5)。しかしながら、之に對して自由黨もその違憲性を主張せずにはをかなかつたのである。この議案が特別委員會に附託されるや、委員會は緊急勅令の例に倣ひ、第五條の次に「第六條本法ニ依リ發布シタル法律ハ次回ノ帝國議會ニ提出シ其ノ承諾ヲ求ムヘシ若シ帝國議會ニ於テ否決シタルトキハ總督ハ將來ニ向ツテ其ノ效力ヲ失フコトヲ公布スヘシ」と修正案を可決したが、水野政府委員は之に反對であつた(註6)。政府はこの議會の反對の空氣をみてとり、委員會の修正案を議場に提出する以前に三月一四日「臺灣ニ施行スヘキ法令ニ關スル法律案、右議院法第三十條ニ依リ撤回ス」として一時撤回して對策を協議し再び之を提出したのである(註6)。この手續について改進黨の諸議員は反對し、議員尾崎行雄の如きはこの法案そのものには贊成であるが、一時撤回して再び之を議するといふことには反對であると述べた(＊＊)。反對論を表面から唱へたのは主として改進黨など對外强硬派の連中であつて、議員高田早苗は憲法上の立法事項は「法律ノ效力ヲ有スル命令」を以てしても規定することは出來ぬとし、議員市島謙吉はかやうに憲法の上で命令を以て規定することを禁止してゐる立法事項を法律によつて解くことは違憲であるとし、さらに拓殖務大臣は憲法上の責任をもつものであるが權力なく、之に反して臺灣總督は責任なくして强大な權力を有するのは不當であるとした(註7)。之に對して水野政府委員はつぎのやうにいつた。

「漸く彈丸砲烟の痕跡を絕たんとして居ります處で著々行政事務を運んで往きまするに就いては、隨分是は其緊急に發すべき命令が澤山でございます(「憲法の緊急勅令でやつたら宜い」と叫ぶ者あり)これは議論で、緊急勅令でやるやらぬは御議論で御座いまする、兎も角も政府の見る所では、今日實際臺灣の方に發議權を與へて置かんければ、臺灣の仕事が出來ぬと云ふ考であります(東尾平太郎「なぜ撤回した、自由黨の鼻息を伺つたか」と呼ぶ)」(律令議事錄一六頁―一五頁)

第九議會の末期に至つて改進黨を中心とする對外强硬派は伊藤內閣に對抗して進步黨を結成し三月一日結黨式を擧げたが、その宣言書は「維新の中興の初に當り、大に聖謨を定め給ひ、詔に曰く。廣く大機公論に決すべしと。爾來三〇年憲法既に制定せられ、天皇の神聖、大臣の責任、人民の權利、分界明確、復た疑を容るべきなし。然るに、閣臣有司、尙ほ陋習を悛めず」と主張した。かやうな政治的空氣の下では律令權の違憲論もこの人々によつて強く主張されたのである。憲法實施後いまだ數年さへずして、帝國憲法に違反するかの感ある法律を施行することは、國會の各員の心理に異常な印象を與へたことであらうと思はれる。議會において反對說をのべた肥塚龍、市島謙吉、高田早苗などはすべて進步黨の黨員であつて、之に對して河野廣中、星亭などの自由黨の連中はむしろ進步黨の反對說に對して意見を述べる程度であるにすぎなかつた。ことに自由黨員重岡董五郎の如きは進步黨員高田早苗の違憲論に反駁を加へてゐるのである。律令案は委員會の附託となつたが、その結果、

「臺灣は內地と其事情を異にしてゐるからして內地と同樣の定規を以て是に宛行ふことの出來ないと云ふことは委員全體の意見である。此法案に反對說のあつたのは憲法の解釋に起因する所のものである。憲法には納稅の義務の如きは法律を以て之を定むると云ふことに爲つて居るし、又法律に依るにあらずんば爲すことを得ざる事も憲法に規定してあるのである、而して此法案が行はれることに爲りますと、臺灣總督の發する所の命令が法律に代つて效力を有することに爲るのであるからして、法律其ものに依つて納稅の義務其他憲法上法律を以て規定すべしとしてあることは法律に代る臺灣總督の命令で、之れ規定すると云ふことであるから憲法違反であると云ふ如き論があつたのでありますけれども、委員多數の意見は此法律の第一條、即ち「臺灣總督ハ其管轄區域內ニ法律ノ效力ヲ有スル命令ヲ發スルコトヲ得」斯の如く規定する以上は、總督の發する所の命令は即ち法律であるからして、憲法と牴觸することはないといふ意見を以て全體を決した譯である、併しながら斯の如

き事は永久の事柄として執るべき所の政策でないと云ふ所からして、此法律の施行期限の年限を定めて、之を三箇年としたと云ふだけのことでございます」（議員鳩山和夫委員會報告）

右の如き修正案が提出されて可決され、貴族院においては原案に加へて、第六條に「此ノ法律ハ施行ノ日ヨリ滿三箇年ヲ經タルトキハ其ノ效力ヲ失フモノトス」との規定が付加されたのである。

（1）　律令議事錄・四頁、水野政府委員は內地人でも臺灣總督府令に從はねばならぬ場合があり、刑法の適用されるやうな場合には內地人には內地の刑法を適用するといつてゐる。
（2）　律令議事錄・四頁
（3）　律令なる用語については律令議事錄・一六五頁に議員曾我祐準の質問がある。
（4）　大津淳一郎「大日本憲政史」四卷・六二三頁
（5）　有賀長雄「臺灣に關する立法の錯誤」國家學會雜誌一四卷・一七二號・五頁
（6）　撤回してのち或る有力なる民間團體と交涉したといはれてゐる（「律令議事錄」二五七頁・議員龍野周一郎質問）。それは或る多數の黨派に向つて交涉したといふのに同じであらう（同書一六二頁・議員鈴木萬次郎質問參照）。
（7）　議員高田早苗の違憲論の質問も市島議員の演說の內容と大體において同じ論據からなされた。
（＊）　帝國議會通鑑・下卷・四三六頁
（＊＊）　律令議事錄八頁

二　衆議院における違憲論は純理論であるといふよりは政府に對する野黨の攻擊といふ政治的效果をねらつたものであつて、貴族院においては、かやうな政治上の對立關係がないため律令案に對する議論は穩かであつた。そこで問題とされたのは、律令案が人情慣習の相違によつて提出されたのであるとすれば、三年の短期間でそれが解消されるとは考へられないから、第六條の精神は律令案の精神に矛盾する（議員平田東助質問）とか、第三條の緊急律令の如きは戒嚴令を施けば不要である（議員山脇玄質問・議員曾我祐準委員會報告）といつた程度の質問で法律案は通過したのである。從つて律令の憲法論が紛糾したのはむしろ最初の第九議會以後のことであつて、政府側は違憲論に對する明瞭な答辯を用意すれば、するほど憲法の法技術的な議論は喧しくなつたのである。この法律案は明治二九年法律六三號として三月三〇日の日付を以て公布されることになつたのである。

法律六三號の結果「法律ノ效力ヲ有スル命令」として發せられたものには、臺灣總督府法院條例、臺灣總督府非常通信規則、臺灣阿片令、外國人關係訴訟裁判管轄、拘留又ハ科料ニ該ル犯罪即決令などがあつたが、これらの諸律令が果して律令の形式を以て發せられる必要があつたか、といふことに就いてその實際上の成果が次回の第一三回議會において臺灣統治への批判として問題とされたのであつた。第一三議會は總督兒玉源太郎、民政長官後藤新平の統治時代であつて、前民政長官水野遵、學務部長伊澤修二の如きは貴族院議員として、自己の臺灣統治の經驗を以て兒玉政策への批判者として登場してゐるのである。

議會においては六三號によつて發せられた律令そのものについては論戰せられることが少かつ

たが、緊急律令は最初より問題とせられてゐただけあつて、論議の對象となり、とくに三一年に發せられた匪徒刑罰令に對しては議員の質問は集中されたのである。六三號によつて發せられた律令の數は明治二九年に一一、三〇年に九、三一年の議會當時においては二五の數を數へたが、緊急勅令は二九年に四、三〇年に一、三一年の議會當時までは五の數にのぼつた。匪徒刑罰令（註1）はその一つであつて、この緊急律令は法治主義に反するものとして、かやうなものが總督の立法權によつて自由に發せられることは六三號のある故であるとして論難の的となづたのである（註2）。匪徒刑罰令は匪徒に對して廣範圍な死刑を認めたものであつて、內地の兇徒聚衆罪にあたるものが重刑を以て處斷されること（註3）は批判の的となつたが、後藤政府委員はこれに對して「臺灣に於ては斯う云ふもの〻必要があると云ふのが即臺灣に取除きのある所以の一つ」（註4）であるとしたのは臺灣の實狀であつて、なほ治安の保全が確實だつたとは云へないのであつた。議會で問題とされたのは、かやうな律令が內地人にも適用あるものがあるかどうかといふ點に集中されたが、これはかならずしも臺灣土着民にかぎるものではないと政府はしばしば言明した（註5）。之に對して內地人への適用は刑法と牴觸せぬかの疑問が發せられ、その非法治主義的な點に論議は集中され、これと同時に外國人にも適用あるかとの質問が何回となく提出されたが、當時の日本が外國人の權益を顧慮し、いかに國際關係の壓力を感じてゐたかゞ判るのである（註6）。一三議會の臺灣總督府側政府委員に對して、前委員たる水野、伊澤の質問はつねに匪徒刑罰令の匪徒とは臺灣土着の土匪を意味すべきものであると主張してゐるが、これらの前當事者の見解も注目せらるべきであらう。當時、匪徒刑罰令が緊急勅令を以て發せられたのにはその必要性があり、一三議會の貴族院においては開會劈頭この土匪の事情の説明がもとめられてゐるが、臺灣總督府としては近代的な法制を備へ、統治の樣式を完備せしめるとゝもに、一方においては、討伐に從事し、之に對しては非常の法を以て處理しなければならなかつたのである(註7)。

(1) 「抑も匪徒は本島施政の妨碍を爲し其の多衆結合し所在に出沒するや普通犯罪の例を以て律すへからさるものあり故に之が企圖を期する爲本令は其の結合の情況を罰し且未遂の場合に於て仍本刑を科する等嚴峻なる條項を設け尚本令發布以前の犯罪にも適用處斷することゝし該令は發布の日より施行することとせり」(臺灣總督府民政事務成績提要第四編(明治三〇年)一七〇頁)

(2) 「假令臨時緊急ヲ要スルニモセヨ人ノ生命トカ又ハ財産トカニ關スル最モ大切ナル所ノモノヲ緊急律令ニ依ッテ發布サレタト云フモノガ隨分アルノデゴザイマス、其中ノ一ツノコトヲ申シテ見マスルト云フト本年ニナリマシテ卽チ律令第九號民事商事及刑事ニ關スル律令施行規則、此規則ノ如キモノニ至リマシテハ土地所有ノ事ニ關シテハ頗ル重大ノ事柄テアルノデゴザイマス、然ルニ斯ノ如キモノヲモ評議會ニモ掛ケズ其當時ニ於テ勅裁ヲモ經ズシテ斷行サレタノデアル」(伊澤修二質問・律令議事錄・六〇頁)

(3) 「此匪徒刑罰令ト云フモノハ匪徒聚衆罪ト同ジモノデアルカラソレニ代ルニ之ヲ出サウト云フコトハ元ト議論ガアッタト云フコトハ私モ聞イテ居リマス、ソレデサウ云フ話モアリ又是ガ同ジモノデアルト云フヤウナ者ガアチラニモ議論ノアッタコトガアリマス、併シ是ハマルデ今度ノ兇徒聚衆ノ罪トハ別ナモノトシテ之ヲ罰スルヤウニナッタノデアリマシ

テ」（後藤政府委員答辨・律令議事錄・五〇頁）

（4）律令議事錄・四八頁

（5）律令議事錄・五〇頁

（6）「唯今伊澤君ノ演說中ニ匪徒刑罰令ハ内地人ニモ西洋人ニモ及ブヤウニナルカラ甚ダ心配ヂヤト云フノガ伊澤君ノ御演說デアリマシタガ是ハ委員會ノトキニモ論ノアツタコトデ」（水野遵質問、律令議事錄・六三頁、律令議事錄・六二頁、五一頁、八二頁）

憲法論の喧しい結果、總督府は生蕃刑罰令を立案したが帝國刑法の行はれる以上、臺灣刑罰令を作るのは憲法違反であるとして調査委員において撤回した（伊澤修二「帝國憲法ノ全部ヲ臺灣ニ實行シ得ベキヤ否ヤノ疑問」國家學會雜誌・一一卷・一三〇號・一〇一〇頁）

三　匪徒刑罰令とゝもに緊急律令として發せられたのは「臨時法院條例」の改正であつて（註8）、さきに律令によつて發せられた臨時法院條例そのものは「一政府ヲ覆顚シ邦土ヲ僭竊シ其他朝憲ヲ紊亂スルノ目的ヲ以テ罪ヲ犯シタ者アルトキ、二施政ニ反抗シ暴動ヲ爲スノ目的ヲ以テ罪ノ犯シタル者アルトキ、三政治ニ關シ樞要ノ官職ニ在ル者ニ危害ヲ加フルノ目的ヲ以テ罪ヲ犯シタ者アルトキ、四外患ニ關スル罪ヲ犯シタル者アルトキ」（第一條）その審判については臺灣總督は臨時法院を便宜の場所に開設して之を審判し得ることゝしたものであつた。かやうに律令の重要なものは主として司法組織についてゞあつた。律令の形式のあるまでは二八年に臺灣人民軍事犯處分施行ノ諭示（七月六日諭示）、臺灣總督府法院職制（一〇月七日日令一一號）、臺灣住民治罪令（一一月一七日日令二一號ノ二）、臺灣住民民事訴訟令（一一月一七日日令一一八三）の諸令が發せられたが、二九年法律六三號によつて律令の形式が制定されて始めて臺灣總督府法院條例（五月一日律一）が發せられ、法院は地方、覆審、高等の三審とし、判官は地方法院判官を除くほか裁判所構成法に於て判事たる資格あるものから任用し、檢察官については特に任用の制限を設けなかつたのである。二九年臺灣總督府臨時法院條例（七月一一日律令二號）が制定され、さらに律令四號は「臺灣ニ於ケル犯罪ハ帝國刑法ニ依リ之ヲ處斷ス、但其條項中臺灣住民ニ適用シ難キモノハ別ニ定ムル所ニ依ル」とし、この主旨は「民事商事及刑事ニ關スル律令」（三一年七月一六日律令八號）、「民事商事及刑事ニ關スル律令施行規則」（三一年七月一六日律令九號）によつて徹底されたのであつた。高等法院長高野孟矩の非職事件を繞つて臺灣における司法權の獨立が問題とされた「高野事件」は、裁判官の身分の保障について明文を持たない「法院條例」の下で生じた事件であつた。

高野事件は高等法院長兼民政局法務局長高野孟矩が臺灣總督府文官の收賄事件（中央では三回地方では一回）（註二）を峻烈に摘發し、行政部と對立し、總督府は三〇年一〇月一日彼に非職を命じた事件であるが、高野は松方總理大臣に對して辭令を返付し、彼は憲法上の司法權獨立を盾にとつて、政府に對し長文の意見書を提出したのである（註三）。時の總督は陸軍大將乃木希典であり、內閣は松隈內閣であつたが、この政府の非職に對しては自由黨、進步黨は政府彈劾の具とし、時の會計檢査院長渡邊昇の退官處分事件とゝもに（註四）、その非を難じたのである。大隈は高野事件に對する內閣の態度には反對であつて、これを機として外相たる地位を辭したのであつた(註5)。かやうな政治情勢を背景として高野事件は表面化し、高野は彼自ら政黨と結託して政府の攻擊を行つたのである。臺灣における憲法適用の問題はこの臺灣における裁判官の身分の保障を契機として、世の注視するところとなつたのである(註6)。ひろく、高野事件は法律六三號の存在するために生じた事件であると考へられたのであつた。(註7)(註8)(*)(**)

(1) 律令議事錄・八二頁

(2) 井出季和太「臺灣治績志」(昭和一二年)二七四頁

(3) 大園市藏「臺灣事績綜覽」(大正九年)二卷・九八頁以下參照

(4) 會計檢査院長渡邊昇は檢査院法を無視して同院總會議の議決をへずに二七、八年臨時軍事費決算檢査の成績を上奏し、それについて部内に不法をとなへるものあつたのを、退官を强ひた事件である。松方らは之を容れて、それらの會計檢査院部内のものに退官處分をした。

(5) 大隈八十五年史(大正十五年)二八一頁。大隈は松方・樺山・西鄉らと內閣改造について協議したが、この際臺灣統治の方針を一變して、その政敵を一掃することなどが決議された。それらの方針については進步黨の主張が採用されたのであるが、松方は一變して、之れらの決議を排したので進步黨は內閣に反對の意思を示し、大隈もそれに從つた。(上揭書二八〇頁)

(6) 臺灣總督府法院條例(明治二九年五月一日律令第一號)はその第四條に「各法院ニ判官ヲ置ク、判官ハ勅任又ハ奏任トス臺灣總督之ヲ補職ス、裁判所構成法ニ於テ判事タルノ資格ヲ有スル者ニ非ラサレハ判官タルコトヲ得ス、但當分ノ內地方法院判官ハ此限ニ在ラス」として、その身分の保障に觸れるところはないが、臺灣總督府法院條例(明治三一年七月一九日律令一六號）は第一五條に「判官ハ刑法ノ宣告又ハ懲戒ノ處分ニ由ルニアラサレハ其意ニ反シテ免官轉官セラルルコトナシ」とし、第一六條に「判官身體若ハ精神ノ衰弱ニ因リ職務ヲ執ルコト能ハサルニ至リタルトキハ臺灣總督ハ覆審法院ノ總會ノ議決ヲ經テ之ニ退職ヲ命スルコトヲ得、退職者ハ官吏恩給法ニ依リ恩給ヲ受ク」とし、さらに第一七條は「臺灣總督ハ必要ト認ムルトキハ判官ニ休職ヲ命スルコトヲ得、休職判官ハ本俸四分ノ一ヲ給ス、休職判官ハ職ヲ執ラサルノ外在職者ニ同シ」とした。即ち第一五條は裁判所構成法が「轉官、轉所、停職、免職、減俸セラルルコトナシ」というのに對して「免官、轉官」を保障するに止り、さらに休職の可能なることを明文を以て示してゐる。

（7）「立法權ノ一部ヲ臺灣ニ任セテアルガタメニ種々ナル問題ガ起ッテ即チ我輩ノ曾テ同僚タリシ高野氏の問題ノ如キモ詰ル所ハ此法律ニ胚胎シテ來タノデアリマス」議員伊澤修二質問（律令議事錄・三六頁）律令議事錄・一六〇頁

（*）法學新報・第七卷・八〇號所載の山口新吉「臺灣法官獨立論」に五八條臺灣に行はれずとするものとして、松方伯、大隈伯、樺山伯、清浦子、德大寺侍從長、書記官川中隆三、判官水尾訓和、乃木臺灣總督、法學博士土方寧、雇カクード、行はるゝとするものとして、神鞭知常、三好退藏、島田三郎、法學博士山脇玄、同熊野敏三、菊地武夫、大學講師高木豐三、判官濱崎芳雄、川田地方院長、控訴院長大塚正男、次官横田國臣、竹内地方院長、高田早苗、法律學士飯田宏作、法學博士梅謙次郎とあり

（8）明治三〇年一二月二五日貴族院において、政府に對して提出された質問書（臺灣總督府法院判官の非職免官に關する質問）左の如し

政府ハ本年八月已降臺灣法院ノ判官ニ對シ左ノ行爲アリタリ

一、高等法院長高野孟矩、臺南地方法院長大野吉利、苗栗地方法院長鹽津信義、臺中地方法院長伊藤種基、覆審法院判官花田元直ニ非職ヲ命シタリ

一、總督府法院判官高野孟矩、濱崎芳雄、井上篤ニハ懲戒的ノ免官ヲ爲シタリ抑政府ハ臺灣ヲ以テ憲法治外ニ在テ其法院ハ憲法ニ示シタル司法權ヲ行フ所ニ非スト爲ス乎、其法院判官ノ總テ法律ニ依リ民事刑事ノ裁判ヲ爲ス所ノ裁判官ニ非スト爲ス乎

（＊＊）兒玉總督の地方長官會議における演說の要旨に「本島施政に關する批難は紛々擾々の有様にて就中司法問題たる者は大に當時の人心を喚起して或は法院問題となり或は違憲問題なりとまで絶叫せし去るに至れり而れとも是或は感情の衝突に過ぎさるものならん、入府後高等法院長檢察官にも直接に面談し又民政局長よりも此等の人々に協議を遂け多少の議論ありしと雖遂に法院條例改正案を草し評議會の議決をも經て御裁可を仰く迄の運に至れり」（臺灣總督府民政事務成績提要（明治三十一年度分）第四篇二一頁）

四　**律令によつて發せられたものとして議會において問題となつたのは匪徒刑罰令のほかなほ罰金及笞刑處分例**（註1）（明治三七年一月一二日律令一號）**阿片令**（註2）（明治三一年一月二一日律令二號）等であるが、**臺灣統治に際してこれらが發せられる特殊の事情のあつたことはいふまでもなく、さうした臺灣の特殊性は議會においても認められたのであるが、かやうな諸法令がとくに六三號の律令の形式を必要とするといふことには反對があり、律令の形式に代へるに限地的法律、緊急勅令、或ひは戒嚴令**（註3）**の如き法の形式をとるべきことを主張した者も少くはないのである。このうち限地的法律を制定せよとの主張は議員花井卓藏の强調するところであつて、臺灣總督に立法權の一部を委任するのではなく、帝國議會の協讃を求めて法律の形式をとり、ただその施行地域を限定すべきであるとしたのである**（註5）。**之に對して內務大臣原敬は「內地に於て臺灣に行ふだけは特別の法律を規定したらば宜しいではないかと云ふ議論もありましたが、それは事情の許さぬ所であつて、六三號は成立した」**（律令議事錄二二五頁）**といひ、六三號の提出に際しても限地的法律の案があつたことを言明してゐる**（註5）。

律令はもとより法律ではなく、命令であつてそのことに關する質問としては「法律六三號第一條に法律の效力を有する命令とある所で、律令に法律の效力を附すると云ふのですか、憲法上臺灣の律令は法律と云ふものになるのでありませうか、或は命令になるのでありませうか」（議員花井卓藏質問律令議事錄八七頁）といふ質問がなされ、政府は命令であると答へてゐるが「法律ノ效力ヲ有スル命令」とは名稱は命令であつても特殊的な限地的法律であるとする考へ方もあるのであつた。菊池駒二氏はこれに對して「律令は臺灣總督の管轄區域內に法律の效力を有する命令なりと謂ふは即ち其の區域を限り行はるゝ法律なりと謂ふに外ならず。限地的法律は法律に非ずと言ふの理なきが故に、若し臺灣が帝國憲法の施行區域に屬するものとするならば律令の規定は常に帝國議會の協贊を以て　天皇之を裁可すべきものたること憲法の明文に照らし炳焉たり。法律の名稱を附せざるが故に議會の參與を要せざるものと論ずることを容さず、果して然らば臺灣總督が勅裁を經て律令を發布するは是れ啻に憲法の精神に違ふのみならず。直に憲法の正條に衝突するものなり」（註6）と言つてゐるが「限地的法律」の主張とはむしろ議員花井卓藏の主張する如く、その施行の法域を限定して帝國議會の協贊を經たる法律の意味でなければならず、律令はもとより限地的法律ではないのである。律令を法律の形式においてなすべしとの主張は憲法上の立法權の原則に反するといふ根據からなされるほかに、實際の技術的な觀點から主張するものもあつたのである。律令の原

案が內務省を通じて法制局に廻り閣議を經るといふのであれば結局において內地において手續がなされるのであつて、內地と外地の遠隔であることは理由とならず、法律として帝國議會の議にかけることも手數においては同じであるといふのであつた(註7)。**ことにさうした主張は緊急の場合には緊急勅令を以て行へば足りるとするのである。この緊急勅令論に對して政府委員後藤は、つぎのやうに答へてゐる。**

「憲法八條の緊急勅令と云ふものになりましたならば、各大臣の責任を以て執行するやうになつて、各省の各大臣の關係も生ずるのでありますが、是は殖民地の統治をやる譯であるのです。今日は斯う云ふ殖民政策を實行すると云ふことは進步の主義に於て、何れの國でも實行して居りまして、此方法は幸に十年の經驗に於ても、大なる過なく又議院に於ても既に事情を認められて玆に至つたのでありますから餘りに私は是に付いて討論を戰はしたところが、元と變則でありますから、弱點は存じて居る。それで强いて强ゆることを致したところが、花井君の首肯を得ることは難いと考へます、元々變則の譯でありますから、變則の弱點を突いて論ずるときは是も足らぬ譯であります、詰り今日に於て帝國憲法に從つて、正則の制を布かうと云ふことに付いては考慮してゐる、併しながら是の如き事を以て繁文褥禮に亙るよりは寧ろ此各國の採つて居る殖民政策の新主義に依るが宜しい」(律令議事錄二五二頁)

なほこのやうな議論のなかで、支那には三權分立の制度が行はれてをらず、さうした支那的な慣習のある臺灣では、三權を掌握した臺灣總督の獨裁權がなければ威權を保つことは出來ず、統治に不便であるといふことも言はれてゐるのは興味あることであつた(註8)(＊)。

(1) 律令議事錄・二一七頁

(2) 刑法と律令とが牴觸した場合の効力の關係について議員伊澤は質問し阿片令は刑法に禁じてあるものを許してゐるのではないかといつてゐる(律令議事錄・四四頁)。政府委員森田茂吉は土地の事情によつて法律の効力がみとめられてゐる特別法であるといつた。(律令議事錄・四九頁)

(3) 「例ヘバ憲法ニハ戒嚴令ノ規定モアリマス、普通ノ行政規則ヲ以テ治ムルコトノ出來ナイトキハ行政ヲ行ハシムルト云フ爲ニハ戒嚴トイフ制度モアル。若シ戒嚴デ足リナケレバ憲法三十一條ニ非常大權ノ事項トイフコトモアル」(議員穗積八束質問・律令議事錄・一三二頁)

(4) 律令議事錄・二六五頁・二〇八頁

(5) 律令議事錄・八七頁

(6) 菊池駒二「臺灣の國法關係を論じて律令違憲論に及ぶ」(公法涓滴)二八二頁

(7) 律令議事錄・一四〇頁

(8) 「支那ノ政治ノ根本トシテ日本ノ如キ行政、司法、立法ト云フヤウナ區別ハ立ツテ居リマセヌ、恰モ極ク下級ノ官衙ニ至ルマデモ殆ンド立法、司法、行政ト三權ヲ役人ト云フモノガ持ツテ居ルモノダト斯ウ確信シテ居ル是ハ即チ支那建國ノ時ヨリ、斯ノ如キ制度ニナツテ居ルモノラシク考ヘラル、故ニ役人ト云フ人ハ立法ハ先ヅ暫ク措イテハ司法、行政ノ權ト云フモノハ其人ニ存シテ居ルト云フ慣習ハナカナカ急ニ除カナイ、故ニ之ニ臨ム下級ノ官吏マデモ、矢張其風習ヲ存シテ置カナクチヤナラヌトハ申シマセヌケレドモ苟モ彼處ニ臨ンデ總督トシテ總テノ事ヲ支配スル以上ハ、之ニ立法司法ノ權ノ一部ヲ或程度マデニ於テ行政權ト共ニ委任シテ置クト云フコトハ、總督ト云フモノノ威嚴ヲ保ツ上ニ於テ即チ日本政府ノ威權ヲ保ツ上ニ於テ最モ必要ナリト考ヘマス、即チ此六十三號ガ其意味ヲ以テ働イテ居リマス」(兒玉總督演說・律令議事錄・一三四頁)

「先日速記ヲ止メマシタ時ニモ申述ベマシタ通、此臺灣ト云フ所ハ人民ノ多數ハ立法、行政、司法ノ區別モ、未ダ心得テ居ル者ガ少イ。夫故ニ之ヲ混一シマシテ持ツテ居ルモノデナケレバ、統治者ト見做サズト云フコトガ人民ノ考デアリマス」（後藤民政長官演說律令議事錄・一二二頁）、これらの政府の見解に對して議員神鞭知常は反對意見をのべてゐる。

律令議事錄一三七頁、一四七頁

（*）なほ竹越三叉は兒玉、後藤の依賴により厦門に赴き本島の有力者林維源と會し、臺灣統治が支那の如き專政ではなく三權分立の近代的組織によるものなりとして歸臺を勸したが、之を容れなかつたといふ（談話）。

五　本來、憲法が臺灣に效力を有するかといふ問題について、效力を有するといふ說の根據は少くとも二つあるといへる。一つは新領土の取得によつて憲法は當然その效力を有するといふ論理的主張であり、一つは少くとも法律六三號が臺灣に行はれるからには帝國憲法が效力を有するといふことを前提としてゐるのであるとする實定法上の主張である（註1）。この後者の主張は憲法が臺灣に行はれないならば法律によつて立法權の一部を臺灣總督に委任することは不必要であつて、天皇の授權のみによつて總督にいかなる權限も與へうるといふのである。かやうな法律六三號の施行せられることを論據として憲法が臺灣に效力を有するとすることに對しては既に美濃部博士の反對があり「法律を以て授權することは憲法上の必要には非らず、君主の授權を以て之を委任するも固より差支なし。然れども法律を以て之を委任したりとて憲法上些の差支あるに非らず。而して政策上は甚だ適當の處爲なりしなる可し。新領土に於ては憲法は未だ施行せられず隨て君主は如何なる方法を以ても統治することを得、隨て親裁して之を統治するも、臺灣總督に委任して之を統治せしむるも、議會の協贊を經て之を統治するも凡て君主の任意なり。其の偶議會の協賛を經たるか爲め直に憲法か臺灣に行はるゝものなりとなすは餘りに早計なる論決なり」とされる(註2)。このやうな見解に關しては政府委員としての原敬が二二議會において與へた答辯は憲法の效力ありとする積極說をとるものであつて、つぎのやうに云つてゐる。

「今日に於て臺灣に憲法か行はれて居るとが、行はれて居らぬとか云ふことは、學者間に尙議論があるらしうございますが、當局者として是は臺灣に憲法が行はれて居るとか行はれて居らぬとか云ふ議論に立入つて講究を致す必要は時期が經つて居るだらうと信じて居ります、六十三號が兩院の協賛を經て法律となつて居りますけれども、又或當局者の折には臺灣に憲法が行はれて居ると表明したやうに記憶して居ります、故に今日初めて憲法が行はれて居るとか、行はれて居らぬとか云ふことを、政府に於て認めるか認めないかと云ふ議論は、此何十年以來の事實に依つて何れとも判斷が付くことだらうと思ひます、故に其憲法論は何れと致しましても、此臺灣に六十三號と云ふ法律を實施して居る以上には、此法律は矢張り兩院の協賛を經たる法律を以つてに非ざれば、如何樣にもすることは出來なからうと認めて居ります」

「今改めて憲法が行はれて居ると認めて、出すとか出さぬとか初めより憲法の條規に從ひませぬければ、兩院の協賛を經る以上は、其議論は過去つて居るのであらうと思ひます」

この論據は臺灣に關する法規範の定立が帝國議會の協賛を以てなされてゐる以上、憲法上の立法の手續を經るものであつて、そこには憲法の規定に從ひ、憲法の臺灣における適用が前提となつてゐることを意味するといふのである。この論據が臺灣における憲法の效力を基礎づけるものであるかどうかはしばらく措くとしても、政府がかやうに考へ、法律六三號の形式を以て實行して來たことは認めねばならぬ。すでに二九議會において政府委員水野遵は「憲法第五條『天皇ハ帝國議會ノ協贊ヲ以テ立法權ヲ行フ』それに基きまして政府は是に提出致しましたので、卽ち此法律が臺灣總督に命令發布權を委任致しましたので、卽ち此法律が臺灣總督に命令發布權を委任致しまするど、總督は法律の明條に依つて法律の效力を有すべき命令を發すること」になるといつてゐるが(註3)、臺灣において憲法の效力あることは明かに法律六三號の立法精神の前提となつてゐるところであると考へられる。法律六三號は臺灣における憲法の效力が前提とされた上での委任立法を考へたのであることは否定せられない。ただ法律六三號のうち第五條のみは本來、法律命令が臺灣に效力を有しないといふことを前提としてゐることにおいて、六三號全體の立法の精神と五條の規定の精神とは矛盾するといふことも云はれたのであつた。有賀長雄博士はつぎのやうに云つてゐる。

「抑々此の時の委任の立案者が旣に此の法律を書き居る中に一條から五條までの間に二の法理を混亂したと云ふ一つの證據がある。此の法律は臺灣も內地と同一の法律を以て支配すべき地方なりと看做して、而して實際に於て同一の法律を行ひ難きか故に第一條を以て特別法を制定するの權を臺灣總督に委任したり、若初より之を屬領地と看做すに於ては內地に向て制定したる法律を行ふ範圍に非ざるか故さら此の委任を爲すの要なし、之を爲したるは臺灣も北海道の如く內地の一地方なりと看做したる證據なり、果して然れば內地に向て制定したる法律は明文を以て其の施行區域を制限せざる限りは當然臺灣にも施行せらるべきものなり、然るに右二十九年三月の法律第五條に於ては當然施行せらるべきものに非ず、勅令を待ちて始めて全部又は一部を臺灣にも施行するものなりと云へり、是れ立法者が知らず識らず屬領地行政の觀念に返歸したるの一證である」（註4）

第五條の「現行ノ法律又ハ將來發布スル法律ニシテ其ノ全部又ハ一部ヲ臺灣ニ施行スルヲ要スルモノハ勅令ヲ以テ之ヲ定ム」といふ規定はひろく法律命令が臺灣において效力を有しないことが、前提とされてゐるとし、それを根據として憲法自身はもとより適用のないことが前提されてゐるのであり、殊更に憲法のみが臺灣に效力を有することはあり得ないとする說も主張されたのであつた（註5）。

（1）佐々木惣一博士も、このやうな見解を洩らされてゐる（帝國憲法と新領土・公法雜誌・四卷・六號）。

（2）美濃部達吉「律令と憲法との關係を論ず」（憲法及憲法史研究）二七二頁

（3）律令議事錄・一〇頁、田總督も同樣の意見を述べてゐる（律令議事錄追加・一一八頁）

（4）有賀長雄「臺灣に關する立法の錯誤・附高野事件」國家學會雜誌・一四卷・一七二號・一一頁

（5）「我輩ノ見ル所ヲ以テスレバ法律第六十三號ハ却ツテ帝國憲法ガ臺灣ニ施行セラレザル事實ヲ反映スルモノナリ、何ヲ以テ爾云フヤ、曰ク法律第六十三號ハ其第五條ニ「現行ノ法律又ハ將來發布スル法律ニシテ其ノ全部又ハ一部ヲ臺灣ニ施行スルヲ要スルモノハ勅令ヲ以テ之ヲ定ム」ト規定セリ、本條ノ規定ハ法律第六十三號制定當時ニ於ケル內地ノ現行法及將來發布セラルベキ法律ガ共ニ當然臺灣ニ施行セラル、モノニハ非ラザルガ故ニ其ノ必要ヲ生ジタルナリ、若シ內地ノ各種法令ガ法理上當然新領土ニ施行セラルベキ性質ノモノナラバ勅令ヲ以テ更ニ其ノ臺灣ニ施行スルヲ要スルモノヲ指定スルノ規定ハ全ク無意義ナレバナリ、假ニ憲法以下各種ノ法令ガ法理上當然新領土ニ施行セラルベキモノトスル多數者ノ見解ガ果シテ眞ナラバ、立法者ハ當ニ反對ノ方面ヨリ觀察シテ「現在又ハ將來ノ法律ハ勅令ヲ以テ特ニ定ムルモノ、外之ヲ臺灣ニ施行セス」ト云フガ如キ消極的規定ヲ爲スベキノ理ナリ。而モ法律ノ明文ハ此ニ在ラズシテ彼ニ在リ世間多數者ノ見解ガ法律ノ精神ヲ得タルモノニ非ザルコト以テ想見スベシ、然リ、法律第六十三號制定ノ當時ニ於ケル內地ノ現行法及將來ノ法律ハ共ニ勅令ノ指定ヲ待ツニ非ズンバ、臺灣ニ施行セラル、モノニ非ザルコト同時第五條ノ明文ニ照シテ毫モ疑ヲ容ル、ノ餘地ナシ、既ニ當時ノ現行法ガ法理上當然臺灣ニ施行セラル、モノニ非ザルコト明カナルニ帝國憲法ノミ乃チ法理上當然ノ結果トシテ臺灣ニ施行セラル、モノトスルハ果シテ何ノ根據アリテ爾ク斷言スルコトヲ得ルカ」（菊池駒一「上掲論文」二七六―七頁）

六　憲法の效力が臺灣に及ぶとした上で、法律六三號の違憲性を救はんとするためには、「立法の委任」の法理（註1）を以てするのであるが、立法の委任を全く認めぬ學說においては法律六三號の憲法違反を主張するより他はないのである。穗積八束博士の說（註2）がそれであつて、論文「臺灣總督の命令權に付きて」においては次のやうに說かれてゐる（註3）。

「法律を以て國家最高の意思と爲す政體に於ては法律の委任（寧ろ規定）と謂ふことを以て之を說明することを得べし我政體は憲法を以て國家最高の意思とす立法權の所在及行使を定むるものは法律に非ずして憲法たり故に憲法の委任に由るに非ざれは憲法との立法機關以外の者をして立法の權を行はしむること能はざるなるは固より其所なり歐洲多數の國法論としては法律の委任と云へば百事皆解決す是れ法律を以て國家最高の意志と爲すの前提在るが故なり援て以て我國法を論すべからざるは亦明かなり」

穗積博士が法律三一號の審議にあたつても立法の委任に極力反對したことは、のちに述べるが立法の委任を反對するものとしては議員花井卓藏の說があつたのである。しかし花井議員は六三號の議せられた後期の議會においては立法の委任を全く認めないといふ態度を改めてゐる(註4)。立法の委任が憲法上認められるのは通說であるが、立法の委任を認めることから當然に法律六三號を是認することは出來ず、立法の委任の認められるのは「特定の事項」に限るとされるのが通說であつた。從つて美濃部博士は『律令と憲法との關係を論ず』の中で「然れども法律の委任を正當なりといふは法律を以て法律に代はるべき命令を發するの權を委任するを正當なりとの謂には非ず。法律の委任とは唯法律を以て法律の規定の範圍內に於て其の細綱目を定むることを命令に委任するを謂ふのみ。法律と命令との區別は立憲國の最も重要なる原則の一なり若し此の區別を棄てゝ行政機關が自由に法律に代はるべき命令を發するの權を有すとすることが、尙ほ憲法違反に非らずとせば天下何者か憲法違反なるのもあらんや」(註5)と說かれ、佐々木博士はさらにその要件を限局され「特定の事項」に關して「特定の點」について命令を以て規定するものでなければならないとされる(註6)。從つて、かうした立法の委任の法理を以ては法律六三號の違憲性は救れないのであるが、たゞ廣範圍な立法の委任を認めることによつてのみ、その違憲性は救濟されるのである(註7)。

(1) 立法の委任については宮澤俊義「立法の委任について」公法雜誌・一卷・一一號參照
(2) 上杉愼吉博士も立法の委任を否定せられ、委任命令を憲法違反なりとされる。「新稿憲法述義」五〇三頁以下
(3) 穗積八束博士論文集・七三〇頁

(4)「假リニ憲法ノ解釋トシテ立法ノ委任ハ出來ルモノデアルト云フ事柄ニシタ所デ委任立法ト云フ事柄ハ立法ノ變例デアル――立法ノ變例デアル屢々行ウベキモノデナイ已ムヲ得サル場合據ロナキ場合ニ於テ始メテ行ハルベキモノデアル、故ニ法律第六十三號制定ノ當時ニ於キマシテハ或ハ立法委任ノ必要ガアツタデアラウト云フ議論モ多少値イガアルデアラウト信ズルノデアリマス、併ナガラ後藤政府委員モ御示ニナリマシタ如ク、臺灣ニ於ケル法律ノ不備ト云フ事柄ハ隨分私共モ認メマスガ立法委任ト云フ事柄ハ不備ノ法律ヲ補フコトヲ元トシテ居ルノデハナイ據ロナキ場合ニ於テ日本政府日本議會ト云フモノ、手屆カザル場合ニ於テ機宜已ムベカラザル事柄ガアツテ何カ法律類似ノモノヲ出サンケレバナラヌ必要ガアルト云フ時ニ於テノコトデソレデモ一時ダケニ止マル――臨時ニ止マルベキ趣旨ノモノデアル」(議員花井卓藏質問(律令議事錄・一八八頁)

「憲法ノ第五條ニ依ルト「天皇ハ帝國議會ノ協贊ヲ以テ立法權ヲ行フ」ト揭ゲラレテアル、卽チ立法權ナルモノハ陛下ノ御裁可ト議會ノ協贊トガ竝立ツテ始メテ完成スベキモノト爲ツテ居ルノデアル、而シテ憲法ノ條規ヲソレ〳〵取調ベテ見マスルニ一モ立法權ヲ他ノ權力ニ委任スルノ明文ハナイ現ニ行政命令ノ如キ力ノ強キ問題ニ關シマシテハ憲法ノ第九條ニ於テ委任ニ關スル所ノ關係ガ規定セラレテアルノデアリマスルガ、然ルニ法律關係ニ於テ行政命令ヨリモ力ノ強キ――憲法上效力ノ大ナル此ノ問題ニ關シテハ――卽チ委任命令ヲ許スト云フ點ニ附イテ、憲法ノ條規ニハ一ツモ規定セラル、所ガナイ、憲法ノ規定ニナイ事柄ヲ、而モ稍々輕キモノニ對シテハ委任ノ明文アルニ拘ラズ本案ニ牽聯致シテ居ル、卽チ委任問題ニ關シテ――立法ノ委任ト云フコトニ關シテハ、何等ノ明文モナキニ拘ラズ斯クノ如キ法律ヲ制定スルハ憲法ノ條規ヲ變更スル事柄ニナリハセヌカト云フ考ヲ、持タレハシナイカドウカト云フコトヲ第一點ニ伺ヒタイ」(議員花井卓藏質問・律令議員錄・一四四頁)

「元來此ノ立法權ト云フモノハ君主ト議會トカ共同ヲシテ行フベキ性質ノモノデアルカラシテ、吾々ガ立法權ニ參與スルト云フコトハ、一面ニ於テハ吾々ノ權利ニシテ、又同時義務デアル、彼ガ如キノ立法權ト云フモノヲ、他人ニ渡ス讓ル委任スルト云フ事柄ハ憲法ガ我等ニ與ヘタル立法權ヲ抛棄スルモノデアル、而シテ立法權ノ抛棄ト云フコトハ事頗ル重大ナルモノデアルケレドモ帝國ノ法規條章上ニ於テ、之ガ拋棄若クハ委任ト云フコトヲ是認シタ明文ガナイデハナイカ然ルニ本案ノ如キ明文ナキニ委任ノ立法ヲ是認スルト云フコトハ、憲法違反ニアラズシテ何ヤト云フノガ委任論ノ法理論ト致シマシテハ基本ヲナシテ居ノタノデゴザイマス、併シナガラ此ノ點ハ頗ル考ヘモノデアラウト私ハ存ジマスル、固ヨリ帝國憲法ヲ讀ンデ見マスルトイフト或事項ヲ規定致シマスルニ付キマシテハ必ス法律ニ待タナケレバナラヌト云フノ條章ガ幾ラモゴザイマスル。併ナガラ其ノ條項ニ該當スベキ規定ヲ法律自身ガ明文ノ上ニ自ラ現ハストカ、或ハ之ヲ命令ニ讓ルカ、若クハ之ヲ他ノ權力ニ委ネルト云フモノハ存在シテ居ナイ、法律自身ガ明文ノ上ニ現ハスノモ、法律ガ明文ノ上ニ他ノ權力ノ上ニ委任スルト云フコトヲ言明スルノモ、法律ヲ以テ規定スルコトタルヤ即チ一ナリデアリマスルカラシテ必スシモ之ヲ以テ違憲ナリト絶叫スル譯ニハ往クマリト私ハ考ヘルノデアル」（議員花井卓藏質問・律令議事錄・二〇五頁）

（5） 美濃部達吉「憲法及憲法史研究」（明治四一年）二五八―九頁

（6） 佐々木惣一「日本憲法要論」六〇七頁

（7） 廣範圍な立法の委任を認める立場から臺灣の律令制定權を說明しようとする學說に金森德次郎氏があり、宮澤俊義教授も之に近い見解を洩らされてゐる（宮澤俊義「上揭論文」一八頁）なほ帝國憲法の外地適用の問題については清宮四郎教授の論文「帝國憲法の外地適用」（公法雜誌・六卷・九號・一〇號）參照。

七 かやうな積極說に對して憲法は臺灣においては效力を有しないといふ消極說においては、もとより臺灣總督の律令權の違憲性も生しないのである。議會においてもかやうな消極說が主張されなかつたではないが（註1）、本來、議會における律令權の論議は政府に對して、違憲論を盾にとつて攻擊することに意味があつたのであるから、違憲論の生じ得ない消極說の立場から、この問題に質疑を行ふもの〻少かつたことは當然のことであつた。消極説としては明治三八年の論文において「若シ憲法ニシテ未タ臺灣ニ其ノ效力ヲ有セスト爲サハ初メヨリ憲法違反ノ問題ヲ生セス。而シテ余輩ハ憲法カ未タ臺灣ニ行ハレサルコトヲ主張ス」(註2)とされた美濃部博士の舊説はその代表的なものであつて、新領土には當然に憲法に依つて統治權が行はれるのではなく、憲法に依らずして天皇の統治權が發動することを認められたのである。曰く(註3)

「君主が憲法に準據するの外全く統治權を行ふの道なしとなすは決して正當の見解に非らす　君主の權力は憲法に依りて始めて與へられたるに非らず、憲法以前より既に圓滿無制限の權力として存在す憲法は唯之に制限を加へたるのみ、憲法の制限以外に於ては君主は尙ほ無限の權力を有するなり。固より憲法の行はる〻區域に於ては憲法に遵據するに非ざれば統治權を行ふを得ずと雖も、憲法の行はれざる區域に於ては再び本來の無限の權力が發動し憲法の制限を受けず君主の自ら定むる所に依り任意の立法を以て統治を爲すことを得るなり」

憲法の條規に依らずしては天皇の統治權は發動されないのではなく、憲法の條規に依らずしても發動せられるものとされるのであるが(註4)、消極説に屬するとみられるのはカークードの説であつた。カークードは「臺灣ノ制度ハ帝國議會ノ協贊ヲ得スシテ　天皇大權ノ施行ヲ以テ之ヲ制定スルハ憲法的動作ニシテ違憲ニ非ラス」といひ「天皇ヒトタビ憲法ニ解釋ヲ附スレハ復タ之ニ對シテ訴フヘキ道ナシ」(註5)とし、さらに告文の「八洲」なる文字、及び憲法發布勅語の「現在ノ臣民及其子孫」(カークードは伊藤博文「憲法義解」の英譯本が勅語の「現在及將來ノ臣民」とある文字を Our present subjects and their descendants と誤譯せるに據る)なる文字は「限定シタル土地ト其土地ニ居住スル人民」を意味するとしてゐる(註6)。告文の「八洲」なる文字を以て新領土を含まぬとするのは市村光恵博士の消極説の論據であるが(註7)、議會においてはかやうな消極説はほとんど主張されなかつたといふことが出來る。たゞ臺灣が本來、外國におけると同し殖民地であるならば、外國の殖民地に本國の憲法が適用されないと同しやうに適用あるべきではないとする説はあつたのである。その代表的なものは議員野間五造の説である(註8)。

(1)「憲法ト云フモノ、土臺基礎ニ行フベキモノカドウカト云フ疑問ガアル、第一同ジ内地テアッテモ憲法ノ一大要素ハ何デアルカト云フト代議政體ノ違ヒモアリ、參政權ノ違ヒモアル、北海道モツイ此ノ間ニ至テ參政權ヲ持ツタノデアルカラ同ジ制度ニ於テ、徹頭徹尾國々隅々マテ行ハ下バナラヌトムフ感情ハ私ハ持タヌ、況ンヤ臺灣ノ如キハツイ此間マデ外國テアッタ所テ憲法ノ全部行フコトガ出來ルカト云フコトハ疑問テアル」(議員都筑馨六質問・律令議事錄・二四〇頁)

(2)美濃部達吉「憲法及憲法史研究」二六二頁

(3)美濃部達吉「上揭書」二六九頁、なほ、のちに「憲法精義」「憲法撮要」などに示された博士の所説は折衷説に屬するものといはれてゐる。

(4)「然レドモ是レ問題ニ答フルモノナリ余輩ハ憲法ガ新領土ニ行ハレザルコトヲ主張ス、既ニ憲法ニシテ新領土ニ行ハレストセバ第四條モ亦新領土ニ其ノ效力ヲ有スルモノニ非ヲス論者若シ第四條ヲ以テ其ノ論據ト爲サント欲セバ其ノ前ニ先ヅ新領土ニモ行ハル、モノナルコトヲ證明セザル可カラザルナリ」(美濃部達吉「上揭書」二六八―九頁)

なほ第四條の規定に重點を置くならは、「此ノ憲法ノ條規ニ依」らずして行はれる天皇の統治權は考へられないが、第四條と第一條とが同位の法的價値をもつものではなく、第一段と第四條とを段階的なものとみるならば、第四條に依らずして、上位の第一條に基き統治權が憲法の條規に依らずして行はれることもありうると考へる。この問題の解決は第一條を第四條の上位にある根本規範とみることにあると思はれる。この問題の說明は他の機會に讓る。

（5）「カークード氏臺灣制度　天皇の大權及帝國議會に關する意見書」（臺灣資料所載・一〇四―五頁）
（6）「カークード意見書」（臺灣資料所載）八一頁
（7）市村光惠「帝國憲法論」（昭和二年）二三七頁
（8）議員野間五造質問（律令議事錄一五一―六頁）

八　憲法が臺灣に行はれるかどうかといふ論爭の對立は實定法の規定の精神に基礎を置くものの他は、多くの場合において殖民地に對する社會觀の相違が前提とされてゐるといふことが出來る。殖民地なる概念は當時においては、本國から獨立した別個の政治組織をもつた自治體を考へさうした理念型を植民地と考へてゐたものゝ如くであつて（＊）、議會において桂首相が臺灣は殖民地であると答辯したことに關して激しい攻擊がなされたのはそのためであつた（註1）。例へばそれについてつぎのやうな質問がなされてゐる。

「臺灣は殖民地とするのであると云ふことを、總理大臣が言はれたと云ふ、此一言でございます、諸君二十八年馬關條約で取りし此臺灣は、帝國の殖民地と云ふことを、現內閣總理大臣の明言せられた一言は吾々議員として實にぞつとするではございませぬか、日淸戰爭の後、戰後の經營と云ふ事柄をした當時から致して、私は殖民地にすると云ふことを――臺灣を植民地にすると云ふことは、何れの內閣からも承つたことはない、殖民地と云ふ事柄は――それで此臺灣を殖民地とすると云ふ事柄と云ふものは何時內閣はさふ云ふ事柄を――方針を立てられたのであるか、是が承りたい。殊にだ、彼の土を我領土とし、後の民を我領民として此母國に同化せしめ我皇の化に浴せしむると云ふ事柄か、馬關條約し取りし以來のことてあると、私は確信して居つたのてある」（議員守屋此助質問律令議事錄・二〇九頁）

さらに同樣の質疑として

「杜總理大臣の答に依れは殖民主義てあると言つて居る。此事は敢て臺灣理事者に問ふのてはない。內閣全體に問ふのてある、內閣の方針は曾て此案を提出されたときには、統一主義若くは早晚的同一主義を御取りになつて居りながら、今回の提案に際しては統一主義同化主義は、一變して殖民主義となつてゐる」（議員花井卓藏質問律令議事錄・一九六頁）

之に對する政府委員後藤新平の答辯は殖民地の殖民なる語は如何樣にも解せられ、同化主義に反對する意味での殖民政策てはないと云つてゐるが、議員を納得せしむる答辯ではなく、殖民地といふ概念が特定の社會的意味を含み、諸議員の疑惑を感せしめたことは、政府委員一木喜德郎の答辯、議員竹越與三郎の演説に對する反響によつても判るであらう（註2）。

「總理大臣が委員會に於て殖民地として扱ふのであると云ふことは、隨分いろ〳〵の意味に用ゐらるゝ言葉てあらうと思ふ。學者に定義を下さしめたならば殖民地と云ふことに付いては、人々の定義はいろ〳〵であらうと思ひます、要するに臺灣に於きましては內地同樣の制度を以てすることか出來ない、特別の制度を以て支配しなければならぬと云ふことは豫てより執つて居るところの方針てあるのてあります、其意味を言現はすために、殖民地と云ふ言葉を用ゐられたのてあります、さうして其特別制度は如何なるものであるかと云ふことは既に委員長より報告せられました如く、政府に於ても、取調べて居るのです、其制度が諸君の前に提出せらるゝやうな場合になりましたならば、自ら殖民地と云ふ名稱を附するのは、言葉の用ゐ方が悪いと云ふ御論があるかも知れませぬ」（政府委員一木喜徳郎答辯律令議事錄・二一〇頁）

「此内閣は憲法が臺灣に行はれて居ると云ふ見解を取つて居るものと見受けられて、卽ち玆に六十三號の復活を要求されて來た卽ち憲法が臺灣に行はれて居るから、其の除外例なる六十三號を認める必要が玆に出て來たのである、併ながら臺灣に憲法を其儘に行ふと云ふは極めて大膽の意見であつたと思ふ。併し諸君、是は憲法上の空論と思はれるが知らぬが、暫くの間諸君の耳を假して載きたい。卽ち此高野事件以來臺灣が殖民地でありはしないかと云ふことが、稍々朝野人士の心に這入つて來た。私は唯今盛なる議論のあつたに拘はらず、臺灣は殖民地であると斷言して憚らぬ。殖民地とは何であるか、風俗、習慣、人情、歴史、人種の異つた所に別人種が這入つて、そこに殖民すると云ふことで、此外何等の意義もない。臺灣は確かに殖民地に相違ない」（議員竹越與三郎演說律令議事錄・二二一頁）

かやうな殖民地には本來憲法は行はれないものであるといふ考へはひろく行はれてゐたところであつて、さうした政策が殖民地主義とよばれ、それに對して新領土と舊領土の組織に差違を認めぬものが同化主義（註三）などゝよばれてゐた（註四）。臺灣がかならずしもさうした意味での殖民地主義を採用して來たとはいへず、臺灣が社會的に言つて殖民地であることは否定せられぬとしても歐洲流の、ことに英國流の殖民地主義をとるものでないことは、かへつて、次のやうな言葉のうちにもうかゞはれるのである。議員野間五造の質問の中に「此私が憲法以外に置かなければならぬと云ふ說は、私だけの說ではない、而も憲法義解を著はされた所の伊藤侯の如きも、臺灣の策治を誤つたと云ふことを明言されてゐる」（律令議事錄一五四頁）といふ言葉があり、それは伊藤博文の政策方針にもかゝはらず、臺灣に憲法の效力ありとして統治がなされてゐることの反證となるであらう。

（1）明治三八年第二一議會において桂首相は「内地同樣ニスルカ殖民地ニスルカトイフ事柄ニツイテ御答ヘイタシマス、無論殖民地デアリマス内地同樣ニハ往カヌト考ヘマス」律令議事錄・一九四頁

（2）これらの演説に對してはおびただしい野次が飛んでゐる。

（3）同化主義政策については律令議事錄・一五五頁、一六九頁、一八四頁、一九八頁、一六三頁

（4）美濃部達吉「帝國憲法は新領土に行はるるや否や」國家學會雜誌・二五卷・七號・一〇五〇頁

（*）今日ひろく外地と稱ばれるやうになつたのも、殖民地といふ既定の概念が一定の印象をもたしめるからである。松岡修太郎「外地法」六頁（新法學全集所載）參照。ドイツが從來、殖民地を保護地（Schutzgebiet）と稱へて來たのも殖民地の概念が英國の神經を刺戟するのを避けたためであつた。（山本美越乃「殖民政策研究」五八頁）。外地の概念については清宮四郎「外地及外地人」公法雜誌・第二卷・第一號）參照。

海外の殖民地制度から演繹して臺灣が殖民地であるかぎり憲法の效力はないと主張した議員野間五造は、その例を英國のカナダ、印度、オーストリア、ドイツの爪哇、汕頭、フランスのマダガスカルなどにとつてゐるが、また、わが國の南進論の先驅者であり、「比較殖民制度論」「臺灣統治志」「南國記」の著者である議員竹越與三郎は英國の植民政策を例にとつて、英國の殖民地制度を說明し「斯くの如き制度は何から來たかといへば、英吉利がいろ〱の殖民地を持つて失敗をし

成功をして學んだ經驗から來たのである。我日本が殖民地制度を取るに、何を模範として宜しいか、卽ち此英吉利を模範とするより他はないと思ふ。然るに此臺灣に向つて特別の制度を採らないで、其儘で唯日本の如くしやうと云ふならば、諸君は先づ臺灣から代議士を選擧しなければならぬことになる……中略……臺灣は如何なる點から見ても、殖民地的に治めるより外はない、故に私は此法律の六三號に依つて、臺灣に特別の制度を施くと云ふことは豈に啻次期のみならんや今日――明日に於ても必要であらうと思ふ、或は中に臺灣に特別の制度を施くなら宜いか、中央政府自ら發令したなら宜いではないか、法律は改めて總督に一任する必要はないと云ふ人があるか知らぬが、さうなれば均しく行政官であるから中央政府を信任すると同時に、總督を信任して宜しいと思ふ」(律令議事錄二一二頁)と云つてゐる。美濃部博士も「英國は申すに及ばず、佛蘭西にせよ、獨逸にせよ、又は和蘭西班牙其の外何處の國にしましても、其の殖民地に本國と同一の憲法を施行して居る國が世界の何處にありませうか、苟くも殖民地といふ思想がハッキリ頭に這入つて居るならば、殖民地にも本國と同一の憲法が當然に施行せられるといふやうな說の起り得べき餘地は無からうと思ふのであります」(註2)として、さらに佛蘭西系の同化主義的植民政策に反對してゐる。カークードは「フランスは共和國にして本書の問題を解說するに付ては固より一助となすに足らず」(註3)として、別個の推論から佛蘭西系の殖民地制度を排してゐるが、政府はある場合にはむしろ佛蘭西流の政策であるドイツがアルサスローレンに對して行つた政策に近いものであることを言明してゐる。

陸軍大臣兼臺灣總督兒玉源太郎は「臺灣に住つて居りまする民族は御承知の通り支那人種でございます、是は同文同種の國と云ふことは忘れてはならぬと思ひます、故に比較しましたならばアルサスロートリンゲンに近いと思ひます」（律令議事錄一七〇頁）と云つてゐるが、アルサス・ローレンにおいては、その併合とゝもに當然に獨逸本國の憲法が施行されたのではなく、一八七一年六月九日の法律によつて兼併され、憲法の適用をみたのであるが（註4）、ともかく憲法の效力ある領域とせられたのであつて、アルサス・ローレンの制度が考慮されたことは領臺直後において、臺灣事務局委員原敬の上申せるところによつても明であらう。原敬は「臺灣問題二案」と題する文書の中で、「甲、臺灣を殖民地即ち「コロニイ」の類と看做すこと、乙、臺灣は內地と多少制度を異にするも之を殖民地の類とは看做さゞること」の二案を懸げ、さらに「本員の所見を以てすれば無論に乙案を可とす。何となれば臺灣の地形は內地に接近し、殊に海底電信は遠からずして二線を通ずべし。船舶の航通も亦漸く頻繁なるべし。隨て人民の來往內地と異なることなきに至るは甚だ容易なるべきが故に、恰も獨逸の「アルサス・ローレンス」佛國の「アルゼリイ」に於けるが如くなればなり、況んや其人民は歐洲諸國の異人種を支配するが如きものとは全く情況を異にするに於ておや」（註5）と云つてゐる。わが國の臺灣に對する殖民政策はかやうな佛蘭西系の殖民政策をとりつゝ、憲法の效力の妥當範圍であることを立前としたものであることは否定せられぬところであらう。

（1）尾崎行雄が新聞紙上において本國に近い島で本國の憲法の行はれてゐないところはないと言つたのに對して野間議員は反對し「例ヘバ英吉利ニ於ケル愛蘭土ノ如キヲ意味サレタノデアルカ分ラヌガ、是ナラバ殆ンド問題トシテ之ヲ攻究スベキ必要ハナイカラ、之ヲ申上ゲナクテモ宜イ、私ガ尾崎君ノ言葉ヲ二ツ三ツ調ベテ見マシタ。例ヘバ希臘ノくりーど、さるじにあノ伊太利こるしかニ於ケル佛蘭西ノ如キハ、本國ノ憲法ガ施カレテアル、ナゼカト云フト、ソレハ主ト認メラレテイル所デアル、然ラバ是ハ問題ノ例トハナラナイ、日本デ云フナラバ・ナゼ四國ヲ憲法ノ治下ニ置イタ、ナゼ九州ヲ憲法ノ治下ニ置イタト云フト同ジ問題デ」（律令議事錄・一五五頁）

（2）美濃部達吉「上揭論文」一〇五〇頁

（3）「臺灣資料」八五頁

（4）H. Schulze, Lehrbuch des deutschen Staatsrechts. (1836.) Bd. S. 361. カークードは臺灣に憲法行はれずといふ論據から、之を行はんとするならば、憲法の改正をなすべしとして、その改正點を示してゐる。（臺灣資料・一〇五頁以下）

（5）「臺灣資料」所載「臺灣問題二案」三二一頁以下

四　法律三一號及び法律三號

一　法律六三號は之を繞る幾多の論義のあつたにもかゝはらず、明治二九年の九議會以來、三二年の一三議會、三五年の一六議會にその效力の更新が求められて通過し、三度その效力の延長が明治三八年日露の二一戰時議會に問はれたのである。この議會に懸けられた法律案は戰時色をおびた次のやうな法律案として提出された。卽ち「明治二九年法律六三號ノ有效期間ニ關スル法律案、明治二九年法律六三號ハ同法第六條ノ期限後ニ於テモ平和克復ノ翌年末日迄仍其ノ效力ヲ有ス」とし、臺灣總督兼滿洲軍總參謀長兒玉源太郎大將の凱戰を待つことが、その延長の條件とされたのであつた。すでに一三議會において法律六三號の如き期限付な統治案ではなく、臺灣統治の恒久の方策の建てられることが（註1）、要求されてゐるが政府も六三號に代る法律案の作製に迫られてゐたのであつた。二一戰時議會においては總督兒玉の出征が條件とされたために、かへつて、こゝにおいて臺灣總督がかくの如き武官である必要があるかとの疑義が生れ始めたのである（註2）。之に對しては桂首相は臺灣防禦の意味から言つても武官總督を適當とすると言明してゐる。もつとも、文官總督說はすでに兒玉總督が內相から參謀本部次長に轉補されたときに後藤民政長官の昇格說として主張されたところであつた（註3）。この議會においては法律六三號の改正の空氣が強まり、政府委員一木喜德郎は議員花井卓藏の限地的法律を制定すべしとの主張に答へて法律六三號を今後延長する意思のないことを述べてゐるが（註4）、この氣運はつひに三九年の二二戰後議會において法律六三號に代る新たな法律案として提出されるに至つたのである。その全文は左の如し。

臺灣ニ施行スヘキ法令ニ關スル法律案

第一條　臺灣ニ於テハ法律ヲ要スル事項ハ臺灣總督ノ命令ヲ以テ之ヲ規定スルコトヲ得

第二條　前條ノ命令ハ主務大臣ヲ經テ勅裁ヲ請フヘシ

第三條　臨時緊急ヲ要スル場合ニ於テ臺灣總督ハ直ニ第一條ノ命令ヲ發スルコトヲ得

前項ノ命令ハ發布後直ニ勅裁ヲ請フヘシ若シ勅裁ヲ得サルトキハ臺灣總督ハ直ニ其ノ命令ノ將來ニ向テ效力ナキコトヲ公布スヘシ

第四條　法律ノ全部又ハ一部ヲ臺灣ニ施行スルヲ要スルモノハ勅令ヲ以テ之ヲ定ム

第五條　臺灣總督ノ發シタル律令ハ仍其ノ效力ヲ有ス

この法律案の要點として内務大臣原敬によつて示されたところは「六三號の臺灣總督が法律に代るべき命令を出して居りましたのを、今回改めまして臺灣に於ては勅令を以て規定することに致しました、其の他評議員の規定を除きましたり、緊急の場合の事を除きましたり」（律令議事錄二二三頁）といふのであつて、「臺灣總督限りで律令を發布いたしましたのを今回は勅令を以て中央より發布」（同上）することにしたといふのであつた。政府はかやうな勅令の副署について、ある場合には臺灣總督が之をなすことを考慮してゐる旨、言明してゐるが、之に對して總督が國務大臣として副署するのでなければ憲法上許されぬことを議員穗積八束は主張してゐる（註5）。總督が國務大臣を兼任して憲法上の輔弼の責に任ずるといふ方法は後藤民政局長官が「拓殖務省設置ノ意見」において主張したところであつて、當時臺灣の事務が内務省の一局において司掌されてゐるのに對して獨立な臺灣省を設けて、その大臣を總督が兼任するといふことを上申したが、伊藤内閣は之を容れなかつたのである（註6）。中央における臺灣事務機關は臺灣事務局の設置以來、いくたびとなく變遷をみたが、そのなかで、拓殖務省の設置されたのは明治二九年より一年間の間であつて、それは後藤新平の主張するやうな意味での制度ではなく、後藤新平のいふ拓殖務省とは臺灣總督そのものが拓殖務大臣として輔弼の責に任する大總督制を意味するものであつた。臺灣事務局の變遷は頻繁に行はれ、三〇年八月の拓殖務省の廢止についで内閣直屬の臺灣事務局が復活されたが、三一年一〇月之は廢止され内務大臣の所管に移されたのであつた。日露戰後の結果、殖民政策の展開をみるや、四三年内閣直屬の拓殖局が設置され、大正二年の行政整理の結果、内務省地方局の拓殖課に吸收されたが、六年内閣直屬の拓殖局に發展し、一一年拓殖事務局となり、三度拓殖局に改められ、昭和四年拓務省の設置となつたのであつた（註7）。結局において後藤新平のいふやうな意味での拓殖務大臣は設置されなかつたのである。

（1）律令議事錄・六三頁
（2）律令議事錄・一九四頁
（3）後藤伯傳記編纂會「後藤新平」二卷・五七五頁

(4) 律令議事錄・一九九頁

(5) 「調べ中デアリマスカラ未定デアリマスガ是ハ斯ノ如キ場合ニ國務大臣ガ副署スルト云フコトハ新例デアリマスカラ、調査イタシテ居ルノデアリマスガ成ルベク、總督ナド副署ガ出來ルヤウニ致シタイト云フ考デアリマス。副署スル方ニシヤウト云フ考ヲ持ツテ居ルノデアリマス。色々現行ノ規則中ニ改正ヲ要スルモノガアリマスルカラ、ソレ等ハ調査シテ居リマス」(國務大臣原敬答辨・律令議事錄・二二三頁)

「唯今内務大臣ノ御説明ニハ國務大臣ハ副署ヲセズニ總督バカリニ副署ヲサスト云フ意味デハナカツタト思フ、若シサウデアレバ唯今申ス通リ憲法ニ違ヒマスケレドモサウデハアリマスマイ。内務大臣御自身ガ副署ヲナスツテ其傍ニ又總督ノ名前デ副署ヲサセル斯ウ云フコトデアラウト思フ。然ラバ稍々憲法ノ要件ガ缺クルガ如クニ見エマスケレドモ何ガ故ニ總督ヲシテ副署セシムルカト云フコトハ餘程考ヘ物デアリマス。總督ハ如何ニ待遇ハ厚イトハ雖モ官制ニ依ツテ見マスレバ卽チ國務大臣デハアリマセン國務大臣ノ監督ヲ受クルモノデアリマス。内務大臣ガ御監督ニナツテ居ル行政下級ノ官廳デアリマス。今ソレデ臺灣ニ行ハルル行政デアリマシテモ皆之ハ陛下ニ對シ又議會ニ對シ總テノ施政ニ付テ責ニ當ル者ハ内務大臣デアリマス。故ニ其責ニ當ル人ガ副署シテ居ルノデアリマス。然ルニ其下級ノ者ハ或ハ内務次官ニモ共ニ一緒ニ副署ヲサセ或ハ局長ニモ副署ヲサストカ。或ハ總督ニモ副署ヲサストカ云フヤウナコトハ卽チ責任ノ歸スル所ヲ明白ニスル所以デアルマイカト思フ」(議員穗積八束質問・律令議事錄・二二一頁)

(6) 「曩ニ閣下内閣ヲ組織セラレタルトキ、臺灣ハ内地ト同一律ノ下ニ措クベカラズトノ議ヲ一定シ、臺灣統治ハ臺灣總督ニ一任シテ外間ノ製肘ヲ容レサラシメラル。今ヤ當局者タルト否トヲ問ハズ、之ヲ是認スルノ傾向ヲ生ゼリ。而シテ臺灣總督ハ憲法上ノ責任ナク、其監督者タル内閣大臣ハ屢々内閣ト共ニ更迭シ臺政ノ事情ニ通ジザルニモ拘ハラズ云々」(「後藤新平」二巻・五七五頁)

(7) 山本美越乃「殖民政策研究」一八八頁以下。「臺灣總督府警察沿革誌」第一卷・二七〇頁以下參照。

右の法律案に對してはつきのやうな修正案か提出され、

第一條　臺灣ニ於テハ法律ヲ要スル事項ハ臺灣總督ノ命令ヲ以テ之ヲ規定スルコトヲ得

第二條　前條ノ命令ハ豫メ臺灣總督府評議會ノ議決ヲ經ヘシ

緊急ノ場合ニ於テ臺灣總督府評議會ノ議決ヲ經ル暇ナキトキハ次回ノ會議ニ之ヲ報告スヘシ

第三條　主務大臣ノ監督上必要ト認ムルトキハ第一條命令ノ變改又ハ廢止ヲ命スルコトヲ得

第四條　法律ノ全部又ハ一部ヲ臺灣ニ施行スルヲ要スルモノハ勅令ヲ以テ之ヲ定ム

第五條　第一條ノ命令ハ第四條ニ依リ臺灣ニ施行シタル法律及特ニ臺灣ニ施行スル目的ヲ以テ制定シタル法律及勅令ニ違背スルコトヲ得ス

とされたが、之は政府案と對比すれば、法律六三號の如く評議會の明文をのこし、その決議を以て勅裁に代るものとし、一方において第三條にみられるやうに主務大臣のかなり強い權限を認めたものであつて「中央政府の干渉は成るべく事項の萬已むを得ざるものを發見したる時は兎も角も、さもない以上は大抵任せてやらせるが宜い」（議員都築馨六律令會議錄・二三八頁）との主旨から「勅裁」の文字を削つたものであつた。さうして、第五條にある如く第一條の命令が臺灣を目的とした既存及び將來の法律に反し得ないことを明記したのである(一〇)。この修正案が「勅裁」の文字を削つたことには反對があり、結局政府案に對しては修正案の第五條が加へられて、貴族院を通過し衆議院においてはそれが可決されたのであつた。

（＊）「唯今ノ都築君ノ御修正ニ賛成イタシマスガ、五條ノ「臺灣總督ノ發シタル律令ハ仍其ノ效力ヲ有ス」ト云フコトハ矢張リ有ツタ方ガ宜カラウト思ヒマス、ソレハ伺ツテ見マスト臺灣ノ民間ニ随分是ガ有ルト無イトデ解釋ノ違フコトガ起ルト云フコトヲ伺ヒマシタ」（議員柳澤保惠演說・律令議事錄・二四四頁）この修正案第五條は法律三一號においては第六條として採用されたのであるが、この法律三一號の第六條は法律三一號の議せられた四四議會において馬場政府委員の述べてゐるやうに、「念ノタメノ規定」であつて、法律六三號が廢せられても、それに基いて發せられた律令が效力を失はないといふことを意味したものであつた。（臺灣總督府編「律令議事錄」・一二七頁）

二　右のやうに、三一號の六三號に對する變化の一つは評議會についての規定が削除されたことであるが、それに關して大臣原敬は「此評議會と云ふことは用がないのでありますから要るまいと思ひます、併し初から之を取る方が極めて必要とは申上げられませぬが、是は無くとも一向差支ありませぬ、又必要ならば臺灣總督は其の評議會を作れば宜い譯で、是は他の者を交へないで臺灣に奉職してゐる役人で致すのであるから、實は此評議會は無いで宜いと思ひます」（律令議事錄・二三六頁）と云つてをり、後藤政府委員は「講究の末此評議員會のことは是に明記せぬでも相當手續をしなければならないのでありますから、其の方に讓つて煩を避けると云ふことにして妨げない」（律令議事錄二五一頁）と云つてゐる。本來評議會は法律六三號の議會に提出された際には、律令が總督の專政によるものではないとの意味を明確にするため、その第二條が「臺灣總督府評議會ノ議決ヲ取リ」としたのであつて、六三號の原案ともいふべき臺灣統治法においては殖民地立法議會であるかの如き組織が考慮されてゐたのである。しかるに、評議會制はいく多の變遷を經た上、形式的なものとなり、そのために第一三議會以後はそれほど問題にされなかつたのであるが、臺灣統治初期の當事者は之を充實し、臺灣住民を參加させる意思を示してをり（註1）、當時の總督府役人であつた伊澤修二は貴族院にあつてはひたすら、この評議會の構成員についての意見を述べてゐる。議員伊澤は評議會を以て「帝國議會に代つて議決する」（律令[illegible]四六頁）ものと解せられるとし、臺灣住民の參加を希望してゐる（註2）。評議會制は法律六三號により勅令を以て定むべきものとされてゐるため、官制の改正が勅令によつて頻繁に行はれることにおいて、議員伊澤は評議會制の修正案を法律の形式を以てなすべしと提案してゐる。彼は評議會規程が「陸軍幕僚參謀長及海軍參謀長ハ會議ノ事件軍事ニ干渉スル場合ニ限リ議事ニ參與スルモノトス」とあるのに對して、「總督を始め武官を以て任せられてゐる今日である。臺灣統治のことについてはまだ今日は武官の考を要することが隨分多い」として「陸軍及海軍高等官ノ内各一人」を加へんとしたが、この修正案は一三議會において否決されたのであつた。かやうな評議會については法律三一號においては全く明文を削除したのである。從つて、臺灣總督は律令を發するにあたつて評議會の審議を必要としなくなつたのであるが、總督府に律令審議會（明治四一年一月卅令第一號）なる補助機關を設けて、その審議をなすことになつたのである。

（1）「此立法機關ノ一部トシテ評議會等ニ參與セシムルト云フマデニハ、提案ガ未ダ上ボッテハ居リムセヌ、追々ハサウ致サナケレバナリマセヌガ、先ヅ唯今ノ所ハ內地ヨリ派遣ノ文武高等官ノ集合體ヲ以テ、此評議會ヲ組織スルト云フコトガ適當デアラウト政府ハ認メマス」（政府委員水野遵答辯・律令議事錄・五頁）

（2）議員伊澤は領臺當初には、各部長が民政長官に拮抗する人物を集めてをり、この人々によつて評議會は組織されてゐたが、官制の改正とともに、この種の人物が無くなり、官僚會議になつたといつてゐる（律令議事錄一八一頁）。

（3）佐々木忠藏・高橋武一郎「臺灣行政法論」三六頁

三　なほ、この法律三一號の場合においては臺灣總督の命令を以て「法律ヲ要スル事項」即ち立法事項を規定しうるとしたため、立法の委任を否定する穗積八束博士は憲法上の「立法事項」と「大權事項」の限界を亂すものとして、その觀點から立法の委任の問題を論難したのであつた。

「此法律に據りまするに憲法上法律を要する事項であつても、之を命令を以て規定することを得ると云ふのであります、然るに憲法の制定の趣意は凡、政務を三つに分けたものでありまして、必ず法律を以てすべきものが第一になり、又必ず大權の勅令を以てすべきものが第二種であります、其以外の廣い範圍に於きましては法律を以て極めるか、勅令を以て極めるか、時の權宜に任すものとして强ひて之を憲法の上に於て窮屈に束縛しなかつたのであります……中略……既に明治二十三年以來議會に列して居る方は能く御承知であらうが、大分政府及議會に於て大層喧ましかつた。私などは議論の全體に付ては承知して居りました、其時からして法律を以て勅令に委任すると云ふことになりまして、是が一つの惡例あります、どうぞ此處は內輪話同樣でありますから申しますが、井上毅君なんどは、かう云ふことが端緒を開いて折角立法事項、法令事項、法令共同の事項と大權事項との憲法の趣意がなくなつて憲法に惡るい慣例を遺すと云ふことを非常に憂へましたが、併し大

勢は之を是認することが出來て、先例が出來ました、其先例が出來ました後に於ては税率の變更まで勅令です

るといふことが出來ると云ふことが出來ます」（律令議事錄二二九頁）

委任立法の問題は六三問題の當初から議せられてゐたところであるが、この法律三一號においては、「法律ヲ要スル事項」すなはち、法律事項についての委任立法であることが明記されてゐるため、大權事項と法律事項との憲法上の區別を混亂させるものであるとの新たな疑義が生じたのであつた。また、この「法律ヲ要スル事項」なる明文は、法律を要するものなるか否かについては憲法の上で判斷されるものであるから、臺灣においては憲法の效力のあることは、この法律三一號第一條によつて前提とされてゐるところであるとして、積極説の論據とされたものでもあつた（註1）。もともと、法律六三號の第一條が「法律ノ效力ヲ有スル命令」としたのに對して、法律三一號の第一條が「法律ヲ要スル事項」についての命令であると變更したことは、實質的には同一のものであるとの批判もなされたのであるが、政府の言明するところに依れば、前者は律令と稱ばれる特殊な形式的效力をもつ法なのに對して、後者はこの形式的效力は勅令であるとの口吻が洩らされてゐるのである（註2）。法律三一號の第六條の規定に「臺灣總督ノ發シタル律令」とある文字をみても、律令といふ法の形式は六三號の第一條によつて發せられたものを意味し、法律三一號の第一條によつて發せられるものは律令に非ざる別個のものであるかの如くにもみられる

のであるが、法律三一號の施行以後において、その第一條によつて發せられた命令は依然として「律令何號」とせられてゐるところをみれば、この點においては、法律三一號は、法律六三號の律令に代つて勅令を認めるものであるとの政府の見解は不徹底であるやうに思はれる。

（1）議員望月長夫質問（律令議事錄二五〇頁）、かやうな論據への批判としては美濃部達吉「律令と憲法との關係を論ず」（憲法及憲法史研究・二七三頁以下參照）

（2）內務大臣原敬演說・律令議事錄・二二三頁

四　かやうな法律三一號は五年の期限を以て有效なるものとされたため、明治四四年の二七議會、大正五年の三七議會によつてその效力が更新されたが、大正一〇年にはかやうな期限を排した新たなる法律三號が提出されたのである（註1）。その全文は次の如くであつた。

臺灣ニ施行スヘキ法令ニ關スル法律案

第一條　法律ノ全部又ハ一部ヲ臺灣ニ施行スルヲ要スルモノハ勅令ヲ以テ之ヲ定ム

前項ノ場合ニ於テ官廳又ハ公署ノ職權、法律上ノ期間其ノ他ノ事項ニ關シ臺灣特殊ノ事情ニ因リ特令ヲ設クル必要アルモノニ付テハ勅令ヲ以テ別段ノ定ヲ爲スコトヲ得

第二條　臺灣ニ於テ法律ヲ要スル事項ニシテ施行スヘキ法律ナキモノ又ハ前條ノ規定ニ依リ難キモノニ關シテハ臺灣特殊ノ事情ニ因リ必要アル場合ニ限リ臺灣總督ノ命令ヲ以テ之ヲ規定スルコトヲ得

第三條　前條ノ命令ハ主務大臣ヲ經テ勅裁ヲ請フヘシ

第四條　臨時緊急ヲ要スル場合ニ於テ臺灣總督ハ前條ノ規定ニ依ラス直ニ第二條ノ命令ヲ發スルコトヲ得

前項ノ規定ニ依リ發シタル命令ハ公布後直ニ勅裁ヲ請フヘシ勅裁ヲ得サルトキハ臺灣總督ハ直ニ其ノ命令ノ將來ニ向テ效力ナキコトヲ公布スヘシ

第五條　本法ニ依リ臺灣總督ノ發シタル命令ハ臺灣ニ行ハルル法律及勅令ニ違反スルコトヲ得ス

附　則

本法ハ大正十年一月一日ヨリ之ヲ施行ス

明治二十九年法律六十三號又ハ明治三十八年法律三十一號ニ依リ臺灣總督ノ發シタル命令ニシテ本法施行ノ際現ニ效力ヲ有スルモノニ付テハ當分ノ內仍從前ノ例ニ依ル

この法律案の提出された當時の臺灣總督は總督府條例改正後の最初の文官總督田健次郎であつて、彼は臺灣の統治に際して「臺灣人を敎化して、純日本人たらしむるの大方針」を時の原首相に示し(*)、その承認を得て從來回避してゐた同化政策を實行し、臺灣統治の歴史的な轉換を示したことは殖民政策史の上において興味のあることであるが(**)、さうした政治事情の檢討に就いてはこゝでは觸れず、ただ法律三一號の立法の精神について記すにとどめる。

法律三號の法律案が法律三一號の規定との對比においてまづ注目せられるのは、法律三一號の四條に「法律ノ全部又ハ一部ヲ臺灣ニ施行スルヲ要スルモノハ勅令ヲ以テ之ヲ定ム」とあるのを第一條に繰り上げたことであつて、これは單なる條文の配列の相違を意味するのではなく「法律の全部又は一部を臺灣に施行することを要するものは、勅令を以て之を定むと云ふことを此改正案の主眼骨子と致されて居る、即ち是は從來委任立法が、臺灣統治の爲め主として認められて居りましたるものを此度は殆ど原則に復歸す意味に於て原則としては母國の法律を適用又は準用すると云ふことを以て精神（傍點筆者）」（議員中西六三郎說明）とすることになつたのである（註2）。そして、それは、

併しながら唯今直ちに全然原則に復歸すると云ふことは、臺灣の實際の許さざるものがある爲めに、第二條に於て臺灣に要する法律が無い場合、又は前條の規定に依つて、母國の法律を適用又は準用することの出來ない場合に於て、臺灣特殊の事情に依り、必要ある最も避け難き狹き程度に於て、委任法を尚ほ存續すると云ふことになつて居りますから　即ち此改正法に依りますれば、政府は委任立法は例外的規定であると述べられましたけれども、例外的規定と言ひ得るや否やは姑く問題と致しまして、少くとも改正は委任立法は例外に近き意味に於ける、最も狹義の適用を見る法律の精神となつて居りまする」（中西議員六三郎說明）（註3）

この言葉でも判るやうに法律六三號の五條、法律三一號の四條に示されてゐた內地の法令の延長主義が、この法律案においては原則的なものとなり、法律六三號及び法律三一號の第一條において原則的な規定であるとされてゐた律令の委任立法がかへつて、例外的な規定としてその背後に押しやられたのである。法律六三號においては內地の法令の效力の延長を示す第五條が、法律三號においてはかへつてそれが原則とされることになつたのである（＊＊）。こゝに殖民政策の法制の面における發展が明らかに見られるのである。もとより法律三一號が實質的には少しも變更されてゐないとの攻擊はなさ

れたのであるが（註4）、新しい法律案において附加された規定は第二條二項の「臺灣特殊ノ事情ニ因リ必要アル場合ニ限リ」といふ個處であつて、從來、臺灣に律令の發せられた場合もつねに特殊の場合に限られてゐたことは言ふまでもないが、その規定の立法理由はつぎのやうな點にあると云はれてゐる。

「今回の法案第一條第二項と云ふものは從來の法律には無かつた。此第一條第二項が無いが故に、法律を僅か變更を加へねば內地通りに行ふ能はざる場合に於て、已を得ずして――矢張內地通りの法律に相違ないけれども、其儘持つて行くと云ふことが出來ない爲めに、已むを得ずして是が律令になつて居ると云ふものが多々ございます……中略……大體現行法の中でも、約三十四五のものは法律の儘で行け得るものが律令になつて居るものがあります、さう云ふ事があつて、成るべく法の統一を保つ爲めには、法律で行けるものは、法律で施行する方を力めてやると云ふことが原則になつて居りまする故に、第一條第二項を置きまして、多少の特別規定を設ける途を開く、斯う云ふ事になりました結果、從來よりは法律を施行する途が廣くなつた譯であります」（田總督答辯）（註5）

法律六三號から法律三一號、さらに法律三號と時代の經るに從つて、法制の上では內地と同一の法律命令を臺灣に施行すべきことが原則化されて行つたのであつて、これに應じて、同化政策も展開されて行つたことは決して聯關のないことではなかつたのである。「臺灣統治誌」の著者竹越三叉が明治三八年、世界の殖民史中に一章を添ゆるものなりとし絕讃した（註6）臺灣の統治は領臺三〇有餘年にして著しい成果を擧げ、大正一〇年、こゝに恒久的な統治法として法律三號が成立し、それによつて領臺當初からの理想であつた內地延長主義の殖民政策が法制の面において樹立されたのであつた。法律三號が、臺灣法制の原則としてゐる「勅令を以て臺灣に施行する法律」とは內地の法律そのものを意味するのであつて、勅令の內容が單に內地の法律と同一なのではない(註7)(註8)點においても、內地延長主義の殖民政策は臺灣統治の基礎となつてゐるところであつて、こゝに殖民政策に現れた日本の政治の特殊性がみられるのである。ことにその政策の前提となつてゐる同化政策は佛蘭西流の同化政策のたんなる移入ではなく、東亞の新しい共同態の理念に通ずるやうな理想主義の諸要素を見出し得るのである。從つて、かやうな臺灣統治の經驗は法制の面においても、東亞の將來に横はる新らしい問題に對して少からぬ示唆を與へるものと考へられるのである。

(1) 「代ルベキ案(筆者註法律三一號ニ代ルベキ案)ガ有ルヤ否ヤト云フコトハ實ハ今日ニ於テハ確信ガナイノデアリマス、唯今御話ノ如ク勅令ヲ以テスルト云フコトハ確ニ一ツノ案デアツタラウト思フ、然ルニ其勅令ヲ以テスルト云フ途ハ、貴族院ノ修正ニ依テ塞ガレタヤウナ譯デ」(內務大臣一木喜德郎答辯・律令議事錄・三四一頁)なほ一木內相ハ「五年先キ至テハ、出來得ベクバ之ヲ以テ永久ノ法ニスルト云フコトガ最モ望ム所テアリマスケレドモ、歴史ガ許サヌト思ツテ原案ノ通リ提出致シマシタ」と法律三一號の延長案を提出した際に述べてゐる。なほ律令議事錄・三四六頁參照。

(2) 律令議事錄追加・一〇二頁

(3) 律令議事錄・一〇二頁

(4) 議員永井柳太郎質問(律令議事錄追加・九二頁)、議員江木翼質問(律令議事錄追加・一一一五頁)

(5) 律令議事錄追加・三八頁

(6) 竹越與三郎「臺灣統治志」三七頁

(7) 従つて內地の法律が改廢せられたときは當然に勅令を以て臺灣に施行された法律も改廢せられる(國部敏「行政法撮論」三二頁)勅令を以て臺灣に施行せらるゝ法律とは法律そのものが施行されるのであつて、南洋群島及關東州とは事情を異にすることは姉齒氏の强調される點である(姉齒松平「勅令を以て臺灣に施行する法律に就て」臺灣月報・三〇卷・一號)

(8) このことは臺灣に憲法の適用あることが前提とされてゐるためとも考へられるが(姉齒松平「上揭論文」九頁)、それはまた法律六三號第五條の「現行ノ法律又ハ將來發布スル法律ニシテ其ノ全部又ハ一部ヲ臺灣ニ施行スルヲ要スルモノハ勅令ヲ以テ之ヲ定ム」との規定を以て、臺灣に法律命令が當然には行はれず、従つて憲法も行はれないとした消極說の立場からはかへつて、憲法の適用ないことを法律三號は原則としたとも云はれるであらう。しかしかやうな消極說の論據については反對である。

(*) 田健治郎傳記編纂會「田健治郎傳」(昭和七年)三八三頁

(**) 同化政策は從來排してをり、政治的な意味での同化運動は禁壓されてゐた。しかし、今日の皇民化運動、或ひは皇民練成運動とよばれるものは田總督以來の同化政策の變形である。

(***) 現行法の法律三號の解釋については、姉齒松平「勅令を以て臺灣に施行する法律に就て」臺法月報・三〇卷・一號、鈴木信太郞「律令制定權の範圍に付て」臺法月報・三五卷・一一號

昭和十六年十一月七日印刷
昭和十六年十一月十一日發行

政學科研究年報　第七輯
定價金　參圓五拾錢

編輯兼發行者　臺北帝國大學政學科研究會
代表者　堀　豐彦

印刷者　臺北市大正町二丁目三七番地
潁川　首

印刷所　臺北市榮町四丁目三二番地
臺灣日日新報社

發行所　臺北市兒玉町三丁目九番地
野田書房
振替口座臺灣六一九三番

林慶彰 總策畫
民國時期稀見期刊彙編
第一輯

政學科研究年報⑦（經濟篇）

臺北帝國大學研究年報

第廿二冊

臺北帝國大學

文政學部

政學科研究年報

第七輯

經濟篇

昭和十六年

臺北帝國大學文政學部 政學科研究年報 第七輯 經濟篇

目次

臺灣經濟再編成論

楠井隆三

目次

第一章　序　論

臺灣の經濟は周知の如く、今や一大變革を閲しつゝある。この變革は、臺灣にとつては、まさに文字通りに「經濟再編成」であり、「産業革命」である。固より變革を經驗しつゝあるのは經濟の領域においてのみではなく、政治的・行政的・法律的領域において、また教育・宗教・言語の領域において、さらにまた風俗習慣のうへに、本島のあらゆる文化的・社會的事象が未曾有の變動に直面しつゝあるのであるが、我々は今こゝに主として經濟の領域について考察しよう。

私はこの論文においては、まづ經濟再編成の運動を表徴する個々の經濟的諸事象の主なるものを摘示し、その後に全體としての臺灣經濟の變革過程の精髓ともいふべきものを、換言せば、この經濟の根本的構造の變動を指示しようと思ふ。

さて臺灣經濟の「産業革命」的變貌は、全體としての日本經濟そのものと全く同じく、滿洲事變を契機として俄然顯著となり、殊に支那事變の勃發によつて一層本格化したところの統制經濟化と工業化との途を辿つてゐる。自由主義的經濟の統制化と農業本位の經濟の工業化とは、內外地を通じての日本經濟の基本的構造的變化の內容をなすものであるが、外地としての臺灣の經濟は、この一般的變化に加ふるに外地に特有なる色彩をもつてすることによつて、その變革過程が、內地經濟のそれに對比して、大きな差異を持つことゝなる。

我々は變革の過程を知るためには、先づもつて變革せらるべきものゝ性格を知らねばならぬが、これを一言にして云へば、

第一に、臺灣經濟は、一つの外地經濟として、その統制經濟化以前において既に、內地經濟に比して自由主義的色彩が著しく淡かつた。換言すれば、それは「植民地」的な「政治的經濟」の相貌を示してゐた。これは單に經濟的事象ばかりでなく、社會的事象の主流が一般的に自由主義的に進行してゐた階段においてさへ、外地では、生活統制、文化統制が何等かの形態で、內地におけるよりも、何程かの程度において、より著しく行はれてゐたと云へる。そしてかゝる性格が經濟的側面において最も強く現はれ易いことはいふまでもない。かくして外地經濟の統制經濟化は、概言すれば、內地のそれよりも早期に、且つ迅速に、そして深刻に進行した。そもそも總督政治なるものは、從來議會の制肘を受けることが比較的少く、善い意味においても、惡い意味においても、官僚政治的體制を備へてゐる。この機構は、日本經濟全體が準戰階段より戰爭階段に入つた時において、直ちに經濟的統制に役立つことができたのである。尙その上に、外地經濟においては、比較的少數の大資本家が樞軸的產業を支配してゐ、これらの資本家の多くは國家的・

民族的使命を負つてゐるとの自覺を、少くとも外觀的にだけでも、比較的多く持つてゐ、且つ官廳に對する依存性が比較的大であるがゆゑに（經營上種々なる形式において助長され保護されてゐる、たとへば補助金交付・減免税・官營施設の利用・技術的指導・等々）、もし官廳にその意志さへすれば、業者の活動をして營利主義一點張りから公益優先的建前に轉針せしむることは、内地におけるよりも比較的に容易であると概して云へるのである。かやうにして、外地經濟の一つとしての臺灣經濟の統制經濟化は、島民の社會生活一般の總動員化とともに、割合に容易に、且つ早期に行はれ得た。

第二に、今までの臺灣經濟の一つの大きな特徴は、それが米穀と砂糖とを樞軸とせる農業本位の經濟であるといふ點にある。臺灣經濟の「産業革命」は、この農業本位の經濟に對する工業化への轉針を變貌を意味する。工業を可成りの程度において導入せんとする産業體系の再編成を意味する。この工業化への動向は、いふまでもなく、臺灣においてのみ顯著に顯はれてゐることではなく、實に滿洲事變を契機として、日本經濟そのものが全體として經驗してゐるところであるが、一つの外地として、殊に米糖の二作を中心とする農業國として、さらに現在の世界情勢下において帝國の南端に位置する地域としての臺灣における工業化は、それ自體の特色を充分にもつわけである。

第三に、農業だけについて云ふと、農業體系は今や大なる變遷をなしつゝある。すなはち米糖以外の特用作物、殊に熱帶・亞熱帶的作物が、あるひは臺灣の工業化が要求する諸種の原料の給源として、あるひは軍事上の需要から、あるひは外貨獲得・輸入防遏のために、または輸入杜絶の危險への對策として、導入もしくは生產擴充を要請せられてゐ、從來米糖の占據してゐた耕地のうちに割り込んで來たり、そのために農業の立體化・高度化・計畫化が著しく行はれるに至つた。しかもこのことは、皇國の最南端に位する、熱帶・亞熱帶地域としての臺灣の位置性に主として依據してゐるのであつて、こゝに臺灣農業再編成過程の根本的性格が存する。

第二章　臺灣經濟再編成の經過

第一節　再編成の階段づけ

然らば臺灣經濟の統制經濟化と工業化とはどのやうな歷史的過程を辿りつゝ行はれて來たか。その現象的な相貌を各個の現象について分析することは他の機會に讓り、こゝでは、大體の階段づけをなし、それらの階段の動向を指示するに足る若干のものを把へ來つて、全體としての再編成過程が意味するところを明らかにするにとゞめたい。

臺灣經濟再編成の過程は、容易に推察せられ得るやうに、母國經濟全體の再編成過程の進展の線に沿つて行はれてゐる。たゞ臺灣經濟の持つ上記の諸特性は、ある種の現象においては、臺灣經濟にあつては內地經濟におけるよりも早期に變貌を來さしめ、內地經濟が却つて之を模範とするやうな場合があるのである。(その著例は、準專賣ともいふべき臺灣米移出管理の制度――それは現實には消費米の管理にまで發展した――が、昭和十四・五年の米穀逼迫時に對處する內地の米穀對策に大なる示唆を與へたことである)。が概して云へば、臺灣經濟の統制化も工業化もともに時間的に母國經濟の變動過程に追從して顯現した。ともあれ、我々は臺灣經濟再編成の過程を、日本經濟再編成の過程と同じやうに、大體左のやうに階段づけることができるであらう。

一、準戰階段――滿洲事變より支那事變前夜まで

二、戰爭階段（イ）支那事變勃發より昭和十五年八月まで

（ロ）新體制提唱以後

第一節　準戰階段における推移

第一項　一般的狀勢

周知のごとく、日本の政治經濟は滿洲事變を契機として一大轉換を遂げた。もちろんこれが轉

機は、同事變以前から既に醸成せられてゐたのであつて、殊に一九二九年に始まれる世界恐慌の潮流は日本をも襲ひ、經濟生活の衰勢は種々な側面に顯はれた。そして世界恐慌の浪を押し切らうとする列國のもがきは、第一次世界大戰の後仕末がほゞ一段落のついた一九二〇年代の思潮たる自由主義・平和主義・國際協調主義・民主々義を全體主義・國粹主義・國民主義・國家主義に止揚し、わが國もまたこの大勢に從はざるを得なかつたが、わが國では、政治經濟のかゝる趨勢は、行き詰れる經濟生活の打開と大陸問題の解決といふ二大問題となつて、國民のうへにのし掛つて來てゐたのである。しかもこれが解決の衝に當つたのは、政友會・民政黨の對立を內容とする政黨政治であつた。

今滿洲事變勃發の前後を振り返へつて見ると、當時政權を握つてゐた民政黨は、內は、金解禁による金本位制維持・行政財政整理等による緊縮政策、重要產業統制法その他に現はれた產業合理化、無產者運動の彈壓等によつて時艱を克服し、外は、英米追從・對支寬容を指導原理とする「幣原外交」によつて國際平和、殊に極東平和を維持しようとした。が內は失業者漸增・賃銀低下・農村疲弊・國民購買力漸減・外國貿易衰退を來し、赤字財政を必然的たらしめ、外は支那の侮日・抗日・反日的態度を釀成し、結局は滿洲事變の勃發となつた。民政黨に代つた政友會(昭・六・一二)は、その傳統的積極政策をもつて、この重大危機に臨み、金輸出再禁止・產業五箇年計畫樹立などで難局を切り拔けんとしたが、經濟界は依然として萎微狀態を續け、滿洲事變の進展は軍事費の累加による財政難を招來し、その積極政策も現實的には大なる效果を擧げ得なかつた所へ、昭和七年、五・一五事件の突發があつて、齋藤超越內閣の誕生となり、政黨政治の幕がまづ形式的に閉ぢ、次いで二・二六事件を經て、わが國の政治形態は全く政黨政治的色彩を失ふことゝなつた。一方經濟方面においては、滿洲國の迅速・健全なる成長は、日滿經濟ブロック結成の可能性を次第に證明し、わが國はその重工業・化學工業部門を擔當とすることゝなつて、これらの部門の生產力の大擴張がなされ、また圓安を利用しての輸出產業の大發展を來し、わが國の產業體系の上に、また全體としての經濟の上に、劃期的な轉換を招致した。

かゝる狀勢は、日本帝國の一領土としての、また日滿ブロックの一環としての我が臺灣の政治的經濟に對して、重大なる變轉を命ぜずにはおかなかつた。今この準戰階段における臺灣經濟變革の趨勢を見よう。臺灣經濟の展開のこの階段もまた、これを概言せば、日本經濟全體のそれと同じく、今日の高度國防經濟への再編成の準備行程と見做すべき態勢を執つてゐたのである。

後に詳述するやうに、今日の臺灣の政治的經濟の志向するところは、臺灣をして高度國防國家の一翼たらしむることにあり、この目的追求のために採られる方策の主なるものは、(一)皇民精神の發揚顯現、(二)國土防衛の强化徹底、(三)國民經濟の安定確保、(四)南方施策の擴大、(五)生產力の擴充、(六)國際收支の改善などである。（以上の諸項目は準戰階段以來每年度の豫算編成方針に現はされたところの政綱である。小林前總督は、これをその統治指導原理として、(一)皇民化、(二)工業化、(三)南進政策といふ風に、一層簡潔に表現した。）然らばこの動向が準戰階段においては、如何なる形で、如何なる程度にまで展開して來てゐるであらうか。

準戰階段における臺灣經濟の展開の推進力となれるものは、臺灣經濟そのものに內在する要因としては、米穀と甘蔗とを中心作物とせる農業本位の經濟の行詰りから逃れんとするための工業化への要望であり、また臺灣經濟に對して外在する推進力としては、內地米穀統制による臺灣米作者の不當利得の是正を目標とせる移出米の統制强化（これは、周知の通り、昭和十四年十一月一日から準專賣的な管理制度の確立となつた）と、國際情勢の變遷に對處するための重要產業、殊に軍需產業のあるものゝ整備への要請とが擧げられ、この線に沿つての產業統制化・交通機關の整備などが看取される。

政治的に之を見ると、準戰階段の初期においては、內地における政黨政治がこゝにもまた延長され、內閣更迭の度に總督・總務長官をはじめ總督府部局長ならびに地方長官の大部分が更迭することを例としてゐ、したがつて恒久的政策を企畫し實行することができなかつた。この弊害を痛感した島民は、次第に政黨に對して超越的立場に立つ軍人總督を要望するやうになり、この階段の末期までに、この要請を充し得た。なほ從來わが南方政策が統一的ならず、且つ概して東京經由の迂路を取つて實施されてゐることを矯正するために、臺灣總督を南方總督とする大總督制を採用すべしとする輿論が、島內においても、內地においても、次第に釀成され來つた。

思想的に見ると、この階段の初期においては、大正・昭和の交における自由主義的・民主々義的・民族自決主義的思潮の餘波がなほ去らず、あるひは前述の政黨政治的殘滓があり、あるひは本島人の側における共產主義的または社會民主々義的運動の餘喘がなほ保たれ（臺灣共產黨事件・臺灣赤色救援會事件・臺灣民衆黨事件・大湖事件・臺灣民族解放文化サークル事件・衆友會事件・臺灣地方自治聯盟の活動、臺灣議會設置請願運動など）、あるひは臺南大圳組合總會における年中行事の一たる觀ありし騷擾や臺北印刷業勞働組合・基隆炭鑛坑夫・基隆港荷役苦力・臺北市營バス從業員等による勞働爭議などがあつたが、昭和十年四月一日より地方自治制が實施せられて民意暢達の途が從前に比して大いに開かれることゝなり、大正十年以來十五年の歷史を持つ臺灣議會設置請願運動のごときも九年九月をもつて打切られることゝなつた。いはんや共產主義的または準共產主義的運動ならびに小兒病的民族運動は、當局の彈壓と滿洲事變以後における本島人の皇民化への覺醒とによつて、漸次に屛息することゝなり「昭和十一年十月に記事解禁となつた祕密結社衆友會事件（事件發覺は昭和九年）をもつて、恐らくかゝる運動の終止符となすべきであらう。かくて支那事變の勃發した頃には、島民の間に多少の動搖があつたけれども、概していへば、今日の皇民化運動の素地が既に耕されてゐた。ともあれ、この階段において、大正末期から昭和初頭にかけて本島にも跳梁した共産黨・文化協會・農民組合などの「赤」は既に清算し盡くされてゐると見て差支へなからう。

第二項　二つの産業調査會

臺灣經濟の現階段を知り、且つこれに對する內外の要望と、したがつてまた、それの將來における動向（要するにこの現狀に對處する爲の政策の性格）を知るためには、總督府が主催せる數次の綜合的な產業調査會における議事錄と答申書とを見るのが便宜であらう。準戰階段に入る前後より今日に至るまで、本島產業・經濟の全體を對象とせる調査會は次のごとく三回に亙つて催され、島內はもちろん、內地より、また時には南洋よりも、軍官民各界の權威者を委員として網羅し、當面の重要問題を調査研究し、その對策の根本方針を樹立し、總督府はこれをもつて、その政策上の參考となし來つた。

一、昭和五年十一月　臨時產業調査會（石塚總督時代）
二、昭和十年五月　熱帶產業調査會（中川總督時代）
三、昭和十三年九月　重要產業調整委員會（小林總督時代）

また高度國防國家建設・東亞共榮圏確立の一翼としての臺灣の新體制構成のためには、昭和十五年八月二十六日から府政調査會（これは小林總督就任當初に設置され、二・三回開かれたまゝその機能を停止してゐたものである）を再び活用して、現下の臺灣に相應しい新體制を構想せしめることゝなつた。

我々はこゝでは準戰階段における二つの産業調査會について述べよう。

第一、 臨時産業調査會（昭和五年十一月十日より十四日まで）――石塚總督によつて開催された。その目的とするところは、「國際間の經濟戰は益々深刻となり國内産業發展充實の途を講ずるの要愈々切なるものがある、之を本島産業の現狀に見るに施設經營の改善を要すと認むるもの多々あり、又向後の方針についても考覈研鑽を要すべき根本的重要問題も尠くない」ので（石塚總督談「臨時産業調査會の使命に就て」―昭五・七・二六、臺灣日日新報所載）、本島産業經濟上の重要問題を調査考究しようとするにある。その答申を要約すれば次のごとし。

第一號　一般農業に關する件

第一　産米改良增殖―作付面積の擴張・品種の改良・耕種法の改善・調査並に貯藏法の改善。

第二　青果産業の振興―鳳梨産業の振興・芭蕉産業の振興・柑橘産業の振興。

第三　肥料の奬勵。

第四　畜産の改良奬勵―豚・役畜及乳牛・家禽。

二

第五　鹽業の奬勵―本島は鹽業地として好適なるに拘らず、從來豫期の發達を遂げざりしが、將來適當なる地方にて之を奬勵すべし。

第六　小作制度の改善―農業及農産加工業の合理的發達のため地主小作人の親善を基とする現行協調團體の充實統制を圖り小作法規を設くべし。

第二號　糖業に關する件―本島糖業の發達は帝國領土内の自給自足を可能ならしめ居るも人口增殖と消費增進に應ずるやう增産を計り、生産費を低下し、關稅を遞減し、國民負擔を輕くし、外糖に對抗してわが糖業の獨立を計り、進んでは海外輸出を實現すべし。（試驗機關の統一と擴充・製糖事業の整理合同・海外糖業調査竝に販路開拓擴張・副産物利用―酒精とバガス工業―砂糖稅法改正）。

第三號　茶業に關する件―茶業の疲弊を救ひその發達を計り製茶の海外進出を促すため耕作法改善・優良種普及・經營組織改革・機械導入をなすべし。

第四號　樟腦事業に關する件―斯業は本島産業及び財政上頗る重要なる故、之が維持存續を期し、樟樹の積極的造林・事業組織の合理化と統制・關係工業の發達を圖るべし。

第五號　林業に關する件―國有林の利用開發に努め、民林業を奬勵し、保安林を整備し、水源を治むべし。

第六號　鑛業に關する件―全島的地質調査をなし、困難なる經營は保護助長し、稼行中のものゝ經營を合理化し、石炭・石油等の重要資源については、國家的見地より將來を豫想し地域を限りて之を保留すべし。（石炭・石油鑛業の振興・天然瓦斯の利用・砂金調査・其他の鑛物の資源調査等）。

第七號　水産業に關する件―本島沖合及び南支南洋の漁場を對象とする遠洋漁業の開發に主力を注ぎ、海洋調査・漁港の整備・冷藏施設の完備・漁業移民の招致を圖るべし。

第八號　商工業に關する件

第一　工業の振興――本島の工業は多く中小工業に屬し、資金難・取引方法不備・統制欠除等著し。之を除けは原料豐富・低賃銀などの優越性あり。また大規模生產も不可能にあらす。故に速かに研究調査をなし指導獎勵をなすへし。（重要視せらるゝ新規事業――バガス工業・天然瓦斯工業・酒精工業・曹達工業・肥料工業・苧麻及黄麻工業・罐詰工業。窯業・製紙業・製革業・油脂業・サイザルヘンプ麻織物業・木竹籐製造業・帽子製造業等の中小工業の合理化・誘掖指導。工業試驗機關の利用）。

第二　貿易の振興。

第九號　動力に關する件――未調査動力資源の調査促進・電氣事業の統制・瓦斯事業の調査。

第十號　土地及び河川に關する件

第一　土地改良の促進――水利設備を行ひ又は改善擴張をなすへし。

第二　河川整理の促進。

第十一號　道路に關する件――道路の普及・自動車交通に適する如き改善・產業道路改善の促進。

第十二號　鐵道に關する件――東西連絡鐵道の建設・支線の普及・既設線の改善・運輸の改善・自動車政策の確立。

第十三號　港灣に關する件――基隆高雄兩港の完全改善、地方港・漁港の調査修築。

第十四號　海運及び船空に關する件

第一　海運の改善――內臺・沿岸・支那各航路の改善、南洋航路の整備（臺比命令航路新設・ジャバ線の改善・シンガポール線命令航路新設）、歐洲メールの寄港等。

第二　航空路の開設――內臺・島內・對支空路を可及的速かに設くへし。

第十五號　金融に關する件―金融機關の改善充實（臺銀の機能充實擴大・普通商業銀行の業務整理の促進）・南支南洋放資の促進・勸銀の不動産資金化の機能擴充・信託業法施行・信組の金利低下と貸付普遍化）、島外資金の誘致。

これを概觀するに、滿洲事變突發の前年たる昭和五年といふ、いはゞ準戰階段の前夜における本島經濟の實相と、その向ふべき方向（したがつて採らるべき政策の性格）とを、大體において指示してゐると思はれる。たとへば、この階段においては、臺灣の産業體系の重點は尙農業部面に、殊に米糖二作に極度に偏在せしめられて居る。貿易にしても、砂糖・米・青果・茶・鳳梨罐詰・帽子などの農産加工品の輸移出の振興が中心問題とされて居、他には石炭とセメントが擧げられてゐるに過ぎない。工業のごときは、今日臺灣工業界の花形視されてゐる化學工業や纖維工業は、殆んどすべて、なほ調査・研究を行ひ、その企業化を圖るべしとされてゐるに過ぎぬ。また動力についても、開發すべき動力資源の調査の促進・電氣事業の統制・瓦斯事業の調査を擧げてゐるのみである。

しかも朝野のエクスパートを動員して形成されたこの調査會も、結局、答申をなすこと自體がその使命であつたかの如き運命に終つた。何となれば、政黨政治的色彩を帶びてゐた當時の臺灣統治は、總督をして充分に其の抱負を實踐するに足るの時を持たしめなかつたからである。それは洵に名稱自詮「臨時」産業調査會であつた。

第二、熱帶產業調査會（昭和十年十月十九日より二十三日まで）。——中川總督によつて開催された。當時は、恰も始政四十年を迎へ、しかも準戰階段の眞中にあつて、本島の經濟・產業も昭和五年に比して、飛躍的な進展を遂げてゐた。

この調査會の目的とするところは、「本島の地理的地位に鑑み本島產業の開發に更に一段の努力を拂ふと共に……南支南洋地方と經濟上一層密なる關係を保持し其の貿易の進展を圖り相互慶福の增進を期するは正に本島の使命なり……〔乃ち〕南支南洋地方との貿易其の他各般の事項に付檢討を重ね島內に於ける產業交通文化等各方面の進展と相俟つて隣保共榮の實を擧け帝國國運の隆昌に資する所あらんことを期す」といふにある（熱帶產業調査會設置趣意書）。

今その答申の大略を摘記すれば、

第一號　貿易の振興に關する件——本島の南支南洋貿易も、本邦各種工業の進步・日支關係好轉・圓安に依りて、漸く伸暢の曙光を認むるも、彼地における輸入防遏政策によつて樂觀し得ず、有效適切なる方策を講せざるべからず。

第一　有望なる輸出商品に關する事項——茶・バナヽ・鳳梨罐詰・豚・石炭・水產物・食鹽等の增產・品質改善・輸出補償制度の擴充・新販路開拓。

第二　關稅制度に關する事項。

第三　商品の宣傳紹介並に調査に關する事項——これらの施設を創設すべし。

第四　中繼貿易に關する事項——配船增加・運賃低減等につき攻究すべし。

第二號　企業及投資の助成に關する件―邦人の南方進出には臺灣は大いに寄與すべき使命を有する故、南方に於ける企業及び投資に關し官民協力して一層之が開發助成に努むべし。

第一　有望なる事業に關する事項――既に邦人の關係せるもの丶外適當なる投資對象多し。これらに關しては徹底的に調査し、之を本島内外の資本家に紹介し、投資を斡旋し、既存企業をも一層助成すべし。

第二　中小企業に關する事項。

第三　試驗研究及經濟調査に關する事項――中央研究所其の他の試驗研究機關を擴充して、島内外の經濟調査研究をなさしめ、起業に要する資料を供給せしむべし。

第四　有力なる拓殖機關の設置に關する事項――島内の拓殖事業の經營と拓殖金融、及び南支南洋における邦人企業助成の爲の機關を設くべく、府は研究調査して、その實現を期ずべし。

第三號　工業の振興に關する件―幾多の工業原料の生産地として、また一大消費市場たる南支南洋を近く控へる本島は大いに工業化を圖り、本邦の需要を充すと共に南支南洋にも進路を求むべく、この爲の有望工業と資源とについての科學的經濟的調査を遂げ、又既存工業を大いに助成すべし。（石油工業・無水酒精工業・肥料工業・食鹽及苦汁利用工業・纖維工業・油脂工業・香料及藥品工業・漆工業・水産加工業・獸肉加工業・皮革工業等につき、南支南洋に原料を求め、また販路を開拓すべし。）

第四號　金融の改善に關する件―（南支南洋邦人の金融について）

第一　商業金融に關する事項。

第二　拓殖金融に關する事項。

第三　中小商工業者の金融に關する事項。

第五號　交通施設の改善に關する件―（彼我の連絡・貿易の進展・企業の振興のために）

第一　陸運に關する事項。
第二　航路及航空路に關する事項。
第三　港灣に關する事項。
第四　通信に關する事項。

第六號　文化施設の改善に關する件―（彼我相互の理解を深め、親善を增進し、經濟的提携を容易ならしむるために）。

第一　報道宣傳機關に關する事項。
第二　教育施設に關する事項（邦人の南方進出のために）。
第三　醫療施設に關する事項。
第四　觀光施設・學藝交換・熱帶學術の研究、其の他に關する事項。

「この調査會の目的とするところは、南支南洋に對して持つ本島の使命達成のための諸方策の樹立であり」、その調査業績を見るとき、我々は、貿易に、拓殖に、文化的交渉に、臺灣の當時なしつゝある所をほゞ推知することができ、また臺灣の正に志すべき動向をも指示せられてゐるのを知るのであるが、遺憾ながら準戰階段においては、皇國は尚この答申の所期するやうな南方進出の力を臺灣に與へ得なかつた」。答申の提案したところは、臺灣拓殖會社が之を基として創立せられた以外には、ほとんど全部單なる「畫餅」に過ぎなかつた。たゞ我々は「工業の振興に關する件」において、「本島の工業化を圖り我が國の需要を充足し更に販路を南支南洋の市場に求むる要あり」と云ひ、そのために「有望なる新規工業並に各種資源に付速かに科學的、經濟的研究調査を遂げ之が勃興の機運を釀成すべし」となせるところに、戰爭階段に入つて俄然促進された本島の工業化と產業體系再編成との觸れ大鼓を感ずるのである。邦人南方進出に至つては、この調査會開催の當時においては、云ふまでもなく、大規模にはほとんど不可能のことであつた。たゞ本邦商品の進出は目醒しかつた。が本島產物の輸出は懸け聲ほどではなかつた。何故なら、本島產業は、殊にその工業部門は、尙そこまでの發展を遂げてゐなかつたからである。

我々は準戰階段における本島經濟產業の態容とその動向と政策とを指示するに足ると思はれる二つの調査會について述べた。がこゝで考察の方向を少しく轉じて、準戰階段が次に來る戰爭階段において顯現する諸現象の萠芽を如何やうに育んでゐるかと見よう。

第三項　重要產業の統制

產業、殊に重要產業の統制は準戰階段において既に發足してゐる。云ふまでもなく、統制は種々なる見地から、種々なる目標措定のもとに行はれるが、本島における產業統制の第一步は（既に出荷・配給部面における統制機關として成立してゐる青果同業組合・同聯合組合、ならびに移出についての統制機關としての臺灣青果株式會社―大正十三年創立―などを除いて考へると）、私の見るところによれば、經營合理化を目標とする鳳梨罐詰企業の大合同にあつた。すなはち斯業は、昭和二年同業組合の結成とともに新式工場が創設せられ、同五年營業取締規則の公布によつて、工場設立の許可制が布かれたが、小資本工場の濫立による原料の爭奪・粗製品廉賣の弊著しく、品質の向上と産額の增加とが期待せられ得なかつた。かくて昭和六年九月、臺灣鳳梨共同販賣會社を設立して、まづ販賣の全島的統制を圖つたが、さらに斯業の健全なる發展のために、昭和十年六月、臺灣合同鳳梨會社を創立して、全島を事業區とし、すべての既設の工場を買收し、その廢置分合を斷行し、生産・配給の全分野に亙る統制を行ふこと丶なつた。なほこの種の經營合理化を目指す統制は、日本準戰經濟における著しい現象であるところの外貨獲得の一翼たらしめんとする目的をも持つてゐるのであつて、鳳梨罐詰業における統制の目的の一つもまたこ丶にあつたことは云ふまでもない。我々はこれが他の例を紅茶・臺灣帽子などの産業における業界の統制にも見得るが、その當初においては、業者の側において（殊に鳳梨の場合に著しかつた）、統制の趣旨を理解せず、當局は啓蒙と監督と指導とに大なる努力を費した結果、業者の理解と讓歩と協力とが次第に行はれるやうになり、支那事變勃發以後における種々なる經濟統制遂行の素地は、この時代に既に作られてゐたと云へよう。

なほ上記の統制とは聊か趣を異にするが、製糖業における業者の統合も、この階段において若干行はれてゐる（たとへば、昭和七年十一月の赤糖業統制組合の結成、八年十月の新竹・沙轆兩製糖會社の昭和製糖會社への合併、九年十二月の大日本製糖會社と新高製糖會社との合併など）。これは主として、内地の米穀統制に基づく島内米價高による蔗作への壓迫を殊に強く感じた北・中部所在の製糖會社が、自衞策として經營の合理化に出づべく行つた業界統合と見るべく、昭和十五年における大日本製糖と帝國製糖との合併および現に一部で提唱されつゝある島内全製糖會社の大合同への魁と見得るであらう。

第四項　本島産米穀の抑制を中心とせる農業政策

これこそ臺灣經濟の上に、なかんづくその産業政策の上に、まさに革命とも云ふべきものを招致した最も著しい（少くとも純經濟的に見たる）要因であり、しかも時局と内地米界の趨勢は、當初（大體において準戰階段と時間的に一致する）むしろ臺灣米減産と、之を補ふに特殊作物の増産を目標としたかに見えたこの統制をして、進んで移出米管理に成長せしめ、それがその制限的效果を發揮せんとした時に、逆に米穀増産策に變質せざるを得ざらしめた。米穀を繞つてのこの消極的な制限策の强行的實施から積極的な生産擴充策へのポイントの切替へは、臺灣産業をして、殊にその農業部門をして、一時混亂に陷らしめたのであつて、こゝに一大問題―極めて興味深き―が潜んでゐるわけである。

後に米管に發達し、さらに將來進んでは專賣にまで及ばうとしてゐる臺灣の米穀統制は、周知のごとく、內地の米界の事情に促がされて招來され、しかも戰時下食糧對策確立の急を告ぐる警鐘が鳴り渡るや、內地の米穀統制實施の模範となつたものであるが、臺灣における米作は、大體大正十二年を出發點として、內地食糧問題解決のために一役を買つて蓬萊米を仕立て上げ、爾來增產に次ぐに增產をもつてし、本邦食糧政策に貢獻するところ頗る大であつた。然るに昭和五年の全國的の大豐作以來いはゆる「豐年不作」の狀態に入り、政府の米穀政策は米價の傾向的下落を喰ひ止め、もつて內地農村の疲弊を救濟することに集中せられたのであるが、臺灣における繼續的な產米增加は、この間において、その生產費の比較的低廉なることによつて、內地の米界に對する一大壓力となつて現はれ、臺灣の米作者は、內地農村の犧牲において不適正なる利得を得る狀勢となつた。內地米穀政策は、米穀法（大正十年四月、法律三六、十四年三月改正）・米穀統制法（昭和八年三月、法律二四）を通じて、單に商品としての米の流通市場操作のみによつて米價の引上げを圖つたが、その結果は連年の豐作によつて却つて逆效果をすら產むことゝなり、遂に生產の分野にまで統制を加へざるを得なくなり、昭和八年九月の「臨時作付反別制限法案」（「減反案」）の提唱となり、また臺灣米ならびに朝鮮米の低廉生產費性よりの壓迫の除去または緩和こそ最も有效的・合理的なる米穀政策であることが次第に明白となつて來た。（これについては、たとへば東畑精一氏「米」のうち「米價と物價」、「米作減反案」、川野重任氏、「臺灣米穀經濟論」等參照）

準戰階段にはいつたときは、恰も臺灣米がかゝる壓力を內地米界に對して次第に加へんとしつゝある時であつたが、しかも尙このことは臺灣においては勿論のこと、被壓迫者たる內地自體によつてすら殆ど意識せられて居らず、臺灣としては增產策一點張りであつた。たとへば、旣に述べた、昭和五年十一月の「臨時產業調査會」の答申においても、產米の改良增殖が第一番に揭げられてゐ、爾後の產業政策もまた、こゝにその重點の、少くとも最大の重點の一つを置いて來た。がかゝる政策は無意識のうちに內地米に對して壓迫を加へることゝなり、昭和七年頃から內地では臺灣米移入に對する制限の提唱が次第になされることゝなり、島內ではこれに對抗して制限反對の運動が盛んとなつた。議會でも繰り返して問題となり、昭和八年八月頃から移入制限が本格的に日程にのぼされることゝなり、島內では減反案・代作奬勵策が協議せられ、また米穀統制法がいよいよ十一月一日より施行せられた。九年三月に臨時米穀移入調節法が、また十一年五月に米穀自治管理法が公布施行され、十一年十月には殖產局に米穀課が新設されたが、內地における米價對策は本島米に對してますます攻勢に出でざるを得ない情勢にあつた。この間、本島においては、米の代作として特殊作物の奬勵を大いに行ひ、それらが軍事的に、また輸入防止・外貨獲得の上に持つ重要性が次第に認識せられるやうになつて、こゝに米穀增產をもつて政策の中心となした總督府の方針が一大轉向をなした。その著明なる表現の一つとして、我々は昭和十年十月に開催された「總督府熱帶產業調査會」の答申のうちに、米穀については殆んど何等闢說せられてゐないことを擧げることができるであらう。かゝることは、從前においては決して見得なかつたところである。

然らば米穀產額の制限を目的とするこの統制は、米に替ふるに何をもつてしようとしたか。米糖中心の產業體系は領臺四十年(昭和十年はまさに始政四十年にあたる)を閱して、今や概ね大成するに至つた。すなはち米糖ともに、技術的にも既に極めて高度にまで發達し、作付面積もほとんど飽和狀態に達してゐ、增產を圖るための技術的改善ならびに土地改良は、今までに比して極めて困難になつたといはねばならぬ。しかも、砂糖のことは暫し措いて、米穀のみについていふと、上記のごとく、日本全體の米穀事情によつて本島の米作制限が要請せられてゐるとすると、必然的に、今まで米作に塡てられてゐた耕地のある部分は、これを他の作物に振り向けざるを得ないことゝなる。如何なる作物にか。これに答ふるものは、臺灣が熱帶および亞熱帶に位し、作物のうへにも自ら特殊性を持つてゐるといふ事實である。殊に、恰も準戰階段において、その確立の可能性を次第に見出し來つたところの日滿經濟ブロックにおける唯一の熱帶・亞熱帶地域たる臺灣の地位こゝでが物を言ふことゝなる。「準戰階段において主なる目標とされた事柄は、諸重要產物の自給力の確立である。」また今一つの目標は、外貨獲得力の擴大である。臺灣の農業は、まさにこの要請に應ふべきであつた。かくて米作減反案は代作案を意味し、代作案は、その消極的な性質を、特用作物の導入および増産といふ積極的なものに止揚した。特用産物といふのは、棉花・黄麻・苧麻・亞麻・蓖麻・甘藷・小麥・落花生・鳳梨・バナナ・柑橘・コーヒー・カカオ・蔬菜類などであつて、これらは、あるひは熱帶・亞熱帶でなければ栽培できぬものであり、あるひは内外地を通じてその増産と自給とが焦眉の急を告げてゐるところの重要作物である。もしくは外貨獲得について重大なる役割を演ずるものである。また後に述べるやうに、農業中心の本島産業體系の工業化が必至の勢であるが、導入せらるべき工業のうちには、ある種の輕工業が當然はいつてゐるべきであるが、この部門に對する原料の給源たる特殊農業の導入もしくは生産擴充が要望せられるわけである。

要するに、從來ほとんど米糖のみから形成されてゐた本島の農業體系それ自體が、米糖を中心とする多角形的なものに轉換しようとするのであつて、しかもそれが推進力は、一つには、内地の「豐年不作」の一つの大原因となつた本島米作の意想外の發達ならびにその生産費低廉性であり、二つには、滿洲事變以後における世界情勢の推移に適應せんとする、日滿ブロック結成の形式における皇國の努力に對して臺灣の持つ意義である。

かくのごとくして、本島における米穀政策は、こゝに單に臺灣だけのことゝしてゞなく、また米穀だけの政策としてゞなく、否單に農業に關するものとしてゞなしに、日本經濟の一環としての臺灣として之を取りあぐべきであり、また臺灣內部のことゝして考へるにしても、その農業全體の、否、產業體系全體の立場からなすべきであると云ふことが、次第に當路者の意識のうちにも明確となつ來たのである。このやうにして樹立されようとしてゐたものが卽ち「臺灣移出米管理」(「米管」)の制度である。それは上來述べ來つたやうに、自然的展開に放置すれば必然的に招致せられるであらうところの米穀增產に對する抑制を、これを反面から云へば、米作に向つてゐた土地と勞力と資本財との、他の農作物または他の產業部門への轉換を目的とする。かゝる米管制度がまさに實施されんとするとき、支那事變が勃發した。そして戰時食糧對策の樹立の早急なる必要性は、米穀の可及的增產を本島にも命ぜずには措かなかつた。さらにそれは、砂糖の增產を命じ、麥類・麻類を始めとする各種特用作物の生產の導入と擴充とをも命じた。殊にこの命令は、昭和十四・五年に亙る凶作に際して、本島農業にも米穀その他食糧品の大增產を强制した。要するに、準戰階段において準備された米管は、戰時階段に入つてそれの當初の目標と異なつた目標を持つて機能しなければならなくなつたのである。

第五項　工業化への出發

準戰階段は、日本經濟の工業化、殊に際だつての重工業化・化學工業化の時代であつたが、臺灣經濟にとつてもまた工業化の階段である。否、眞實を云へば、後者にとつては、それは工業導入の階段であつた。

準戰階段の始まつた昭和六年頃においては、臺灣は近代的な工業らしい工業を殆んど持つて居なかつた。內地からのすべての旅行者は、基隆に上陸して南下する途上において、工場の存在を示す煙突の寥々たるに驚いた。稀に煙を吐くものがあれば、それは僅かに煉瓦工場であり、專賣局工場であり、製糖工場であるに過ぎなかつた。勿論我々は、たとへば、總督府殖產局出版の「工場名簿」において、準戰階段にはいる遙か以前に創設された多くの工場のあるのを知る。が製糖工場・專賣局工場などを除いては、それらの殆んど總てが、あるひは極めて小規模なマヌファクツールであり、あるひは家內工業の域をなほ脫しないものであつて、近代的工場（機械を用ひ、動力として蒸氣または電力を用ひ、多數の勞働者を使役し、大規模生產を行ふところの資本主義的工場）とは決して云ひ得ない程度のものである。

我々はこの階段の臺灣工業の狀態を表示するに足る次のやうな權威者の言葉を持つてゐる。それは大谷光瑞氏「臺灣島之現在」（昭和十年十月刊行）のうちに在る。

「本島は工業として極めて幼稚なり。我帝國領有以來四十年、工業として見るものなきは實に大和民族の大恥辱なり。製糖會社は決して工業に非ず。農業なり。不肖は之を工業と名付けず。稻を作るは、米を得んが爲なり。甘蔗を作るは糖を得んが爲なり。稻をして子實のまゝ食用となすは雀鼠の類なり。人は必ず脫皮す。蔗をして幹のまゝ是を行ふは稻の子實のまゝ食ふより容易なりと雖も、鼠、栗鼠の範圍を免る能はず。されば是れを壓搾し、その液汁を凝縮するは、米の脫皮と同じ。而して分蜜精白するは、玄米を白米たらしむるが如し。故に强て云はば、精白のみは半工業なれ共、一括して農業に入るを適當なりとす。而して、臺灣より精糖會社を除去せば、煙突の煙は恐らくは幾十の數を算するに過ぎざるべし。

「現に本邦紡績の發達たるや、世界中五指の中に在り。而して臺灣に一の紡績なし。最近ラミーの精製工場を臺北に建設すと雖も、纖維の精製に止まり、紡績せず。……決して眞の工業と云ふべからず。農產加工の最後工程たるに過ぎず。故に完全なる工業は、唯專賣局の樟腦工業と、阿片工業なり。この二工業は、世界に對し遜色なき大工業なり。……如此き優良なる化學工業ありと雖も、官營の專賣局なり。換言せば不得止是を行はざるべからざるなり。

「次は臺灣糖業試驗所なり。糖蜜より精巧なる糖業の副產物たるアルコホル等を抽出し完全なる化學工業を起せり。……然れ共是れ官營なり。その驚く所は皆官營なり。その興るべきに興らざるを驚くは民業なり。官民の差は實に天淵の遠きにあり。民業として工業の第一はセメントなり。セメントは高雄市にあり。壽山の珊瑚礁を原料となせり。………

「次は酒精工場なり。製糖工場より生ずる糖蜜を原料とせり。其他鐵工業等は普通の都市に欠くべからざるものは、一應皆存せり。纖維業も上に云ふが如く、原料精製の範圍なり。紡績會社の大工場は一も存在せず。織布は小規模のもの存在せり。煙草及び優等なる葉卷を產すと雖も、專賣局にして、民業に非らず。其他特記すべきものなし。」

そして大谷氏は、高雄をもつて、「本島に於ける紡績の最適地」となし、その港灣の便を擧げ、本邦中原料地印度・エヂプト、織布消費地支那・印度・アフリカに最も近きことを擧げ、從來業者が臺灣が「濕度過多の爲便ならず」としてゐることに對しては、業者の希望するやうな乾燥地は「帝國に於ては關東州以外なし」とし、上海でも阪神でもこの點決して好適でないにもかゝはらず、紡績業の盛んなるを指摘し、高雄決して不可ならずとし、却つて「織布はやゝ濕度の高きを好む」點を利用すべく、要するに、「紡績の要點は、交通と動力と勞力との三者の利便さへあらば、天然の條件は必ずしも絕對的に非らざるが如し」。この點高雄は頗る好適の地であるとせられる。

次に、氏は一般に本島に起業を好まざる大原因は「本島の不健康地なりと信ずる妄想なり」とし、その當らざること縷々説明し、本島に各種の重工業・輕工業を興すべし、しかも高雄がその中心地たるべしと決論してゐられる（同書五八五頁以下）。

しかるに戰爭階段に入る前後において、近代的工業が漸く臺灣にも導入せらるることゝなり、工業化が總督府の重要政策の樞軸をなすことゝなり、今や、實に驚嘆すべき規模とテンポとにおいて、あらゆる種類の工業がこの地に興りつゝある。我々はまづ準戰階段における工業化の跡を顧みよう。

臺灣經濟の工業化は、まことに鮮かな一つのランドマークを持つ。それは日月潭發電所竣工である。この發電所のもつ經歴は、ある意味において、最近の臺灣産業の運命の表徴である。同發電所は大正八年起工し、十五年に至つて中止、昭和三年再興に決し、恰も滿洲事變勃發直後の昭和六年十一月工事に再着手、九年七月竣工を見、これによつて西部臺灣の發送電設備は一應完成し、本島における現代的工業の先發隊たる高雄におけるアルミニューム工業、基隆における合金鐵工業の招致を可能ならしめた。本島工業化の眞實の意味における第一歩は、まさにこの時踏み出されたのであり、しかもそれはわが國の準戰經濟を背景として行はれたのであり、本島としても、この準備工作の完遂があつたために、安んじて戰爭經濟の階段に突き進むことができ、來るべき南方政策實施の基地たることができるのである。

さて日月潭發電所の再工が日程に取り上げられた昭和六年頃においては、この僅かに十萬キロワットに過ぎざる電力の消化可能性を繞つて樂觀說と非觀說とが亂れ飛んだことは、今日より之を見れば、洵に今昔の感深きものがある。そもそも大正八年この發電所が計畫された當時においては、本島の電力需要は燈火用・動力用を合して僅かに一萬餘馬力に過ぎなかつた。したがつて、この需要を前にして一擧十萬キロの發電計畫を樹てるについては、本島において大いに工業を興して積極的消化を圖ることが、總督府の把持した方針であつた。現に「臺灣電力會社設立參考書」にも、「今後の電氣事業が目的とすべき所は、廉價にして豐富なる電力を供給して、臺灣に於て新しき大工業を興し、專ら農業にのみ依賴せし臺灣產業界に一革新時期を劃し、其の富力を進め、南洋方面への經濟的發展の眞の策源地たらしむるにあり」とあり、また導入せらるべき工業として、硫安工業・製紙工業(バガス及び針葉樹を原料とす)・曹達工業・纖維工業(印度棉・支那棉を原料とする紡織業、苧麻紡織業)・製鐵工業(福建產鐵鑛による)・カーバイト製造工業・セメント工業・製氷業・燐寸工業・硝子工業・銅・亞鉛精錬工業等が擧げられてゐ、なほ電力消化の一方法として鐵道電化・電車敷設(臺灣には今日もなほ電車が無い!)などが算へられてゐる。その臺灣產業の向ふべき方向の指示と積極性とにおいて、ひとは第一次世界大戰による好景氣の波に乘つたこの計畫が、正に今日の臺灣工業化と南進政策實行の提唱と、その行き方を全く一にしてゐるのに驚くであらう。が大戰後の不況の深刻化は、かゝる工業の大規模な導入を不可能ならしめ、大正十五年末の工事中止となつた。かくて昭和四年再興決定の當時においては、創業當時のやうな各種の工業用動力の需要の豫想はこれを計算の外に置き、從來の電力需要增加率の實績を採算の基礎とすることゝなり、消化計畫も極めて「健全なる」ものを樹立した。もちろんこの消極的消化計畫は決して工業の新興を放棄したものでなく、まづ發電所工事を完成して會社の事業採算を有利に導き、しかる後に積極的消化計畫の實現に乘り出さうと云ふにあつたが、導入すべき事業として考へられたものは、創業當時と同じく硫安・バガス製紙・曹達・紡織・輕銀・マグネシウム・機械製造・製氷・冷凍などの工業、鐵道電化・農事電化などであつた。そしてこれらのものも當時としては、その導入の能否については、總督府においても、財界においても、非常に確實な見透しをつけ得てゐなかつたと寧ろ斷ずべきであらう。その證據の一つとして、前揭の昭和五年十一月に開催された「臨時產業調査會」の答申たる「臺灣產業計畫要項」に依るも、「工業の振興」に關する件として答申されてゐる事柄は、決して工業の現實的存立の表現ではなくて、招致すべき工業の「構想」に過ぎず、しかもそのすべてが必ずしも電力の消化力を持つ工業ではなく、その多くは輕工業であり、且つこれからその振興が圖られねばならぬものであつた。要するに、調査・研究・試驗、そして助長・獎勵または導入が當面の重要課題であるに過ぎなかつた。要するに、工業化への準備工程であるといふのが、準戰階段當初における本島工業の實勢であつたのである。

かゝる情勢から工業化の第一歩が踏み出された。工業化の進展を表徴する若干の事象を摘出するならば、

（イ）一般的。昭和十一年七月、臺灣技術協會發會（土木・機械・電氣・化學・農林業關係の官民技術者によつて構成せらる）。

十一年七月、臺灣資源調査委員會設置。

十二年三月、鐵道部は工業原料・藥品の運賃大幅値下げを斷行す。

十二年四月、高雄商工奬勵館附設徒弟養成所開所。

同　月、地方長官會議にて工業化につき總務長官の訓示あり。

（ロ）食料品工業。昭和八年一月、高砂麥酒會社事業擴張、七月麥酒專賣制實施。

十年六月、臺灣合同鳳梨會社が從來分立の小企業の團結によつて統制會社として結成され、斯業の經營の合理化が行はれ、本島食料品工業そのものとしても、また重要產業統制としても、一時代を劃す。

十　月、臺灣澱粉會社（花蓮港）創立――キャッサバ澱粉製造。

十一年七月、日東拓殖農林會社創立――（三井系）、紅茶製造等。

同　月、臺灣農產工業會社創立（本社花蓮港、鹽糖系、資本百萬圓、四十萬圓拂込）－苧麻その他の纖維原料の栽培・加工・販賣、油脂製造、藥用・香料作物の栽培・製造、茶樹栽培・製茶、澱粉製造、販賣等。

八　月、海南製粉會社創立（本社臺中）。

（ハ）紡織工業。昭和十年三月、臺南製麻會社創立。（本社臺南、資本二百萬圓）――苧麻・黃麻紡織、十一年三月操業開始。

十二年五月、臺灣棉花會社創立（本社臺北、資本三百萬圓、臺拓系）――棉花栽培助長、實棉買入・繰綿・綿販賣・棉實油生產等。

（ニ）窯業。六年五月、淺野セメント會社高雄第二工場竣工す。

（ホ）金屬工業。昭和十年六月、日本アルミニユーム會社創立、（本社東京、資本三千萬圓）――高雄に工場を設け日月潭電力を利用す、十一年十一月操業開始、けだし本島工業化の第一步。

十年五月、臺灣電化會社創立、（本社基隆、資本二百萬圓、日產系）、基隆に工場を設け日月潭電力によつて合金鐵等の製造をなす。高雄の日本アルミと共に本島への重工業導入の先驅をなす。

（ヘ）機械製造工業。昭和七年九月、臺灣鐵工業協會創立。

十年十月、鐵道部の松山工場竣工、從來單に修繕工場のみなりしものが、機關車その他を自ら製作し得るに至る。

十二年五月、基隆船渠會社を基幹とせる臺灣船渠會社創立（三菱重工業系、資本三百萬圓）、同社は十三年高雄工場をも設け、既に操業を開始してゐる。

同　月、陸軍〇〇〇〇支廠開設。

（ト）　化學工業。昭和六年三月　宜蘭バガス工業試驗所は工業化試驗を開始す。八年七月臺灣紙業會社創立（大川系）、十月同社はバガス工業試驗所を買收す、爾來バガスパルプの工業化成功の觸光見ゆ。十年三月臺灣興業會社（鬼萓パルプ）創立、資本八百萬圓。十一年八月兩社合併。十二年四月羅東工場竣工。

九年十月、製腦組合創立さる。

十年三月、臺灣油脂殖産會社創立（本社高雄、杉原産業系）――蓖麻油子製造。

十年五月、高砂香料會社臺北工場竣工、十四年七月同社は高砂化學工業會社と改稱し、事業の大擴張を行ふ。

十一年九月、糖業聯合會は加盟各社共同出資にて（一千萬圓）、無水酒精製造會社を設立す、工場をまづ高雄に設け、十三年より始業に決す。

十一年十月、府糖業試驗所の無水酒精工場操業開始。

十一年十一月、臺灣油脂工業會社創立（本社臺南、資本百萬圓、大川系）――蓖麻子油・同油粕等。

十二年四月、臺灣化學工業會社創立（日産系、資本一千萬圓）、金瓜石の硫化鑛と新竹の天然瓦斯を原料として硫安を製造す。

（チ）原料產業。十二年二月、府は臺南州下に鹽田地として七千百十五甲を保留す。十二年二月、臺灣製鹽會社が日本曹達會社の傘下に入り、三月苦汁處理工場竣工。

（リ）動力・燃料產業。昭和六年二月、臺灣電力會社の日月潭發電工事の再興決定、十一月着工、九年七月送電開始。十年九月同社は一千百餘萬圓增資、十二年二月北部火力發電所（八斗子）起工、十四年三月竣工。

九年五月、臺灣瓦斯會社創立、十年五月、瓦斯事業取締規則公布施行。

十一年二月、府天然瓦斯研究所設立（新竹）。

要するに準戰階段における本島の工業化は、來るべき戰爭階段における飛躍に對する準備工作であつた。すなはち既存の工業經營の合理化を目指す統制が、あるひは官廳の斯業の健全なる發達を目指しての慫慂により、あるひは業者の利潤追求の立場よりの合併によつて行はれ、また新しい工業の導入が、あるひは日滿ブロック確立のための重要物資自給策樹立のために、また本島における軍需工業整備のために行はれ、從來の食料品工業その他の雜貨工業中心の本島工業界に、輕金屬製造工業（アルミニューム・マグネシウム）・製鐵工業（合金鐵）・機械製造工業・石油製造業（天然瓦斯處理）・パルプ工業・曹達工業・硫安工業・無水酒精工業・油脂工業などが新に導入せられた。勿論これらの新來工業の本島工業界における勢力は、この階段においてはなほ決して有勢であるとはいへないけれども、それは、本島工業が、それ自體として、今や一つの大きな構造變化を遂げようとしてゐることの觸れ太鼓であることは否定し得ないところである。

第六項　地下資源の開發

工業の導入のためには、もちろん農・林・畜産・漁業などの生産力擴充によつて、また原料の輸移入振興によつて、原料を豊富にすることが必要であるが、殊に自らの領域内の地下資源の開發に大なる期待がかけられねばならぬ。然らば、準戰階段において、臺灣の地下資源の開發は、如何やうに行はれたか。

臺灣で既に發見されてゐる鑛産物は、八十餘種の多きに達してゐるが、産額からいつて、夫々決して豊富であるとはいへない。その重要なものは、燃料としての石炭（北部および中部）と石油（殊に天然瓦斯——全島的、特に中南部）、金屬としての金・砂金・銅（北部および東部）、石灰石（北部）・硫黄（北部）などである。これらのものが準戰階段にはいつて、その生産に拍車が加へられたこと、内地におけると同じであるが、今その動向を示す重要な出來事を擧げよう。

○燃料○

石炭——昭和十二年四月、臺灣石炭組合創立——六月、新竹州竹南郡南庄に豊富なる優秀炭層發見せらる。

石油――昭和七年四月、日石の牛肉崎三號井瓦斯大噴出す――七年十二月、日石の錦水油田同上――八年三月、日鑛の竹東油田、日石の甲仙油田試掘――九年二月、臺鑛の竹東油田員崠子第一號井開坑、五月深度二九九米で瓦斯の大噴出あり、發火して四十日間燃えつづく――五月、日石の寶山油田開坑――十一月臺鑛の湖口油田開坑――十年一月、臺鑛の凍子脚油田開坑――二月、日石の通霄油田開坑――三月、日石の六重溪油田再開坑――四月、日石の中和油田開坑――十一年五月、臺鑛の九層林油田開坑――十一年八月、石油保有補助金交付規則（府令六三）公布――十月、日石の八卦力油田開坑――十二月、日石の新營坑場開設。

金――昭和八年三月、金瓜石鑛山日本鑛業系となる。八月、同社は二百萬圓より一千萬圓に大增資。

砂金――昭和六年六月、兼ねて東臺灣砂金四十億圓埋藏說を執る横堀博士タッキリ溪砂金地帶の探査を始む――八年五月、三菱鑛業東部砂金調査――九年六月、タッキリ溪砂金採取許可方針決す――十一月第一回許可二件――十年五月第二回許可。

これらの事象は、要するに、燃料對策ならびに國際貸借改善策として、臺灣が準戰階段において如何ほどに貢獻してゐるかの指標と見らるべきものである。燃料においては、石油・天然瓦斯

（それより採取せらるゝガソリン・カーボンブラックその他）、石炭など、本島はこの階段において、生産力擴充に相當の成績を擧げた。特に石油事業は、昭和二年度から六年度にかけて主要なる油田の地質調査が行はれ、さらに十年度から第二期調査が開始され、從來稼行せるものはますます重要性を加へ、さらに島内各所に試掘が開始され、相當の功果をあげてゐる。金屬鑛業としては、昭和二年度から五年度にかけて東部臺灣を中心に行はれた砂金調査がこの階段において完成し、山金とともに、ゴールドラッシュ時代の樣相を呈し、昭和十四年における中央山脈の大砂金地帶發見の準備階梯となつた。

が本島の地下資源は、天然瓦斯と石炭と石灰石とを除いては、本島工業化のために貢獻するものほとんどなく、これらのものといへども、その産額においては尚極めて不充分であつて、鑛業の發達は戰爭階段に入るや、ますます深刻に要請されてゐる。

第七項　經濟再編成の其の他の徴候

（イ）　臺灣拓殖會社の創立、國策會社としては既に臺灣銀行・臺灣電力會社の二者があり、また日本勸業銀行支店も開かれてゐるが、準戰階段にはいつて、島内・南支・南洋における拓殖事業の經營および拓殖資金の供給を目的とする半官半民の國策會社臺灣拓殖會社が創立された（昭和十一年六月三日、臺灣拓殖株式會社法―法律四三―公布施行。七月三十日、同施行法―勅令二三八―公布施行。同年十一月二十五日創立總會。資本三千萬圓、株式總數六十萬株、內一千五百萬圓―三十萬株―は總督府より官有地を現物出資し、殘餘の三十萬株中二十萬株は日本糖業聯合會・三井・三菱其の他の有力資本團體が引き受け、十萬株は一般募集)。同社は國策會社として、種々なる特權を享受し、その反面政府および總督府の特別な監督を受けることはいふまでもない。事業としては、島內では干拓・開墾・造林・栽培・土地改良・移民・製油工業・化學工業・バナナ纖維工業・移民貸付・投資(子會社および關與會社)・調査等である。これらの事業は、本島の農業・林業・畜產業・水產業・工業の種々なる部門の開發・振興に極めて大なる役割を演ずるものである(戰時經濟にはいつてから、同社はその子會社とともに、對岸特に廣東・海南島ならびに佛印などに進出し、南方開發の使命を果してゐる)。

(ロ)　交通・通信、準戰階段において、本島の交通事業は可成りの發達を遂げた。陸運において殊に著しいことは自動車交通事業の發達であつた。なかんづくバスの交通局直營は、合理化と擴充とを目的とする統制の最も著しい表現であつた。海運も東京橫濱直通貨物線・大連線・北鮮九州線・高雄比島アツパリ線の新設・佛印直通航路の復活などが行はれ、日滿ブロツク樹立のために、また來るべき東亞共榮圈確立の準備としてその意味大である。航空事業もこの階段において新しく導入され、內臺線・島內線が乘客の過少をかこちつゝも、次に來るべき交通輻輳と南支南洋への空路延長の時代に備へた。

通信の方は、無線電信の施設がこの階段において大いに整備された。これも、支那事變勃發後、臺灣が海外通信および宣傳の第一線に位置するやうになつたことに對する極めて周到なる準備であつたと見なしてよい。

(ニ) 財政および金融の方面における準戰時的諸相については、別の機會に敍述することゝする。

第八項　軍部の推進性

最近における日本經濟全體の性格の一として著しいことは、その展開のうへに、軍部の推進と指導とを受くること至大であるといふことである。これは、いふまでもなく、一には、既に最高度にまで發達しきつた我が國の資本主義經濟は、それ自體に內在する要因のみによつては、その矛盾——種々なる弱點——行詰りを打開し、さらに資本主義的體制において展開してゆくことが到底できなくなつてゐ、經濟外的な或る力の出現を待つてゐたからであり、二には、主として世界資本主義のかゝる行詰りの表現としての戰爭切迫の脅威は、各國をして自づから國防力充實の必要を覺らしめ、この世界狀勢は我が國をも例外視せず、國防力の早急的再編成を促がし、したがつて直接的にその衝にあたる軍部をして、わが資本主義經濟に對して新しき態勢を取ることを要求せしめ、このためのイニシアチーヴを取らしむるに至つたからである。

臺灣經濟に對してもまた然りであつた。前にも述べたやうに、準戰階段にはいつて、臺灣の政治體制もまた、政黨政治から、そして自由主義的體制から、漸次に擧國一致的な、また統制主義的なものへ推移した。その最も著しい表現は、昭和十一年九月二日豫備海軍大將小林躋造氏が總督に親任せられたことであらう。多年政黨政治の弊に禍されて來た臺灣において、政黨政派に超越せる軍人總督の要望が次第に輿論の主流をなすやうになつて來てゐたが、こゝに大正八年明石元二郎總督以來はじめて軍部出身の總督を迎へることゝなつた。しかも海軍大將をもつて之にあてた所に、我が南進政策の積極性の片鱗を覗ふことができると思はれる。さらに準戰階段の終期に近づくにつれて大總督制（けだし現役の海軍々人をもつて、南洋群島および沖繩縣をその管下に置き、政府に對しては朝鮮總督と同格となすといふにある）採用の聲も次第に高くなつて來た。また民間から鎭守府ならびに師團設置の要望が政府に對してなされるなど、軍事的に臺灣の地位が次第に高まるにつれて、これに對處する心構へが官民の間に熟して來、また種々なる軍事的施設が次第に充實して來た。

かゝる狀勢のもとにおいて、臺灣の產業および一般的經濟の戰時體制化もまた軍部の推進力によつて覺醒されたことは當然といはねばならぬ。軍部の臺灣經濟への警鐘が最初に鳴らされたのは（少くとも我々圈外にあるものにも分かるやうな形において現はれたものとして）、昭和十一年十月に臺灣軍參謀山本募中佐によつて、「國家總動員とは何か」――「臺灣產業に對する期待の概要――生產力擴充の爲」といふ論策が島內日刊新聞に掲げられたことにある。それは同氏の私見の形式においてゞはあつたが、國家總動員・總力戰準備の見地からせる、臺灣の社會生活全體、殊にその產業の現狀に關する軍部の觀察、その將來に對する要望と、さし當つての企畫の公示と見ることを得べく、爾來今日までの臺灣の政治經濟の進展の動向は、大體において、この論策において見ることができ、したがつて臺灣の社會、殊にその產業に對する軍部の推進性をも推知することができるといふ意味において、私はこの論策の意味は頗る大であつたと見てゐる。

その要旨を略記するならば、「臺灣の產業は主として本島の地理的竝に資源的特性に應じて設定せらるべき總動員計畫上の要望に副ひ國策に寄與する如く之が振興若くは抑制を圖ると共に其の施設は有事本島が孤立に陷りたる場合に於ても尙且つ十全の機能を發揮し得る如く物心兩方面に亙り平時より之が整備を一層强化するの要あり。そのための方策として、(一)埋藏諸資源の開發竝に其の確保、(二)軍需工業の振興、(三)その原料とすべき動植物資源の培養を舉げてゐ、軍事工業發達助成の爲に特にその現狀を檢討し對策を講ずる要あるものとして、(一)自動車政策の確立特に國產自動車普及の徹底、(二)電力の整備及び料金制度の合理化、(三)內臺海上運賃の整理、(四)勞務特に勞銀の統制、(五)科學研究機關の統制および其の活動助成竝びに行政、技術、事業三者の連絡協調、(六)非重要資源に對する課税、國產自動車税の減免、不用資源の抑制及び有用資源保育の促進、(七)鑛業權出願者竝に設定者の全面的整理、(八)無斷開墾地、大學演習林等官有地の革新的整理九各種利權運動の抑制などを主張し、さらに「有事本島各種機能の保全を期せんが爲に內地人の入植增加」を圖るべく、從來の農業移民を擴充して、將來發達を豫想せらるゝ商工業方面にも內地人の增植を大いになすべしと論じてゐる。要するに、國家總動員計畫の立場から、本島の社會が、殊にその產業が有事即應のために平素より如何なる準備をなしておくべきかについて、極めて強く鮮かにその大綱を示したもので、私見によれば、當時なほ舊態依然たりし本島官民、殊に財界に對して下された「氣を付け」の號令であつたといへる。もちろん、この懸聲によつてのみ臺灣經濟の戰時體制移行が遂行されたなどとは云ひ得ないけれども、ともあれそれが頗る時宜に適したものであつたことは否定し得ないところであつて、あたかも之に應ずるがごとくに、軍部の慫慂によつて、臺灣國產自動車會社が創設されたるがごとき(十二年七月)、軍の要望が、本島經濟界の發達のうへに如何に大なる推進力・指導力を意味するかの好個の證左である。

同氏はさらに昭和十二年二月、臺灣日日新報紙上に、「臺灣を見直す――總動員業務に携る者の立場から」なる論文を十回に亙つて發表し、國家總動員準備に對する官民の協力を求め、臺灣產業・財界その他の動向に對して可成鋭い觀察と批判とを下した。また總督府刊行の「臺灣時報」昭和十二年八月號に、「臺灣の生産力に關する考察」なる一文を發表し、産業指導方針としては、「日本の全體の產業經濟建設、乃至は社會情勢上之に必要な管理統制の作用を强行しなければ、國家としての計畫運營に支障を來すものありとすれば、玆に施策の一大轉換を行ふべき」であるとなし、また「臺灣は地理的資源的に國に對し寄與すべき特異の立場をもつ。而してこの立場を活用し且つ十全の機能を發揮するためには物心兩方面に亙り帝國領土内の他の地域よりも一層眞劍なる施策を强行しなければならぬ」となしてゐる。氏はこの論文の冒頭に「私はこの種の問題について數回私見を述べ、世間から贊否兩方の批評を受けた經驗をもつ。本來ならば産業などに我々が彼是いふべき筋合ではないかも知れない。しかし近代戰爭の特性に鑑み、且又帝國内外の情勢を觀察し、翻つて自分自身の環境を見渡すとき、現狀のまゝ自然の推移に委せた結果が何處に落ち行くかについては、我等の立場からも心配がある」といつてゐるが、假りにこれを軍部からの臺灣に對する公式の要請として、また本島民、殊に財界人に對する啓蒙的發言として受け取るとき、我々はこの行間に漲る軍部の推進力と迫力とを感せずにはゐられないであらう。

そしてこの迫力は、支那事變がはじまつて一層强大なものとなつたことは云ふを俟たない。臺灣經濟の最近における展開に對する軍部の指導の功績は偉大であつた。今や南進政策の基地として、殊にその兵站基地として立ちつゝある臺灣産業としては、それが軍部の指導下におかれることは必然的であり、また正當でもあらう。

第三節　戰爭階段における推移

第一項　概説

昭和六年より十二年上半期に至る期間は、上來述べ來つたやうに、日本經濟全體の一環として、臺灣經濟もまた準戰的姿をとつて推移した。七年七月北支事件が勃發するや、本島における社會生活のあらゆる側面が直ちに戰時態勢に移行した。殊に地理的に南支に直面し、住民の九五パーセントが漢民族たる本島人よりなつてゐる臺灣の今次事變に處する態勢は、まことに興味深きものであり、また雄々しきものでもある。事變の進展に伴つて、臺灣の社會生活は一大變化を閲し、特にその經濟的側面は極めて著しい構造的變化を遂げた。準戰階段において、あるひは萠芽を見せ、あるひは既に萶にまで伸びてゐた種々な傾向は、戰爭階段にはいつて俄かに成育しはじめた。殊に事變の波が南支に及び、さらに佛印にまで達するに及んで、南進政策がわが國の輿論となるや、臺灣の地理的位置は、忽ちにしてその國際政治的および軍事的價値を高めることゝなり、本島は、實に、皇國が南方に向つて發射した長距離砲の砲彈——發射された砲彈自體が更に小砲彈を發射してゆくところの——として現はれることゝなつた。しかもこの砲彈は、單に軍事的意味を負つてゐるばかりでなく、否、それ以上に、經濟的・政治的ならびに文化的意義を持つことはいふまでもない。

ところで我々は、この戰爭經濟の一環としての臺灣經濟の推移を、支那事變勃發の昭和十二年七月から第二次近衞內閣成立、新體制提唱の十五年八月に至る三年間と、十五年八月以後の二つの階段に分つて考察することゝしよう。私は假に前の階段を前期、後の階段を後期と名づける。前期においては臺灣は準戰階段から戰爭階段に入つた。この期における著しい現象は皇民化、工業化、南進政策といふ三大標語が提唱せられ、それが著々と進展したことであり、これに絡んで經濟統制の擴大深化と米管實施を中心とする農業政策、否もつと廣くいつて產業政策に一大飛躍があつたことである。總督小林躋造海軍大將はこの航海のパイロットであつた。しかも大體において成功せるパイロットであつた。そして中央において新體制が提唱されるや、臺灣もこれに促されてやゝ動きを見せんとした時、長谷川海軍大將が現役のまゝで總督として蒞任した（十五年十一月）。現役海軍大將を總督に迎へたことは、皇國の南進政策が單なる空念佛の域を脫して實踐に移されんとしてゐる時にあたつて、そこに無限の含蓄のあることを思はしめる。新體制への發足とともに新總督を迎へ、こゝに臺灣の戰時體制は、その後期にはいるわけである。我々は、まづこの二つの階段における動向を指示するに足る事象の生起を、その時間的順序に沿うて摘出して見よう。

第二項　前　　期（昭一二・七——一五・八）

この階段は臺灣經濟にとつて、實に、その完全なる構造的變化を意味する階段である。否、經濟的側面のみならず、思想的、宗敎的、習俗的、政治的等、あらゆる文化的側面においても然りである。この期における動向は、十四年五月小林總督によつて表白せられた「臺灣島民の皇民化」、「工業化」、「南進基地」なる三標語によつて形容し得、しかもこの三大政策は高度國防國家の一環としての臺灣の新建設なる一事に綜合されるのである。標語によつて示されてゐるところの動向は、この時期にはじめて登場したものではなく、準戰階段の後半から可成り著しくなりつゝあつたものであるが、殊に支那事變を契機として急速に展開し來つた。そして同總督がこの語をはじめて公に表出した頃においては、總督府の根本的政策としての方途が旣に定まり、またそのための手段と計畫とにほゞ定形が與へられるやうになつてゐたのである。小林總督の治績の著しいものゝ一つは、槪言せば、爾後の動向に對してかゝる歸趨を示した點であらう。

〔註〕この三大標語は、小林總督上京の途上十四年五月十九日拓務省詰め記者團とのインターヴュにおいて、はじめて公にされたものである。臺灣統治の上に、その再編成の上に、重要性極めて大なるものがあると思はれるから、こゝに特に引用する（一四・五・二〇・臺灣日々新聞に據る）。

「事變第三年目を迎へ臺灣も一段と緊張して來たが東亞新秩序建設の大事業を控へ臺灣の爲すべき役割は愈よ重きを加へて來た。この重大な役割を果す爲には第一に臺灣島民の皇民化運動で之は今次事變勃發後軍夫の使用及びその他の理由で特に顯著な效果を收めて來たが將來に於ける臺灣の日本帝國構成上の重要性を考へる時今後更に一段と努力せねばならぬと思ふ。

第二には臺灣工業化の問題である。從來の臺灣產業は全く自然成長的な農業中心に放置せられて行詰つた觀が深い。然し今後帝國が南支南洋に伸んとすれば距離の近い臺灣を工業化し熱帶農產物を原料とする加工々業を起す必要があることは自明の理で、これが爲に工業用動力(電力)の開發に目下折角努力してゐる。この爲には勞働力供給の困難、資材の不足、原料難等色々の問題があるが將來南支の復興に要する鐵材商品、南洋方面への市場開拓等を考慮すれば一日も忽せに出來ない問題であると思ふ。

第三には南方政策の問題で近頃色々と南進政策論が說かれてゐるやうであるが、自分は飽まで臺灣は南方發展、南支南洋方面への經濟的進出の據點であり、臺灣統治はその觀點から考慮されなければならぬと思ふ。」

以下我々の敍述も、大體において、皇民化運動・工業化・南進基地としての態勢整備といふ線に沿つてなしてゆかう。「がこゝに一言しなければならないことは、工業化の問題は、實は、單に文字通りな工業化をその內容としてゐるのではなくて、それは實に、農業本位なりし臺灣經濟に工業を入れ、もつてその產業體系を再編成し、農工併存たらしめんとするものである。したがつてこゝに農業臺灣の眞相が再檢討されねばならぬこととなる。」

しかも戰時下食料政策の要請は、準戰階段において準備し、戰爭階段にはいつていよいよ實施せられるようになつた移出米穀管理制度をして、米穀確保を樞軸とする食料農產物の增產ならびに既に導入せられてゐた他の有用作物の生産擴充を目標とする計畫農業の招致を結果した。また戰時下物資の需給調整と物價政策とは、あらゆる分野における經濟統制を深化擴大し、臺灣經濟をして統制經濟化せしめた。ゆゑに前掲の三大標語には統制經濟化といふ著しい傾向が絡みついてゐるといはねばならぬ。以下我々は、これらの諸動向を表面的に示すに足る著しい現象をクロニクル的に拾つて見よう。

第一款　皇民化運動の進展

十二年七月、臺灣地方自治聯盟解散す。九月、臺北州は州下本島人男女青年團を總動員し、銃後防衛の一助たらしむべく訓練す。各州とも之に倣ふ。

同月、府に精動本部設置。軍出征と共に、本島人軍夫も大陸に進出、軍に貢獻する所大なるものあり、皇民化運動の上にも功果大なりといふべし。

十一月、臺北大稻埕青年團魁隊結成。

十二月頃より各地に本島人の陋習打破・生活改善運動が行はれ、寺廟整理・冠婚葬祭の樣式改善など盛んに提唱さる。

十三年一月、朝鮮は來る四月三日より志願兵制度を布くに決す。これに關し「本島ではこの制度は皇民化徹底と待ちて始めて布くべきである」と總督は語る。

四月、臺灣農業義勇團出征―主として本島人青年を以て編成し、上海附近に農園を開設、軍用蔬菜類を栽培傍々本島人に精神的訓練を施す。後一部は南京方面にも進出。軍夫・通譯其の他の形で從軍せるものと共に皇民化運動としての一面を備ふ。

十一月、府法令取調第一回委員會は親族法・相續法の本島人適用につき協議す――十五年一月第二回委員會は分頭相續制などを中心に協議す。

十四年一月、皇民化運動の一方策としての寺廟整理は、地方に依つて行き過ぎの所もあり、民意尊重の上之をなすべしとの文教局長通牒地方長官に對して發せらる。

八月、義務教育の實施準備に着手――十五年七月、初等教育制度審議委員會設置、十月第一回特別委員會、同月本委員會において義務教育制を昭和十八年度より布くこと、國民學校制は昭和十六年度より實施することを決定す。

十五年二月、臺灣戸口規則改正――これに依つて本島人の改姓名可能となり、皇民化運動の一翼としての改姓名運動次第に行はる。

同月、臺灣總督府勤行報國青年隊企畫せられ、三月下旬實現、勞務問題の解決の目的もあれど、主としては、皇民化運動推進の中核體たるべき本島人青年の錬成のために、軍隊的訓練を施す。高雄州下〇〇作業所・霧社産金道路工事等に奉仕す。十一月より此の運動の恒久化を圖るために臺灣神社境内に指導者訓練道場を設く。

六月、本島總動員下の體制の下部組織として保甲制度を基とする奉公班結成に決す。

九月、臺灣日日新報は「國語新聞」を創刊し國語普及に資す。

「皇民化運動の目的は、要するに、漢民族の一枝派たる本島人をして、皇國民たる自覺を持たしめ、臺灣の土とともに臺灣の人をも、眞に日本のものたらしめんとするにある。このことたるや難事中の至難事であるが」、今や總督府は萬難を排してこれを强行せんとし、本島人の心ある人々もまた、これに積極的に協力するの熱意を見せつゝある。この運動の持つ重大意味については、後に今一度觸れたい。

第二款　工業化の飛躍的前進

前にも述べたやうに、本島の工業化は、實に、本島産業體系の、したがつてまた經濟全體の再構成を意味する。準戰階段における工業化過程についての敍述の示すやうに、本島は滿洲事變を契機として、急速に工業化の一途を辿つて來たのであるが、この趨勢は戰爭階段にはいつて、量的には幾何級數的に、加速度的に前進した。殊にその質に至つては、諸種の重要なる輕工業は固よりのこと、電氣を動力ならびに原料とする各種の重化學工業を網羅してゐ、洵に百花一時に開くの觀がある。今この階段における工業化を表示する事象を若干摘出して見よう。

(イ) 一般的。

十二年九月、軍需工業動員法本島にも施行せらる。

同月、技術者需給調整のため府に臨時勞務部設置。

十一月、高雄重工業地帯道路運河工事開始。

十三年三月、工業研究所設立に決し、十四年四月中央研究所解體。

十三年度より生産擴充五箇年計畫實施。

十四年四月、臺電技術員養成講習所開かる。

七月、府に「臺灣工業化促進委員會」設置の計畫あり、十五年五月ならびに九月にもこの計畫再燃したれど尙實現せず。

十一月、シンヂケート銀行團(興銀・第一・三井・三菱・安田・第百・住友)府の招聘によつて來臺、產業開發、就中工業化に協力する意圖をもつて、約二週間視察す。

十五年二月、總動員試驗研究令竝に工場事業場使用令本島に施行せらる。

同月、臺南高等工業學校に電氣化學料新設に決す。

四月、臺灣生命保險協會總會は、中央協會に働きかけて臺灣工業化に協力することを決議す。

七月、臺北帝國大學工學部創設委員會成立、十六・七日第一回委員會、同學部は昭和十八年度より開設に決す。

九月、工場事業場技能者養成令、本島に施行せらる。

十一月、中央の工業振興第二次四箇年計畫（十七年度を以て開始）に呼應すべく、臺灣の「大工業化計畫要綱」成る――鐵工業・非鐵金屬工業・石灰石利用工業・天然瓦斯工業・工業鹽利用工業・肥料工業等。

（ロ）食料品工業、その他の輕工業。

十五年四月、臺北州茶業協議會は改良增產案を決定す。

五月、朝日製粉會社創立（本社臺中、資本二十萬圓、海南製粉系）――臺中州產小麥を原料の一部とす。

十二年八月、臺灣燐寸會社創立、（本社臺中、日本燐寸共販會社出資、資本五十萬圓）十四年五月開業――臺灣產濶葉樹、殊に臺灣楓を原材に利用する計畫なるも、尙成功せず、柚木・硫黃その他原料をすべて內地より移入しつゝあり。

十二年十一月、杉原產業會社は東部にて油脂製造を開始す。

十三年三月、臺灣畜產興業會社創立、臺拓の子會社――本島における唯一の大規模なる畜產物の加工・配給・輸出會社。十五年六月高雄本工場操業開始、十二月鮫皮脫鱗工業化に成功す。

六月、臺灣農產物罐詰製造事業取締規則公布施行。

同月、殖産局は漆器工藝振興案を樹つ。

十四年十月、專賣局松山煙草工場竣工。

十五年三月、茶製造業取締規則公布施行。

五月、臺灣製靴工業會社創立（本社臺北、資本十九萬八千圓）——島產鮫甲革を原料とす。

九月、臺東纖維工業會社始業——サイザル、月桃等の纖維製造。

同月、理研電化工業會社は新竹に漆加工々場設置に決定す。

十月、日本輸出合板協會は島產濶葉樹を利用するベニヤ板製造に乘出す——十一月、拓南ベニヤ板工業所（高雄）操業開始。

（ハ）紡織工業。

十三年二月、臺灣棉花會社嘉義工場、四月、同臺東工場竣工。

九月、黃麻增產につき臺灣製麻、臺南製麻兩會社は總督府に協力して努力することを誓約す。

十四年一月、臺灣纖維合資會社創立（本社新營）——バナナ莖よりパルプ製造。

六月、臺灣纖維工業會社はラミエットと亞麻紡織に着手す。

十五年六月、西部棉作技術員養成講習會開始（十一月まで約五箇月間）

六月、臺灣綿業會社創立（本社臺北、資本十二萬圓）——製綿、綿絲製造、製品販賣等。

同月、呉羽紡織會社本島進出の計畫を樹つ――九月臺北に臺灣紡績會社（資本四百萬圓）設立に決定、十一月認可。内地における遊休設備を移し、鳳梨纖維・黄麻等を原料とす――十六年二月、同社は花蓮港に苧麻紡績工場設置の計畫を發表す。

（ニ）窯業。

十五年九月、臺灣ゼニスパイプ會社創立（本社臺北、資本五十萬圓、日本ゼニスパイプの子會社）。

十月、淺野セメント會社高雄第一工場大擴張。

十四年四月、臺灣特殊窯業會社創立（本社高雄、前川系、資本四十五萬圓）――金門島の粘土を原料として耐火煉瓦を製造す。十月操業開始。

十五年一月、淺野セメント會社高雄工場は臺灣セメント會社に委託經營となる――四月增産計畫（十八萬擔）許可。

（ホ）金屬工業。

十二年十月、日本アルミニウム會社は花蓮港工場設立を計畫す。十三年十月起工、十六年一月一部竣工。

十三年七月、東邦金屬製錬會社創立（古河系、資本一千萬圓）――花蓮港にてニッケル・コバルトト製造、原料は南支・南阿・南洋に求む。十五年十月操業開始。

十四年四月、臺灣電力會社電氣製鐵試驗工場(松山)竣工――佛印より輸入の鐵鑛を原料として製銑・製鋼・特殊鋼製造をなす試驗工場。

五月、臺灣電解錫工業會社創立(本社臺北、資本十萬圓)――空罐・ブリキ屑等より錫・バンダを回收す。

九月、輕金屬製造事業法施行せらる。

（ヘ） 機械製造工業。

十二年七月十五日、臺灣軍の慫慂に依り臺灣國産自動車會社設立(トヨダ自動車系、資本百萬圓)、八月一日開業――但し本社は單に修繕と組立とを目的とするに止る。

十三年十月、臺灣精機工業會社創立(本社臺北、資本十八萬圓)――精密計測器具及び工作機械類の製造並びに販賣――十五年六月百萬圓に增資す。

十一月、臺灣船渠會社高雄工場竣工。

十四年三月、臺灣鐵工所高雄工場にて小型機關車を、十五年九月ヒースプラウを、夫々はじめて製作す。同社(大正八年十一月創立)は元來製糖會社の共同出資にて成立し、製糖機械の修繕を目的とし來りたるが、最近本格的なる機械工業に乘り出し來る。

十月、臺灣機械工業會社創立（本社臺南、資本十九萬七千圓）――鑄物・機械・製罐・自動車部分品再生、木炭瓦斯發生爐等の製作。

十五年三月、臺灣造船資材會社創立（本社基隆、臺灣造船組合聯合會の代行會社、資本十八萬圓）――造船資材の供給。

四月、高雄鐵工業組合創立。

六月、臺灣電球製造會社の創立が東光電氣會社（東京電燈系）によつて計畫さる。臺電・臺拓等も出資（資本三百萬圓）して、臺北または新竹に工場新設の豫定。資材關係その他にて十月設立延期に決定す。

九月、府企畫部と日本電氣機器工業組合との打合會――臺灣電氣機械商組合の設立計畫せらる。

同月、臺灣鐵工所は優秀ヒースプラウの製作に初めて成功す。同會社は機械製造工業その他重工業方面においても次第に本格的なものとなりつゝあり。十月に未拂込金三十萬圓徵收、引續き倍額增資を認可さる（公稱四百萬圓、二百五十萬圓拂込濟）。

十六年二月、北川產業海運會社が臺灣にて伸鐵工場設置を計畫すと傳へらる。

（ト）化學工業。

十二年七月、日本興業會社創立（本社臺南、資本五十萬圓）――キャッサバルートを原料とするカラメル・アミノ酸製造。

八月、日糖・昭和糖を中心とするパルプ會社設立計畫せらる。三井系、日東拓殖農林會社にもパルプ製造のプランあり。バナナ莖のパルプ化なども次第に考慮せらるゝに至る。――十一月、府はバガスパルプ工業化試驗を開始す。十三年二月、臺灣パルプ工業會社創立（昭和製糖と大日本製糖の共同出資、資本一千萬圓、二分の一拂込、本社臺中州大肚）、十四年七月、操業開始。

十三年四月、新日本砂糖工業會社（現稱、鹽水港パルプ會社）創立――鹽糖系。（資本二千五百萬圓、一千萬圓拂込濟）バガスパルプ製造、十五年三月操業開始。

十月、杉原產業の關山パルプ工場起工、十五年五月操業開始。

十四年一月、臺拓はバナナ纖維のパルプ製造に着手す（臺中）。

同月、臺灣炭素工業會社創立（本社臺北、資本十五萬圓）　活性炭素製造。

同月、臺陽鑛業株式會社の硫酸工場始業。

四月、臺拓ブタノール製造工場（嘉義）竣工――甘藷を原料とし、塗料劑、アセトン等製造。

五月、臺灣化成工業會社創立（本社臺北、臺拓系、資本五百萬圓、二百五十萬圓拂込濟）――磐城セメント會社の敦賀工場設備の一部を買入れ、蘇澳に移してセメント工場を設く。將來はカーバイト・醋酸・人造ゴム等の製造をもなす計畫あり。

五月、臺灣香料會社創立（本社苗栗）――シトロネラ油製造業者の統制會社。

六月、東洋電化工業會社創立（本社東京、南拓・東邦電力の共同出資、資本五百萬圓、四分の一拂込）――花蓮港においてアンガウル島等の燐鑛石を原料として燐酸肥料等の化學製品の製造をなす。

七月、臺灣油脂會社創立（本社臺北、日産系、資本十五萬圓）――油脂・脂肪酸・石鹼・グリセリン・蠟燭等の製造・販賣。

同月、臺灣高級硝子工業會社創立（本社および工場新竹。臺灣精機工業系、資本十萬圓）――新竹州竹東郡下の硅砂と天然瓦斯を原料とす。玻璃製量器・計量器・理化學醫療用硝子器・高級容器などの製造・販賣。

八月、新興窒素工業會社創立（本社臺北、朝鮮化學工業系、資本五百萬圓）――花蓮港にて廳下の石灰石より尿素石膏・尿素・カーバイト・石灰窒素・特殊鋼の製造をなす。

十月、南日本化學工業會社創立（本社高雄、日曹系、資本一千五百萬圓、內日曹二分の一、臺拓四分の一、南日本鹽業四分の一出資）――南日本鹽業より工業鹽を購入し、金屬マグネシューム・苛性曹達を製造す。

十一月、鹽野義商店竹東香料工場竣工――シトロネラ油その他製造。

同月、榕樹々液よりゴム製造の工業化可能なりと發表さる。

十二月、日本興業會社は籾殻より活性炭製造に乘り出す。

同月、旭電化工業會社（本社東京、古河系、資本五百萬圓）は高雄に工場建設、滿洲大石橋のマグネサイトを輸入し、臺電より電力の供給を受けて金屬マグネシウム製造に着手することゝなる（そのため一千萬圓に增資）。——操業開始十六年三月。

十五年七月、臺灣肥料會社（明治三十二年創立、資本二百萬圓）の高雄工場起工。

九月、臺灣硝子會社創立（本社臺北、資本三百萬圓、半額拂込、日本硝子・高砂麥酒・合同鳳梨・東洋製罐・空罐統制・赤司氏等共同出資）——まづ日本硝子の景尾製壜所を買收し、更に新竹に工場を設置の豫定。

十二月、府工業研究所は脫水劑の製造に成功す。

同月、臺灣ゴム工業會社（本社臺北）・臺灣有機合成會社（本社臺北）などの工場建設中なり。


以上擧げて來た事實は、要するに、本島工業化の進展を示すに足る企業の著しきものゝ若干であつて、なほこの他にもこの動向を現はす工場の建設なり、操業開始なり、もしくはその計畫中のものが多々あるを忘れてはならぬ。元來本島に新に導入せらるゝ諸工業は、その原料の多くを、將來における島內の大規模な生產擴充により、または新たな生產開始により、もしくは島外よりの輸移入によつて供給されねばならぬ狀態にあるが、島內における原料產業の勃興を示す事實の

若干を擧げるならば、大體次のやうなものがある。すなはち

十二年八月、專賣局の工業鹽增產計畫成る。十三年二月、擴大計畫發表、臺南州下に大規模なる鹽田設置に決す。——三月、南日本鹽業會社設立計畫發表、十四年六月創立（本社臺南、臺拓・大日本鹽業・日本曹達共同出資、資本二千萬圓）。

十三年二月、臺南棉花栽培指導所設置——本島の棉作の强行本格化。五月、高雄州棉作十年計畫樹立。

同月、專賣局はマニラ葉の大增產計畫を樹つ。

十四年三月、專賣局は樟腦原料資源確保の方針を樹立す。六月、樟樹基本調査開始。十一月、需要激增に對處するため新增產案を樹立す。

四月、棉花・黃麻增產につき糖業者は府に協力するに決す。

五月、東臺灣デリス會社（本社花蓮港、資本十九萬圓）——デリス等の特殊作物の栽培・加工。

六月、本島殊に臺中州の亞麻作極めて有望、日本斯業の中心地たるに足るべしといはる。

七月、財團法人臺灣鹽業協會設立——專賣局竝びに內地工業鹽消費者合作の縱及び橫の連絡機關たり。

十五年九月、府農業試驗場はラック貝殼蟲の飼育に成功すと發表せらる。

十二月、横濱ゴム會社は高雄州下にパラゴム栽培に着手す（約七千甲步）。

今や工業化のためにその根本的方策が樹立されねばならぬ階段に到達してゐる。府には、農業政策に關して、米管を中心問題とする「臺灣重要産業調整委員會」が構成されたやうに、既に「工業化審議會」とも稱すべきもの丶設置の議があるやうであるが、尙その成立を見てゐない。既成工業の飛躍的發達と導入すべき新規工業の性格の決定とのために、資金と資材と原料と動力と勞力との調達と配分とについての恒久策の迅速な樹立が望ましい。殊にこの場合、國土計畫の見地から考慮せられねばならぬことは云ふまでもないが、既に政府は十五年九月二十四日に日滿支を通ずる「國土計畫設定要綱」を決定してゐ、臺灣は外地の一として、この中央計畫に卽應する計畫を樹立せねばならないわけであるが、本島の工業化は、あたかもかゝる時期をもつて本格的に開始されるのであつて、工場の地方分散、動力源の合理的配置などの諸事項の調整は、內地などに比して比較的容易になされる可能性があると云へる。

第三款　動力産業の整備

工業の興隆のためにはエネルギー産業の發達がなければならぬことは喋々するを要しないところであるが、なかんづく水力電氣事業は、本島における工業化にとつてはほとんど唯一の動力源である。それは、ある種の工業（そして本島に導入せられんとしてゐる工業の多くはこの種に屬する）にとつては、單に動力であるばかりでなく、また文字通りにその原料でもある。本島の工業化は電力・石炭などの動力産業の發達によるエネルギーの豊富性と低廉性とをほとんどその唯一の基礎としてゐるのであるが、動力産業は戰爭階段において、工業化と石油資源の大開發とのために一大飛躍をなした。これを事實について見よう。

十二年七月、日本鑛業會社は臺灣鑛業會社を合併す。

同月、日月潭第二發電所竣工。

十一月、日石の新營油田にガソリンプラント建設、十二月操業開始。

十三年一月、昭和製糖苗栗工場は電化のトップを切る。

同月、新竹海軍天然瓦斯試驗所は天然瓦斯よりのベンゾール抽出、無水酒精製造の工業化に成功す。

同月、人造石油製造事業法一部施行。

二月、臺灣製糖會社の橋子頭製糖所無水酒精工場竣工。

七月、臺灣炭業組合主催で増産・需給調整協議會。――十月、石炭増産官民協議會――十二月炭業組合の統制力強化――十四年三月、石炭需給調整協議會（炭業組合と炭商組合との）にて増産計畫樹立せらる――十五年一月、同上協議會。

八月、日石の錦水第三十二號井深度三五〇〇米にて原油（日産十石）を噴出す。本島における最初の原油採取なり。

十月、電力調整令施行。

十一月、天然瓦斯研究所は合成石油製造に成功す。

十二月、石油資源開發法施行。

十五年二月、府は石炭增產・適正價格・配給合理化を目指せる業界統制の爲に臺灣石炭會社の設立を企畫す。業者は大反對を唱へ、沙汰止みとなる。十六年二月に至つて同案再燃す。

十四年五月、代用燃料使用裝置設置奬勵實施——十月、瓦斯發生爐會社創立。

十三年十一月、內外地燃料會議(東京)。

十三年十月、東臺灣電力興業會社計畫さる——十四年六月創立。日本アルミ・東洋電化工業・新興窒素工業・東邦金屬精錬・鹽糖等出資、二千萬圓。電源處女地たる東臺灣を目指して自家發電を出願するもの十指に餘る。臺電ももとより之を望む。或は一河一社主義を可とするものもあり。總督府は結局これが統制を可として、しかもこのために西部の電力統制會社たる臺電をもつてせず、新に統制會社を設け、電源の合理的開發をなさしむることゝなる。出資各會社は、東部にてそれぞれ各種工場を新設するものなり。

十四年三月、臺電の北部火力發電所(基隆八斗子)發電開始。

七月、臺電の圓山及び新龜山發電所工事着手。後者は十六年二月竣工。

十二月、臺電の天冷及び豊原第一發電所工事許可申請、十六年一月起工式。

四月、日石の竹頭崎試掘井より原油噴出す。

五月、東臺灣の配電事業は花蓮港電氣會社（百二十四萬圓より三百萬圓に增資、東部電氣會社と改稱）をして統一的に經營せしむることゝ決定す。

同月、臺灣電力會社と臺灣合同電氣會社（本社桃園）、恒春電氣會社（本社恒春）竝に南庄電氣商會との合併成立す。六月、臺灣電燈會社（本社嘉義）をも合併し、臺電はかくて西部における電氣事業營業權を完全に獲得す（正式合併は八月十日）。

六月、臺電の八堵變電所竣工す。

七月、日石の寶山第二號井開坑。

九月、臺灣電力會社令中改正（律令一〇）施行――外國資本の支配排除のための改正なり――同月、物上擔保付ろ號社債二千萬圓募集認可せらる。

十月、府は石炭增產奬勵金交付方針を決定す。

十二月、臺灣總督府天然瓦斯試驗所（新竹）殖產局より獨立す――新竹はじめ各地にプロペン瓦斯自動車の運轉開始す。

第四款　農業再編成の本格化

準戰階段においてその緒についた臺灣農業の再編成過程は、戰爭階段にはいるや一大躍進を遂げた。この過程の相貌を一言にして云へば、重要農産物の全般的增産を目標とする統制的農業政策の實施である。この農業再編成は、上述したやうに、一つには、臺灣の農業自體のうちに替んでゐる力に依るよりも寧ろ內地の農業經濟、殊に食糧政策における變革の餘波として行はれたものであり、また二つには、臺灣產業體系の工業化に促されて行はれつゝあるものであるが、これらの二つの動因は、さらに時局の進展の臺灣に對する要請といふ一事に統合せられ得ることは云ふまでもない。

さてこの階段において臺灣農業の再編成の過程を形成してゐる諸事象の重要なるものについては、後に記述するが、これらのうちで殊に比重の大なるものは、米管制度の確立・肥料對策の樹立・糖業令の公布施行・農地管理令の公布施行などであり、殊に十三年九月に決定した「臺灣重要農作物增產十箇年計畫」（米管を中心とせる綜合的農業政策）とその實施とである。

「米管」は準戰階段において既に漸次に準備せられ來つて、昭和十四年十一月より實施されたのであるが、その目的については、既に準戰階段に關說したときに述べた。がこの目的は戰爭階段にはいるや、俄かに產米制限より可及的增產に轉針せられた。殊に皮肉なことは、臺灣米作制限を本來の目的とした米管實施の米穀年度が恰も內地・朝鮮を被ふ旱魃による凶作の時に當つたために、また臺灣自體も十五年二期作が暴風雨によつて約百四十五萬石の大減收を見たために、米管はその本來の機構のまゝで米穀增產强行の政策たらざるを得なかつたことである。米管の目的・機構その他の敍述については、他の機會に之を讓ることゝするが（「臺灣重要產業調整委員會々議錄」（昭・一三）「臺灣米穀移出管理委員會々議錄」（昭・一四・一五）その他の府の出版物を參照のこと）、米管は決して臺灣移出米管理による內地米穀政策への援助といふがごとき單純な目的のみから構想されたものではなくして、臺灣自體としては、その農業體系行詰りの一大打開策でもあつた。米管は、實は、この農政轉換の、農業體系再編成の單なる一つの手段であつたに過ぎない。

これについて、我々は當時總督府によつて發表された、米管實施に關聯する農業施設に關する說明文書を左の引用しよう。

米穀管理收益を農產施設に還元する事業

一、特用作物の奬勵事業　米管實施後の我國產米計畫は年々內外地を含む國家全體の需給推算に基き作付割當が決定されようから本島ではその割當面積にのみ米作をなさしめ他の土地には天惠的特質上臺灣でなければ出來ぬもので且つ國家が最も必要とする作物を多角的に栽培せしめる必要がある卽ち優良棉花、黃麻、苧麻、蓖麻等は國家の重要資源であるが內地には出來ず獨り本島が適作地であり將來南方開發の上にも必要作物であるから是等の增殖に力を盡すべきであるが、米管實施により現在不利な作物も有利となり、又不採算的なものに對しては米管收益を以て補助することゝならう。

一、農事試驗場の充實特に國家有用作物の試驗事業　米、甘蔗は從來の二大主作物であり多年に亙る試驗研究により品種改良竝に耕作法は完璧に近き進歩改良を見てゐる然るに棉花、黄麻、苧麻、亞麻、蓖麻、甘藷、小麥其の他の有用作物は閑却されてゐたので品種改良、耕作法等改善には試驗研究の餘地が多く殘されてゐる。現に之等有用作物が米甘蔗に比し不利な作物とされてゐるのは實に右の結果によるものであるから米管收益により各地に之等試驗研究場を置き品種改良と耕作法改善に努め甲當收量向上を圖ることゝならう。斯くして之等作物は一變して有利作物となり得よう。

一、土地改良事業　本事業は米管收益による事業中最大のものである。即ち米、甘蔗のみならず、あらゆる熱帶農業にあつて土地の效用を十分發揮ぜしめるには灌漑排水等水利施設を絶對必要とし、耕地造成、耕地整理等の土地改良をなさねばならぬ。然るに從來の米穀政策では本島米の增產抑制の必要から之等土地改良事業を抑壓するの矛盾を敢てし、現に水利新設にして訴願中のものは二萬五千甲に達し居り、其の他の土地改良を必要とするもの二十七萬甲に及んでゐるが、米管實施と共にその收益を以て積極的に土地改良の諸施設を新設擴充し單位收量の向上を計り熱帶農業の眞價を發揮せしめることゝならう。

一、干拓事業　本島中南部の西部海岸地帶には干拓適地二萬五千甲あるので、米管收益により漸次干拓を實施耕地を造成することゝならう。

一、耕地防風林施設　西部海岸地帶約五十七萬八千甲は年々秋から春にかけて季節風により甚大なる被害を蒙つてゐるので本年度より督府豫算を以て海岸線一帶に海岸防風林を造成する事となつたが、被害防止には之と共に耕地防風林をも併せ造成せねば效果が擧らぬ。故に米管收益を以て被害地域五十七萬八千甲に對し耕地防風林を造成することゝならうが、之が完成による農產物の增收は米甘蔗のみに見るも優に年々五千四百萬圓の巨額に上るべく、他の作物の受ける增收をも考へれば實に莫大な收益增とならう。

一、農業經營指導事業　從來は米、砂糖の二大作物に對しては農業經營指導が徹底してゐたが、國家經濟上土地を最も高度に利用するには輪作式竝に有畜農業經營の指導により年中耕地を遊ばすことなく、且つ肥料自給と農家副業による農家經濟の向上を圖ることが必要である故に米管收益を以て津々浦々に迄農業經營指導員を配置する事とならう尚本島に於ては從來作物の肥培管理は農會の手で指導されてゐたが經營の指導はなされてゐなかつたものである。

米管案に關聯する農業政策

一、糖業政策の確立　米管實施により島內米價は適正なる價格に引下げられるため甘蔗のみ獨り有利となるので綜合的農產政策上支障を來すことゝなる。之を防止するため甘蔗の栽培面積及び各製糖會社の買蔗價格を適正ならしめる必要がある依つて臺灣糖業令を制定して法的に統制力を附與し各製糖會社の原料採集區域、買蔗價格決定に方つては當局が關與して他作物との調和を考慮の上決定せしめることゝならう。

一、主要農產物の販賣斡旋による配給統制の實施　米、砂糖、甘藷、黃麻、苧麻、蓖麻等主要農產品に對し公定價格を制定し適當なる機關をして販賣斡旋をなさしめ配給統制し、各產業の相剋を防止し之が運用次第で政府の欲する作物を增殖せしめることゝならう。

一、肥料政策の確立　各種作物に對する重要肥料を督府に於て管理し適地適作適肥主義により良質且つ安價な肥料を配給し肥料政策の合理化を圖るものと見られる。

一、小作法制定　米管案實施により米價を適正ならしめ或はその他主要作物の統制强化により過渡的に地主の收入には多少影響あると見られるが、之を直に弱體の小作人に轉嫁することあらば面白からぬ政治問題となる、故に之を防止し勞資の協力調和を期するため現在の業佃組合等の小作改善組合の强化を中心とする小作法を制定することゝならう、[illegible]する諸施設も實施されよう。

一、農業金融の合理化　米管實施及び其の他の重要農業の統制强化につれ過渡的には中小農業金融の窮屈を來す慮あり又將來に於ける金融の合理化を期するため信用組合、産業組合等農村金融機關の合理化を圖り機構の擴充强化を企圖することゝならう。

米管實施後における總督府の農業政策は概ねこの線に沿つて實施され來つた。且つ上述のやうに、低價と增收とを目標とする戰時米穀政策の强行（しかもこれに加重するに、十四年における內鮮の凶作と、十五年における臺灣二期作の大減收とに對處するための必至的增產策を以てす）と、米穀以外の食糧の可及的最大量の確保と、特用作物（なかんづく軍事上重要なるもの）の耕作開始と生產擴充の政策實施が、またこれに適應する肥料對策の確立（十五年八月）が行はれた。

殊に劃期的とも云ふべき事柄は、臺灣糖業令の公布施行である（十四年十月）。米管による米作の統制はこれと對抗的關係にある蔗作をも統制的體制下に置かねば完全な運用の不可能であることは自明の理であるが、（糖業令發布以前に本島製糖業を規正して來たものは實に、明治三十五年發布の糖業獎勵規則と三十八年制定の製糖場取締規則とであつた！）、糖業令の目的・內容などに關しては、同令および施行規則其の他の附屬法令を參照されたいが、我々の特に重要視することは、本令によつて、斯業の公益性が强調せられ、事業の發起・讓渡・廢休止・合併・解散・主要設備の增設・變更を許可制としたこと、從來の原料採取區域制に加ふるに甘蔗買取義務制を以てして蔗作農業と製糖工業との緊密な連繫を期したこと、製糖量の確保のために甘蔗は必ず砂糖の原料とすべきことを規定したこと、甘蔗の作付面積・買入價格・製糖期間などの計畫の認可制を採用したこと、砂糖の生産または販賣についての統制協定の屆出制を採り、要すれば協定の成立・内容變更・加盟などを强制的となし得ることを規定したこと、業務會計の監督を强化し、違反行爲・反公益的行爲に對する罰則を强化確立したことなど、要するに生産・流通兩面における合理化と統制化を圖つたことである。臺灣としては固よりのこと、我が國にとつても、日滿支ブロックにとつても、さらにまた近く結成さるべき東亞共榮圈にとつても、本島製糖業の統制經濟的體制の整備はむしろ遲過ぎたかの感があるのであるが、ともあれこの戰爭經濟の急迫下にかいて、それは第一歩を踏み出した。まさに劃期的な出來事である。が私見によれば、斯業の新體制は、さらに法律的に、行政的に、また政治的に百尺竿頭數歩を進めねばならぬ。なかんづく製糖會社の合同が、出來得べくんば一大國策會社への統合が圖られねばならぬ。(合同は旣に準戰階段以來、日糖を中心に行はれてゐるが、こゝに提唱するのは「公益優先」原理に基づく合同である)。これが理由は多々あるが、技術的に、經營的に、また經濟的に急速な合理化が要請されてゐるといふことがその第一に擧ぐべきことであり、さらに南方政策實踐にあたつて、製糖會社も種々重要な役割を演ずべきであるが、現存のカルテル糖業聯合會ではこの役目を負ふべく不適任・不充分であるといふことが、その第二の理由である。

さらに農地の生産力の合理的・全幅的發揮と强化とのためには、內地と同樣に總動員法に基づく臨時農地價格統制令および農地管理令が施行せられ(十六年二月)、農地價格の適正と農地の保護・利用促進・作付調整とが圖られ、これによつて重點主義に基づく計畫的な增產政策遂行の可能性の法律的基礎ができた。また農地面積の增擴については、臺拓の土地開發事業をはじめとして、河川浮覆地・干拓地などの新耕地の獲得が計畫され、實行されてゐる(十六年度より五箇年の豫定にて二十萬甲步開發計畫あり)、增產に拍車をかけんとしてゐる。

このやうに、本島農業の統制經濟化または計畫經濟化は戰爭階段にはいつて一大飛躍を遂げたが、殊にその本格的に實行され、ある意味において日本の統制經濟的農業の、計畫農業の模範となり得るほど前進してゐるのは、臺中州などにおける米・甘蔗・雜穀・麻類その他の特用作物の輪栽式耕作であらう。かゝる方策の徹底は、一面官僚王國臺灣なればこそ可能であり、また本島中南部のごとき農業上天惠豐かなる地域にしてはじめて實現し得たと思ふのであるが、我々は官廳の指導と民間の協力とに對して敬意を表さゞるを得ぬ。

ともあれ本島の農業は今や大なるテムポをもつて再編成せられつゝある。以上において、その基礎的動向について述べたが、以下これを表示する若干の重要事項を摘出することゝしよう。

（イ）一　般　的。

十二年十一月、臺灣產業組合法施行規則のうち農事實行組合、住宅組合に關する事項改正さる。

十二年十二月、臺灣農會令、畜產會令公布せられ、十三年三月施行、八月兩會設立。府および地方廳の農業政策の實行機關たり、州廳單位の兩會の下に郡單位の兩會あり、また全島的中心連絡機關として臺灣農會および畜產會あり。

十三年九月、米管を中心とする綜合的農業政策、殊に重要農作物增產十箇年計畫發表（殖產局――各州はこれに應へて農業計畫を樹立す（例、十四年度より始まりし臺中州輪栽式耕作法實施のごとし））。

十月、農林省にて內外地肥料割當會議開かる、本島內でも肥料增產對策樹立。

十二月、小作統制令公布施行。

十五年一月、小作改善指導のため府に事務官一、屬一、技手一、地方廳に技師五、屬八の增員をなす。

五月、來臺中の小磯拓相は糖業偏重を是正し米穀增產に進むべしとの結論を得たりといはる。

六月、臺灣肥料委員會規則公布、七月施行、八月委員任命、第一回臺灣肥料委員會開催。

七月、米管による收益金の一部還元による耕地防風林設置奬勵要綱決定す。

九月、業佃會令制定に關する協議會（府農務課）――十三日より業佃協調週間開始す。

同月、對抗作物收支經濟調査打合會（米穀局）。

同月、重要食料對策協議會設置の計畫あり。――生鮮食料品價格抑制要綱決定す。

十月、高雄州は農民生活調査を計畫す。

同月、臺南州は嘉南大圳による雜作灌漑方策を決定す。

十一月、府の昭和十六年度農業政策は米糖重點主義（不急作物制限）を採ることゝなる。

同月、臺南州は生産力擴充五箇年計畫を樹立す。――米・甘蔗・大麥・棉花・麻類・苧麻・落花生・鳳梨・山地開發・畜産增加・水産業强化等。

同月、花蓮港廳は耕地擴充運動實施案要綱を決定す。

同月、拓務省主催、內外地米糖調整會議において臺灣は米糖互讓併進主義で行くことに決す。

同月、總督府拓士訓練所計畫發表。

（ロ）米　穀。

十二年十月、米穀檢査規則を改正し、石拔檢査實施、また包裝改善を行ひ蓬萊米の聲價維持に努む。

十一月、米管案要綱決定。十三年四月、農林省と拓務省との交渉久しく行き惱みしも七月府・拓・農三者の混合調査委員會設立せらる。

十三年五月、「減反案」以來、無認可私設埤圳に對して制限的態度に出づ。十四年に至つて米穀增產の必要上むしろ保護的態度に傾く。

九月、米管案を中心とする重要產業調整委員會開催（東京）、十月二十四・五日特別委員會開催（臺北）――十一月米管案本決定――十四年五月十日臺灣米穀移出管理令公布、十一月一日實施。

十四年四月、殖產局は五輸出米商に對して米穀輸出組合結成を慫慂す。

四月、總督府は米穀五十萬石增產計畫を樹立す。五月、製糖會社にも協力を求む。

五月、全國臺灣米移入協會總會は米管實施に當り商權確保を決議す。

六月、米管實施に對處するため府は米穀納入會社設立の計畫を發表、業者の反對高まる。

七月、米穀局設置。

十月、臺南州米增產計畫樹立。

同月、米穀配給統制規則公布施行――十五年二月改正。

同月、臺灣總督府買入米穀品等檢査規則公布（十一月一日施行――十五年二月改正。

十二月、各州に米穀供出報國運動開始す。

十五年三月、府は十六米穀年度五十萬石增産案を樹立す。そのため土地改良十箇年計畫、自給肥料增産十箇年計畫等を樹立す。また河川敷地もある程度開放に決す――五月、一期米完全管理要綱確立――六月、臺灣米穀納入協會設立。

九月、米穀政策研究會設立(米穀局)。

十一月中旬、米管事業を擴充し、消費米にまで及ぶ强制買上を含む大改正行はるべしとの風評あり。

十二月、二期米買入計畫協議會(米穀局)は消費米管理强化に決す。

(ハ) 糖　業。

十四年四月、府の米穀五十萬石增産につき製糖會社も協力することゝなる。

九月、大日本製糖と昭和製糖と合併す。

十月、臺灣糖業令公布施行。

十五年一月、昭和十四・五年期の産糖は約百萬ピクル減産との見透し、糖聯臺灣支部はこれに對する善後策を協議す。

八月、糖業試驗所育成新種(F116――F200)を十月より試作用として配布に決す。

舊式糖廍(約八十)に對する統制强化のため許可審議を始む。

十月、糖聯支部臺北に移轉す。

同月、大日本製糖會社と帝國製糖會社とが合併するに内定、十一月正式決定、實行は十六年二月になさる。この合併は總督府も知らない内に「突然」行はれたるが、糖業の經營合理化・資本集中の現象として、洵に注意すべきものなり。

十二月、製糖規格統合官民協議會（府特產課主催）

（ニ）特用作物。
十二年八月、莨麻栽培强化策樹立せらる（全島勸業課長會議）。また苧麻自給策をも計畫中。

九月、パイン品質改善のため南部三州に試作圃を計畫す。

十三年一月、臺灣棉作も種々なる困難に合ひつゝ進行、今期は四九〇俵を鐘紡に納入、品質佳良なりと稱せらる――二月、棉作强化策樹立す――五月、高雄州は棉作十年計畫を樹つ。――七月、棉花協會主催棉花技術員養成講習會開催。

同月、特產課は茶業十年計畫を樹立す。

九月、黃麻產業振興につき、臺灣製麻・臺南製麻兩社が總督府に協力を誓ふ――十月、臺灣農會は水田裏作としての亞麻試作要綱を發表す。

十四年五月、東臺灣デリス會社創立（本社花蓮港）――デリスその他特殊作物の栽培および加工。

八月、米管に伴ふバナナ産業調整要綱決定す（特産課）――九月、同調整協議會（殖産局）。

同月、甘諸増産五箇年計畫樹立せらる（殖産局）。

九月、特殊柑橘増産協議會（殖産局）。

同月、臺灣産葉煙草大増産計畫樹立せらる（專賣局）。

十五年八月、臺灣煙草耕作組合聯合會は増産に要する肥料の增産策を講ず。

九月、馬糧としての大麥增産配給協議會（府農務課主催、各州廳係官及び臺灣畜産興業會社代表者）。

十月、臺中州デリス栽培協會創立す。

十二月、臺南州・臺中州等黄麻多收競作會、また臺灣農會も褒賞式を催す。

（ホ）畜産業。

十二年十二月、野蠶糸業取扱規則公布施行――臺灣野蠶會社創立（本社臺中、臺拓及び臺中州農會共同出資、資本五十萬圓）――テグス事業の統制會社。

十三年五月、臺灣競馬令公布（七月施行）――競馬は州畜産會主催となる。

十四年六月、臺中州は養豚五箇年計畫を樹立す。

八月、臺灣軍地方馬檢査。

十五年四月、府は飼料配給計畫を樹立す。

七月、鹿港養鶩試驗場竣工――全島最大の試驗場。卵製品等の試驗もなす。

八月、牧野技術員講習會(二十日間)(府農務課)。

九月、臺灣飼料會社創立(本社臺北、資本十九萬五千圓)。


（へ）林　業。


十二年八月、臺中州山林開發調査委員會開催。

同月、山地開發調査隊入山。十三年四月及び十月同上。

十三年一月、第二回府山地開發委員會。十一月、同上第三回委員會は「東部山地開發計畫要綱」を決定す。

五月、殖産局は「西海岸防風林計畫」を樹立す　防風防砂用と薪炭材給源として。

八月、東亞農林協議會にて、臺灣はパルプ原材として針葉樹増産に乘り出すことゝなる。

十月、高雄州熱帶林業試驗場開所。

十四年二月及び三月、山地開發調査隊臺南高雄兩州下入山。

三月、民行造林奬勵補助規則公布施行せらる。

七月、山畑開發十箇年計畫(七萬甲)樹立せらる。

十五年十月、島産アベマキのコルク工業化計畫せらる。

第五款　鑛業上の開發

戰爭階段にはいつてゝ本島の地下資源の開發もまた一大飛躍をなした。動力資源としての石炭と石油については既に述べたが、以下他の鑛產物について、その動きを示さう。概觀すれば、資源の量的および質的貧弱が目につく。この間において獨りやゝ氣を吐くものは、中央山脈の東西兩側における高位段丘の砂金層であるゝ。今やその開發の準備が着々進行しつゝあることは、邦家のため幸ひである。

十二年七月、日本鑛業會社は臺灣鑛業會社を合併す。

九月、產金法施行――十一月、產金獎勵制實施――十四年十月、府小笠原技師タビト附近にて砂金層發見――十一月、府は東部砂金鑛區保留を告示す――十二月、大濁水溪上流及び霧社にも高位段丘砂金層發見――十二月、產金量屆出制度實施――タッキリ砂金企畫院調査隊來臺――臺灣產金會社設立（臺拓・日本產金振興の共同出資、資本二百萬圓）に決す――十五年六月、ロチェーン高位段丘砂金層發見せらる。

十月、新竹州下に廣面積に亙る褐鐵鑛發見、試掘せられしも、貧鑛に過ぎるため府は不許可とす。

十三年二月、臺陽鑛業會社は倍額增資(一千萬圓)す。

三月、花蓮港廳下に有望ニッケル鑛發見さる。

十五年四月、鑛山技術者養成所(金爪石・九分鑛山)開所さる。

八月、臺陽鑛業會社は日本鑛業會社との共同經營となる。

九月、基隆郡鑛業報國助成會參與會は生産擴充等を協議す。

十月、南海興業會社創立(本社臺北、東洋產業・日產化學その他の出資、資本四百萬圓)――臺灣南支の炭坑、石綿鑛開發、麻類栽培等。

十一月、探鑛奬勵規則改正。

十二月、臺灣產金會社の東部砂金試掘方針決定す。

第六款　物資・貿易・勞務統制の强化

準戰階段において旣にその萠芽の極めて速かなる成長を示してゐたところの諸汎の經濟統制は、戰爭階段にはいるに及んで俄然活潑となり、殊に昭和十四・五年の交、內地において米穀・木炭・燐寸等日常生活必需品の量的逼迫と偏在とによる危機が釀されるや、本島にもその餘波が及んで來、物資需給・物價調節・貿易調整の法律的・行政的操作が一躍廣汎且つ深刻に行はれるやうになつた。また工業化の進展と〇〇方面における軍事的工事の開始と、一般的物價昂騰に基づ賃銀の上昇とは、勞務統制の必要性を次第に前面に押し出して來た。それらの實情を示すに足ると思はれる事象を摘記しよう。

（イ）　物資需給および物價の調整。

十二年八月、暴利行爲取締令公布施行――十月改正――十三年七月改正――物品販賣價格取締規則公布施行――十二月臺灣物價委員會設置、十四年五月第一回委員會開催――十月價格統制令（九・一八價格停止令）公布施行――十二月物價委員會規則改正――十五年七月、暴利行爲取締令改正（商品毎に價格記號表示の實施）――この頃より物價委員會の活動次第に活氣を帶び來り、公定價格の指定、協定價格の認可等頻々と行はる。煩を避けるために、こゝにはそれらの一々については記述しないことゝする。

十二年九月、肥料配給は農會を通じて統制せらるゝことゝなる。

十月、鐵鋼工作物築造許可規則公布施行。

十一月、銅使用制限令公布施行。

十二月、重要物資在高數量調査規則公布施行。

同月、金使用規則公布施行、十五年二月改正。

十三年三月、硫安配給統制暫定協定成立す。

四月、揮發油酒精混用實施――五月、揮發油及重油販賣取締規則公布施行、業者は濫賣の自肅をなす。――六月揮發油混用酒精賣渡規則公布施行――七月一日より消費規正本格化。

六月、臺銀で金買上げ開始、十四年六月四日五千七百萬圓突破、十四年末累計六千七百七十萬圓餘。

七月、鐵鋼配給統制規則公布――鐵工業・土木建築業等への割當制實施――銑鉄鑄物製造制限實施。

同月、皮革使用制限實施。

同月、經濟警察制新設に決す。

九月、綿製品製造制限實施。

同月、鉛・錫・亞鉛使用制限實施。

十四年二月、屑鐵公定價格指定。

四月、單寧含有樹皮使用制限實施、十五年五月改正――主として想思樹。

六月、自動車用タイヤチューブ配給統制實施。

同月、肥料配給統制實施。十二月改正。十五年十一月改正。

同月、交通局は燃料消費規正のため自動車營業許可制限方針を樹立す。

七月、物動計畫に基づく本島資材割當決定す。

この頃より經濟警察協會が各地に成立し、當局の經濟統制に協力することゝなる。

八月、絲配給統制實施――十五年一月改正。

九月、物價統制應急措置(九・一八價格停止令など)實施のため二十六日臺北州下を皮切りに價格調査開始。

十月、甘藷・キャッサバ配給統制强化――十五年一月、統制規則公布施行――三月改正。

同月、價格統制令・地代家賃統制令・賃銀臨時措置令・會社員給與臨時措置令・船員給料臨時措置令・電力調整令施行。

糖聯は甘蔗買收價格引上げに應ずるやう現行砂糖公定價格の引上げを商工省・拓務省・臺灣總督府に陳情す。

十二月、經濟戰强調週間を設け、買溜め、賣惜み等を規正す。

同月、米穀搗精等制限令の外地施行。

同月、十五年度砂糖配給計畫決定(殖産局)。

同月、總動員物資使用收用令公布施行。

同月、木炭增産調査のため農林省技術官來臺す。

同月、經濟警察新機構實施。

同月、臺灣中央物價委員會は臺灣物資需給調整に關する應急對策答申書を提出す。

十五年一月、糖聯支部は島內砂糖加工業者への配給制限斷行に決す。

同、自轉車タイヤチューブ配給統制要綱決定——臺灣自轉車タイヤ配給協會を設置し（二月三日）、之を通じて配給することゝす。

一月より約四箇月間米穀配給逼迫し、需給調整の行政的ならびに民間協力的作用および節米運動盛んに行はれ、各市は切符制を採る——原因は偏在と內地向移出過多か。

二月、府に物價調整課、各州に經濟統制課、各廳に經濟統制係を置く。

同月、土地工作物管理使用收用令本島に實施。

三月、製作機器類統制要綱決定（府商工課）。

四月、內外地物價連絡會議（拓務省）。

同月、價格公定事務の一部を地方長官に委任することゝなる。

同月、臺灣商工會議所は現行物資配給機構の缺陷是正方を府に陳情す。

同月、府評議會懇談會開催——小林總督は米穀事情と供米報國を說く。

同月、屑鐵の回收・配給の促進、價格規正に關する民間側協議會開催(五月にも)。

五月、本年度一期米に對して完全管理(移出米は固より島内消費米をも)を行ふことに決定す。

同月、飼料配給統制規則公布施行。

同月、糖聯支部は島内消費糖配給機構を協議す――六月府特產課で砂糖配給機構を發表す(臺灣砂糖配給會社と臺灣砂糖元賣業組合――ともに七月創立――を通じて配給統制をなす)――七月臺灣砂糖配給統制規則公布(八月施行)切符制實施――十二月改正。

六月、府企畫部と日本熔線配給協議會代表者との間に熔接棒配給統制要綱協定せらる。

同月、臺灣麻袋納入組合創立。

同月、臺北州經濟警察課は、商工會議所等の協力により臺北經濟相談所を設置し、經濟統制に關する民衆の相談に應ず。

同月、乳製品の切符制其の他による配給統制各州で次第に行はる――十二月、全島的に切符制統制實施。

同月、臺灣商工會議所は協定價格の適正化につき府に陳情す。

同月、府は電氣機器配給統制要綱・鑛山用機械配給統制要綱を決定す。

同月、セメント消費節約要綱決定せらる。

七月、暴利行爲取締規則の改正により商品價格記號表示制實施せらる。

七月三十一日、奢侈品等製造販賣制限規則公布、八月一日施行。——十二月、奢侈品限界展示會（臺灣商工會議所主催）。

八月、紙不足にて島内各日刊新聞は減頁を開始す。

同月、藥及び藥工品配給統制規則公布施行。

同月、生鮮食料品價格調整に着手す。

同月、警務局は營業用酒・麥酒類の消費規正の通牒を發す。——十月臺北州その他で業者の大量買溜め暴露し嚴罰に處せらる。

同月、木炭移出取締規則公布施行——頃日内地への木炭移出過大と偏在とにて島内逼迫す。

九月、府は製糖會社用度係長を招致して、包裝用品需給調整貯藏方法等を協議す。

同月、各州市で魚市場統制に着手す。臺灣水產會主催、生鮮食料品價格統制協議會。

九月、肥料輸移入業者（三菱商事・三井物產・杉原・安部幸支店）は上京して日本肥料會社と打合せをなす。

同月、臺灣精動本部は「戰時食糧報國運動要綱」を發表す。

同月、豚肉出廻促進打合會（殖產局）——十月にも。

同月、鐵鋼需給懇談會開催（府商工課）。

同月、臺灣工業藥品協會加盟八社代表者は、内地關係官廳ならびに業者と配給促進を協議す（東京・大阪）。

十月、府企畫部主催、日本電機器工業組合代表者を中心とする官民協議會――これによつて臺灣機械商組合（組合員五四名）創立せらる。

同月、奢侈的生鮮食料品及び料理類の價格制限實施。

十一月、臺灣家庭必需品統制會社創立計畫さる。十六年二月ほゞ決定。

同月、石油配給統制規則公布施行――石油販賣有限會社（日石・日鑛・三菱共同出資百萬圓）創立。

同月、麥粉・農機具・セメント・工業藥品・ゴム底布靴・精製漆・荷車用タイヤ・人力車タイヤ等の配給統制要綱決定す（府商工課）。

同月、府商工課主催、臺灣帽子檢査事務打合會。

同月、食料品罐詰用空罐配給統制實施。

十二月、砂糖配給委員會は新配給計畫を決定す。

同月、死藏金賣却運動再開す。

同月、資材の要求は資金認可申請前になし置くべしとの殖産局通牒發せらる。

同月、臺北州下織維・金物・家具等の十五組合は統制經濟協力會を結成す。

同月十六日、大阪臺灣倶樂部主催、臺灣物價懇談會（大阪）。

同月、木炭配給協議會（府殖産局）――臺北市等において木炭配給の登錄制による統制開始。

同月、宅地建物等價格統制令實施さる。

同月、落花生・胡麻配給統制規則公布施行。

物價ならびに物資需給の調整の進展は、概言すれば、內地のそれに準じて、それと步調を一にしてゐるが、中には臺灣の特殊事情に鑑み、またその特殊生産物を對象とするがゆゑに、特段の法規を以てし、もしくは特殊な行政的操作を用ひた場合もある。要するに、臺灣においても、戰爭階段にはいるに及んで、殊に十四年・十五年の交より、統制は深化擴大したと見るべきであらう。

（ロ）　統制團體。

次に我々は、統制のために結成せられた諸種の團體（その多くは組合なる名稱を持つが、統制力のやゝ小なるものには協會・研究會などの名稱を持つものがある）について一瞥しよう。これらの團體は、あるひは業者自らの發意により、あるひは官廳の慫慂誘掖により、あるひはその強制によつて結成されたものである。それらは官の統制・指導に對する協力のための協同體であり、その業態別と數とが次第に增加しつゝある。(昭和十五年一月府商工課の發表によれば、組合數は——十四年十二月二十五日現在——八八〇となつてゐる。但しこの數は非常に正確なものとは云へないさうである)。元來本島では、重要物產同業組合法が施行せられてゐる以外には、內地におけるがごとく準則組合・商業組合・工業組合・貿易組合等の法規が何公布せられてなく、商工業者の業種別組合は、同業組合のほかは、すべて單なる申合組合・實行組合に過ぎない。この點、組合の組織および經營に一定の規準がなく、組合としての機能發揮の上から、また監督の上からも非常に不都合であるといはねばならぬ。物資・物價統制のいよいよ深化擴大されてゐるとき、これが協力者としての統制團體の重要性、殊にその確立の必要性が痛感せられる。この點本島の統制機構には一大缺陷がありといはねばならぬ。

ともあれ、以下において我々は主なる統制團體の結成と活動とをクロニクル的に見、もつて經濟統制の進行を知る便としよう。(煩を避けて、主として全島的なもののみを揭げることゝする)。

十二年七月、臺灣赤糖同業組合創立。

同月、臺灣石炭商組合創立。

八月、臺灣合同鳳梨會社に對する府の監督權强化——十四年二月、唯一のアウトサイダー大甲鳳梨罐詰商會も遂に併合す。

十月、臺灣茶業協會創立――臺灣茶生産販賣の全面的統制團體なり。十二月製茶同業組合創立。

同月、臺灣商工會議所令公布せられ、十二月施行。

十一月、産業組合法施行規則の內、農事實行組合および住宅組合關係事項を改正す。

十二月、テグス改善增産のための統制會社として臺灣野蠶會社（臺拓および臺中州農會出資）創立さる。

十三年三月、臺灣淸涼飮料水統制組合創立。

六月、臺灣鋼材配給會社創立。

九月、臺灣空壜會社創立（本社臺北、資本十八萬圓）――十五年九月五十萬圓に增資。

十一月、臺灣故銅鐵屑會社創立――十四年一月故銅鐵屑配給統制規則公布、二月施行。

十二月、臺灣柑橘同業組合聯合會創立。

十四年一月、臺灣綿布配給組合制立――勞働服用綿布の配給統制。

同月、臺灣亞鉛鐵板配給組合および臺灣線材製品配給組合創立。

同月、臺灣罐詰協會創立（高雄）。

二月、南臺灣資源統制會社創立（臺南）――廢品回收。新竹鐵工業組合・基隆鐵工業組合創立。

同月、臺灣商工會議所創立、三月末認可。

三月、臺灣材木商組合聯合會・臺灣棉花販賣加工組合創立。

四月、臺灣飼料品卸商組合創立。

五月、臺灣サイダー壜回收組合・臺灣亞鉛鐵板線材組合創立。

七月、臺灣石油販賣統制組合・臺灣王冠コルク配給組合創立。

八月、臺灣製綿統制組合創立。

同月、臺灣麥粉商協會創立。

九月、臺灣棉花配給組合・臺灣製綿用棉花配給組合創立。

同月、大日本製糖會社と昭和製糖會社と合併す。

同月、臺灣塗料商組合創立。

十一月、臺灣酒壜統制會社創立。

十二月、臺灣味噌工業組合創立。

同月、臺灣產金會社創立に決す(本社臺北、臺拓・日本產金振興の折半出資資本、二百萬圓)——砂金採取の統制會社。

十五年一月、臺灣布靴配給協會・臺灣石鹼卸商組合創立。

二月、臺灣果精飲料統制組合創立。

三月、臺灣澱粉工業組合聯合會・臺灣塗料商業組合創立。

四月、臺灣醬油工業組合創立。

五月、臺灣鑄鋼業組合・臺灣古鐵類配給組合・臺灣澱粉移出組合・臺灣自動車用品商組合・同聯合會・臺灣肥料配給統制組合創立。

六月、新竹商工業組合協會創立。

七月、各州に燐寸配給統制組合次第に創立せらる。

同月、臺灣屑米配給統制組合・京濱臺灣特産物移入卸商組合（東京）創立。

七月以來臺南州下の各種統制組合は業態別組合に統合整理さる。八月十八日、業態別組合臺南州聯合會創立。

八月、臺灣菓子業聯合會・臺灣束子製造販賣組合・臺灣木材輸出統制組合・臺灣纖維製品輸出組合・臺灣工業藥品輸移入協會等創立。

九月、臺灣產業組合協會各州支會主任者打合會は新指導方針を協議す。

同月、臺灣砂糖卸商組合聯合會・臺灣セメント配給統制組合・臺北鐵工組合・臺中州商工業組合中央會・高雄商工組合聯合會等創立。

十月、臺灣砂糖貿易組合・北海道物產臺灣荷受組合・臺灣東亞貿易組合・臺灣農產物移入統制組合・臺灣機械商組合・臺灣枕木組合・臺灣雜貨貿易組合・臺灣移入醬油商組合・臺灣テックス紙類貿易組合・臺灣藥品貿易組合等創立。

十一月、臺灣乳製品移入配給組合・臺灣電氣業組合・臺灣履物商組合聯合會・臺灣醬油工業組合聯合會・臺灣自轉車配給統制組合・新竹州商工業組合聯合會・臺灣織物配給統制組合等創立。

同月、島內再生銑鐵業者（組合參加の八工場、組合外の三工場）の間に企業合同の議起る。

同月、嘉義市内小賣業者の間に統制會社結成の氣運動く。また十二月には同市業態別組合聯合會支部は組合員の連帶責任を決議す。

十二月、臺灣鮮魚輸移入組合・臺灣既製纖維製品配給統制組合・臺灣電氣商品卸商組合・臺灣興業場組合・臺灣電氣工事工業組合・臺灣醫藥品中央統制會等創立。

同月、臺北市米穀商組合は共同精白・共同販賣組織を計畫す。

（ハ）貿易統制。

一つの經濟の性格は、その貿易面に端的に現はれる。臺灣經濟においても然りであるが、統制經濟の階段にはいつて、殊にその戰爭階段において著しく、內地經濟への依存性が大となつてゐる。（米穀・砂糖・石炭・木炭などの對內移出の强化、資本財の內地よりの移入增强、等）。この實勢についての細述は他の機會に讓ることゝするが、この階段においてさらに著しく進展したことは、南支との貿易關係の緊密化であり、また對滿貿易の伸暢も見逃せないところであらう。そして對內地・對圓ブロック・對第三國向貿易振興と業者活動の調整とのための統制化も次第に强化擴大せられた。以下その顯著な事象を若干拾ひ出して來よう。


十二年七月、臺灣外國爲替管理規則公布施行（後數囘改正）。

九月、輸出入品等臨時措置令公布施行。

十月、臨時輸出入許可規則公布施行。十四年十月改正。

十一月、畜牛及牛肉移出許可制實施。

十二月、特用作物輸移出取締規則中改正――苧麻の輸移出制限のために。

十三年三月、輸移出帽子檢査規則公布施行――十五年七月帽子檢査所臺北出張所設置。

六月、輸移出茶檢査規則公布施行。

七月、黃麻輸移出許可制實施――農會を中心に公定價格にて配給統制をなす。

九月、臺灣中部蔬菜出荷組合結成（滿支向輸出統制）――十月府と滿洲國との協議にて對滿蔬菜輸出方針決定す（新京）。

十一月、輸移出農產物罐詰檢査制實施（パイン・トマト等罐詰貿易の統制）。

十二月、硫安輸出入許可制實施。

十四年二月、煙草輸出規則公布施行。

同月、日本茶業組合中央會議所主催、日支茶業調整懇談會（東京）に臺灣茶業協會代表者出席、協力することゝなる。

三月、切乾薯の輸移出許可制實施。

四月、空壜輸移出許可制實施——十五年五月改正。

六月、茶輸出振興協議會（特產課）——大陸および第三國向輸出振興を協議す——八月、臺灣茶輸出許可制實施。——九月、滿支向および第三國向臺灣茶輸出組合創立。

十月、圓ブロック向罐詰輸出許可制實施。

十一月、日本砂糖輸出組合（東京）・臺灣帽子卸商同業組合（神戶）創立。

十二月、臺灣滿洲特產物配給組合結成。

同月、バナナ出荷統制規程（臺灣青果同業組合聯合會）實施。

同月、藥品輸出許可制實施。

十五年一月、臺灣米輸出組合創立。

三月、臺灣珊瑚輸出組合創立。

同月、砂糖・糖蜜・カーバイト・木炭等の第三國向輸出統制實施。

四月、マニラ臺灣物產展示會（二十四日より十日間、臺灣商工會議所主催）。

五月、臺灣輸出振興會社創立（本社臺北）――茶箱包裝資材の配給統制。

六月、興亞漢藥輸出入統制組合創立（新竹）――臺北・新竹・臺中州下四十店加入。

七月、殖產局主催「貿易振興協議會」――輸出統制會社設立を中心に。

九月、南方貿易振興會結成（高雄）。

同月、臺灣食料品貿易組合創立（圓ブロック向貿易調整のため）。

同月、京濱乾筍移入卸商業組合創立（東京）――十月京濱臺灣特產物移入卸商業組合創立（東京）。

同月、日滿支貿易計畫に基く貿易調整協議會（府）――同上貿易調整に關する府令（第一二六號）公布、（施行一〇・五）――臺灣東亞貿易聯合組合組織要綱を決定――十月三日創立、五日開業。

重要輸出入品はすべてこの組合を通ずることゝなる。十二月品目指定。

同月、臺灣羽毛輸出會社創立に決す（本社臺北、資本五十萬圓）。

十月、柑橘同業組合聯合會は內外地出荷計畫を樹立す。

（ニ）勞務統制。

臺灣における勞働問題は、周知のやうに、相當複雜な相貌を呈してゐる。これについての細論は別の機會に行ふ心算であるが、今簡單に云へば、臺灣における勞働力は、農本的・外地的性格を備へてゐ、その殆ど全部が農業勞働力とその餘剩勞働力、殊に小作地を失つた出稼勞働力とから形成されてゐる。したがつてそれは、內地におけるやうに、農村勞働力と都市勞働力とに區別されて居らず、これを反面から云ふと、すべて不熟練勞働力であり、その量は、主として米價の高低に左右されるところの賃銀を通じて規定され、極めて浮動的である。しかも容易に拔き去ることのできない民族性(殊に能率劣惡性)を多分に含む勞働力である。

臺灣がその人口の稠密性、增殖率の至大性にもかゝはらず、勞働力の不足を告げてゐるといふのは、その勞働力の上記のごとき根本的性格に基づいてゐるのであつて、すなはちかゝる勞働界の狀況の所に工業を導入し、または土木工事を起すときに、必要にして且つ充分なる質と量との勞働力の調達が非常に困難であることを意味するのである。

かゝる性質を帶びた勞務問題は、旣に早く生起してゐたので、米管實施の一つの目的も、米價の適正化によつて、從來米價高の結果としての農民家計の豊かさによつて農村に睡眠を貪つてゐた勞働力を活動狀態におき、一つには米糖以外の新興農業にこれを振り向け、二つには工業方面に流出せしむることにあつたわけであるが、準戰階段にはいつて工業化がその一步を踏み出すや、殊に戰爭階段に突入して工業化が本格化し、工場建設・交通機關の整備などの諸工事が始まり、工場勞働者の大量的需要が起り、また貿易振興に伴ふ荷役その他の勞働力の需要が擴大し、農・林業ならびに鑛業の生産擴充のための勞働力の動員が行はれるにつれて、勞力不足の聲は極めて熾烈となつた。さらに之に拍車を掛けるものとして、軍事的施設の整備に伴ふ勞務の需要の激增があり、從來對岸より來てゐた支那苦力が事變勃發直後その約四割が引き揚げた事實がある。

戰爭經濟における最重要問題の一たる勞務問題のかくのごとき逼迫狀態を前提としつゝ、臺灣はその戰時勞力動員を如何にして遂行しつゝあるか。その大體の態容を示す事象の若干を後に掲げることゝするが、有體にいへば、從來は工場法などの基本的勞働法制が布かれてゐないことは勿論、勞務需給調整、勞務の培養・陶冶などについての恒久的對策は尙確立されてゐず、いはゞその日暮しをして來てゐるに過ぎぬ。たとへば基礎的勞働調査すら尙全般的には完成されてゐない狀態である。が十五年十一月に至つて、「臺灣中央勞務協會」ならびに「各州廳勞務協會」の設立要綱が決定せられ、中央と地方との緊密なる連絡のもとに、勞務配置調整・勞務供出・賃銀就業時間其の他の勞働條件の改善・勞務管理の指導・產業報國運動の促進・勞働事情の調査等の事項に關して、勞務問題の解決に乘り出すことゝなつた。同協會は、さし當つては、主として島内〇〇特殊工事に對する勞務調達の圓滑化のための活動をなすやうであるが、漸次その機能を一般的に及ぼし、從來有るべくして缺けてゐた恒久的・綜合的勞務對策の樹立とその實踐とに貢獻するに至るべく、本島においては一つの劃期的な事象として、その活動が大いに期待されるのである。さて戰爭階段にはいつてからの勞務統制に關する主なる事象としては、次のやうなものが擧げ得る。

十二年九月、府に臨時勞務部設置——技術者需給調整のため。

十三年六月、花蓮港拓殖會社創立、資本二十萬圓——築港工事・工場建設等のための勞力供給機關。

七月より約三箇月間、棉作技術員養成講習會(棉花協會主催)。

八月、學校卒業者使用制限令施行。醫療關係者職業能力申告令施行。

十四年一月、國民職業能力申告令公布(外地施行六・一)。十五年十一月、施行規則中改正。

同月、船員職業能力申告令施行。

三月、獸醫師職業能力申告令施行。

四月、工場事業場技術者養成令施行。

五月、臺電技術員養成講習所開所。

六月、東臺灣產業會社(本社鳳林、資本十九萬九千五百圓)創立——勞力供給を主目的とす。

七月、府勞務需給調整委員會開催——工鑛業生產力擴充に對する勞働者不足本年度は一萬、十五・六兩年度は夫々六千を農村に仰ぐことに決す。

八月、賃銀統制令・從業員雇入制限令・工業就業時間制限令施行。

九月、鑛山勞務委員會は鑛山勞働者賃銀規程制定に決す。

同月、臺灣中央賃銀委員會設置。

同月、臺陽鑛業會社に鑛業報國會結成（「産報運動」として全島のトップを切る）――十五年十月、基隆炭鑛會社に鑛業報國共愛會創立せらる。

十月一日、國民徵用令實施。十五年十一月施行規則改正。

同月、賃銀臨時措置令施行。

十一月、臺北州基隆郡鑛業報國劝成會創立。

十二月、府部局長會議にて勞力需給問題對策を協議す。

同月、船舶運航技能者養成令公布施行。

十五年二月、府勤行報國青年隊（文教局所管）企畫せらる――三月二十八日より各州廳選拔二百名入隊、高雄州下某地〇〇作業地にて精神訓練と勤勞奉仕をなす。これによつて本島人中堅青年を錬成し、皇民化中核體たらしめんとす。さらに九月以降、霧社產金道路開設にも動員、十一月からは本制度の恒久化を實現す。

三月、高雄工業徒弟養成所を高雄商工奬勵館より同商工會議所に移管す。

同月、炭鑛・產金兩業者は勞務配分につき府に陳情す。

同月、臺灣中央賃銀委員會幹事會・第一回臺灣中央賃銀專門委員會開催され、本會議で工場・鑛山の基準初給賃銀決定す――本島における賃銀統制上劃期的事件といふべし。

同月、花蓮港廳に勞務協會結成――勞務需給調整、勞務の配分・養護・管理指導、勞資協調、勞務者登錄等をなし、工業化に備ふるを目的とす――十一月、登錄開始。

四月、勞務者臨時手當許可標準につき長官通牒發せらる――十二月改正。

五月、工場未經驗勞働者初給賃銀基準公定さる。

六月、明治三十七年以來、合資會社南國公司で行ひ來りし支那苦力の本島渡航の獨占的取扱業務を臺拓が繼承することゝなる。

同月、勞務動態調査規則公布施行。

同月、基隆商工會議所では、苦力不足に對處するため高砂族を岸壁荷役に使役することに決す。

七月、高雄港灣勞働者賃銀基準設定――臺北・臺中・高雄の工場未經驗勞働者初給賃銀指定。

同月、內外地勞務需給聯絡協議會（東京）――臺灣にも十六年度より國立職業紹介所設置に決定。

八月、瑞芳鑛山機械工養成所・金瓜石鑛山鑿岩工養成所開設。

九月、青少年雇入制限令施行。

同月、專賣局技術工養成所開所。

同月、工場事業場技能者養成令施行規則公布施行。

同月、臺灣土木建築協會主催、勞務充實懇談會(臺北)。

十月、府商工課は「臺灣中央勞務協會」設立計畫を發表す。十一月一日に發會式を擧行せる臺南州勞務協會を皮切りとして、各州廳に協會が次第に設立されつゝあり。

十一月、東京自動車工業會社臺灣出張所從業員は「臺灣いすゞ產業報國會」を結成す――けだし工業部面における本島產報會の皮切りなり。

同月、船員給與統制令・船員徵用令・船員使用等統制令施行せらる。

同月、臺北市賃銀勞務調査開始。

十二月、從業員移動防止令施行せらる(府令一七八)。

同月、勞務統制講習會開催(府商工課主催)。

第七款　交通機關の整備

戰爭經濟下における本島交通施設は、如何やうな發達を遂げたか。準戰階段が準備した諸々の動向がこの階段において大いに伸張したことは云ふまでもないが、殊に著しい事柄として、東部開發の槓杆たるの重責を負ふ花蓮港築港の竣工と中部産業の新原動力となるべき新高港の起工とを擧げ得る。これらは高雄港の擴大とともに、本島工業化の礎石の一つとなるものである。戰時輸送の輻輳は交通機關の全能力を超えて、滯貨の山を見るに至つてゐ、殊に南進政策の機運熟するや、貨客の輻輳はほとんど想像を超越した。これらの現象は、國土計畫の一事項としての交通機關の迅速なる整備と交通の綜合的調整とが焦眉の急を告げてゐることを思はしめる。以下例によつて、この階段の動向を示すに足る重要事象を摘記しよう。

十二年九月以後、各州下の自動車運輸業者を合同し、夫々統制會社を創立す――十二月、自動車取扱規則公布施行。

十三年二月、梧棲築港計畫發表、後新高港と名づけ、十四年九月築港工事開始。

四月、臺灣海運會社船、高雄―比島アッパリ間命令航路に就航。

同月、內臺及び島內定期航空每日行はる(從來は隔日)。

七月、內臺航路隔日出帆となる。支那事變の南支に波及するや貨客輻輳未曾有なり。

十四年一月、東部臺灣運輸組合創立。

二月、小運送業法施行せらる――五月、交通局總長は五大運送業者に合同を慫慂す――八月、私す。

鐵沿線運送業者合同（一線一店主義による）——十五年一月、鐵道部は同法により一五四店を免許

十月、花蓮港築港竣工。

十五年一月、山下汽船會社は十八年振りにて本島海運界に返り咲く。

二月、陸運統制令及び海運統制令本島に施行。十一月、海運統制令施行規則中改正。

同月、バナナ大量輸送計畫樹立。石炭輸送繁忙期に備へて鐵道部は石炭運送專用列車の運轉を開始す。

四月、花蓮港臺東間道路工事（六年繼續）に着手。

七月、タロコ產金道路起工。

同月、枋寮線開通す。

八月、南部廻り東西連絡バス開通す。

九月、臺北北署管內タクシー業者合同して大同自動車會社を創立す。十二月、南署管內でも業者を統合して臺北交通會社を創立す。

同月、南日本汽船會社創立、（大阪商船系）、本島沿岸航路經營、十一月營業開始。

同月、民雄放送所開所——百キロ放送。

十月、高雄市營バス開業。

十一月、ガソリン消費規正を目的として、臺北市營バスは路線を大變更、乘換制を廢止す。また全島に亙つて大型遊覽バスの運轉禁止せらる。

同月、大日本航空會社南太平洋循環航空路（横濱—パラオ—淡水—横濱）テスト飛行行はる。

同月、東亞放送事業協議會臺北にて開催（内・外地、滿洲國、蒙疆、北支より四十名來臺）。

第八款　財政膨脹と金融統制

總督府財政の戰時態勢は着々整へられた。時局色を帶びた經費が次第に多きを加へて豫算は膨脹の一路をたどつた。その編成の根本方針は「高度國防國家建設の一翼として」といふにあることは云ふを俟たぬところである。府の豫算は、連年新記錄を作りつゝ大なる率をもつて膨脹し來りつゝあり、その數字は後に掲ぐるクロニクルを見られたいが、たとへば昭和十五年度豫算は（米管豫算を除いて）、滿洲事變を織入れた最初のものたる昭和七年度のそれに比べて、約二倍半の增大にあたる。戰爭階段にはいつてからの財政上の著しい出來事は、その膨脹率の大となつたことの外に、母國財政への最も端的な貢獻として、臨時軍事費特別會計への繰入れの形において直ちに戰費の一部を負擔するやうになつたこと、增稅・新稅創設によつて歲入增加と負擔の公平を圖つたこと、米管特別會計制度を創設したこと、國防上の重要資源開發・工業振興・皇民化運動ならびに南進政策實踐の諸施設のための經費が逐年大となりつゝあること等である。

金融部門においては、その統制化がいよいよ進展してゐる。その消極的な面としては、惡性インフレ防止を目的とせる政府への購買力吸收、島內死藏金の動員など、また積極的な面としては、國防產業振興に重點を置く資金調整、銀行ならびに信組の貸付利率の數回に亙る引下げと平準化、臺銀の增資と保證準備擴大、勸銀・興銀の島內投資の活潑化、シンヂケート團の工業化への協力、內地證劵會社の初進出などの事實があつた。資金の動きの活潑となるにつれて、十四年頃から證劵取引所設置の議が起つてゐるが、現在なほ實現してゐない。

以下財政金融部面の動きを示すところの若干の事件を拾ひあげて見よう。

十二年十月、臨時資金調整法の一部本島に施行（十四年四月、十五年三月改正）。十一月一日、臺銀主催にて同法運用の圓滑を期するため懇談會開催。

十三年二月、臨時增稅案決定。

同月、事業資金調整標準決定（七月、十四年四月、十五年三月改正）。

昭和十三年度豫算一億七千五百二十一萬圓、內臨時軍事費特別會計への繰入一千四百萬圓。

五月、國民貯蓄奬勵運動開始――官民協力にて貯蓄奬勵、公債消化に努む――七月各團體に愛國貯金組合を結成す。

六月、臺銀を中心として死藏金買上げ開始、十四年末までの累計六千七百七十萬圓突破。

十二月、臺灣國内資金調査規則公布施行。

十四年三月、臺灣生命保險協會は貯蓄奬勵運動に協力のため改組强化す。

三月、島内銀行は思惑資金融通嚴戒を申合はせる。

同月、臺灣銀行、保證準備金を五千萬圓より八千萬圓に引き上ぐ。

同月、家屋税新設。

昭和十四年度豫算二億八百六十萬圓、内軍事特別會計へ繰入一千六百萬圓、外に米管特別會計豫算六千六百一萬圓。

四月、會社利益配當及資金融通令公布施行。

同月、臨時利得税・利益配當税・公社債利子税・砂糖消費税・印紙税・酒類出港税の增徵、建築税・遊興税の新設。

五月、臺灣銀行島内貸行利率引下げ。

十一月、信用組合金利平潤化を斷行す。

十五年一月、昭和十五年度臺灣國内資金調査規則公布施行。

二月、十五年度貯蓄二億圓を目標とすることに決定す(因に十四年の實績は一億六千萬圓なり)。

昭和十五年度豫算二億六千五十三萬圓、内軍事特別會計へ繰入二千三百萬圓。他に米管特別會計豫算二億四千三百八十二萬圓。

四月、税制改正。

同月、臺灣銀行增資（三千萬圓）認可。五月一日正式に決定。

五月・八月、山一證券・藤本ビルブローカー・野村證券の各證券會社臺北に支店を開設す。證券業者の初進出なり。

同月、府の臺灣證券取引所法案成立、中央と折衝。十六年三月に至るもなほ成立せず。

七月、日本勸業銀行高雄支店開設。

九月、日本興業銀行に臺拓シンヂケート團代表者參集し、社債一千萬圓發行を決定。

同月、臺電社債二千萬圓募集認可。

同月、信託業懇親會（府金融課主催）。

十月、全島經濟統制課長會議にて貯蓄奬勵策を議す（金融課主催）。

十一月、會社經理統制令施行せらる。

同月、信用組合金利引下げ（市街地は乙種銀行竝、農村は年四分以下）についての長官通牒發せらる。

十二月、貯蓄報國强調運動（臺北銀行集會所主催）。

同月、銀行等資金運用令施行せらる。

昭和十六年度豫算三億二千萬圓、內臨時軍事費繰入二千四百五十四萬圓。他に米管特別會計豫算二億四千七百二十六萬圓。

第九款　南進基地としての體制整備

屢説のとほり、南進政策の基地たるに足る諸汎の施設を、島內および現地たる南支・南洋に持つことは、既に夙くから提唱され來つたところであつたが（こゝに、その史的回顧はなさない。たとへば、北山富久二郎氏「臺灣を中心とする我が南方政策の回顧と檢討」——臺北帝大創立記念日講演錄第五輯（昭・一一・一二・刊）所載——を參酌のこと）、從來このための臺灣自體の內部における施設も、南方諸國における施設も、ともに殆ど云ふに足りない程度に貧弱なものであり、且つ政策そのものも決して臺灣を眞の基地としてゐなかつた。（たとへば、對岸に對する政策にしても、多くは、臺北發、東京廻り、福建・廣東行きであつた）。滿洲事變以來世人の注意が南方へ次第に向けられて來、臺灣としても昭和十年秋「熱帶產業調查會」を開催して、改めて臺灣と南方圈とを連繫するための諸方策を攻究したのであつたが、その結論の一部すら實現し得ないうちに支那事變を迎へた。爾來、殊に戰局の南支に延び、佛印に及ぶにつれて、また日蘭通商交渉の開かれるに伴つて、南方進出は一種の流行語となり、殊に注目すべきことは、この間において臺灣の產業と地理的位置とが改めて見直され、この政策實施の經濟的據點として、また兵站基地の一としてのその價値が著しく高く買はれ出して來たことである。「臺灣を度外視しては南進政策なし」といふことは、現在では最早誇張した語ではなくなつた。これは單なる「氣分的」事象でなく、臺灣の持つ現實的ならびに潜在的可能性に關する。戰爭階段にはいつてからのこの動勢を、若干の事實に卽して見よう。（但し軍事的前進基地たる機能を暗示する事項は除外す）。

十二年十一月、福大公司創立――福建省を中心として南支における日支經濟ならびに文化提携による共存共榮を目的として、臺灣財界有力者と興中公司との共同出資にて結成。南支作戰の狀況にしたがつて、厦門・廣東・海南島などにて公共事業復興のため貢獻す。十三年九月、臺拓と興中公司肩替り。さらに十五年一月、日糖系となり、南支方面にて大いに活躍す。

十三年一月、この頃大總督制を布くべしとの聲あり（內地側ではたとへば昭和研究會試案）――臺灣總督をして南洋群島・琉球を管轄せしめ、朝鮮總督同樣　天皇直屬となさんとするなり。

十三年五月、臺灣大亞細亞協會に「南支調査委員會」設置　對南支文化工作の計畫を樹つ。

六月、南興公司創立、府專賣局製品、殊に煙草の對岸を進出を目的として、厦門に工場を建設し英米トラスト製品および上海製支那煙草に拮抗せんとす。

九月、滿洲國及び中華民國渡航手續簡易化――これによつて本島人の對岸旅行劵下附が容易となり、從來手續の複雜性によつて阻まれてゐたその對岸進出が促進さるゝこととなる。

十四年一月、南洋興發會社調査隊、新南群島燐鑛調査に出發。

三月、南支派遣軍の管理中の廣東東莞製糖工場の經營糖聯に委託され、從業員六十餘名出向、五月製糖完了。糖聯と軍當局との間に意思の疎通せざる點ありて、糖聯內に紛爭あり、藤山理事長の辭任騷などありしが、結局落着す（九月）。十四年十二月、南方開發糖業組合が糖聯加盟各社によつて結成せらる。

同月、臺灣合同鳳梨會社より海南島に調査團派遣。

同月、新南群島臺灣總督府管下に編入さる。

四月、臺拓は拓洋燐鑛會社に出資す。

九月、海南島蔬菜栽培指導員派遣。十一月、第二班出發。

十月、後宮信太郎氏、南方資料館基金として百萬圓寄贈——十一月、之を契機として臺灣南方協會創立せらる（南支南洋方面に關する硏究調査機關）。

十五年四月、臺灣商工會議所主催、マニラ臺灣物產展示會。

五月、海南島交通機關整備のため鐵道部より〇〇名出向。

七月、府南支調査團派遣（二十日間）——臺北帝大奉仕隊、海南島に向ふ。

十月、拓務省に臺拓・南拓合併の計畫ありと傳ふ。また一說には、國際情勢の進展に對應して、兩社は現狀のまゝとし、他に國策會社を設立する案なりともいふ。

十一月、日東拓殖農林會社は海南島開拓計畫を樹つ。

同月、南支軍管理下にある廣東市營電廠は、還附後臺電の委託經營となる。

十一月より一月にかけて臺北帝大調査團（三班）竝びに總督府調査團海南島に出向す。

十二月、臺灣物産見本市（臺灣商工會議所主催）バンコック泰國憲法記念博覽會において一週間開催。

第三項　後　期（一五・八　　）

昭和十五年八月、内地における「新體制」運動の滑かな——但し實はその容易ならざるものなることが次第に明かとなつて來たところの——發足を見るや、臺灣においても、これに即應する氣配が漸く見えはじめた。が内地におけると同様に、臺灣においても尚「新體制」的態勢は生成過程のうちにある。殊に「臺灣經濟新體制」の向ふべき方向は、なほ何人によつても明確な見透しがつけられてゐない。我々は以下において、新體制提唱以後における現象的な若干の動きを見、その將來の健全な合理的な歩みを見守つて行かう。


十五年八月十五日、企畫部を中心として總督府内各課長は新體制研究會を開く。

二十六日、府部局長會議は新體制に則應するため府政調査會（小林總督によつて昭和十二年一月設置さる、府部局長其の他をメムバーとす。爾來兩三度開催されたるのみにて開店休業す）を再び活用することに決定す。九月十七日から四日間第一回府政調査會幹事會開催。十月十八日幹事會案決定。委員會は之によつて十一月一日新體制卽應策要綱を決定す。

この頃より臺北市・臺南市・基隆市等において市民の新體制硏究會、翼賛團體の結成等あり。本島人方面においても十月に入つて臺北に臺灣大政翼賛協力會準備委員會が結成さる。

八月、本島行政組織の新體制移行の第一歩として、殖産局機構の大改革案の法制局への廻付が報ぜらる。また地方廳新機構（產業部獨立）決定、十月より實施となる。

八月三十日、總督は新體制支持の見解を談話の形式で發表す。

九月、總督府事務再編成（九月十日閣議決定の官廳事務再編成案に則應する）により剩員一千二・三百名を生ずるも、之は新緊急事務に振向けることに決すといはる。

十月九日、校友會の新體制化のため、文敎局長は各學校に「學校修鍊組織强化要綱」の通牒を發す。

十月二十五日、臺灣商工會議所常議員會は商議所機構の新體制化を協議し、十一月二十八日の常議員會は事務局作成の試案を中心に協議す。

十一月二十二日、府政調査會は國防國家建設に則應すべき方策（統治機構擴充、文敎新體制、經濟新體制確立、國土計畫樹立、南方政策擴充）を總督に答申す。また臺灣大政翼贊會（假稱）の計畫を發表す。

十二月三日、臺灣翼贊會組織準備打合會。

十二月十八日、臺灣時局同志會は總督に對して臺灣大政翼贊會に民間人をも參畫せしむるやう陳情す。

下旬、全島文藝團體統合の氣運動く。

十六年一月、府企畫部の擴充行はれ、企畫課・物資課・勞務課・統計課を設置す。

一月九日、翼贊會本部において內外地連絡協議會開催、外地の同運動は政治性を持たせず、精神動員運動を主とすること、臺灣においては「皇民奉公會」として特殊性を加味することゝなる。

第三章　結　論——展　望

我々は臺灣の戰時下政治的經濟の變遷の諸相を、私のいはゆる「前期」と「後期」とに亙つて一通り見て來たのであるが、それは上に既に記した諸口號——皇民化・工業化・南進基地化、もしくは統制經濟化・計畫經濟化——によつて表示せられ得る傾向であり、そしてこれらの傾向は決して相互に無關係なものではなく、況んや矛盾對立したものでは勿論なく、「高度國防國家建設の一翼としての臺灣政治的經濟の新體制」といふ一つの動向に綜合せられ得るものである。否、もつと正確にいへば、それらはこの一つの動向の異なれる側面に過ぎない。

我々は、一應、全一體としての臺灣の政治的經濟の總過程からこれらの諸過程を分析し、摘出し來つて、それぞれを獨立的に考察し、相互間の關連について述べよう。

「皇民化」の過程は、それ自體としては、一つの文化的統制の問題であるが、今經濟的な關聯に卽して之を見ると、「戰時經濟運營のために、殊に農業部面ならびに工業部面の大規模な增產政策の强行のためには、經營者および勤勞者の大部分を占めてゐる本島人の心からなる協力に俟たねばならぬことはいふまでもない。すなはち彼等が當局の經濟計畫をよく理解し、米糖その他の食糧增產に、工を拂ふこ業原料たる各種の農產物・林產物・畜產物ならびに鑛物の增產に、自發的努力とが要請せられる。また物資ならびに物價調整のうへにも、その協力に俟たねばならぬこと多大である。(物資供出・勞務動員・死藏金供出・公債消化等々が殊にこの場合の重要課題である)。本島人は漢民族の一枝流として、「內地人に比して比較的打算的であり、功利的であるといはれてゐる。かゝる民族性を持つものをして、滅私奉公・公益優先を原理とする經濟統制に心から協力せしむることは、難事中の難事といはねばならぬ。皇民化運動の經濟的效果は、かゝる問題の解決についてのある程度の貢獻を意味するであらう」。

さらに重要な事柄としては、皇民化運動は、南進臺灣の實踐の一つの基礎となることを擧げねばならぬであらう。從來本島人の南支・南洋にあるものは、いはゆる「籍民」として、實は半支那人・半日本人たるの實情にあつた。彼等は自己の都合のよい時だけ日本國籍を振りかざし、然らざる場合には、殆んど全く支那人として行動するものが多かつた。彼等の多くは國語を解せず、また臺灣を知らないものですらある。そのほとんどすべてが母國の實質と尊貴性とを毫も知らないのは云ふを俟たぬ。「皇民化運動は、將來南方に進出する本島人をして、從來のやうな「籍民」的なものたらしめず、眞の日本人としての自覺を持たしめ、南進日本の先驅者に相應しきものとして活躍せしむることを、その目的の一つとする。この愛國心を持つて南方に進出するとき、殊に華僑と對立して活動する場合に、その固有の言語・風習などの點において、內地人以上に母國のために活躍することができるのであらう。固より皇民化がどこまで深く且つ廣く行はれ得るかゞ大問題であるが、その經濟的效果としては、以上のやうなことが先づ考へ得るであらう」。そして皇民化には種々なる方策が考へられ、「また現に實行されつゝあるが、最も効果的なものは、內地人の大規模な增植によつて、本島人をその日常生活において誘掖し同化せしむる方策であらう。この內地人移植は、農業移民として、山地開發移民として、漁業・工業移民としてなさるべく、皇民化運動は、こゝにもまた、その經濟的側面を持つわけである。

工業化は繰り返して云つたやうに、從來ほとんど農業によつてのみ占據されてゐた本島產業界に工業が割り込んで來ることによる本島產業體系の再編成を意味するが、このために衝擊を感ずるものは何といつても農業部面でなければならぬ。がこのことは決して農業部面を犧牲にすることを意味せずして、寧ろ之に新しい息吹きを吹き込むことを意味するであらう。何故なら、新に導入せられ、または生產力の擴大に乘り出した諸種の工業は、農・林・畜產業等に對して原料の供出を命じ、農業部面の生產を促進することゝなるからである。もちろん工業に要する勞力は、これを主として農村に求めることゝなるべく、農業勞働力は多少窮屈となるであらうが、本島農村においては尙惰眠を貪れる勞働力が若干あるのがその實情であり(なかんづく婦人勞働力)、これが動員(適當なる配分と陶冶鍛錬)によつて、當分は勞務の絕對的不足は告げないと見得るのである。殊に、臺灣の新興工業の可成りの部分は、勞働力の比較的僅少でやつてゆける重化學工業に屬するが故に、勞務に關聯して、工業そのものが農業を犧牲にすることは、さほどに大でないと思はれる。むしろこゝでは工業化は農業部門に對して刺戟を與へると見るべきであらう。すなはち工業化は、まづ、それの要する原料の生產導入と增產とを命ずるであらう。これによつて、新耕地の開拓が促される。また單純・粗放耕作をなし來つた本島農業は、集約的・多角形的・立體的經營に移らざるを得なくなるであらう。そのために農業經營の合理化が促されるであらう。工業の勃興は、農業のために肥料の島内での部分的、進んでは全部的自給を、さらには南方への輸出をも可能ならしめ、また農業用機器の自給を可能ならしめ、本島農業をして高度化せしめる。かくて工業化は一面農業自體の體系的變革を意味するわけである。

工業化は農業本位の本島産業體系の行詰り打開策として必然的なものである。本島人口の増加率は、周知のやうに、極めて大である。この激増する人口を給養し續けて行く途は、農業の發達と貿易の振興と工業化とによる他はない。しかも農業の發達は、耕地面積の點において、また技術の點において、既に殆んど飽和點にまで達してゐると見なければならぬ状態にあり、貿易の振興は、事實上大部分工業の發達に俟たねばならぬ。けだし既に農業の生産力が最高度にまで發達してゐるとせば、農産物の輸出力が次第に出盡す状態に近づいてゐるわけであり、結局は、自己の持つ資源の開發と、他よりの輸入とによつて獲得した原料を、自らの工業によつて加工精製し、その生産物によつて、又それを輸出して得る外國の物資とをもつて、人口を給養しなければならぬからである。臺灣の工業化も、その一面は實にかゝる理法に基づいて行はれてゐるのである。そしてこの原料の輸入は南支・南洋より、また生産物の輸出は南支・南洋を目指してゐるので、工業化の反面は、とりも直さず南進政策そのものであるといはねばならぬ。

臺灣の工業化と南進政策の基地としての體制整備とは、交通機關の完備を要求する。工業の立地的要件の一として交通的要素の重要なることは言を俟たぬ。鐵道・自動車路の整備、港灣施設の完備が必要であるが、後者は特に南進基地たるための必須條件である。高雄港・基隆港の擴張、花蓮港々および新高港の新設が、これが表現である。

皇民化にしても、工業化にしても、農業再編成にしても、はたまた南進政策の實施にしても、それらの持つ軍事的意味は重且つ大である。前に述べたやうに、臺灣の政治的經濟の再編成過程における軍部の發意は顯著であり、その推進力は偉大である。

皇民化は、殊に戰時下における治安維持の上から必要であり、さらには總力戰に協力せしむるためにも必要である。産業體系の工業化は、有事に際して、母國から離れてゐる本島において生活必需品ならびに軍需品をある程度供給し得る工業を持つ必要性からであり、否、もつと積極的に云つて、本島をして南太平洋・東南亞細亞方面作戰のための兵站基地たらしめんがためである。農業再編成また然り。食料品はじめ重要農産資源の確保は軍事的に必須のことに屬するが、熱帶・亞熱帶に位する、しかも本邦における唯一の開發濟み熱帶・亞熱帶地域たる臺灣は、この爲に大いに貢獻しなければならぬ。米穀・砂糖・各種纖維類・油脂・畜産物などの増産を、またそのあるものゝ導入を含む農業體系の改變は、これが表現に他ならぬ。しかも遺憾ながら、臺灣の面積は餘りにも小であつて、たとひ百パーセントにその能力を發揮したとしても、到底、この要請に應ずるに足るだけの生産力を量的意味においては持ち得ないのである。

かくて南方進出が企圖せられざるを得ぬ。もちろんこの進出は、單に重要農産物の確保のためのみではない。石油類をはじめ、各種の鑛物、其の他の物資の必要にして且つ充分なる量の確保をも目的としてゐることは今更いふまでもないが、農業に關する限り、臺灣農業再編成は、他日日本の指導下において南方農業が經營せられるであらう時のためのテストなるべきものである。

臺灣の地理的位置は本邦の南門、南支の防波堤、南洋への渡廊下に當る。その軍事上の重要性は、言を俟たずして明白である。それは前進根據地の一つであり、殊に最も重要なる兵站基地である。「高度國防國家建設」をもつて、あらゆる政策の、さし當つての具體的最高指導原理としてゐる現下の日本にとつて、臺灣の持つ意義は極めて高い。今や臺灣の事は、産業にまれ、交通にまれ、金融にまれ、財政にまれ、政治にまれ、文化にまれ、すべてこの見地から見直され、再組織されねばならぬ。この再組織は、上來述べ來つたやうに既に十年この方、殊にこゝ三・四年以來徐々に實行されて來てゐるのであるが、私見によれば、現在までの所では、それは尙、日本の世界政策における北進主義を樞軸とせる階段、換言せば、南進政策としてはむしろ消極的であつた階段に相應しき程度のものに過ぎない。が今や南進政策が、敵性諸國の欲すると否とにかゝはらず、日本の國是となつてゐる。したがつて臺灣經濟再編成も、こゝで北守南進主義の立場において改めて出直されねばならぬ。この立場から、日本、否、東亞共榮圏の國土計畫の一環をなすべき臺灣のそれを樹立し、これに適合して、その政治的經濟が運營されてゆかねばならぬ。

〔昭和十六年一月十日起筆、三月七日擱筆〕

清朝治下臺灣の地代關係

東嘉生

目次

はしがき

臺灣農業の全形態を特徴づくる基礎の一つは臺灣に於ける特殊なる土地所有關係にある。私は嘗つて清朝治下に於ける臺灣經濟社會の土地關係を分析して、その現象的諸形態をその成立と崩壞との過程に於て眺め、更にこの舊土地所有形態が國家との關係に於て如何なる性質をもつたかを概觀した。然しながら、其處には尙考究すべくして殘された大きな問題があつた。云ふまでもなくそれはこれらの舊土地形態がその內部に於て如何なる構造をなして發展したかの、換言すれば舊土地形態がよつて以て立つ本質的經濟關係――こゝに所謂舊地代關係――の歷史的變遷如何の問題であつた。私の貧しき「清朝治下臺灣の土地所有形態」の分析に從へば、(註1)舊臺灣の土地形態は概して云へば一方封建的、身分制的土地所有と他方自由農民による近代的土地所有との二つであつた。前者卽ち封建的土地所有形態に屬するものとして吾々は莊園、官莊、屯田、隆恩田等々を、後者卽ち封建的上衣をまとふ近代的土地所有形態に屬するものとして民有地及び熟番地を擧げたが、そこで全體としてみれば、清朝治下の臺灣はまさしく封建的上衣をまとふ經濟社會であつたといふことが出來る。これを雍正乾隆を境として前後期に分つことが許さるゝとすれば、前期は莊園が支配的土地所有形態であつた封建制支配の時代であり、後期は民有地の急激なる發展を釀したる封建制衰頽の時代であつた。然しながら前者に於て支配的であつた莊園の成立にしてからが既にして當初より近代的性格を持つ民有地への移行を顯現してゐたものであり、その轉化形態としての民有地に於ける大租戶小租戶現耕佃人關係に於ても小租戶は通常の農奴ではなくして一種の物權的權利を取得し所謂一田二主の傾向を生じ、既にして大租戶に於ける領主性は失墜してゐたのであり、換言すればそれは高々民有地の成立過程が變形的であつたことを意味するに過ぎぬと考へられる。そこで吾々は清朝治下臺灣に於ける本來的基礎的土地所有形態の成立過程は同時にその解體の過程でもあるといふ相容れない矛盾を指摘し得たのであつたが、この矛盾はその基礎關係としての地代關係に於ても存在したといひ得る。

臺灣に於ける莊園の所有者は然らば如何なる人々であつたかと問はるゝならば、吾々は鄭氏時代の殘黨と、支那よりの渡來者にして比較的富裕なりし豪族とを以て答ふるに躊躇するものではない。しかしその本質に於ては何れも同じであるから、こゝでは當時支配的であつた豪族による土地所有の農民に對する關係の歷史的變遷を、即ち臺灣に於ける墾戶佃戶關係の、大租戶小租戶現耕佃人關係への移行過程と更にその崩壞の過程とを觀察してみたい。

（註1）臺北帝國大學「政學科研究年報」第一輯、拙稿「清朝治下臺灣の土地所有形態」參照

一、墾佃關係の成立及び本質

あらゆる經濟社會の基本的生産關係は、生産手段の所有者の直接的生産者に對する關係である。この關係の形態のうちに生産の基本的要素たる生産手段と勞働力との結合が行はれる。封建社會支配の物質的基礎は土地所有にあることはいふまでもないが、この土地こそ、その獨占的領有が封建領主をして直接生産者から剩餘生産物を汲みとらしめる生産手段なのである。それと同時に土地は封建社會の直接生産者がそれを奪はれてゐる生産手段である。而して土地所有は、それに基いて封建社會の支配階級が經濟外的强制の方法によつて農奴的農民から剩餘生産物を汲みとる物質的基礎である。封建的土地所有の敎權制的編成は、支配階級を一全體に集結しつゝ、封建領主の階級支配を確保し且つ支配階級をして彼等によつて收取される階級を桎梏のうちに維持せしむる形態である。

然らばかゝる封建社會は如何にして發生したのであるか。この問に對しては我々は既にして直接的生産者が收取せられてをり且つ支配階級の獨占たるが如き、封建社會に於ける決定的生産條件は、土地であることを知つてゐるから、かゝる社會の創生の中心問題は、いかにして土地所有が封建領主階級の獨占となつたか、いかにして直接的生産者がこの決定的生産條件を剝奪されるに至つたかの問題であるといふことができる。しかながら、一般的にはかゝる私的土地所有の發生過程は平和的に行はれ得るものではない。私的土地所有は團體的土地所有の簒奪、暴力的占有の結果發生したものである。しかし具體的な歴史に於ては我々は極めて稀れにしかこの成立過程を純粋な形に於て觀察するを得ない。通常はそれは幾多の原因及び事情のために常に複雜化され且つ歪められてゐる。臺灣の如き植民地的社會に於ては殊にこのことは甚だしい。それどころか殆んど全くその成立過程を異にしてゐるといつても過言ではないかも知れない。しかしながらその發生過程に於てこそ異なれ、その封建的收取形態の本質に於ては同一であつたとみなくてはならない。以下臺灣に於ける墾戸としての豪族の收取、佃戸としての直接生産者の被收取は如何にして成立したかを眺めることから始めよう。

遠く鄭氏時代に於ける鄭氏の宗黨及文武官の所有にかゝる所謂文武官田が、康熙二十二年（一六八三年）臺灣の清國領有後も尚存在してゐたであらうことは想像に難くないのであるが、（註1）當時既に商業資本主義の段階に上つてゐた清國が蒙昧の暗にとざされてゐた臺灣社會の下部構造を改變することによつて臺灣に清國々法を附植しようと努力したと考へられる。これ等の諸努力は康熙の中葉から足繁くなつた清國開墾成例（註2）による臺灣招民開墾によつて代表されてゐる。この努力の上にこそ臺灣社會の土地諸關係が漸次或は成立し或は變遷して行つたのである。

然しながら從前臺灣の土地といふ土地は總て生熟蕃人公共の使用に供せられてゐたのであるから、鄭氏占據の當時にあつても、たとひ南部の沃野に多少文武官田の存在するものあつたとは云へ、臺灣の大部分の土地は尙支那法制に所謂荒閑無主之地であつた。從つて新領主たる鄭氏は土着の蕃人に向つては殆んど何等の交涉をなしたることなく、專ら支那內地に於ける無主地の例に準じて辨理したのであつた。然しかくの如くして鄭氏の最高權力によつて官莊となつた土地は僅かに本島の一部分に過ぎず、その大部分は蕃人部落の公共物として從來の儘に殘されてゐた。そればかりではない。各蕃社が其の公共使用に供した範圍內の土地を以て各自の領域なりとする思想は外來の壓迫を受くるに及んで益々鞏固となり、就中平埔蕃人の如きは溪水分水嶺等によつて地界を定め、其の地界の定め難い地方にあつては兩者の間に共有的地帶を置く等、土地に對する自他の歸屬が益々明瞭となるに至つたのである。從つて明末清初の頃からこれらの土地に侵入しようとする者は勢ひ蕃人との鬪爭を鬪はねばならぬか、或は彼等に款を通じて始めて蕃地の給出を受けねばならなかつた。かくて民蕃偷越の爭ひを生じたのであるが、このことは臺灣に於ける全面的土地私有制の存在を物語ることになるのである。と同時に又支那本土からの農業移民の相當にあつたことを意味するものでもある。かくて領臺當時淸朝は治臺政策の一つとして臺灣渡航に對する禁令を發したのであるが、この禁令は唯政府の空文のみであり、事實に於ては閩人（福建人）の潛かに渡臺する者夥しくなり、康熙の中葉から粤人（廣東人）の盛に來るありて、遂に政府は渡航禁令の廢止を行ひ、むしろ逆に清國開墾成例によつて臺灣招民開墾の方策をとるに至つたことは既に述べたるが如くである。

これらの流民は先づ大體に於て臺南附近から下淡水溪流域に至る地帶に定着して農業に從事したのであるが、これの移住農民は、その本國に於ける生產手段から見離された人々であり、殆んど全く洗ふが如き赤貧の農民ではあつたが、當時既に支那本土が土地不足の狀態に陷つてゐたこと、また其の後發せられた開墾招民の法令が土地の獲得のために極めて有利な諸條件をもつてゐたこと等々は、少數ではあらうが、冒險的な企業心に富んだ地主を、支那本土から臺灣に招き寄せるだけの魅力はあつたであらう。

從つて多數の貧困なる流民の中に混ざつて相當の資本を持ち野心に充ちた企業的精神をもつて渡來した人々は、その定着地に於て、官から支給された、一定額の土地以外に尙廣大なる荒地を占據してこれが開墾若しくは耕作のために多數の雇傭者を傭ひ入れたことであらう。こゝに一種の土地關係の發生したのは蓋し又當然であつたといふべきであらう。

この開墾者卽ち當時の生產手段たる土地の所有者は臺灣に於ては墾戶と呼ばるゝ豪族であり、彼等に從屬して開墾或は耕作を行つた者は佃戶と呼ばるゝ直接生產者であつた。（こゝに所謂墾佃關係を以てこの墾戸佃戸間の土地所有關係を表現せしめたい）ところでこの直接生産者たる佃戸は墾戸から土地の收得を受けたのであつたが、彼等が蕃人の襲撃から脱れて安んじて耕作し安んじて開墾に從事することのできたのは勿論この豪族を背景としてゐるからであつた。

これらの豪族は南部方面では官府に請願して墾區を受け、北部に於ては蕃人と協商することによつて、開墾地の給出を受けたのであるが、既に述べたるが如く彼等は明末崩壞の餘波と三蕃反亂の影響を受けて遂に農民となつて臺灣に渡來した閩粤地方の農民を力墾者として招集し、地區を分割して之に配するに農具兵器等を以てし、一方には蕃人襲撃の防備に從ひ、他方には開拓耕作に從はしめ、又政府に對しては力墾者の、即ち佃戸の身上に關し豪族自らその責任を負擔し、且相約するに開墾成就の後には其地區の管業權を力墾者に移附し、力墾者は其代償として永遠一定の租額を納付すべきことを約したのである。支配階級としての墾戸が土地所有に基き經濟外的強制の方法によつて佃戸より剩餘生産物を汲み取る物質的基礎がこゝにある。墾戸はかくて、經濟的にも經濟外的にも佃戸に對する支配階級としての封建的權力の所有者であつたといふことができるであらう。

當時の農業移民が且つ耕し且つ蕃人と戰つた遺跡の今尙歴々として指摘せらるゝものあるを見れば、如何に農民が豪族に依賴して、相團集するの必要があつたかを想像することが出來るであらう。かくの如くして林野が開拓せられ、四方より人民の彙集するや、支那本土よりの移住の先後を原因として同族同郷相結托し、異族異郷の民を排せんとする所謂分類械鬪を生じた。當時支那に於て生産過程から遠ざかり行く放浪者の中臺灣に向つて流れ來る者の大部分は、地理的關係から見ても福建の閩族であつたことは想像できる。後にも述ぶるが如く彼等は康熙の中葉より雍正、乾隆を經て嘉慶の末年に至る百四十年間に南は鳳山より北は噶瑪蘭（今の宜蘭）に至る廣大なる地域に分布し、先住民たる蕃人を東方山地に壓迫し、その勢力の及ばざる所は、平地に於て殆んどないといつても過言ではなく、これに對して廣東の粤族の渡來は、閩族が既にその足跡を全島に印した後であり、（清朝領臺より六十年を經た乾隆十二年猫裏〔今の苗栗〕に入りたるを嚆矢とす）肥沃地の餘裕なきところから、この渡來者も少數に過ぎなかつた。かくて閩族から一歩立ち遲れた而かも少數の粤族が臺灣の地に據らうとすれば、自ら閩族の壓迫を受けつゝも山添の蕃地の給出を受けることによつて閩族に對抗する他はなかつた。臺灣に於ける分類械鬪の眞因はかくて「閩人は瀕海平曠の地に佔居し、粤人は近山に居りて蕃人の地を誘得して之を闢く」といふ土地所有の民族的不均衡に存するといふことができる。それはとも角、秋毫の紛爭によつて、直ちに大爭鬪を惹き起こすこの分類械鬪は、この島の農民の生活をいよ／＼不安ならしめたものであつた。しかも臺灣に於ける分類械鬪は啻に閩粤兩族によつて爭はれたのみでなく同じく閩族でありながら縣を異にする泉人漳人間にも行はれたものであり、しかもその頻々として行はるゝに於ては、（註3）農民の生活の安固たり得なかつたのも亦當然であらう。

而してこれらの爭鬪は主として豪族を中心として豪族によつて戰はれたものであるから、農民はまた從つて豪族の權力に依賴せねばならなかつた。

かくの如く豪族はその初めは、蕃人より土地收得の勞を取るがため、後には其の農民に衣食を給して、開墾に從事せしむるが爲め、更には無賴不逞の徒と、蕃人の襲擊より農民を保護するの武力を養ふがため、開墾地に對して一種の權利を獲得して佃戶より年々一定の租穀を徵することを約し、政府も又これを認めて正稅は豪族をして負擔せしめ、佃戶の身上に對しても豪族をして保證せしめた。かくの如くして極めて少數の場合を除く外は、豪族擅制の風は支那本土に於けるよりも一層甚だしく臺灣に樹立せられた。かくて墾戶は「內には數百千甲の土地を有し、外には幾百千の農民を代表するを以て、其の勢威隆々、隱然、小諸侯の如き觀」があつた。

さて然らばかゝる封建支配階級たる豪族と被支配階級たる佃戶との經濟的關係は具體的に如何樣であつたか。

墾戶は自ら資本を投じ自墾するものもあつたが、この他招佃開墾と稱し多數の農民を招徠し之に荒地を分給して開墾せしめ、茲に墾戶佃戶の關係を生じたものも多い。しかしながら、墾戶は必ずしも官に對して開墾を遂行せねばならぬといふ義務はないのである。唯開墾を許可せられたる後數年を經過すれば官はその開墾地を檢査し成墾の分は土地の等級を按し租稅を賦課することにした。これを限年陞科といふ。陞科あるまでは墾戶は官に對して何等賦課せらるゝことはないわけである。而して陞科の後は墾戶は其の土地を自己の永業となし、法律上所謂田主又は業主たるの資格を得、業主權を獲得する。こゝに業主權とは土地に對する最高の權利である。土地はすべて王土なりといふ支那の王土觀念に基き、土地の總括的支配權は君主にあるがその下に於て人民が土地の使用收益をなす實權の最大なるものをいふ。從つてそれは純然たる個人主義的法制の下に於ける所有權の概念とは異る。

墾戶の得たる開墾權は、これを典賣した例あるを聞かない。蓋しこれは官が臺灣の地は殆んど荒蕪であつて租稅收入の僅少なるに苦んだところから何等の條件をも附さずして人民に開墾を許可したのであるから、開墾權は實際上大なる價値がなかつたからであらう。

それは兎も角として吾々の問題とするところはその給墾契約にある。こゝに給墾契約とは、墾戶が佃戶を招徠し荒地を分給し其の開墾に當らしむる行爲をいふ。

さて墾戶が招佃開墾を爲すに當つて締結する契約の內容は當事者に於て自由に定め得ることになつてはゐたが、然し當時の契字の如何なるものを見ても佃戶が給墾地を開墾耕作せねばならなかつたし、又佃戸は一定の租を納入するの義務を定めておかないものはなかつた。其處で締結せらるゝ佃戸の權利義務は次の如きものであつたらう。

先づ佃戸は其の承墾せる未墾地を占有開墾し永遠に耕作權益をなすを得たのであるが、その權利は次の如くであつた。

卽ち、佃戸は未墾地に對し單に耕作の權利を取得したに止まり、墾戸が未墾地上に有する一切の權利を讓受けたものではないことは勿論であり、而して墾戸は換佃別耕の權利を留保し一定の條件の下に土地を佃戸より囘收する權利を持つてゐるのが通常であつた。而して佃戸は又別に納租の義務を負はされてゐたが、若しこの義務の履行をなし能はざるときは退佃と稱して土地を墾戸に返還せねばならなかつたのである。此時代に於ける墾戸の權利を處分した契字には恰も後世に於ける小租戸の處分の契字に於けると同樣租穀、田園の坐落周圍等を明示し、土地其の物を處分する形式をとつてゐた。（註4）

以上の諸點を綜合してみると、墾戸は佃戸をして未墾地を開墾せしめ之を耕作收益せしむることを約したるに止まり、土地に對する一切の權利を移轉したものではないと認められる。但し給墾契字中に時折「開墾耕作永爲己業」とあることがある。これにより察すれば業主權を移轉せしむるのではないかと疑はしむるものがないではないが、此場合に所謂業は耕作權を意味し永く其の土地の耕作權を有すべきことを言明したるに過ぎないものであり、これによつて土地に對する一切の權利を移轉せるものとすることはできない。このことは一方に「永爲己業」とあるに拘らず、一方「換佃別耕」の文言するを以ても知り得るであらう。

かくの如く佃戸の權利は未墾地を耕作收益するの權利に過ぎないのであるが、其の權利は永代に存續すべきものである。このことは一般に耕作權の存續期間に關し、何等契約のないことによつて明らかにすることができるし、又常に租の不納又は公安を害するが如き非行なき限りは換佃せざることを約しておるが如きも又之を證するに充分であらう。

佃戸の權利は未墾地を耕作收益する權利にすぎずして、土地に對する一切の權利を持つてゐなかつたといふ事實、竝びに外敵に對する被護者として墾戸の直接的支配下にあつたといふ事實こそは、たとひ直接的勞働者たる佃戸が彼自身の生活手段の生産のために必要な生産手段及び勞働諸條件の占有者であつたとは云へ、彼等を非自由者として現はさしめたのである。

次に佃戸が墾戸の隷屬者として立たしめられた要因はその納租義務である。これに關しては佃戸は墾戸に對し必ず一定の租卽ち田賦を納むることを定める。例へば、「田園の豐歉を論せず、均しく早晩二季、春六、晩四に按照すべく、本館に赴きて按照し淸楚を交納すべし」「一年業主に租粟三石滿を配納し、收冬の日、應らく辨じて風扇淨乾を經たる粟を車運し館に到りて完納すべし」その逐年配納する大租は粟五斗、挑運して倉に到りて交納し以て完租に便ならしむ」（註5）とあるの類はこれである。而して給墾には必らず租穀に關する約束のあることが必要であり、これを缺くときは實質的には勿論給墾ではなくして、賣買若しくは贈與といふことになる。

租は佃戸の負擔するところであり、租權は墾戸が佃戸に對して有する一種の請求權である。然し臺灣に於ては租は特定の佃戸の負擔する債務ではなくして永耕權の行はるゝ土地の負擔たるものと認めらるゝ。卽ち永耕權と不可分に土地に追隨附帶するものであり、納附義務者は佃戸である。換言すれば何人たるを問はず其の土地の佃戸となつた者は耕作權を取得すると共に納租義務を負擔するにすぎず、給墾契約に於て租穀の拖缺あるときは、墾戸は土地を回收し換佃別耕し、又は佃戸は土地を返還し退佃するを約するが如きは租權の作用ではなくして當初墾戸の有したる業主權の作用に外ならぬ。要するに租權關係は恰も地租を賦課するが如き觀念を以て佃戸の負擔する賃料を土地に賦課したるものであり、土地に就いて辨濟を受くるといふが如き觀念より出でたるものにあらず、換言すれば墾戸佃戸間の債權關係を確保するの觀念から出たものではない。卽ちそれは自由契約に出でたるものではない。思ふに支那に於て井田の法弛廢し、土地は富豪の私業となり而して富豪は單に土地の私有權を獲得したばかりではなく、統治者の權力を分配し、其の佃戸に對しては隱然たる諸侯の如きものであり、其の過渡期に當つて此等の土地兼併者は土地の公法上の公課と私法上の賃料とを混へたる觀念を繼受し其の佃戸より徵收する租穀は恰も地租の如くに看做されるに至つたものである。其後幾百年間この不明なる觀念は支那人民に繼承せられ、臺灣開拓の際に當つても亦これに從つたものであり、當時墾戸は官に向つて開墾權を得、佃戸は墾戸より耕作權を得、恰も墾戸は「第二の官府」たるの如き觀を呈し、其の所有關係の比較的近代性なるにも拘らず、其の實官より執照を以て墾戸に開墾權を與ふるが如く墾戸は給墾字を以て佃戸に耕作を許與したるものであつて、こゝにその徵收する租穀は、亦公課を賦課すると同樣の觀念に出でたるものであり、こゝに吾々は恰も王侯の如き豪族の土地所有の封建性を知悉するを得るのである。

（註1）　康熙六〇年（一七三年）に成れる臺灣縣誌に「臺地窄狹にして又郡邑迫り、開墾久しうして地磽し」とあり、又康熙三十六年（一六九七年）臺灣內地の探險を試みたる郁永河の稗海紀遊にも當時の鹽水港方面の比戸皆殷富なりし旨の記事あり、此等、嘉義、鹽水港方面は鄭氏時代に開拓せられたる所にして鄭氏の宗黨及文武諸官の所有にかゝるものであつたから、たとひ夫等が清朝治下にあつて墾照の下附を受くべきを原則としてゐたとは云へ、多少の殘留あつたことは想像し得らるゝであらう。

（註2）　臺灣に於ける土地開墾方法は清國一般のそれに胚胎してゐる。清國に於ける土地開墾に關する成例については戶部則例、會典事例、通考、通志等に收錄されてゐるが、その內容を同じくするもの多く、且つそれは必ずしもその規定の如く臺灣に行はれたものではない。この土地開墾の綱領と認むべき一般的規定を定むるものは戶部則例である。この則例の要旨は次の如くである。

一、凡各省ニ於テ荒地ノ墾スヘキモノアレハ土着ト流寓トヲ論セス俱ニ開墾スルコトヲ准ス

一、一地五ニ報スルトキハ先願者ニ許可ス
一、開墾手續ハ先其ノ開墾セントスル土地ノ四至境界土名ヲ開具シ地方官ニ出願スヘク之ヲ報墾ト稱ス
一、地方官報墾ヲ受ケタルトキハ之ヲ勘査シ且出示曉諭ノ後五箇月ニシテ若原業主ノ呈報ナキトキハ地方官ハ事實相違ナキ旨ヲ認メ開墾許可ノ處分ヲ爲シ出願者ニ許可證ヲ下付ス之ヲ給照トイフ
一、許可ノ後一定ノ年限ヲ經過スルトキハ其ノ土地ニ等則ヲ附シ公課ヲ割賦ス之ヲ限年陞科ト稱ス
其他云々。其の詳細については臨時臺灣舊慣調査會「臺灣私法」(明治四十三年)第一卷上を參照されたし。

(註3) 乾隆四十七年(一七八二年)には泉漳分類械鬪あり、五十二年(一七八七年)閩粤人分類械鬪し、嘉慶十一年(一八〇六年)泉漳人分類械鬪し、中部地方焚燒殺戮數月に亙る。同一四年(一八〇九年)には泉と漳粤分類械鬪し、中部北部大焚殺行はる。

(註4) 臨時臺灣舊慣調査會「臺灣私法附錄參考書」第一卷上、第一編、第二章第一節參照

(註5) 臨時臺灣舊慣調査會「臺灣私法」第一卷上、二九七頁

二、租戶關係の成立及び本質

墾戶佃戶の關係は以上に見たるが如く、封建的性質を帶ぶるものであつたが、この關係の成立には既に當初から土地の實權の掌握は佃戶の中に移る氣運が胚胎してゐた。

蓋し、當時の墾戶たるものは皆有數の豪族であつて數百千甲の田を數し數百の佃人を招き外は防蕃の備を爲し內は開拓の事に從ひ司法の權を握り國庫への納租の務を果し、尚打續く分類械鬪の織り込まれた內亂に備へて兵を蓄へ、(註1)名は一地區の墾戶にして租穀を收むるものであつ

たが、實は隱然小諸侯の形をなし、その勢の隆々たるものがあつた。かくて墾戶は小邦國の君主であり租稅を徵するに異ならなかつたが、然し又逆にその有する權利は漸く土地と直接の關係を失ひ佃戶に對する權利と爲ると共に佃戶は代々その土地の耕作に從事したのであるから、次第に土地の實權を掌握し自らその土地の地主たるの形をなすに至つたのは自然の勢であるのみでなく、當時墾戶が佃戶に與へたる權利は耕作權に過ぎなかつたのではあつたが、しかもそれは一種の永小作權であり（封建時代に永小作權の存在はないのではあるが）實際に於ては物權的效力を有するものであつた。墾戶にして一旦佃戶にかゝる强力なる權利を與へんか、年を經るに從ひ墾戶の權利は其の實を失ひ佃戶は土地の實權を握るに至るべきことはその當時に於て既に之を豫知し得べかりしものであつたからである。

まことに墾戶佃戶の關係の成立以來墾戶に於ける富の形成は次第に墾戶をして優々逸樂を事とせしめた結果、零落倒產する者を生じ或はその權利を出典し或はこれを賣却し他人に輾轉しその權利は漸く土地と直接の關係を失ひ地主の權利を以て之を見做すことの出來ない事情があると共に、租權は次第に小分され其の所在を知るに苦しむの事情あるに至り、これに反して當初の佃戶は年々歲々農業の利澤を蒙り莫大の資產を作る者あり且土地に對する直接の關係を有せしより、其の勢力は往時の墾戶を凌駕し土地の實權を握るに至り、勢ひこゝに至つては佃戶は最早直接的生産者にあらず、全く地主となり終つたものであるから、當初墾戸との契約に依れば其の權利は墾戸の承諾なくんばこれを讓渡處分することを得ず、又更に佃人を招き之を轉貸するが如きはその契約の性質上よりいふも不當のことであつて、且多くは明かにこれを制限せしに拘らず、佃戸は自由に權利を處分するに至り、又その管業せる土地を更に佃人に轉貸してこれを耕さしむるに至つた。こゝに耕作に從事する者を現耕佃人と稱し佃戸は彼等より年々一定の租穀を徴收するに至つた。こゝに於て同一の耕地につき墾戸の佃戸より徴收するものと佃戸の現耕佃人より徴收するものとの二種の收租權を生ずるに至つたのであり墾戸の收租を大租と稱し、佃戸の收租を小租と稱し、こゝに大租小租の關係が確立し、所謂大租戸、小租戸、現耕佃人の三段階級を生じ、永く臺灣の田制を支配するに至つたのである。（こゝに所謂租戸關係を以てこの三階級間の土地所有關係を表現せしめたい）この點に關しては舊記に、「若し夫れ新舊の田園は則ち業主牛種を佃丁に給して墾する者は十の六七也、その自墾する者は三四のみ、乃ち之を久うして佃丁自ら墾主に居し租を逋れ税を缺き業主一佃を易ふれば、則ち群呼して起つ。將來必ず久佃業主となるの弊有らん。爭訟日に熾にして案牘日に煩はしく、これ漸く長ずべからざるものなり、久佃丁は田園の典兌下手を以て名づけて田底と曰ひ、轉々相授受し、同じく賣買するあり、或は業已に主と易る。而して佃は仍ち虎踞し、將來必ず一田三主の弊有らん云々」（註2）とあり、又「淡水の田主收むる所の者は之を小租と謂ひ、官の徴する所の者は之を大租と謂ふ。大租は概ね業戸徴收するに由り轉じて以て官に納む。所收は所納に浮し、毎田各々大租若干を帶ぶ。業戸は自ら契據するあらば、轉賣を以てすべく、官に內地と包收包納同じうす」（註3）とある。前者は當初業主に於て牛種費用を負擔したが漸次佃戸は勢力を得、その結果一田三主の弊を助長したるを說き、後者は臺灣の田園には業戸と佃戸の關係あり業戸とは墾戸にして田主とは佃戸を云ひ、これらは支那內地に於ける包糧包納の弊として法律に禁止せられたるものに同じといふにある。

これを要するに、臺灣に於ける大租小租の關係は往時富豪の民廣大の墾區を占領し、當時の主要生產手段たる土地を有せざる佃人を招き自ら資本を投じて開墾に從事したに始まるものであり、結局清國に於ける土地開墾の慣例に基因する墾佃の關係より出でたるもので、唯臺灣にあつては僻遠の地なるため清の政令行はれず綱紀擧らざるに乘じ、福建地方の惡風を輸入すると共に益々その弊を助長し墾佃の關係は一轉して大租小租の關係となつたものである。然しながら、かゝるものゝ外姦黠の徒巧みに要路の權官に賴つて厘毛を費さず僅かに一禀の手續のみによつて廣大なる墾區を得、實際には佃戸が放資開墾せる土地に對し大租を征收するに至つたものがないではない。所謂豪强認占と稱するものである。臺灣北部に於ける大租權にはかゝる起源を有するものが特に多い。これに反して南部地方の大租戸は多くは實際自己の資力を費して開墾したるものが多い。然し南部臺灣は既に蘭鄭二時代より移民多く、官莊として存在し正供地租を徴收したに止まり多くは大租關係を發生せざりしを以て概してこの地には大小租の關係を有せし土地尠く、そのこれを有するものと雖も、多くは小規模であり中部北部の如く幾百千甲の田園に大租を有するが如きものはない。唯官莊の中清國官吏にしてその權勢を濫用しこれを横領して大租を徴收するに至つたものがある。例へば施候大租の如きはそれである。

さて大租小租の關係はかくの如くして生成した。其の後に於ける土地の實權は小租戶（卽ち當初の佃戶）の掌握するところとなり、且大小租權の賣買出典盛に行はるゝに至るや田園に關する諸關係は一般に混亂複雜殆んど名狀すべからざるものあるに至つた。

大租の租額は大租權設定の當時卽ち田園給出の當時は業戶と佃戶との契約によりこれを定めたるものであつて、その額は當時の契字に明記せるが如く、歲の豊凶、權利者若しくは義務者の變動等により增減改正することの出來ないのが原則である。然し從來或は收穫の割合に從つて租額を定むる慣例もないではない。北部臺灣桃澗堡竹北二堡等にはこの例により大租を收納した例がわが領臺當時にもあつた。

大租の租率はその定額のものにあつては墾成當時に於て地味の肥瘠水利の有無を斟酌しこれを定めたるものであり一定の標準はないのではあるが、凡そ其の全收穫の十分の一を以て標準としてゐたものゝ如くである。これは卽ち定額租と呼ばれ、土地の等則に當てはめて、甲當り上田八石、中田六石、下田四石、上園六石、中園四石、下園二石を收納することになつて居り、これが大租に於ける一般的標準たるものであつた。

然し實際に於ては、開墾當初の甲積は多くは大租戸が各自自製の丈尺を以て測定し若しくは只目力を以て其の大槪を測定したるに過ぎないものが多かつたから、甲乙二地の租率が同じであつても實績からみれば大きな差異があつた。又田園墾成の後、大租戸が官府に報陞する場合所謂多墾少報とて、その過半を隱匿する弊害があつたから、官定甲積及等則と大租戸、小租戸との間に協定せる田園の區別(上・中・下)や甲積とが一致しないものが多い。更に、當初の大租率は開墾の難易、蕃人に對する危險の大小及び土地生產力の大小、納稅負擔額の多少等々より等差を付したのではあつたが、其の後の時勢の變遷と共に田園の經濟的價値は大いに變化を生じたのであるから地積及び等則に異動を來したのである。

次に大租には定額租に對して更に抽的租なる種類があるが、これは一定の割合に從ひ收穫を大小租戸に於て分收するものであるが、この分收の割合は、一九抽的、一九五抽的なるものが最も多い。一九抽的租とは一より〇・九を抽きたるもので、大租戸に於て一、小租戸に於て九を得るもの。一九五抽的租とは一より〇・五を抽き更にその上に〇・五を抽く意であり、卽ち大租戸に於て一・五、小租戸に於て八・五を得る租である。

この他或地方に於ては大租の運搬費用に充當する目的で給墾當初に於て既に佃人より徴收することを約したる一種の手數料と考へられる所の車工谷なるものもある。（註4）（通常は小租戸自ら運搬して大租戸に交納する）

それは兎も角として今こゝに臺北地方所在の田園について假りに上中下の大租を徴收せる田園は等しく官定等則と符合し、且佃人と大租戸との間に協定せる甲積と官定甲積とが互に等しきものと認め、一般的標準たる定額租の額を、先づ道光年間以前（銀納制實施は道光二十三年―後述）の穀納時代に於て算出すれば次の如くである。

(1) 道光以前の田園甲當り大租戸所得

	上田	中田	下田	上園	中園	下園
大租額	八、〇〇石	六、〇〇石	四、〇〇石	六、〇〇石	四、〇〇石	二、〇〇石
正供額	二、七四石	二、〇八石	一、七五八石	二、〇八石	一、七五石	一、七一六石
差引所得	五、二六石	三、九二石	二、二四二石	三、九二石	二、二四二石	二、八四石
我一反歩ニ對スル所得米額	〇、一六八石	〇、一二五石	〇、〇七二石	〇、一二五石	〇、〇七二石	〇、〇〇九石
備考						

一、臺灣に於ける公平斗の一斗は我が五升七合七勺四、(臺灣度量衡調査書に據る)に相當するが、こゝには算出の便を計るため、五升八合を以て換算率とし、又大租戸の用ゆる量器は通常公平斗に比し一割乃至一割五歩の大桝であつたけれどもこれまた同上の便を計るため、一割の増量あるものとして計算した。從つて表中大租額、正供額、及差引所得額に於ける一石はわが五斗八升の一割増即ち六斗三升八合に相當するものである。

一、表中大租額、正供額、及差引所得額は穀籾を以て示したものであるから、之を米に換算するには籾二より米一を得る割合である。

一、我が一反歩に對する所得米額は一甲を約我が一町と見做し、其の十分の一に於けるものを示し、且合以下は四捨五入の法を取つてある。

一、當時勻丁銀、耕穀及差役の串錢等正供の外正供額に對する約二割許りの附加税があつたが、大租戸は前記大桝を以て小租戸より收納するに拘らず、正供額は公平斗によるを以て大租戸の實收は大となつてゐることを知るべきである。

卽ち本表によつて觀察すれば、穀納時代に於ける大租戸の所得は田に於て籾五石二斗六升乃至二石二斗四升二合、園に於て三石九斗二升乃至二斗八升四合內外であり、わが一反歩に對する所得額を計算すれば田の所得は玄米を以てわが七升二合乃至一斗六升八合であり、園はわが合九乃至一斗二升五合許りに當つてゐる。

大租納入の義務を負ふものは勿論小租戸ではあつたが、實際に於ては小租戸に代つて佃人これを納入するのが一般の慣習であつた。このことについては後述する。

さて然らば大租の不納の場合は如何様になつてゐたであらうか。此の場合には年五割の高利を付するのが北部臺灣の慣習である。然し普通の場合には大租戸が小租戸の田園に對して作業を差止むるを普通としてゐる。然しこれは大租戸が小租戸に對して直接その田園に就いて義務の履行を求め得るの權利を有するといふことは出來ないのであつて、畢竟するに大租權の性質如何に關する問題であつて、物權的でもなければ債權的でもなく唯漠然たる耕作權であつた限り、強制權はなかつたとみるのが至當であらう。然し小租戸はこれによつてその全生活をあげて農業生産に從事し他に資産を有しなかつた限り、土地より離れることはできなかつたのであるから、大租の納付は暗默の中に強制せられてゐたと見るべきであらう。

次に小租の性質について概觀したい。

小租權はその當初に於ては小租戸（嘗つての佃戸）が大租戸（嘗つての墾戸）との契約により納租の義務を負擔するに代えて田園の開墾耕作の權利を得たものであり、若し小租戸にして納租の義務を怠り又は國法に反するの行爲ありたるときは、大租戸は何時にてもその契約を解除し得た。而して小租戸は大租戸の承諾なくしてみだりにその權利を處分し又は轉貸することはできなかつたものである。卽ち小租戸は大租戸より土地を賃借せるものである。從つてそれは一應小作權（債權）であつたと認めなければならぬ。然しながらその占有は當時既に小租戸にあつたのであり、その權利たるや無期限であり永遠に繼續すべきものであつたこと、更に小租戸は自由に其の土地の耕作方法を定め自由に果實の收益を爲すことができたのであるから、小作權ではあるが、一種強力なる永小作權であり、當時既に物權たるの要素を具備してゐたのである。

小租戸は通常その田園を現耕佃人に賃貸し小租を收めしむるの慣習であるから、この名を生ずるに至つたのであるが、小租權の內容を以て小租收受の權能にありとし、これに據つてその性質を定めんとするは誤りであり、その權利の眞の內容は小租收受の權利の效力の一にすぎないものである。而して小租權は直接に土地を占有する權利であり、それは大租義務を負擔する外、完全なる土地の使用、收益、處分の權能を包含してゐる。即ちそれは單なる用益權ではなくして土地に對する最上の實權である。それは即ちとりもなほさず墾戸が嘗つて有してゐた業主權である。即ち墾戸佃戸關係に於ける墾戸の業主權は、墾佃關係の租戸關係への移行につれて、次第に小租戸の手に移つて行つたといふことができる。

大租戸の權力薄弱なると共に小租戸の權利は膨大し、大租戸の殘留した土地に對する權利は悉く小租戸が併呑し、全く土地の實權を握るに至る。其後に於ける小租權の內容は、次の如くである。即ち小租戸はその土地の占有を持し、(二) 完全なる土地收益の權利を有す。この權利は無制限であり小租戸は自由にその田園の性質、形狀を變ずることができるし、又毀損滅失せしむることもできる。且つ小租戸には自由に現耕佃人を招き其の土地を賃貸し、自由に佃人を變更し又如何なる契約もこれを締結するを妨げない。而してその田園を贌耕（小作）に附するときは其の契約に基き小租收益の債權を得ると雖もこれがために毫もその權利に制限を蒙るものではない。（三）小租戸は其の土地の丈單を有するのが普通である。

以上述ぶるが如くであるから、小租戸であつても必ずしもその田園を他人に小作せしむるとは限らない。自作のものも尠くなかつたのであるが、この場合と雖も尙小租戸であるに變りはない。

次に小租の收納は然らば如何なる額に於てなされたであらうか。

小租の收納も租穀を以てするのが原則である。而して小租額の多少は一に田園の地味の肥瘠、水利の便否等その物の保有する經濟的價値の大小又は經濟社會の事情如何によるべきである。然しながら、通常田では大抵その收獲高の約十分の四を納め、一甲に對する租額は約三〇－三五石である。然しこれは全く小租戸（業主）と佃人間の協定によつて定むるものであつて、大租の如くに等則に從ふ定例はないのである。だがそれ故にこそ現耕佃人が小租戸の經濟的勢力に壓せられて不利な契約を結ばねばならなかつたと云ひ得る。

小租戸の所得はその小租額中より正供額を控除したものである。純理から云へば小租戸は更に大租を收むべきであるが、實際の慣習としては小租戸と佃人との契約により佃人より直接に納付すべきことになつてゐるから、小租戸より大租を收むることは手續上はない。

小租の租額は大租の如く等則に從ふものではないが、假りに大租と同樣の等則に從ふものとして大體の推測をなすならば、乾隆の末年以後道光に至る期間に於ては次の如くであつたらう。

(2) 道光以前田園甲當り小租戸所得

	上田	中田	下田	上園	中園	下園
小租額	三二石	二四石	一六石	二四石	一六石	八石
大租額	八石	六石	四石	六石	四石	二石
純所得	二四石	一八石	一二石	一八石	一二石	六石

備考　臨時臺灣舊慣調査會第一部「調査第一回報告書」上卷に據つて推算せるもの

由來封建的地代は勞働地代から生產物地代へ、生產物地代から貨幣地代へと推轉の過程を辿るものであるが、封建社會史に於ける最古の段階としての勞働地代の發生は、その植民地的性格の故に清朝治下の臺灣にはなく、こゝでは高々生產物地代として發足した。この生產物地代の形態にしてからが既に土地所有者卽ち封建的領主の側からの封建社會の直接生產者の收取を表現する範疇である。然し生產物地代に於ては封建社會の直接的生產者の生產の封建領主からの若干の解放が意味せられてゐる。それと同時と直接的生產者は剩餘勞働の一部分を自己のために利用する可能性をもつ。即ちそこには若干の蓄積の可能性があるのである。臺灣に於ける墾戶佃戶關係に始まる地代形態は既に生產物地廳の形態であつた限りに於て、當初より封建性の稀薄なものとして發足したといふことができるであらう。

（註1）例へば、咸豐年間臺北地方は尙多く開墾せられず、林本源家の國華なる者小作人を募集して開墾に力行水路を開拓して灌漑の用に供したので、歲入の租穀又十數萬石增加したといふ。咸豐五年には分類格鬪は未だやまず、國芳は戰守の便を計るために板橋の周圍に高さ一丈五尺厚さ二尺餘の城壁を築き內側城壁に沿うて高さ六尺幅五尺なる走馬路を築造し城壁に距離約一丈五尺每に銃口を造り射擊の便に備へた。東西南北に四大城門を造り尙住民に水汲みや洗濯の便をはかるため各門と門との中間に四箇所の水門を設け各大城門に城樓を築き、更に北側に敵樓（高銃樓と稱す）を築造した。

（註2）臺灣全誌中、諸羅縣誌、（雍正二年）七五二―七五頁

（註3）臺灣全誌中淡水廳誌、（同治九年）？臨時臺灣舊慣調查會「臺灣私法」第一卷上、二七三頁參照

（註4）大租の租率の詳細については、臨時臺灣舊慣調查會「臺灣私法」第一卷上、三一七―三二一頁參照

三、舊地代關係崩壞の動因及び過程

以上に於て舊臺灣社會の身分制的土地に於ける地代關係の本來的樣相をまことに粗笨な姿に於てゞはあるが一應檢討しえた。こゝでは更に此等の本來的地代關係が如何にして又如何なる方向に向つて崩壞して行つたかの問題の吟味に進まねばならぬ。

嘗つて私はこれ等の自分制的土地の特質を、その上部構造に於ける對建性とその所有關係に於

ける近代的市民性との結合に求めた。從つて此等の自分制的土地が、近代的市民的動員性をもつた所有關係の上に構築されたものであつた限り、そこに取結ばれたる地代關係はその農奴的性格は極めて薄く、その基礎は薄弱たるを脫れなかつた。從つてその地代關係はその後鞏固なる基礎の上に發展するを得ないで、その成立と殆んど時を同じくして、近代的市民的關係の方向に向つて崩れ始めざるを得なかつた。

卽ちそれは先づ前節に見たるが如く、墾佃關係の租戶關係への移行に於てであるが、かゝる關係の續發した時代は雍正から乾隆にかけて海禁漸く解けて移民の渡來者激增を極めた時に於てゞあつた。乾隆に至つてからは愈々人々の增加するに及び、平坦且つ有利の地は既に大租戶、小租戶の占むるところであり後進の移民は、蕃界に入り險を冒して之を拓くか、或は大租戶の所有小租戶の占有にかゝる土地を借耕するより他方法はなかつた。前者についてはこゝには暫く措くが、後者の途を辿つた者は、既に自ら資本の原始的蓄積を始め過分の耕地を占有する小租戶の下に現耕佃人として働いた。其處に取り結ぶ關係は佃關係と稱する小作關係であつた。事態かくなつては、土地業主權の大租戶より小租戶への移行、佃關係の成立は、その中に既に大租戶——小租戶——現耕佃人關係の崩壞の契機を包藏する。封建的上衣をまとふ舊地代關係の成立過程は同時にその崩壞の過程でもあつたといふ矛盾は容易に理解し得らるゝであらう。

さて然らば大租戸――小租戸――現耕佃人の間の關係、具體的には先づ大租、小租はその後如何なる變化を遂げたか。

吾々はこれを從來穀納制であつた大租、小租の納入の銀納制への移行の行はれた道光年間を境として質的變化をとげたと見る。

臺灣に於ける正供(地租)納入に於ける穀納制の銀納制への移行は、道光二十三年(一八四三年)に於てゞあるが、これが企圖は既に乾隆五十三年(一七八八年)林爽文の亂平定後本島の財政が頗る困難に陷りたるとき、時の臺灣知府鄭廷理によつてなされた。然しその實行尙容易ならず、單に道斗(一斗はわが五升二合七勺に當る)式を滿斗(一斗はわが六升四合二勺に當る)式に改め約一割餘の增徵をなしたるに止まる。道光二十三年に至り遂に銀納制の斷行成り粟一石を番銀(メキシコ銀)二圓を以て徵程することになつた。この正供(地租)の銀納制への改正と共に、大租、小租の納入も必然的に銀納制に移つたが、このことが當時の貨幣經濟の從つて又商品經濟の、或程度の發達を前提するものなることはいふまでもない。この銀納地代の形態に於ては直接生產者は生產物ではなくその價格を地主に支拂はねばならない。現物のまゝではなく現物形態から貨幣形態に轉化されることを必要とするのであるが、この轉化こそ資本制生產の基調である。

かくて道光二十三年以後正供の銀納制への移行と共に大租、小租の納入も銀納となつたのであるが、當時籾一石の時價は約一圓內外に過ぎなかつたにも拘らず、正供は籾一石について二圓の割合を以て徵收するに至つたから大租戶の所得は殆んど半減した。そこでこのことが大租戶をして益々多罌少報の弊害を助成せしめ、直接生產者の憤懣を育成した一應の原因のあつたことを知るに足るべく、又一方に於ては官定地積及び等則と大租戶と佃人間に協定したそれ等との間に甚だしい差違のあつたことを知り得るであらう。試みに道光二十三年銀納直後大租戶の一甲當り所得を示せば次の如くである。（註1）

(3) 道光年間銀納直後の甲當り大租戶所得

	上田	中田	下田	上園	中園	下園
大租額	八、〇〇石	六、〇〇石	四、〇〇石	六、〇〇石	四、〇〇石	二、〇〇石
時價	八・八〇圓	六・六〇圓	四・四〇圓	六・六〇圓	四・四〇圓	二・二〇圓
正供額	五・四八圓	四・一六圓	三・五一六圓	四・一六圓	三・五一六圓	三・四三二圓
純所得額	三・三二圓	二・四四圓	〇・八八四圓	二・四四圓	〇・八八四圓	一・二三二圓

備考　時價所得籾價は當時籾一石につきメキシコ銀（番銀）一圓の相場とし、而して大租の桝は一割なるを以て一圓十錢と見積り、且正供額は第一表の正供額に對し一石の換算納稅率二圓を乘じたるものとす

さて然らば小租戶の佃人と取結ぶ佃關係は具體的に如何樣なものであつたか。

佃關係は土地の業主としての小租戸が佃人との間に取結ぶ契約によつて成立するものであるが、この契約は通常契字を以てなすも口頭によるものも少くない。契字に因るものは贌耕字或は招耕字を以てし、必ず贌佃の物體たる田園其の他の土地の位置廣狹及附屬物を表示し耕作、栽培等のためにこの土地を贌佃せしむるに對し年々一定の納租をなすことを載明し且つ納租の時期方法其の他納租を怠りたる場合の制裁其の他に關する規定を包含してゐる。

其處で佃人の義務は、業主としての小租戸の土地を利用するの對價として其の業主に對し契約に定めたる條件に從ひ租穀又は租銀を納入すべき義務を負擔するにある。

小租額の多少は一に田園の地味の肥瘠水利の便否又は交通の便否に伴ふべきことは勿論である。而して小租額の決定は業主と佃人間の協定によるものであつて、既述せるが如く大租に於けるが如く等則に從ふ定例はない。しかもこの協定に於ては概ねその田園と共に之に附隨する佃寮（住家及農作小屋）等をも併せ借受くるを通常とするから小租額中には佃寮の家賃其の敷地の地代をも包含するものである。種々の事情を斟酌して大體の推測をなすならば（註2）

(4) 道光前後甲當り小租戸所得（單位圓）

	上田	中田	下田	上園	中園	下園
小租額	四〇	三〇	二〇	三〇	二〇	一〇

大租額	八・八	六・六	四・四	六・六	四・四	二・二
純所得	三一・二	二三・四	一五・六	二三・四	一五・六	七・八

備考　大租額は大租の枡大なるを斟酌してメキシコ銀二圓十錢、小租額は時價メキシコ銀一圓に換算、

即ち銀納制實施直後に於ける大租戶所得は正供の實質的增額によつて不利を招いたに反し、小租額は從前と殆んど變りはない。大租戶勢力の相對的減退を實證するものであらうか。

臺灣に於ては佃契約をなす場合磧地銀を支拂ふ慣習がある。磧地銀多きものは小租は低く少きものは高きこと勿論である。

こゝに磧地銀とは磧地（荒蕪地）に勞力費用を施したるを以て之に他人に引渡し耕作せしむるに當り之を賠償せしむるの義であるが、其性質は全く一種の保證金である。即ち佃契約をなすと同時に佃人はその義務の擔保として業主に對し預入る一定の金額をいふ。

かゝる大租戶勢力の相對的減退はその租額に於て窺ひ知ることができるが、吾々は更に、これを必然ならしめた根本的經濟的契機の探究に向はねばならぬ。

嘗つて中世歐洲に於ける國々に支配的であつた莊園的農業を崩壞に導いた第一次的基礎的契機は、都市に於ける市民階級の發生に求めらるゝが、その又基礎的契機は、社會的生產分業の成立に求めらるゝ。ところで臺灣の如き植民地に於てはさうではあり得ない。臺灣に於ける都市は、これをその歷史的發生過程に於てみるとき殆んど凡て行政的、軍事的要求から生成したものであ

り、然る限りに於てこれらの發生と發達とは、封建的土地關係を崩壞に導く基礎的動因ではなく、時には却つて封建的諸勢力の依存の場所たらしむるが如き傾向すらあつた。其處で吾々は臺灣に於ける舊地代關係を崩壞せしめた動因を都市の發生及び發達に於てゞはなく、寧ろ大租戶竝びに農民の販賣關心と貨幣經濟による農產物市場の不斷の擴大とに求めなくてはならぬ。以下の論述はこれを更に具體的ならしむるであらう。

淸朝時代康熙の末葉對岸より臺灣に渡るもの相當あり、彼等は主として墾戶の下に働く佃戶となることによつて、或は自ら開墾をなすことによつて農產物の生產者となつたのであつたことは既に述べたが、それは未だ尙半鎖國的自給自足經濟の域を脫するものではなかつた。勿論かゝる社會に於て商取引の對象となり得たものはその農產物の餘剩と極めて限定せられた諸財貨以外にはない。而してかゝる半鎖國的自給自足經濟の通有の現象として、臺灣に於ける商業も一般的には市を通じて行はれたのであるが、市に於ては生產者竝びに市場商人對消費者の直接的接觸によつて、或は物々交換的に、或は物品貨幣又は貨幣を媒介として取引が行はれ、人々は市場に於て物資調達の機會を得てゐたわけである。是等の市の提供する手工業品竝びに農產物が豪族竝びに農民の販賣關心をそゝらずには置かない。而して貨幣經濟の進展につれて農產物市場は次第に擴大して行つたのである。是等二つの要素によつて封建的地代關係の爆破を促進したものと見ることが出來る。然りそれは確かに崩壞の促進的要素であつた。然しそれが崩壞のための根本的なもの、しかも敍上二要素擴大の動因たるものは、舊臺灣社會の封建的體制それ自體の內部から生成したものではなく、寧ろ外部から、卽ち支那本土に於て高度に發達した商業、高利貸資本と不可分離の關係におかれ絕えざるその影響下にあつたこと、このことこそが封建的地代關係解體の原因の殆んど唯一のものであつた。

康熙の末年頃より移民はその母國たる支那本土と可成りに深い交易關係をもつてゐたであらうことは、舊臺灣社會の半植民地的性格から容易に說明され得るであらう。乾隆末年より嘉慶にかけての臺灣島內への移民群の急增は、啻に農民の增大を意味するのみならず、又對岸よりの諸財貨を賣捌く商人としての增大をも意味するものであつた。しかも吾々が雍正の前後、支那本土よりの商船の本格的來往を指摘し得る時期に至つては是等商人の來往を本格的ならしめた。而して對岸より來り居を臺灣に構へて通商に從事するこれらの者は主として福建、廣東の所謂南支を營商區域とし、臺灣より米、砂糖、油を移出し、又臺灣需要の綢緞絲、羅布、紙料、杉木、阿片、棉花等を移入する所の商業組合、卽ち Zunft を島內各港都市に組織した。島內に於ける是等の商業組合卽ち臺灣に於て所謂郊の發生は、雍正三年(一七二三年)の臺灣府三郊の組織を以て嚆矢とする。三郊とは北郊、南郊、港郊の三つのツンフトを指すもの、北郊は蘇萬利、南郊は金永順、港郊は李勝興の統ぶるところであつた。然し彼等は個々の都市の範圍に於て商業資本家として組織上統一的に自己を組織することに成功したるものではなく、彼等の聯合は高々、他郷に對する場合に於て即ち郷黨主義の貫徹に於て實現せられたものである。從つて當時臺灣のかゝる貿易地を等しくする所の團體は、郷黨主義に基く同郷商人の組織したツンフトと見て差支へないであらう。

それは兎も角としてかくて對岸との取引に從事せる郊は、當時未だ尙半鎖國的自給自足の段階に沈潛せる而して又遠く東海の眞唯中に孤立せる臺灣島の、日々需要する雜貨品販賣の獨占權を得てゐたことは想像に難くない。外郊の手によつて移入せられた貨物は更に割店、文市等の手を經て一般需要者の手に渡る。(註3)

偖て既に見たるが如き郊は、それがその業務の性質上、即ち諸々の設備を必要とする點他人の財貨を預りしかも自己の計算に於て取引する點等に於て、或る程度の蓄積資本を必要とした。臺灣の主要港市に於てかゝる業務の存在してゐた事實は、尠くとも一部分に於ては若干の蓄積が實現せられてゐたことを物語るものであらう。尤も臺灣社會に於けるかゝる商業資本蓄積の存在は大部分その內部に於ける生產力の發展の必然的結果としてあらはれたものではなく、支那本土から急速に持ち込まれ然る後始めて徐々に臺灣に於て生成せしめられたものであり、それは尙獨立で一つの新しい制度を打ち樹てる程度に成熟してゐたものではない。

然し其後次第に郊はその規模を增大し植民地のあらゆる需要を充たすためにその內容の充實をはかり、その商業によつて得たる利潤を以て農民に對する高利貸を行ひ、かくて單純なる商業取引から農民の金融機關に轉化し始め、又流民の地域的擴大とそれに伴ふ農業生產力の增大に從つて農業生產物の賣買を行ふに至つた。かくて農業生產物の商品化の進轉を介して初期に臺灣に渡來せる流民の地位から商人、高利貸の地位にまで彼等を引き上げたのであつた。

かくて臺灣からの農業生產物、支那本土からの手工業品といふ形態に於ける敍上の交易關係は初期に於ては不規則な例外的な交易關係ではあつたらうが、しかも原始產業の生產物が、富源剩餘を含むことは、是等の農業生產物の提供者たる臺灣農民をして僅かではあらうが富の蓄積を可能ならしめた。一旦富が蓄積さるれば、その蓄積は加速度的に進む。この蓄積の速度は土地の豐富地味の肥沃、又これらの移住農民の異常なる勤勉と忍耐等々によつて助成された。

かうした農民に於ける富の蓄積は、それ自體として農民の社會的勢力の擡頭を意味するに他ならぬが、このことは反對にこれらの農民と對蹠的關係にある豪族の經濟的基礎の動搖を結果する。かく動搖し始めた大租戶の經濟生活をして更に不安ならしめそれに直接的打擊を與へたものは、前述せるが如き支那本土から移植された商業高利貸資本であつた。

かゝる商業高利貸資本の不斷の活躍、そしてそれに伴ふ支那本土よりのより恒常的な交易關係の成立は、豪族及び農民の販賣關心をそゝり、更に貨幣經濟による農産物市場の不斷の擴大と相俟つて、豪族の經濟的基礎をその根底から搖り動かした。この動搖を脫れんがため是等の豪族の採用した方法は第一には新開墾地の獲得であり、第二は所有地の典賣であつた。第一の方法を取る場合には、その土地の直接的開墾者は小租戶であつたが、既にしてかゝる者がその土地の開墾者たることは、彼等の負擔を輕減するに役立ち、彼等の地位を高めことに役立つたものである。即ち彼等は其處では單なる勞働者としてゞはなく、自ら一個の企業者たる資格に於て生産に從事するものであり、生産物からの一定の頒前を要求し得るのである。こゝで著しく可能となつた富の蓄積がその內部に於て行はるゝか、或は他の部面から資本の流入が行はるゝならば、それは必然的に資本家的小作制度に轉化せざるを得ぬ。かくて小租戶の手には年々可成の富が蓄積され次第に小地主の地位にまで高めて行つた。それは大租戶――小租戶――現耕佃人の關係に於て封建的色彩を持つ大租戶――小租戶關係の支配權が、小作制度的色彩を有つ小租戶――佃人關係への移行、換言すれば大租戶の地位の低落、小租戶の地位の向上を物語るものに他ならない。

以上吾々の解析し得た封建的上衣をまとふ土地に於ける構造の變化は又、小租戶による土地の典賣によつて進行せしめられた。是等小租戶の典賣又は換地は嚴格に禁せられてゐたが、かゝる小租戶の經濟的地步の向上の前に立つてはかゝる禁令も一つの空文たらざるを得ない。今や彼等はその土地の實質的所有者たるの故にこれらの封建的土地の盜賣或は典賣を盛に行つたのであり、その勢は道光以後に於ては如何なる力を以てするも之を阻止し得なかつた。

しかもその典賣に當つて小租戸間にその甲數の記入を故意に減ずることによつて、大租戸の納入額を減らし、或は佃人の納入する籾を銀に換算する場合、兩替屋と手を組んで農民の市場の狀況に暗きに乘じてその換算率に手加減を加へて利得する等、小租戸の勢力は道光年間銀納制の實施以後懸河の勢を以て增大したのであつた。

こゝで光緒十三年劉銘傳清賦事業施行前に於ける大租戸、小租戸の所得を示せば次の如くであつた。（註4）

(5) 清賦前甲當り租戸大所得

	上田	中田	下田	上園	中園	下園
大租戸	八石	六石	四石	六石	四石	二石
時價	一四・七二圓	一一・〇四圓	七・三六圓	一一・〇四圓	七・三六圓	三・六八圓
正供	五・四八圓	四・一六圓	三・五一六圓	四・一六圓	三・五〇六圓	三・四三二圓
差引所得	八・二四圓	六・八八圓	三・八四四圓	六・八八圓	三・八四四圓	〇・二四八圓

備考　一石は時價平均相場一圓八十四錢（一割增）にて算出

42

(6) 道光以後清賦直前租戸小甲當り所得(單位圓)

	上田	中田	下田	上園	中園	下園
小租額	八〇・一六	六〇・一二	四〇・〇八	五〇・一〇	三三・四〇	一六・七〇
大租額	一四・七二	一一・〇四	七・三六	一一・〇四	七・三六	三・六八
純所得	六五・三六	四九・〇八	三二・六八	三九・〇六	二五・〇四	一三・〇二

備考　一石を時價平均相場一圓六十七錢にて換算

以上の吾々の諸分析はこれ總括的に見れば、土地に於ける業主權の大租戸小租戸關係より小租戸佃人關係への推移、換言すれば封建的性格より近代的小作制的性格への推移であるといひ得る。その根本的動因は、支那本土よりの商業高利貸資本の農村への侵入これと共に農産物市場の不斷の擴大、大租戸小租戸佃人の販賣關心の增大とに求めらるゝ。しかもその基調をなすものは、穀納地代より銀納地代への轉化である。穀納地代に於て生産物の平均價格が必ずしも社會的價値に接近してゐないのに反し、銀納地代に於ては、市場が確立され商品の平均價格がその社會的價値に接近してゐる。かくて銀納地代の段階にあつては生産者はその生産物を市場に賣り、剩餘生産物に相當する貨幣を土地所有者に引渡すのであり、この地代形態は、云はゞ封建制度が近世資本主義に推移する過渡的段階にあることを示してゐる。

（註1） 臨時臺灣舊慣調査會「調査第一回報告書」及び「臺灣私法」に據る。

（註２）同前「調査第一回報告書」により推定
（註３）臺灣在來の島內商業組織に關しては、拙稿「清朝治下臺灣の貿易と外國商業資本」（政學科研究年報第三輯）參照
（註４）大租額については前掲「調査第一報告書」に據り、小租額はこれによつて推定した。

四、舊地代關係破壞への諸勢力

清朝治下臺灣に於ける地代關係は叙上の如き歷史的變遷を辿つてきたが、今やこゝでは大租戶に屬する大租權は直接に土地とは關係なく、唯大租收納の權利たるに止まり、反之、小租戶は實質的に土地業主權の把持者たり、從つて小租收納の權利を有すると共に正供（地租）納入の義務を有する者であり、そて地代關係はその本質に於てまことに近代色濃厚なものであつた。然し現に尚大租權の存在せることは封建的殘滓の存在を物語るものであり、しかも大租權、小租權は別々に讓渡賣買せられたから、同一の土地につき何人が大租戶なりや小租戶なりや互に相知らざるものあり、土地に關する權利關係は曖昧たるを免れなかつた。これに加ふるに土豪奸民は此の間に跳梁を極め弱者の有を覇佔し弱者は徒に無田の賦を負ふが如き其紛亂實に名狀すべからず、且つ租稅の項目に至つては前述正供の他耗羨、屯租、蕃租、隘租等種々の項目ありて各地その情形を

異にし、かくては政府の地租徵收上不便たるを免れず、經濟取引の不確實なることはいふまでもない。

光緒十一年（一八八五年）清佛戰淨終結のあとを受けて臺灣巡撫に任ぜられた劉銘傳は、先進主義諸國の極東への進出に刺戟せられて臺灣の資本主義的產業開發を企圖し、先づ光緒十三年（一八八七年）收稅の增加を主目的とする臺灣最初の土地清賦事業に乘り出した。先づ土地丈量によつて田園を整理し、土地業主權の法的確定を試みたのである。

卽ち光緒十二年（一八八六年）四月清賦局を臺北臺南の兩府に設け各縣に縣局を置き、先づ保甲の編查に著手し、同年七月清丈を開始した。光緒十二年五月劉銘傳の上奏文及び同年六月八日土地清丈の論告竝に同十三年十二月の論告（註1）等によれば、一刀兩斷大租なるものを禁止し現に土地に對する實權を有する小租戶を以て業主と確定しこれに地租を負擔せしめんとの意思あつたものゝ如くである。然るに大租廢除の議一度民間に流傳するや、大租戶は當然その否なるを唱へ、殊に林維源其他の有力者により哀訴歎願を頻りに受けて、遂に劉銘傳はその方策の終に遂行すべからざる實情あるに鑑み、その最初の方針を變じ光緒十三年十二月三日新たに告示を發し、（註2）將來小租戶を以て地租（正供）の負擔者となすと同時に、舊來の大租額中地租に相當する租額を控除し其の餘の租額を官に申告せめて、從來通り大租戶の享有に屬すべき旨を令した。然るに又幾ばくもなくして更に方針を變じ同十四年（一八八八年）五月十八日、從來大租戸に於て收納する大租中より四割を減じて小租戸に控歸し、以て將來正供は小租戸をして納入せしめ、大租戸は尙その六割を收納すべき件につき左の告示をなした。曰く（註3）

從來臺灣田園ニハ大租戸、小租戸ノ別アリテ夫々租穀ヲ收納シ納稅シ來リタリ今般全臺ノ清丈ヲ施行シ從前徵收セル各款ノ名目ハ悉ク之ヲ廢シ一條鞭法ノ下ニ處理スルコトニ規定シタリ玆ニ淡水縣汪知縣ノ稟稱ニ曰ク前略、光緒十四年以後ハ前年ノ徵收租額ヲ標準トシ其ノ四分ハ小租戸ニ返戾シテ納稅ニ充テシメ、六分ヲ大租戸ノ實收額トス而シテ小租戸ニ於テハ佃人ヨリ大小租谷ヲ併收シ以テ收租ノ關係ヲ明ニス然ルニ唯小租戸ニ於テノミ錢糧文單共ニ催納スルモノトスルトキハ大租戸ニ於テハ他ニ證據トナスベキモノナク將來時遠ク年久ク遂ニ湮滅ニ歸シ稽考スベカラザルニ至リ弊端ヲ生ジ易カランヲ恐ル依テ大租戸ニ於テモ隨時規則ニ準照シ其ノ田園甲數及租谷數等明細縣ニ報告シ縣ハ之ニ印單ヲ給シテ證據ト爲サシムベシ云々トアリタルヲ以テ本院ハ伺ノ通ト指令シタリ因テ大小租戸ハ右ノ趣旨ニ從ヒ大租戸ハ其收租石四分ヲ小租戸ニ給シテ納稅ニ充テシメ此外絲毫モ互ニ爭執スルコトヲ得ス若シ違反スルモノアルトキハ相當處分ヲ爲スベシ云々右特示ス

右は全臺一般に告示されたものであるが、これによつてこれを見れば、巡撫は小租戸を以て業主と定め之に對する大租納入の四割を減ぜしめたものであり、大租戸から見れば納稅義務を解かるゝと共に、大租收入は旣定額の六割となつたのである。所謂減四留六の法これである。

減四留六のこの法が多少の異議紛擾を免れることを得ないのは勿論であるが、北部臺灣に於て

は一齊に之を施行し、土地業主を査定し納税義務者を確定し得た。其處で清賦事業以後の大小租額は次の如くなつた。

(7) 清賦直後の甲當り大租額(單位圓)

	上田	中田	下田	上園	中園	下園
大租額	八・八三二	六・六二四	四・四一六	六・六二四	四・四一六	二・〇二八

(8) 清賦直後の甲當り小租額(單位圓)

	上田	中田	下田	上園	中園	下園
小租額	八〇・一六	六〇・一二	四〇・〇八〇	五〇・一〇	三三・四〇	一六・七〇
地租	五・四八	四・一六	三・八四四	四・一六	三・八四四	二・〇四八
純所得	七四・六八	五五・九六	三六・一三六	四五・九四	二九・五五六	一四・六五二

尤も大租の四成の法は往々之を遵法せざる者あり、殊に南部地方の大租戸の有力者は依然として全部の大租を收め地租は自ら之を納付せる者あり、(註4) 由來清國官憲の法は絕對的强行のものたるを得ず程度的施行のものであつたことはいふまでもなく、殊に劉銘傳のこの土地清賦事業は收税の增加を主目的と爲したるものなるため、調査苛酷にすぎて人民の反抗を招くに至つたものであり、光緒十八年(一八九二年)五月清賦局廢局の止むなきに至つたといふ。

劉銘傳の企てゝ成功しなかつた土地調査事業はわが領臺後更に明確なる意識と周到なる計畫と强固なる權力とにより實行せられた。即ち明治三十一年(一八九八年)兒玉總督後藤長官の就任に當り第一に著手した事業の一は人籍及地籍の調査であつた。土地調査事業は、當時匪徒の跳梁未だ跡を絶たず、治安惡しき間に於て同年九月早くも臨時土地調査局(局長中村是公)を開設し、地籍調査、三角測量、地形測量の三種の事業を施行したに始まる。而してこの事業は明治三十八年三月調査局の廢局に至る七年間の日子と所要經費五百二十二萬餘圓とを費して成就せるものである。この事業の附帶事業として大租權整理が行はれたのであるが、この整理の過程を略述するならば、

先づ明治三十六年調査の結果、大租權確定に關する律令(註5)を公布して、その第一條に「本令ニ於テ大租權ト稱スルハ業主權ニ對スル大租權ヲ謂フ」と規定し大租權は一應これを確認すると共に明治三十六年十二月五日限りその新規設定を禁止した。越えて三十七年五月大租權整理に關する律令第六號(註6)を公布して「明治三十六年律令第九號ニヨリ確定シタル大租權ハ消滅ス」(第一條)「政府ハ前條ニヨリ消滅シタル大租權ニ關シ大租權者又ハ其ノ相續人ニ補償金ヲ交付ス」と規定し大租權者に對し補償金を交付することによつてその權利を消滅せしめ、この補償金は臺灣事業公債を以てこれに充てた。補償金額は公債證書額面四百八萬四百八十五圓（その價額三百

六十七萬二千餘圓）と現金交付端數十萬七千餘圓合計三百七十七萬九千餘圓に上つたといふ。
これにより封建の遺制たる大租小租の關係は全く消滅し、從前の小租戶を以て業主と確定し、土地所有の權利關係は單一明瞭となつた。而して土地權利の移轉に關しては明治三十八年土地登記規則を制定し、登記を以て相續又は遺言による場合の外、權利移轉の效力發生條件として强制した。

わが統治下に於けるこの土地調査事業は幾多の苦難を經て明治三十八年三月三十一日局長中村是公氏の聲涙共に下る感激的演說（註7）を以てめでたく終了したのである。

かくて既に半封建的社會の胎內に於て、土地の封建的古有の近代的私有への轉化が漸く、封建的上衣をまとふ土地關係をば解體に導びきつゝあつたといふ事實に立脚して、强力なるわが政府の援助と周到なる計畫とによつて本島固有の土地所有關係に於ける封建的上衣を强力的に剝奪し、土地私有制度を法的に確認することによつて、自由なる土地所有の原則を樹立し得たのであり、このことがひいて資本家の特にわが內地資本家の臺灣に於ける土地への投資を安全ならしめ、企業設立の安全を與へたことはいふまでもないであらう。まことこの土地調査事業こそは臺灣資本主義化の發端に橫はる一大金字塔である。

（註1）臨時臺灣舊慣調査會「臺灣私法附錄參考書」第一編第一章第二節、第七、第八參照

（註2）　同前、第一編第二章第一節第十款第一段第九參照

（註3）　臨時臺灣土地調査局「清賦一班」明治三十三年二三二—二三四頁

（註4）　臨時臺灣舊慣調査會「臺灣私法」第一卷上、二七七—二八六頁參照

（註5）　昭治三十六年十二月徐令第九號「大租權確定ニ關スル件」

（註6）　昭治三十七年五月律令第六號「大租權整理ニ關スル件」

（註7）　臺灣總督府稅務共慰會編「臺灣稅務史」上卷大正七年、八五頁

〔昭和十六年三月七日完〕

アメリカ合衆國の農業金融組織

吉武昌男

目次

前編　アメリカに於ける農業金融機關の發達

第一節　植民地時代に於ける交換手段

アメリカに於て現在の極めて整備せる農業金融制度の確立を見るに至る迄には、幾多の困難と努力に滿ちたエキスペリメントの時代が久しきに亙つて續いた事は固より當然で、この生れ出づる惱みを省みる事なしに、既に成熟せる現在の農業金融制度を理解せんと企つるならば、それは無謀を犯すと謂ふよりも寧ろ不可能事を敢てせんとすることであらう。本編を前後兩編に分ち、前編に相當の紙數を費し、以てアメリカ農業金融制度の沿革を述べんとする所以である。

一般にアメリカに於ける特殊金融機關として農業金融機關の最初の設立は、一九一六年の聯邦農地貸付法 Federal Farm Loan Act の規定による聯邦土地銀行 Federal Land Banks を以てすることになつてゐるが、農業金融そのものゝ必要は固より斯くの如く時期を限らるべきではない。然もアメリカに於ては農業金融に關して特殊なる事情が存在してゐる。といふ譯は輝しき希望と抱負とを以て新大陸に渡つて來た若きアメリカの祖先達が、先づその生計の資たらんとしたものは農業であつた。卽ちアメリカが農業を以つて興つた國であり、然も他方その植民の行はれだした十七世紀は、舊世界に於て既に貨幣經濟の確立を見た時代であり、この情勢は當然新大陸の植民者の間に貨幣の需要を大ならしめた譯である。

植民地時代に於て最も多く流通せる貨幣はスペイン弗であり、其の他に英・佛・蘭等の貨幣が竝び行はれてゐたが、新大陸に於ける衣食住竝びに事業開發のためには多くの物資の輸入が必要であり、ために貿易のバランスは常に輸入超加となつて、移住者の持ち來つた貨幣は固より、本國の商人による投下資本も永く此の地に止まらざるの狀態であつた。

貨幣の不足は單に交換上の不便を齎すのみではない、流通經濟の原則は彼等の生産物の價格を低下せしめ、それによる收入の減少は業務の遂行擴張を困難ならしめる。茲に於てか植民大衆の懷く最大の希望は安價なる貨幣 cheap money の獲得であつた。然し植民者の斯くの如き推理には大きな誤謬が存してゐた。それは彼等にとつて眞實必要なるものは資本としての貨幣即ち過去の勞働所産の蓄積より成る資金の量であつて、單なる貨幣ではないといふ事である。然しそれは兎も角として斯くの如き植民大衆の要望はやがて植民地政府をして、先づ商品貨幣 barter currency を、次で紙幣 paper money 發行の許可を行はしめるに至つた。

商品貨幣。　特定の商品に對し英貨による價格の比率を設定して、之を以つて他物との交換は固より、負債及び租稅の支拂にも通用せしめんとするものである。記錄によれば既に一六一九年頃ヴアージニアに於ては煙草が一封度三シリングに定められて居り、マサチユーセットからニユーネザーランドにかけては生皮がバーター・カレンシーとして用ひられて居た。時代が下るに從つて、小麥、大麥、燕麥、牛肉、豚肉、ベーコン、羊毛、砂糖、ブランデー、ウイスキー等種々雜多のものが行はれるやうになつた。(一)

(一) Sparks, Agricultural Credit in the United States. pp. 45-48.
Hepburn, History of Currency in the United States, p.71ff.
Rufener, Money and Banking, pp. 75-79.

然し斯くの如き生産物が貨幣として適當ならざる事は、敢てアリストテレスの貨幣論に遡る必要はない。之等の商品の市場價格は人爲的に定められたる名目價格を離れて大きく變動し、到底交換手段としての機能を果す事は不可能であつた。

紙幣。　十七世紀の中頃より英本國に於て漸く紙幣の流通を見、次で四隣に擴まつたが、植民地の以上の如き狀勢は、當然彼等の間にも之の方法を採用せしむるに至つた。元來紙幣とは金銀の預金に對して振出される信用證劵であつたが、金銀貨に缺乏せる植民地としては斯る方法を採る事は不可能であり、由て金銀貨以外のものを以てその信用の基礎たらしめなければならなかつた。廣大無邊の土地を有し、然もその土地を生産の第一手段としてゐる彼等植民者の間に於て、土地を以て信用の基礎たらしめんとせしは當然である。

土地を抵當にする紙幣の發行即ち金融には二つの方法が行はれた。先づ行はれたものは私立土地銀行 private land bank によるものであり、やがては政府によつて公立土地銀行 public land bank or public loan office を通し直接發行せられるに至つた。

第二節　私立土地銀行及び公立土地銀行

私立土地銀行。　一六五〇年頃より植民地時代を通じて幾多此種の計畫が行はれ、其の間には種々の小異はあるが、一般的のプランを述べるならば、貨幣の必要を感ずる土地所有者が集まつて銀行を立て、自己の土地をその銀行に市價の半額を以て抵當に入れ、その代りにその額面だけの信用證書の交附を受ける。この貸付に對しては低率の利子を支拂ひ、若干年後は同一證書を以て償還し得るの保證を有する譯である。つまり彼等土地所有者が所有の土地を證劵化し、謂はば無から有を生まんとするの手段に利用した。

斯くの如き土地銀行の設立が貧窮せる土地所有者の心を捕へた事は當然であるが、更にその計畫者達は、この方法による時は土地銀行の利子の低率により、一般市場の利率をも引き下げる事が出來、農企業者にとつて極めて有利な事態を招來するであらうといふ風に說いた。資本利子は流通貨幣の量によつて決せられるとなす一般的迷誤は土地銀行主張者をして更に僞瞞的ならしめた。卽ち斯くて計畫された諸銀行の利子は一般市場利率よりも低率に定められたが、之に由てその土地銀行より貸付を受けた土地所有者を特別に利する事となり、彼等恩惠者がその證劵を以て社會資本の一部を獲得すればする程、他の者の借入し得る社會資本の部分は尠くなり、之は必然に市場利率を高める結果となるであらう。更に之の土地所有者に有利なる資本の再分配のために社會資本が生產上有意義に用ひられなくなればなる程、將來の資本供給はその高利率によつて減少せしめられるであらう。以上は土地銀行の低利政策の不合理なる所以を稍々理論的に見たのであるが、資本の蓄積に非ざる單なる信用證劵の發行は社會の大部の犧牲に於て他の一部を利するの結果を齎すに過ぎず、又斯くの如き機能を一部民間に許するはその亂用によつて社會全般の信用を阻害し、經濟を混亂に導き易きは當然であつた。

公立土地銀行。　私立土地銀行の設立よりも稍々遲れ、然もその後はそれと竝行的に諸州に於て設立せられたる公立土地銀行も、その原理に於ては私立土地銀行と何等異る所はないのである。然し實際上前者は政府によつて紙幣發行を制限せられる關係上後者よりも危險が尠いとせられ、私立土地銀行に反對する者の內にも公立土地銀行には贊成する者が相當にあつた。

一六九〇年諸州に先立つてマサチユーセット州に於て初めて信用證劵が發行せられた。之の發行の理由は交換手段の不足といふ事にあつたが、事實はカナダ遠征のための財政の窮乏を救はんがためであつた。この方法はやがて其の他の州に於ても採用せられ、單に非常支出のためのみならず通常歳出のためにも發行せられた。以上は單に政府の信用に於て發行せられる證券に過ぎなかつたが、やがてそれに土地銀行の思想が結び付けられて、土地を抵當に信用證券を發行するの制度が行はれるに至つた。

公立土地銀行の最初に建てられたものは一七一二年六月南カロライナ州に於ける Land and Load Bank of the Carolinas であつて、爾來ヴァージニア州を除いた獨立十三州の總てに設立せられるに至つた。之等の諸銀行に關しては茲に詳しく述べる暇を持たないが、貸付の利率は三分乃至八分、當時として極めて低率であり、貸付期間は五年乃至十六年、場合により借り換へする事が出來た。償還は年々利子を拂ひ最後年に元本を返す事も行はれたが、大部分は割賦償還方法が採られた。(二)

公立土地銀行制度が廣く農業者を利した事は疑はれないが、同時に土地を所有せざる其の他の業者を犧牲に供し、種々の社會惡を釀成して經濟界を混亂せしめた事も覆ひ得ざる事實である。卽ち擔保物は過大に評價され、不良貸付は橫行し、種々の依怙の沙汰が行はれた。支拂者の償還が不能の場合には、その償還を容易ならしめるやうに法律を曲げる事さへも行はれた。各州役人の恣意による紙幣の亂發は各種減價紙幣の橫行となつた。

(二) Sparks, Agricultural Credit in the United States, pp. 51-81.

第三節　州法銀行及び國法銀行

一七七六年獨立が宣言せられて所謂革命時代に入り、其の後數年戰況は一進一退を續けたが、新國家への不屈不撓の精神と諸外國の援助とは、遂に一七八三年の媾和を以て獨立を完成するに至つた。次で一七八七年には憲法が制定せられ、それに依つて初めて開かれたる國會は、革命の最功勞者たるワシントンを第一回大統領に選擧し、玆に新國家はその體制を整へるに至つた。以下この新國家に於て先づ如何なる金融制度が行はれたかを見よう。

一七八一年大陸議會 Continental Congruss は四十萬弗の資本金より成る北米銀行 Bank of North America の設立を許可した。之はアメリカに於ける最初の銀行と呼ばれるもので、その經營は個人的であるが、資本金の大部分は政府の出資により、革命戰爭に於ける政府の財政を援助する事がその主たる目的であつた。然し之は後に議會に果して銀行設立許可の權能ありや否やの問題から、一七八七年ペンシルバニア州法の許可の下に變更再組織せられた。斯くの如く州の許可によるもの、卽ち州法によつて設立せられる銀行のことを州法銀行或は州立銀行 state bank と稱する。建國以來南北戰爭(一八六一—六四)に至る八、九十年間アメリカの金融制度を支配したものは、之の種の州法銀行であつた。尤もこの間二回に亙つて（註）國法銀行の性質を持つ全國的金融機關が設置せられたが、共に地方分權的勢力に壓されて充分その發達を遂げる事が出來なかつた。

（註）The First Bank of the United States, 1791-1811.
The Second Bank of the United States, 1816-1837.
是等の銀行設立の目的は、健全なる銀行紙幣を供給し諸産業に金融上の便宜を與へ、又公債の引受並に國庫の出納機關として政府の財政的活動を援助するに在つた。是等の詳しき説明に關しては農業金融の域を逸するが故に省略する。太田黒敏男氏著米國銀行制度論、奧田勳氏著米國銀行制度發達史等に就いて見られたい。

州法銀行。　植民地時代に於ける土地銀行に代りて、革命時代より内亂時代に至る迄八、九十年間、幾多の弊害を續出しながらもアメリカ産業發展のために、その主要なる金融的援助の役割を果し來つたものは此の州法銀行である。前代の土地銀行なるものは前述の如く、唯土地財産を證劵化する機關であつて、資本金何萬弗と稱するも、それは擔保とせられる土地評價額であつて、正貨としては僅かに事務上の設備費其の他を賄ふに足るだけしか所有しなかつたのである。その意味に於て名は銀行であるが、今日我々の考へる株式組織の銀行とは餘程意味の違つたもので、州法銀行現はれて初めて銀行らしき銀行がアメリカに出來た譯である。

獨立達成後各州に於ては諸種の制度が次第に確立整頓せられて來たが、金融に關しては、一七九二年マサチユーセット州に於て初めて、銀行設立に關する立法が制定せられた。それに由る時は、資本金は金銀の正貨を以て出資せらるべき事、紙幣の發行はその資本金の二倍を超過せざる事等が規定せられた。然し實際に於ては斯くの如き規定による制限は到る所に違反の續出となつて、その無制限なる紙幣發行は山師銀行 wild-cat banking の名を以て後世から呼ばれるに至つた。(三)

(三) Rufener, op. cit. pp. 396-397.

今州法銀行發達の狀況を簡單に見るならば、一七九〇年に於て運營中のものは三行、ボストン ニユーヨーク、フイラデルフイヤの當時に於ける三大都市に所在してゐた。其の後十年間に二十五行の創設を見て、一八〇〇年には總計二十八行、之等の資本金を見る時は平均百萬弗で、今日の州法銀行に比してその規模は極めて大である。下つて一八一〇年には八十八行、その資本金平均は五十萬弗となつた。一八一一年第一合衆國銀行 The First Bank of the United States (前註參照)の廢止は地方州法銀行の需要を劇成し、一八一六年迄に州法銀行の數は二四六行に飛躍した。一八一二—一四年の英本國との戰爭に續いた好景氣は各種資金の必要を釀成して、上の如き異常なる銀行の增加を來したのであるが、次で起りたる一八一九年のアメリカに於ける第一回の恐慌は、之等不健全なる銀行に幾多倒壞の嵐を卷き起した。斯くて一時停頓した州法銀行の發展も、やがて景氣の回復と共に再び躍進を初め一八三五年には七〇四行に達した。一八三七年の第二回の全國的恐慌（普通運河恐慌と呼ばれるもので、一八二五年に成つたエリー運河による東西運輸の開發に基いて起つた空景氣の反動である）一八五七年の第三回恐慌に於ては幾多 wild-cat banking の弊害を百出せしめながら、舒び行く新國家の動脈として、月を追ひ年と共に發展を續け一八六〇年には其の數實に一、五六二行に達した。（四）

（四）C. W. Collins, Rural Banking Reform, pp. 1-15.

之等の州法銀行は預金及び割引を主要任務とする今日の商業銀行ではなく、所謂發券銀行 bank of issue であり、然も少數の例外を除いては、正貨兌換に關する適切なる規定もなく（あつても之を蹂躪して）無制限に紙幣を發行し、不充分なる擔保の貸付を行ひ、之等は土地及び商品の投機に利用せられて、通貨の膨脹、正貨支拂の停止、紙幣の減價となり遂に金融恐慌へ導くの弊害を助成した。茲に紙幣發行が土地投機と關連する事は特に注意せらるべきで、一七八五年國有地分割拂下げの法令が出て以來、一八六二年の家產法 Homestead Act の制定に至る迄數度法令に改正が行はれたが、之等の拂下げは多く拓殖の目的よりも投機の手段に利用せられ、然も之の投機を促進するものに、各地方銀行によつて發行せられる紙幣があつた。卽ち銀行と土地投機者の結託によつて紙幣は無制限に發行せられ、それによつて國有地は多く之等不生產者の手に歸して行つた。斯くの如き憂ふべき狀態は遂に政府をして一八三六年七月正貨流通令 Specie Circular を公布せしめるに至つた。之の法令によつて爾後國有地拂下代金は紙幣を許さず總て正貨を以てすべき事が規定せられ、玆に土地投機のために州法銀行の惡用せらる積幣が除去せられる事となつた。（五）

（五） Rufener, op. cit. p. 464.

州法銀行は固より農業金融機關ではないが、當時に於けるアメリカの主要なる產業が農業であり、然もその農業が資本主義的に經營せられてゐた關係上、州法銀行が多く農業金融に利用せられた事は當然であると云はなければならない。然し銀行業としての特性を最も活用し得る世界は商工業であり、之の商工業金融と農業金融とを同一機關に於て取扱ふ事は、產業機構が複雜化すれば化する程、經營上不合理である事が分つて來た。國法銀行或は國立銀行 national bank の創設はこの分離への第一步であつた。

國法銀行。　紙幣の自由發行に由る經濟的混亂は第二合衆國銀行の解消（一八三七年）以後、制度の改革を以てせざれば殆んど收拾し得ざるの狀態であつた。南北戰爭勃發の當時には千六百餘行によつて發行せられる幾千種の紙幣が橫行し、更に之に贋造紙幣が加はつて、その良否に對しては專門の銀行業者と雖も之を識別する事が困難であつた。當時歐洲よりの旅行者は文明國家にして斯くの如き不名譽なる事態を默許する事に奇異をさへ感じたと傳へられてゐる。由て識者の間にも之が改善統一を爲さんとするの機運漸く熟し、一八六三年二月遂に國法銀行條令 National Bank Act の制定となつた。同法は翌六月補正せられ、其の後も屢々改正せられて今日アメリカに於ける商業銀行制度の基幹をなしてゐる。國法或は國立銀行とは、州法に對し國法によつて許可せられたる銀行の謂であるが、その詳しき解説は本篇の意圖の外にあるか故に之を他書に讓り單に農業金融上より見たる歷史的意義を尋ねるならば、第一にその設立に對して嚴重な資本的制限が附せられた事で、人口六千以下の町村に於てはその最小資本は五萬弗と規定せられた。(一九〇〇年に至つて人口三千以下の町村に於ては二萬五千弗の資本を以て設立し得る事に改正せられた)故に農業地方に於ける短期信用のための利用が困難になつた事。第二は土地抵當による長期信用が禁せられた事、卽ち國法銀行は純粹なる短期信用機關として從來の州法銀行から分離せしめられたのである。第三は州法銀行は依然として土地抵當貸付を許されたが從來の如き紙幣發行の能力を失つた事(禁ぜられた譯ではなく、額面の一割といふ高率發行稅を政府に納めれば發行する事は許された)である。

之を要するに國法銀行制度確立の目的及びその效果は國民經濟上多々あるが、農業者側から見る時は、基礎强固にして國家的保護のある國法銀行を利用する範圍は極めて狹く、利用し得る州法銀行は基礎薄弱にして從來の紙幣發行といふ武器を失ひ、謂はゞ兩すくみに狀態に陷つた譯で本制度に對する農業者側の不平は極めて大であつた。完全なり銀行制度の確立を目指した本制度が商工業者に篤く、農業者を失望せしめた事は一般銀行の特質として寧ろ當然と云はなければなるまい。(六)

(六) Rufener, op. cit. p. 415ff.
Qureshi, Agricultural Credit, p. 8.

第四節 聯邦準備制度

國法銀行の設立は紙幣の亂發を防ぎ、その資本金の三分の一を公債を以て大藏省に預託せしめる事によつて信用の基礎を確立せしめる等、アメリカに於ける金融組織上の一大改革であつたが經濟組織の複雜化と共に漸くその缺陷を暴露して來た。その重なる缺點として擧げられるものは次の如し。(註)

一、銀行の分立性及び準備金の分散
二、銀行信用伸縮力の缺乏
三、內國及び外國爲替に關する制度の不備

四、國庫制度の缺點

(註) 詳しくは大田黒敏男氏米國銀行制度論七〇—八二頁を參照され度い。

茲に於てか、之等分立せる諸銀行を統一し、その準備金を一箇所或は數箇所に纒めて、緊急時にそれを動員し得るの制度を要望するの聲起り、偶々一九〇七年の恐慌は右改革運動を促進する直接の動機となつた。

一九一三、一二、二三、公布の聯邦準備條令 Federal Reserve Act (註) こそは、この多年の懸案を解決したものであり、アメリカ銀行制度の集大成として現在のアメリカの繁榮に貢獻する所甚大であるが、單に農業金融の側面から之の制度を見る時、果して如何なる意義を持つであらうか、以下簡單に之等の諸點を述べて見たい。

(註) 以下の理解に必要なる範圍に於て聯邦準備制度の簡單なる解説をして置かう。卽ち同法による時は、合衆國全土を十二の聯邦準備區 Federal Reserve Districts に分ち、その各準備區の中心となる都市を選定してそれを準備市となし、その各準備市に、各一箇の準備銀行を設置する。其の資本は一口百弗とし、各準備區內の國法銀行は自己資本及び積立金の六〇%を之れに出資し加盟銀行となる義務を有する。猶州法銀行及び信託會社も、或る條件を滿す事によつて、之れに加入する事を許される。各加盟銀行はその預金總額の一定步合を準備金としてその所在區內の準備銀行に寄託するを要する。以上十二銀行の上に、更にその連絡統一を計り管理統轄の任に當るべき聯邦準備局 Federal Reserve Board を設置し、その所在地(ワシントン)を中央準備市と稱する。

扨準備制度の短期農業信用に關する寄與を見るに、農業手形の再割引機能及び公開市場取引によつて行はれてゐる。茲に農業手形と稱するは、それによつて得た資金が農業用或は家畜の蕃殖、育成、肥育、販賣に用ひられ或は用ひらるべき約束手形及び爲替手形の事にして、其の期間は六箇月以内のものに限られる。（但し一九二三年の改正によりてその期間は九箇月に延長せられた）猶茲に農業用と云ふ言葉は極めて廣く解釋せられ、土地及び土地改良のための資金を除き其の他凡ゆる農具肥料の購買のために利用せらるべき手形の再割引を行ふ事により、從來國法銀行によつて兎角不遇に扱はれてゐた農業手形の信用を增强する事となつた。更に農産物販賣のための短期信用として、非腐敗性農産物の倉庫證券を擔保とする手形の再割引を行ひ、以て農業者をして出荷調節の便を得せしめ、又販賣組合に對しても、一九二三年の改正以來信用を賦與する事となつた。（註）

（註）準備銀行の信用は凡て加盟銀行を通じての再割引の形式を採り、直接に金融するものではない。

以上の如く準備銀行の金融方法は再割引の形式を採るのを普通とするが、更に準備銀行は第十四條の規定により、農業手形の公開市場に於ける買上げを許されてゐる。それが初めて行はれたのは一九二二年十二月で協同組合の販賣事業を助成するために、協同組合によつて振り出された銀行引受手形を、加盟銀行の裏書の有無に拘はらず公開市場に於て買上げる事とした。唯條件として斯くの如き手形は倉庫證券を擔保とする事を要し、その農產物は直ちに商品となり得る主要農產物 staple agricultural product たる事を要した。（七）

（七） Morman, Farm Crkdit in the United States and Canada, p. 329 ff. Qureshi, Agricultural Marketing, p. 18.

次に準備制度の長期農業金融に對する寄與に關して見るならば、最初の立法の場合には何等の規定がなかつたが、一九一六年九月の改正に依つて國法銀行に對する從來の土地抵當貸付の禁止が廢止せられた。卽ち中央準備市外にある各國法銀行は、其の準備區內に在る債務を負擔せざる改良農地を擔保とする貸付をなす事を得、但し斯る貸付の期間は五箇年を越える事を得ず、又その金額は擔保物の時價の五〇%以上たる事を得ないと規定した。猶國法銀行の側から云つて、斯る貸付の總額はその資本金及び積立金の二五%又は定期預金の三分の一に相當する額を限度とする規定を設け、以て過度に亙る土地貸付を防遏した。斯くして今や農業地方に於ける國法銀行は州法銀行と土地貸付の點に於て同等の權利を獲得し、以て新しき事業の重要なる源とそれによる利益とを銀行及び農業者の相方に與へる事となつた。（八）

（八） Sparks, op. cit. p. 316.

第五節　聯邦農地貸付制度

國法銀行の農業金融への進出は農業者を益する所大であつたが、猶國法銀行の主たる業務は商業銀行であつて、農業金融として種々不備の點が多かつた。一方農業の急速なる商品化、高價なる機械の使用、金肥の需要は農業者の金融に對する要求を大ならしめ、更に地價高騰による土地獲得の困難は、一層完備せる農業金融機關の必要を痛感せしめた。當時アメリカに於ては歐洲諸國に發達せる信用組合を自國に移殖すべしとの聲高く、官民の間にその研究調査が盛んであつたが、一九一三年この目的のために American Commission on Agricultural Credit and Co-operation なる委員會が作られ、同委員會の作成せる報告書に基いて作られた法案が一九一六、七、一七、聯法農地貸付法 Federal Farm Loan Act として公布せらるるに至つた。

同制度はアメリカを十二の管區に分ち、その各聯邦土地銀行區 Federal Land Bank District に夫々一個の聯邦土地銀行 Federal Land Bank を設置せしめ、別に農業者をして全國農地貸付組合 National Farm Loan Association なる協同組織の組合を作らしめ、この組合を通じて各農業者に必要なる農地抵當金融を行ふ組織である。猶右の聯邦土地銀行は政府の設立に係る公共の信用機關であるが、之と竝行して私人組織の株式土地銀行 Joint-stock Land Bank なるものゝ設立が認められた。同行は聯邦土地銀行と異つて直接個人に貸付ける事が許されてゐる。現行アメリカ農業金融制度の一支柱として、聯邦土地銀行制度の詳しき説明は、之を後節に讓り、玆には私人組織による株式土地銀行に就てのみ略說する。

株式土地銀行。　聯邦農地貸付法の第十六條は、協同組織（全國農地貸付組合）に加盟する事を欲せざる農業者への長期金融のために、株式土地銀行の設立を許して、以て個人の自由と利益の主張に滿足を與へんとした。猶同行設置の主旨には、法規によつて聯邦土地銀行が供給し得る以上の巨額の信用を大農業者、主として牧牛者に與ふるの道を拓かんとするの意味も含まれてゐた。規定により各行は十人以上の株主を必要とし、資本金は最低二十五萬弗で、設立は聯邦農地貸付局 Federal Farm Loan Board の認可によるものとする。貸出しの使途には制限がないが、貸出しは銀行の存在する州及び之に隣接する一州とに限られ、又各株主はその出資の同額迄の保證責任を負ふ事になつてゐる。貸出資金として拂込資本金と積立金との合計額の十五倍迄債券發行をなす事が許され、之に對しては稅金が免除せられる。

同行の設立に對しては最初多くの期待がかけられてゐた。卽ち純民間組織として所謂レッド、テープのお役所仕事でなく、自由に簡易に農場金融の主要給源たり得る事を豫期せられたのであつたが、不幸この期待は當らなかつた。經營も不健全、貸付の放漫、鑑定の粗漏等によつて、債券への信用は低下し、遂に破綻を來すものさへ尠からず生じた。卽ち一九三三年迄の十七年間に設立を許可された總數は八十八行で、其の內一九三三年末現在活動中のもの四十七行、聯邦土地銀行に合併せられたもの四行、他の株式土地銀行に合併せられたもの二十二行、自ら解散せるものの十二行、現に管財人の手にあるもの三行といふ狀態である。(九)

(九) Farm Credit Administration, p.68.

貸出しの多かつたのは一九二二年から二六年迄で、其の後は成績次第に思はしくなく、右の如く破綻銀行續出するに至り、遂に一九三三、五、一二、公布の緊急農地抵當法 Emergency Farm Mortgage Act によりて、新規貸出を禁ぜられて解散せられる事となり、或るものは聯邦土地銀行に貸付金を讓つて解散を急ぎ、又その債務者たる農業者も多數聯邦土地銀行で借換を進めてゐる。

第六節 戰時金融金社

右の如く聯邦農地貸付制度によつて長期金融機關は先づ整備せられたのであるが、中期及び短期の信用に對しては未だ純粹の農業金融機關が無く、之れに對する一般の要望は何等かの形に於て實現せらるべき情勢にあつた。

一九一七年、及び一八年と二年連續して、北ダコタ、モンタナ、ワシントン方面の西北部地方は、冬季の嚴寒と旱魃のために、その麥作は殆んど全滅に近く、カンサス、オクラホマ、テキサス、ニューメキシコの南部及び西南部諸地方も同樣の被害を蒙つた。從つてこの地方の農民は、その資金の枯渇に惱まされる事は勿論、所有地を手離さねばならない悲運の中にあつた。玆に於て政府は一九一八年の秋より、五百萬弗の特別資金を動員して、之等の農業者に對し、一〇〇エーカーを限り一エーカー三弗の割合で特別融通を行つた。(十)

(十) J. B. Morman, Farm Credits in the United States and Canada, pp. 341-344.

非常事態に對する政府の特別融資は其の後も行はれた所であるが、一九二一年更に全國的なる農業恐慌の起るに及び、戰時金融會社 War Finance Corporation をして、之の政府の救濟事業を代行せしめる事とした。

戰時金融會社は元來、戰爭の遂行に必要なる産業を援助せんがために、一九一八年四月五日聯邦政府によつて設立せられたものであり、資本金五億弗は全部財務省の出資による。戰爭の終結するや、一九一九、三、三、の改正によつて、合衆國の輸出貿易促進のために直接輸出業者に又は輸出業者に信用を附與しつゝある銀行に貸付を行ふの權限を賦與せらるゝに至つた。然し一九二〇年五月には財務大臣は最早やその必要を認めずとして、業務の停止を命じた。斯くの如く戰時金融會社は、その改正以來農業とは輸出商品の關係に於て幾分の交渉を持つに至つた譯であるが、それも間もなく、會社の業務停止と共に消滅してしまつた。然るに一九二〇年の初めを頂點として農産物價格は漸次低落を續け、一九二一年に至つて落勢著しく、戰後最初の全國的農業恐慌を現出した。茲に於て議會は同年一月の末、之が救濟のために農産物の輸出のための信用を賦與せしむるの目的を以て、同會社の復活を行ふべしとの決議を通過せしめた。

アメリカの輸出農産物の大宗は棉花である。依つて會社は先づ棉花に對してその輸出のための金融を行ひ、次で小麥、煙草、コンデンス・ミルク、乾果、肉類等へも漸次その業務を擴張して行つたが、益々深化する農業恐慌は、農産物の輸出を促進するを目的とする如上の金融のみを以てしては、到底その救濟の及び難きを認め、同年八月二十四日、改めて農業信用法 Agricultural Credit Act of 1921 を公布し、廣く短期農業信用のために戰時金融會社を利用せしむる事となつた。(十一)

(十一) Qureshi, op. cit. pp. 77-80.
C. L. Benner, The Federal Intermediate Credit System, pp. 83-88.

即ち同法による時は、農業目的（家畜の蕃殖、育成、肥育及び販賣を含む）のために貸付をなし、或は約束手形及び内外爲替手形を割引又は再割引なしたる合衆國の銀行、信託會社及び協同組合に對して、貸付を行ふの權限が戰時金融會社に賦與せられた。斯る貸付は充分な裏書或は動産を以て擔保とする約束手形或は同樣の借用手形によるべき事を要し、その期限は一年を限度とするが、手形書替によつて三箇年之を延長する事が許される。斯くの如く會社は必ず銀行其の他の金融機關の手を通じて金融し、決して直接農業者に融通しない事を原則としてゐる。猶右の貸付業務を遂行するために、會社は重要なる農業及び畜産業地方に Agricultural Loan Agency なる出張所を設置したが、一九二一年十一月末に於て其の數は三十を越えた。借入の申込は先づこの出張所によつて受理せられ出張所はその擔保の確實性を充分調査したる後、適當と認めるものは之を本部へ傳達する。

農業恐慌は一九二一年の秋その頂點に達し、從つて戰時金融會社の活動はこの時期に最も活潑に行はれた。卽ち同年十一月の初めより、翌二月末日迄の一日平均の貸付は二百萬弗を越えた。(十二) 斯くて一九二二年の春迄には、著しき改善の跡が農業經濟界に見られるやうになり、價格は漸次上向き、信用の囘復も顯著であつた。而して斯くの如き農業界の景氣の囘復に對し戰時金融會社の演じたる役割の重要性は既に一般の認むる所である。猶一九二一年のォリヂナルな法令に於ては會社による貸付は一九二二、六、三〇、を以て新規貸付を停止する規定であつたが、其の後三回に亙つてその期限が延長せられ、結局一九二四、一二、三一迄事業が繼續せられる事となつた。今右の全期間中に於ける戰時金融會社の農業貸付商品別金額及び貸付先き別金額を示せば次の如し。

商品別貸付額

	弗
穀物	二、五四三、三九一・八〇
棉花	一六、三一一、三三七・四三
甜菜	一一、四五八、〇〇〇・〇〇
甘諸	三五、〇〇〇・〇〇
米	六、七九五、三〇四・七一
罐詰果實	二九三、三四三・〇七
ピーナッツ	一、三一九、〇三四・九九
煙草	一一、三三七、四一八・八〇
一般農業目的	一五四、〇八八、六八一・一三
家畜	九二、九一六、六五一・五五
合計	二九六、九八七、九六二・四七

貸付先別貸付額

	弗
銀行及其他金融機關	一七三、〇四七、〇八五・〇四
家畜貸付會社	八六、四一六、二四七・六三
協同販賣組合	三八、五二四、六二九・八〇
合計	二九六、九八七、九六二・四七

cf. The Third Annual Report of the W. F. C. pp. 22–23.
The Ninth Annual Report of the W. F. C. p. 9.

（十二）W. Willoughby, The Capital Issues Committee and War Finance Corporation, p. 104.

右の表中特に注意せらるべきは協同販賣組合 cooperative marketing ass'n に對する約四千萬弗の貸付で、當時漸く發展の途上にあつた販賣組合は一九二一年の恐慌による金融の逼塞によつて、其の存續上非常なる危機に遭遇したのであるが、戰時金融會社の組合金融によつて謂はば蘇生の思ひがした譯であり、アメリカの協同販賣事業上戰時金融會社の功績は特筆せらるべきであつた。（十三）又一般の農業金融としても、總額の三億弗は必ずしも充分な金額と云ふ事は出來ないのであるが もと金融救濟の意味は決してその額の多少によるものでなく、流通界に於ける心理作用の影響にあるのであるから、戰時金融會社の一般農業囘復に貢獻したる所は蓋し甚大であつたと云ふべきであらう。

（十三）Qureshi, op. cit. p. 83.

既述の如く、一九二一年以前に於て農業長期金融機關としては聯邦土地銀行があり、六箇月以内の短期金融機關として聯邦準備銀行があつたのであるが、農業生産の特質上、その中間に位すべき中期農業金融機關の必要は當然であり、戰時金融會社の業務は應にその要望に答へた譯である。然もこの戰時金融會社の成功は、この一時的救濟機關に代ふるに、永久的農業中期信用機關の設立を促す直接の動機となり、遂に一九二三年三月の農業信用法によつて聯邦中期信用銀行の設立となつたのであるが、一言茲に注意すべき事は、戰時金融會社の貸付は一九二四年末迄行はれた事により一九二三年及び二四年の兩年に亙り兩中期信用機關が同一業務のために重復存在してゐた事である。然し之は寧ろ必要上さうあつたのであつて、此の期間に於て戰時金融會社は新制度の圓滑なる發展のために常に力を儘し、次第にその事業を縮少して行つて、遂に一九二四年末を以て完全にその事務を中期信用銀行に引き繼がせた譯である。

第七節　聯邦中期信用制度

前項に於て戰時金融會社の成功が直接聯邦中期信用機關設立の動機となつた事を述べたが、聯邦中期信用制度の確立に至る迄には、政治上極めて複雜な關係が織り込まれて居り、此の制度を規定したる所謂一九二三年の農業信用法 Agricultural Credit Act of 1923 はその政治的折衝の結果として生れた複合的法律であつた。この立法の經緯に關しては紙數の關係上之を省略するが、

（註）當時即ち一九二一年の恐慌以來新農業金融機關設置に關して種々の意見が行はれてゐた。然し之を大別する時には大體。（一）聯邦準備銀行の制度を改めて之に農業中期信用の組織を附加する案。（二）聯邦土地銀行の組織内に更に新農業金融機關を設置せんとする案。（三）戰時金融會社を存續せしめてその活動を永久的たらしむる案。以上三案に分つ事が出來た。之等の諸案はい

づれもその利益代表者によつて支持され、政治的鬪爭の具に供せられたが、結局總花的に之等の諸案が議會を通過し、一九二三、三、四、前記農業信用法として公布せられるに至つたのである。

（註）立法の經緯に關しては Banner, The Federal Intermediate Credit System, Chapter V. に詳しい。小平權一氏農業金融論、春日井薫氏米國金融制度の特殊問題の其項參照。

一九二三年の農業信用法に於て第一に述ぶべきは、その第一章によつて規定せられたる聯邦中期信用銀行 Federal Intermediate Credit Banks である。然し之れに關しては既述の聯邦土地銀行と同樣に後節に於て詳しく述べる事とし、玆に於ては同法によつて規定せられたる別の新農業金融機關たる國法農業信用會社 National Agricultural Credit Corporation 及び州法農業信用會社 State Agricultural Credit Corporation に就きて略說する事とする。

一、國法農業信用會社。　之の設立は農業信用法の第二章に規定せられるもので、前記聯邦中期信用銀行とは全く別個の金融機關としてその設立を企てられたものである。卽ち前者が政府の機關として間接的に農業者に信用を賦與するに對し（後述參照）之は民間の營利企業として國法によつてその設立を認め直接農業者との取引を行はしめんとしたものである。猶上述の如くオリヂナルの法令に於ては兩者は全く關係がなかつたが、一九二五、三、四、の改正によつて、之等の國法農業信用會社は所有割引手形を聯邦中期信用銀行で再割引をなし得る事となり、玆に兩者の連絡がつけられる事となつた。

國法農業信用會社は財務省通貨管理局 The Comptroller of the Currency の許可によつて設立せられ、以後その監督下に置かれるもので、その組織は根本的に國法銀行に類似する。その資本金は二十五萬弗以上にして、必ずその半額以上の拂込を條件とし、更にその殘額は開業許可後六箇月以內に拂込むべき事を要する之の點は國法銀行の最低二萬五千弗に比して極め高額を必要とせられた。

貸付の性質。國法農業信用會社によつて割引せられる手形は次の如し。

(一) 期限九箇月以內で、販賣用として肥育せられた家畜を動產抵當として擔保せる手形、

(二) 期限九箇月以內で、非腐敗性農產物の倉庫證券を擔保とせる手形

(三) 期限三箇年以內で、肥育用、蕃殖用及び酪農用家畜を動產抵當として擔保せる手形

(四) 販賣用として栽培されつゝある農業作物を擔保とする手形(一九二七年二月の改正以來)

之等の貸付額は二の場合を除いて一個人又は一企業に對して自己資本の二〇%を越える事を得ず(二の場合は五〇%迄)

準備金。國法農業信用會社はその基礎を確實ならしめるために、その事業開始前拂込資本の二五%を、その所在準備區の聯邦準備銀行に政府證券を以て預託する義務がある。然してその金額

は事業の擴大と共に增加する事を要し、その額は如何なる場合も會社總負債の七・五％以上なる事を要する。

債劵發行。會社の貸付資金は之を手形の再割引によつても得られるが、法令は會社資本及積立金の十倍迄の債劵を發行する事を許可してゐる。その賣出は一般市場に於てなされる場合と、準備銀行が買上げる場合がある。猶資本金百萬弗以上のものは、他の國法農業信用會社及び聯邦準備制度の組合員たる銀行又は信託會社の割引したる農業手形の再割引をなす事が出來、以て農業中期信用の中央再割引機關たる事が出來る。

國法農業信用會社は斯くの如く多大の期待を以て立法せられたのであるが、その普及極めて惡く、同法發布以來設立會社數は僅かに三つ、内現存するものは一九二五年七月設立の Pacific National Agricultural Credit Corporation が唯一つあるのみである。不振の理由は主として中期信用銀行の競爭によるもので、斯くの如き手厚き政府の保護監督の下に立つ組織に、私人經營の對抗し得ない事は當然であり、一方次に述べんとする州法農業信用會社の壓迫による事も考慮せらるべきであらう。

猶 Pacific National Credit Corporation は現在猶事業を繼續してゐるが一九三三、六、一六の農業信用法は爾後此の種の機關の設立を禁止した。(十四)

（十四） Farm Credit Administration, p. 97.

二、州法農業信用會社。　既説の國法農業信用會社と茲に述べんとする州法農業信用會社とは單に前者が國法に依り、後者が州法によつて設立せられるといふ事以外に、その組織上よりして嚴密に區別する事を要する。即ち前者が聯邦中期信用銀行より獨立せる金融機關たるに反し（後には兩者に連絡がつくやうになつたが）後者は聯邦中期信用制度に包括せらるべき新機關である。右の事實は法文の上から見ても、前者が法令の第二章に獨立して規定せられてゐるに對し、後者は第一章聯邦中期信用銀行の中に包括せられてゐる。尤も州法農業信用會社に關して法令中に規定せられてゐる部分は僅かに次の一句に過ぎない。即ち「農業信用法は中期信用銀行に對して、各州法の下に組織されたる農業信用會社、法人家畜貸付會社及び農業者の協同信用、販賣組合が發行する手形を割引するの權能を與ふ（抄錄）」然して斯くの如き農業信用會社に關しては其の他に何の規定もない。そこで聯邦農地貸付局は之に「農業目的及び家畜の育成、蕃殖、肥育のために資金貸付を目的として何れかの州法によつて設立せられたる會社」と定義し、且つその資本金に對する制限を設け、拂込資本一萬弗以下の會社に對しては手形の再割引を行はずと規定した。猶その貸付限度に關しては中期農業信用法中に「同會社は其の總債務額がその拂込資本金及び積立金の十倍を越ゆるが如き場合には、中期信用銀行は之に對して割引貸付を行ふべからず」との規定があり、以上の二者が州法農業信用會社の組織經營上の共通的制度であつて、其の他の諸點は凡て各州の自由規約に委せてある。

この州法農業信用會社設立の主旨は農業者間に協同の精神を振起し、且つ地方銀行以外の信用通路を創設するにあつた。從來この種の機關として家畜方面に對しては家畜貸付會社 Livestock Loan Company なるものが相當に利用せられてゐたが一般農業目的のために生產信用を賦與する特殊機關は存在しなかつた。地方州法銀行がこの種の金融機關として認められてはゐたが、どうしても農業上の利用には不便多く、且つ重要なことは恐慌時に於て農業者がより多くの信用を必要とする時に、之等の地方銀行はその無力さによつて救助の手を指し延べる事が出來ない事であつた。由つて以上の缺陷を補ふべく、中期農業信用制度中に前記の家畜貸付會社と竝べて特にこの州法農業信用會社を記載した譯である。斯くて同法の發布以來此種の會社の設立は全國的に行はれ一九二五年八月迄に總數三〇二に達した。(十五)

(十五) Benner, The Federal Intermediate Credit System, p. 168.

之等の州法農業信用會社は其の組織上から三種に大別する事が出來る。一は個々の農業者の利用のために組織せられたる獨立會社で本來の目的に適ふものであり、二は協同販賣組合の子會社としてその金融の便を計らんとするものであり、三は地方銀行がその姉妹機關として之を建てる場合である。之は中期信用銀行は普通銀行に對してはその拂込資本及び積立金の二倍に該當する額迄の割引しか行はないのに對して、この新設機關に對しては既述の如く十倍迄の金融をなすが故に、この特典を利用せんとしたものである。然してこの地方銀行による利用の場合には、當時恐慌に惱める彼等の窮況切拔策として、卽ち不良貸付或は資金の焦付に對する應急の融資通路に惡用せられた。然し之等の例外を除いて此種の機關が廣く農業者を利した事は一般の認むる所であり、現行生產信用組合 Production Credit Association（後述）は之にその範を採つたものである。猶國法信用會社が既にその新設を禁じられてゐるのに反し、州法信用會社には斯くの如き禁令はない。

第八節　聯邦農務局

從來農業恐慌に際して、政府の採る唯一の方策は農業者に金融的援助を與へる事であつた。之等の事實に關しては既に見て來た所であり、その農業再建に寄する貢獻は極めて重大であつた。然し一九二五年を頂點として次第に低下して行つた農產物價格の崩壞によるアメリカ未曾有の農業恐慌に對しては、最早金融的援助のみを以てしては到底此の大浪を堰き止める事の出來ない事が分つて來た。斯くて自由を國是とするアメリカの農業經濟界に漸く價格調節、生產調節の統制政策がその姿を現はす事となつた。學者、政治家、利益代表者の間に種々の論爭が起り、幾多の法案が議會に提出された。時の農務大臣も一九二八年度農業報告書の中に「今や國家は農業に對して健全にして適切なる救濟を行ふべき責任を有し、農業はその繁榮を永久に安固なる基礎の上に再建するために、政府の救助を受くべき權利あり。現在斯くの如き生産過剩に苦しめるは嘗て大戰中政府の採れる政策の結果なれば、國家がその責任を採るは當然なり。」と述べてゐる。(十六)

(十六) Qureshi, Agricultural Credit, p. 122.

斯くの如き事情の下に、フーバー大統領は一九二九、六、一五、兩院を通過せる農産物販賣法 Agricultural Marketing Act に署名した。同法はその頭書に「農産物商品の國内及海外市場に於ける有利なる販賣を促進し、農業をして他の諸産業と經濟的均等の地位に就かしむるため、聯邦農務局 Federal Farm Board を設置するの法令」とある如く、農業經濟界に於ける絶對的は勿論その他の産業に對する相對的疲弊を認め、販賣方法の改善によつて之が是正を所期せるものである。農産物販賣法の全般に亙る論述は固より本篇の範圍外であるが、以下の理解に便せんがため本法第一條に規定せられたる右改善の方法を列記せば次の如し。

一、投機を減少せしめる事。

二、無效にして無駄多き分配方法を防止する事。

三、生産者によつて所有管理せられる協同組合其の他による農産物販賣組織の設立とその金融とを促進せしめる事により、生産者團體をして、より大なる販賣單位の有力なる組合又は會社たらしめる事。

四、國内市場を有利に維持し、各種農産物の過剰がその價格を不當且つ過度に變動又は下落せしめる事を防止するため、秩序ある生産及び分配によつて、各種農産物の過剰の防止及び統制を援助する事。(註)

(註) 農産物販賣法の全文は Clark and Weld, Marketing Agricultural Products の卷末附錄にあり。

右の如き政策遂行のために九名の役員(内一名は農務大臣之に當り、他の八名は上院の推薦により大統領之を任命する)より成る聯邦農務局が創設せられた。農務局の實行すべき救濟方法は大體精神的援助と財政的援助との二つに分ち得る。

(一) 精神的援助

(イ) 農産物及び同食料品の協同販賣の理論と實際に關する智識を農民に普及する事。

(ロ) 有力なる農村協同組合の設立、發達及び事業方法の改善を奬勵する事。

(ハ) 内國及び外國の諸情報を蒐集し、各種の調査研究を行ひ、生産過剰の狀態を調査して農業者に適當なる勸告をなす事。

（二）財政的援助

（イ）農村協同組合に對して貸付する。

（ロ）價格安定會社に對して貸付する。

（ハ）農村協同組合に對して農産物價格の保險をなす。

右の内價格安定會社 Stabilization Corporation とは或る特定農産物の價格安定卽ち價格吊上げのために、その買上げをなす目的のために協同組合によつて設立せられる會社の事であり、實際には一九三〇年二月小麥と玉黍蜀買上げのために The Grain Stabilization Corporation 同六月棉花のために The Cotton Stabilazation Corporation の二會社が設立せられた。（安定會社の詳しき論述は之を他の場所に譲る）

聯邦農務局による貸付。　聯邦農務局による貸付は、右の如く必ず協同組合或は價格安定會社に對してのみなされるのであつて、決して個々の農業者を相手とするものではない。然して此の貸付のために局は五億弗の運轉資金 revolving fund を流用し得るの權限を議會から與へられた。協同組合に對する貸付に就ては、その資金用途に次の如き制限がある。（第七條）

一、農産物及び同食料品の有效なる販賣のための資金。

二、農産物及び同食料品の調製、處理、貯藏、加工、販賣のための諸機關を建設、買入又は借入するための資金。
三、手形交換所組合設立の資金。
四、生産者にその生産物の協同販賣による有利性を敎へ、以て協同組合員の擴大を計るために要する資金。
五、協同組合をして、其の組合員が組合に引渡せる農產物に對し、一般民間金融業者の前貸し割合よりも一層多くの前渡金をなさしめ得るための資金。

聯邦農務局は一九三三、五、二七、農業信用院 Farm Credit Adminietration の新設と共にその殘務を讓つて閉局した。其の間四箇年間に同局の貸付けたる金額の總額は約十一億五千萬弗に上り、協同組合の維持存續に資したる所は蓋し甚大であつた。（拙稿「アメリカに於ける販賣及び購買組合」參照）

第九節　復興金融會社

フーバー、モラトリアムによつて一時を糊塗してゐたアメリカ景氣も一九二九年十月二十九日のウォール街の混亂に端を發して權花一朝の夢と化し、農業は勿論凡ゆる產業部門に恐慌の嵐が捲き起つた。前記聯邦農務局による諸活動は實に此の嵐の中に行はれたのであるが、その壞れ行く農産物價格は價格安定會社の莫大な損失による買上政策を殆んど無效にした。一方一般産業に於ける恐慌は益々深化し、工場は閉鎖され、失業者は街に溢れ、更に恐慌は金融機能に波及して倒壞する銀行は數を知らざるの狀況であつた。斯くの如き事情の下に政府は一九三一年十月に全國信用會社 National Credit Corporation を設けて、弱小銀行の凝結資産の流動化を圖つたが、次で三二年二月には國庫金五億弗を以て復興金融會社 Reconstruction Finance Corporation を設立し、廣く農商工金融機關に對する非常時的再金融機關たらしめた。

復興金融會社は一九三二、一、二二、公布の復興金融會社法によつて同二月二日設立せられたるもので、資本金五億弗は總て財務省の出資に成り、資本金の三倍迄の債券を發行する事が出來る。事業は七人の理事（内一名は財務大臣、他の六名は上院の推薦により大統領之を任命す）によつて管理され、法律によつて停止を命ぜられない限り十箇年間の經營期限を有す。以下復興金融會社の農業に對する金融的援助に限つて略說する。前述の聯邦農務局の貸付が協同組合金融で、直接一般農民に及ぶものでなかつたのに反し、復興金融會社による貸付は、次の如き方法による主として生産資金の直接貸付を企圖するものであつた。

一、地方農業信用會社 Regional Agricultural Credit Corporation の設立。

一九三二、七、二一、公布の非常救濟復興法 Emergency Relief and Reconstruction Act of 1932

により、復興金融會社は一時的對策として、十二の地方農業信用會社を聯邦土地銀行區の夫々に一つづつ設立するの權能を與へられた。同會社は農業者及び牧畜業者に對し直接農業目的のための生産資金を貸付くる事を目的とし、その資本金各々三百萬弗は之を總て復興會社が出資する。猶其の後内五つの信用會社に對して、八百五十萬弗の資本が追加せられたので、總計として復興會社の地方農業信用會社への出資は四四、五〇〇千弗となつた。地方信用會社の貸付資金は、以上の外は復興金融會社、聯邦準備銀行、聯邦中期信用銀行の再割引によつて得られる。右貸付は特別の場合を除き總て一年以下の短期信用であつて、充分な擔保物件を必要とする。利率は五分五厘乃至六分五厘であつた。一九三三、五、二六、農業信用院 FCA の設立以來その管下に移されたが、一九三二年九月最初の會社が設立せられてより、三四年三月末迄に約三億弗の貸付が行はれた。同會社は上述の如く一時的對策として設立せられたもので、其の後清算過程に入り、漸次その事業を新設機關たる生産信用會社（後述）に讓りつゝある。

二、灌漑農地方に對する再金融貸付。

一九三三、五、一二、公布の緊急農地抵當法 Emergency Farm Mortgage Act——Farm Relief Act の第二部——によつて復興金融會社は、總額五千萬弗迄を限り、四十年間の長期を以て、灌漑農地方に於ける負債整理の目的を以て資金を貸付くる權能が與へられた。

三、輸出農産物への貸付。

復興金融法第五條イ、により、復興金融會社は期限一箇年以内の内外爲替手形の買入れをなすを得。又非常救濟復興法第二〇一條ハ、により、復興會社は過剩農產物の海外輸出に對して金融する事を得。

四、農産物及び家畜の運搬及び販賣のための貸付。

非常救濟復興法第二〇一條ニ、により、復興會社は一九三五、二、一、を限り善意の諸機關に對して、農產物及び家畜の運搬及び秩序ある販賣のために金融する事を得。

五、土地銀行長官への資金割當。

緊急農地抵當法第三十條により、復興金融會社は同法制定より二箇年間を限り、株式土地銀行への貸付として、一億弗を土地銀行長官 Land Bank Commission（後述）に委託する事を得。又同法三十二條は、同樣二億弗を一般農業者への貸付資金として、土地銀行長官に委任する事を規定した。

六、農務長官への資金割當。

復興金融會社法第二條により、復興會社はその資金の一部を農務長官の利用のために割き、以て一九三二年度作物生産のために農業者に貸付くる事を得せしめた。右期間は一九三三、二、一九、の法令を以て一九三五年度迄延長せられ、更に一九三三、三、二七の法令は右の權限を農務大臣より農業信用院總裁（後述）の手に移管した。（十七）

（十七） Qureshi, op. cit. pp. 132-137.

第十節　一九三三年以前の農業金融概觀

以上アメリカに於ける農業金融機關を發達史的に見て來たのであるが、之等の金融機關中には一時的救濟機關として既にその機能を停止したものあり、又別に以上の如く組織化されない金融擔當者卽ち商店信用個人信用の如きものあり、右の事情を考慮して、一九三三年以前、卽ち現行新金融機構成立直前のアメリカ農業金融情勢を管見して見たいと思ふ。

アメリカ農務省の推定によれば、一九三二年一月始めのアメリカの農家總負債は百二十億弗と概算せられ、内七〇％八十五億弗は農地抵當信用、三〇％三十五億弗は短期信用となつてゐる。然らば之等莫大なる農家信用は如何なる給源により與へられてゐるか、以下長期信用と短期信用（中期信用を含む）とに分けて右の情勢を調べて見やう。

長期信用

一、保險會社 Insurance Companies

長期農業信用に於ける保險會社の地位は極めて重要であり、既に五十年以上の歴史を持つてゐる。農務省の調査に依ると、一九二八年一月始の貸付總額は二、一六四百萬弗にして、全米農地抵當貸付高の二三%を占めた。其後漸減の兆があるが、それでも常に二十億弗を下らず、その額より云つて諸機關中第一位を占めてゐる。その貸付事情に就ては、一九二四年一月始調査に於て、期間は總貸付中六五%は五箇年、一五%は十箇年三十箇年を越えるものは僅少である。然し其後次第に長期貸付が増加する傾向にある。貸付の利率は一九二八年一月始現在年五分五厘で、玉蜀黍、小麥地帶諸州の五分四厘を最低に、山岳地方諸州の六分八厘を最高とし、南部諸州も利率の高い方である。

抵當信用の給源としての保險會社の位置は特に農業金融を目的として作られたる土地銀行を除けば、最も之に適したるものと云ふべく、普通の狀態では長期貸付金の流動化を要する事なく、長い間不況が續き、保險契約者が證劵擔保で續々と借入をなすが如き場合に於てのみその流動化の必要が起ると考へられるだけである。只その缺點としてはその返還に就て割賦拂ひの方法を採らない事とされてゐる。

二、聯邦土地銀行 Federal Land Banks

之は現行長期信用の根幹であり、從つて後編に於て充分説明するであらうが、從來長期信用機關として、その貸付金額から見た重要性は保險會社に次で第二位であり、一九二八年一月始農務省調査に依れば總抵當貸付額の一五、四%を占めてゐる。

三、商業銀行 Commercial Banks

茲に商業銀行と云ふは普通銀行の外に貯蓄銀行信託會社等を含む。商業銀行が古くから農地抵當貸付をなし來つた事は既に述べた通りである。其の貸付總額は一九二一年一月一日現在の約十五億弗が最高で、其後急減して一九二八年の始めには十億弗を少し超す程度であつた。數字はないが最近は更に減少してゐるものと思はれる。その貸付期間に關しては、當然他機關よりも短期で、一九二四年一月一日現在では、五二%は一箇年、二七%は五箇年、二〇%二箇年乃至四箇年で其平均は二・六箇年となつてゐる。利率は一九二八年一月一日現在全國の平均が六分七厘で、ニューイングランド諸州の五分九厘を最低、中央西南部諸州の七分七厘を最高とする。他の金融擔當者に比し概して高率なのは、二番抵當を多く取つてゐて危險が多いためと云はれる。

四、株式土地銀行 Joint-stock Land Banks

ルーズベルトの新政策 New Deal により現在清算過程にある事は既に述べた通りであるが、一九二八年一月一日現在の株式土地銀行の農場抵當貸付金額は六六九、七九八千弗で當時の全國農場負債推定額の七分を占めてゐる。其後利用度は益々低下して三三年度末には約四億弗即ち一九二八年度貸付高の約六割となつてゐる。猶一九三三年末現在貸付金平均利率は五分八厘、期限は三十三箇年が多く、全部年賦償還である。

五、抵當會社 Mortgage Companies

合衆國に於ける抵當會社の設立は一八四〇年代に於て、中西部地方の發展のために東部よりの資金通路として企圖せられたるを濫觴とする。從來西部開發を志す農業者達は、その資金を主として政府、商業銀行、或は個人商人等から融通してゐたが、この大農業地の開發のためには多額の資金が必要であり、從來の機關を以てしては到底之に應ずる事は出來なかつた。茲に於て、此の地方の將來の發展を信ずる人々の間には、東部の遊資を吸收して之を新開地に齎し、其の利潤を東部へ返還する事によつて資金の環流を東部と中西部の間に作らんとしたのである。斯くて殊に一八七二――九三年間に多數の抵當會社がカンサス、ミズリー、ネブラスカ等の諸州に設立せられ、一八九一年には總數一六七會社に達した。更に一九一四年には之等の抵當會社を中心に商業會社、信託會社、保險會社を糾合して農地抵當銀行組合 Farm Mortgage Bankers' Association が設立せられ、その組合法人數五百、一九二一年に於けるその貸付總額は二十億弗に達した。

抵當會社の貸付資金はその資本金以外に、その所有する抵當の賣却及び抵當債券 mortgage bond の發行によつて得られる。一九二八年一月一日現在全米抵當會社の貸付高は九億八千八百萬弗と推定せられ、全農場抵當負債の一割四厘に相當する。其後の數字は不明であるが、重要性を低下せしめつゝある事は確實である。猶同會社による貸付期間は五箇年を普通とし、平均利率は一九二八年一月一日現在六分一厘で、最低は南部大西洋諸州の五分二厘、最高は山岳地方の七分三厘である。

六、個　人

一九二八年一月一日現在個人による農地抵當貸付金總額は約一、七九八百萬弗で、全抵當貸付の二割九分六厘の多きを占めてゐる。內一、四五三百萬弗卽ち全體の一割五分四厘は農業者以外の個人、一、〇〇六百萬弗卽ち全體の一割六厘は隱退農業者、三三九百萬弗卽ち三分六厘は現農業者の貸付となつてゐる。それより新しい數字は得られないが、金額、割合共に減退したものと推察される。

その地理的分布を見ると、ニユーヨーク、ニユージヤージー、ペンシルバニアの中部大西洋諸州に於ける重要性が最も大であり、その全農地抵當貸付の三分の二を占めてゐる。中央南部地方に於ては全體の一割三分三厘で、さしたる重要性を持たない。猶之等の貸付の期間は一般に五箇年以內であり、利率は極めてまち／＼であるが、一九二八年一月一日現在の平均を見ると、農業者以外の個人貸付利率は六分二厘、隱退農業者が五分八厘、現業者が六分一厘となつてゐる。利率の最も高いのは南部諸州と山岳地方で、最も低いのは中央北部諸州と中部大西洋諸州である。

七、右列擧の他に農業者の長期信用の給源としては、州信託基金 state trust funds 州立土地銀行 state land banks 學校基金 school funds 不動産金融會社 real estate companies 其他多くのものがあるが、それ等に就てはその貸付額も尠く取扱事情も區々で、到抵茲に述べる事は出來ない。

短期信用

農務省の推算によると一九三二、一、一、現在全米短期農業負債額は約三十五億弗で、其内商業銀行の貸付が約二十億弗、殘りの大部分が商人の貸付で、其他小部分が地方農業信用會社、國法及び州法農業信用會社、家畜貸付會社、聯邦作物貸付事務所、諸對人信用機關及び個人の貸付に屬する。

一、商業銀行

農業者に對する短期信用機關として、商業銀行は從來最も重要な地位を占めてゐるが、その總額に就ては確たる資料を持たない。然し諸種の事情より綜合して、その重要性の比率は一九二一年頃より次第に減少しつゝあるやうである。その利率に就て見るに、全國的の數字としては一九二一年三月のものが一番新しいのだが（十八）それによると百弗以上のもので年八分、それ以下のものは八分二厘となつてゐる。地方的相違は相當大であり、後者にあつては最高はニユーメキシコ、オクラホマ、テキサス、ワイオミング、ユタ等の一割三分乃至六分、最低はニユーハンプシヤー、ニユーヨーク、ニユージヤーシー、デラウエア、メリーランド等の六分、前者即ち百弗以上の貸付に於ては、最高はニユーメキシコ、オクラホマ、アーカンソー、テキサス、モンタナ等の九分七厘乃至一割二分、最低は前の場合と大差なく六分前後である。

(十八) Valgren and Engelbert, Bank Loans to Farmers on Personal and Collateral Security, U. S. D. A. Bull. No. 1048.

猶右貸付の期間に就て見ると、一九二一年の調査ではその貸付の約半分は六箇月以内で一ヶ年を越すものはなかつた。現在その期間は次第に縮少されて行く傾向である。貸付に對する保證の形式は、裏書きのある又は之のない信用證書を以てする事が最も普通な方法で、殊に北部中央諸州、東北部地方に多く、南部中央諸州及び山岳地帶に於ては家畜或は作物を動産抵當とする場合が多い。

二、商　人

農具商、肥料會社、地方商人等は相當額の短期信用を農業者に供給してゐる。證書の形式は普通掛賣勘定、無擔保證書、擔保附證書を以てする。固より全國的な調査はないが、部分的調査を以て見ると、一口當り貸付金額の最低はジョージア州の一五五弗、最高はニユーヨーク州の六〇四弗となつて居り、期間は五・七箇月乃至七・九箇月で、利率は最低がオクラホマの一割八分四厘、最高は北カロライナ州の share cropper の借金で實に四割三分五厘に達してゐる。之には利息の外に現金賣と掛賣との差が含まれてゐるのである。

三、國法農業信用會社 National Agricultural Credit Corporations

既述の如く一九二三年の農業信用法により設立を認められたる個人資本會社で、有畜農業者や放牧業者のために中期信用を附與する事を目的とする。普及極めて惡く同法發布以來設立を見たもの僅かに三つ、其の内現に活動せるは Pacific National Agricultural Credit Corporation のみである。同會社は資本金五十萬弗で、一九三三、九、二五、現在貸付高はカリホルニア、アリゾナ、ユター、ネバダ、アイダホ、ワイオミング、コロラド、ニユーメキシコ及びテキサスの諸州に亙つて總額二、三一七、一三二弗を有する。

四、作物及び種子貸付事務所 Crop and Seed Loan Offices

現行作物及び種子資金貸付は旱害地方の農業者に種子購入資金の貸付を爲すため議會の協賛を得たもので、最初は微々たるものであつた。卽ち一九二一年に二百萬弗、二二年に百五十萬弗を支出したのに初まり、一九二四年にはニユーメキシコの旱害地方へ飼料及び種子購入資金として百萬弗を出し、一九二六年秋にはフロリダ州の旱害地方へ肥料及び種子購入資金として貸出した。斯くの如く支出高及び使用目的は逐年増加し、一九三一年には一つの農業非常時短期貸付として相當重要な地位を占めるに至つた。即ち一九二一年から三〇年迄十箇年間に於ける總貸付額が一五、一九四千弗なりしに對し、一九三一年から三三年迄の三年間の毎年の貸付高は六千萬弗を上下するの狀況である。

資金は財務省より貸出される譯であるが、利率は五分五厘、普通一人當り貸付額は二五〇弗迄農業信用院總裁が特に支障なしと認めた場合は五〇〇弗迄許される。借入希望者は他では資金を得る事が出來ぬ事を證明せねばならず、作物擔保に於てのみ貸出される。一九三四年度貸付限度は四千萬弗と定められ、爾後は新規貸出は行はない豫定である。

五、(州法)農業信用會社及び家畜貸付會社(State) Agricultural Credit Corporations and Livestock Loan Companies

既述の如く農業信用會社は各州法の下に組織さられる地方的機關で、農業者に生産資金を貸付け、それを聯邦中期信用銀行で再割引を受けるもの、家畜貸付會社は主として商業銀行が家畜販賣會社或は家畜委託販賣會社と連絡して作つたもので、家畜金融を行ふ地方的機關で、同じく聯邦中期信用銀行から再割引を受ける事が許されてゐる。

一九三三年迄の中期信用銀行割引高の大部分は右の兩會社に對するもので、其の高は一九三二年は一五一、三四三、九八四弗、一九三三年は一四〇、六九八、二〇一弗であり、之に依つて兩會社による農民への貸付は毎年一億五千萬弗乃至二億弗と推計せられる。貸付手續の簡易なる事と共に農業者の生産信用機關として其の重要性は地方的に極めて大であつた。

六、地方農業信用會社 Regional Agricultural Credit Corporations

一九三二年の非常救濟復興法によつて、復興金融會社が一時的救濟機關として各聯邦土地銀行地區に一つづゝ、即ち十二の地方農業信用會社を設置した事は既に述べた通りである。一九三四年七月以來清算過程に入つてゐるが、設立以來の總貸付額は約三億弗と概算せられる。

七、聯邦中期信用銀行 Federal Intermediate Credit Banks

一九二三年の農業信用法によつて設立せられたる聯邦中期信用銀行は短期農業資金の最高源泉をなすもので、新農業金融制度の一支注をなす重要なる機關である。詳しくは後編で述べる。

八、其　他

地主、信用貸付會社 personal loan companies 信用組合 credit union 等も短期農業生産資金を給してゐるが、その金額も大ならず且つ貸付事情も種々雜多で、玆に一括して述べる事は不可能である。

九、農業者協同組合に對する金融機關

農業信用院 FCA 設立以前に於ける農業者協同組合に對する金融機關は商業銀行、聯邦中期信用銀行及び聯邦農務局の三者であつたが、內商業銀行の場合は普通個人に對すると同樣の取扱ひであり、聯邦農務局に關しては既に述べた所で茲に繰り返す必要はない。中期信用銀行に就ては後述に讓る。(註)

(註) 本節叙述に關しては Farm Credit Administration, Chapter II を參照されたし。

附。アメリカの信用組合。 アメリカの信用組合は之を廣義の credit association と狹義の credit unionとに分けて考ふべきである。卽ち廣義の信用組合の內には、狹義の credit union の外に現在其數約五千を數へる農地貸付組合 farm loan associations と、六百五十に達する生產信用組合 production credit associations とを抱括するもので、新農業金融體制下に於て極めて重要な役割を演じつゝあるものである。然し之等に關しては後に述ぶるが故に、此處では唯狹義の信用組合卽ち credit union に就てのみ若干の說明を加へて置く。

credit union とは普通に所謂信用組合のことであるが、アメリカに於ける發達は極めて遲く、それが初めて法制化されたのは一九〇九年マサチューセッツ州に於てゞあつた。爾來三十七州に於て信用組合法が制定せられたが 一九三四年六月に至り、別に聯邦信用組合法 Federal Credit Union Act が聯邦議會を通過して、茲に信用組合の基礎が確立するに至つた。現在州法による

credit union は約三千、上の聯邦法によるもの一千百餘、總組合員數は百萬人を越え、出資金總額は一億弗に達する。然し之等の諸組合は多く都市人口によつて組織せられて居り、例へば官公吏員、職工、教員、會社員等によりて利用せられる場合が多く、農業者による組合はその一小部分に過ぎないやうである。（十九）

（十九） Digby, Digest of Co-operative Law at Home and Abroad p. 286.
Haskin, American Government To-day, p. 436.

今聯邦信用組合法による credit union の組織に就て略說するならば、同組合は農業信用院 FCA の信用組合課 Credit Union Division に對する申請によつて許可せられるものであり、組合員は七名以上各五弗（一株）以上の出資を必要とする。但し此の出資は全部一度に出す事を要せず、先づ一弗半を加入料の二十五仙と共に出資し、他は割賦によつて出す事が許される。組合よりの借入はその出資を終らざる內と雖も可能であるが、出資金に對する配當は尠くとも一株五弗の出資を完了した場合でなければ受ける事が出來ない。一名に對す貸付金額の限度は二百弗か或は資本金の一割のいづれか大なる方の額迄と制限せられてゐる。五十弗迄の貸付は擔保を要せず又裏書人を必要としない。猶出資金は其の儘貸出の擔保とせられるが故に、例へば四株の出資者は七十弗迄無擔保貸付を受くる事が出來る。右貸付金に對する利子は月一分を越す事を得ない。

組合設立の目的は右の如く必要の場合の貸付を行ふ事の外、貯蓄を奨勵する事にあるが、此の貯蓄は出資の形を以てなされる事が一般の信用組合と異る點であらう。(州法による組合の場合は普通の預金をも認められてゐる)然して右株式出資金は豫告を以て何時にても拂戻しを受ける事が出來、出資中は年七分迄の利子をそれに對して受ける事が出來る。一人一票主義にして委任投票權を認めざる事は一般の信用組合と同樣である。

後編　新農業金融體制

第一節　農業信用院の設立

前節に見たる如く從來農業者に信用を附與する機關は其の種類極めて雜多であるが、右の內聯邦政府が貸付金を供給し、又その株主となつて或る程度の統制を行つてゐる金融機關としては五つを數へる事が出來る。卽ち(一)聯邦政府の支出する農業販賣法資金を取扱ふべき聯邦農務局、(二)議會の決議により聯邦政府の代理者たる復興金融會社の資金を流用する農務省の作物及び種子貸付事務所、(三)復興金融會社の出資によつて組織せられる地方農業信用會社、(四)聯邦政府の全出資によつて出來てゐる聯邦中期信用銀行、(五)聯邦政府がその三分の二の株式を所有してゐる聯邦土地銀行の五つである。

之等の機關は全部聯邦政府の統制下にあつたが、その管理に至つてはまち／＼で、(一)聯邦農務局は農務大臣を加へた八名の理事により、(二)作物及び種子貸付事務所は農務大臣により、(三)地方農業信用會社は財務大臣を加へた七名の理事により、(四)聯邦中期信用銀行と、(五)聯邦土地銀行とは議長たる財務大臣と常務役員たる農場貸付長官 Farm Loan Commissioner を含む七名の役員より成る聯邦農地貸付局 Federal Farm Loan Board により管理せられた。

政府統制下の農業金融機關が右のやうな組織であつたため、貸付方針の統一を圖る方法もなくその機能は屢々重複し、殊に短期金融と産業組合に對する貸付とに於て甚しかつた。例へば生産資金に就て、一九三三年の春頃或農業者は其地方の農業信用會社 Agricultural Credit Corporation から五分五厘乃至六分五厘の利子と約一分の鑑定手數料を以て、即ち六分五厘乃至七分五厘の費用を要したのに、他の農業者は地方農業信用會社から六分五厘で、又他の農業者は作物及び種子貸付事務所から五分五厘で借りてゐた。家畜業者にしても、一は農業信用會社或は家畜貸付會社を經て聯邦中期信用銀行から借り他は地方農業信用會社から借りた。又假令意圖しないとしても、之等の金融機關相互に自然競爭が行はれた事は否めなかつた。

更に之等諸機關の所在地從つてその營業區域も區々で、中期信用銀行や地方農業信用會社の區域は聯邦土地銀行管區と同一にされたが、作物貸付區域は全然之を無視して定め、又地方農業信用會社の所在地は土地銀行所在地に定めなかつた。從つて右の四機關が同一都市に置かれたのは唯一例あるのみであつた。此の錯雜による不便の例として、南ダコタ州の農業者は作物及び種子資金の必要な場合はミネソタ州ミネアポリスの事務所へ、家畜生產資金の入用の際はアイオア州スゥ市の地方農業信用會社へ、農場抵當で借りる時にはネブラスカ州オマハの聯邦土地銀行へ申込まねばならなかつた。斯くの如く政府の農業金融機關には全く統一なく、農業者はその必要とする資金を得るに何れの機關よりすべきか、又その所在地は何處なるかを知らないといふ混亂狀態で、之が統一は最も急を要する所であつた。

斯くて一九三三年ルーズベルト大統領となるや、三月二十七日大統領令を以て聯邦農業金融政策竝びにその活動を統合集中するに必要なる變更を行ひ、五月二十七日よりその實施を見た。卽ち(一)聯邦農務局の名稱は農業信用院 Farm Credit Administration と改められ、其の議長を總裁 Governor となし、農務大臣以下の理事を廢止し、從來農務局の全權利義務は一切之を信用院總裁に委ね、(二)農地貸付長官以外の聯邦農地貸付局の役員の職を廢し、從つて財務大臣がその一員たることも廢され、是等役員の權利義務を農地貸付長官に附與し、(三)農務省の作物及び種子貸付事務所、地方農業信用會社及び聯邦農地貸付課 Federal Farm Loan Bureau (聯邦農地貸付局の指揮の下に農地貸付制度の有效なる活動に資せん事を目的とし財務省內に設置せられたる一課）はいづれも農業信用院の管理統制下に置かれた。

聯邦の農業金融政策と其の活動に就ての責任は、此の行政命令により農業信用院總裁一人が負ひ、從前二十名の人々が個々に或は理事會員として責任を分擔してゐた樣な事はなくなつた。勿論總裁は其の責任或は仕事を部下の役員又は職員に委ねる事を得るも、大統領と議會に對しては凡ゆる場合にその全責任を負はなければならない。猶總裁は此の行政命令により統一上必要と認める時には管下諸機關の併合組織換へをなす權限を與へられた。

第二節　農業信用院及びその統制下に組織せられたる新農業金融諸機關

農業信用院設置の目的は右の如く農業金融に關し完全なる統一的組織機關を設け、以て農業に對する凡ゆる種類の金融を農業者の見地より扱ひ、且つその事務上の費用を出來るだけ節減せしむるにあるが、既存の農業金融諸機關に對する監督を統一するのみでは此の目的は達し難い事情にあつた。卽ち聯邦土地銀行竝びに聯邦中期信用銀行の二機關はこの目的による新計畫に適當せるも、他の既存機關は何程形を變へても不適當なるを免れざる故に、之を解散廢止し、別に二種の新機關を設ける事となつた。一は聯邦農務局の事務と中期信用銀行の產業組合に對す直接貸付とに代るべき產業組合銀行 Banks for Cooperatives で、他は個々の農業者が中期信用銀行より短期資金を借入れ得るための中間的地方機關及び之が監督の任に當るべき生產信用會社 Production Credit Corporations である。後者に就ては元來作物及び種子貸付事務所と地方農業信用會社とが農業生產資金貸付の地方機關としては不十分の點があり、農業信用會社は大體地方的機關としては適當であつたが、民間事業として資金の點から充分利用せられない狀態にあつたので、信用院としては農業者が容易に中期信用銀行から短期資金を借り、之を利用し得る地方的信用機關を作る要ありと考へたのである。

斯くて實現せられたる完全なる全國的農業金融組織は、ワシントンにあつて管理監督に當る農業信用院と、從來の聯邦土地銀行管區にある十二組の機關より成る。各土地銀行管區は農業金融區域とも稱すべく、此處に三種の農業金融（長期信用、短期信用、協同組合信用）を取扱ふ四個の恒久的機關と、其の四機關の方針及び活動を統制する管理機關とが置かれる。四個の恒久的機關とは聯邦土地銀行、聯邦中斯信用銀行、生產信用會社及び協同組合地方銀行である。右の四機關を簡單に說明すれば、

（一）　聯邦土地銀行 Federal Land Banks は農地抵當貸付を行ふ機關である。長期低利に年賦の

形式で農地竝びに恒久的土地改良の一番抵當に對して貸付けられるもので、普通全國農地貸付組合 National Farm Loan Associations 又は地方通信員 local correspondents を通じて行はれる。貸付資金は抵當貸付金を擔保とする農地貸付債券 farm loan bonds の賣出しによる。

(二) 聯邦中斯信用銀行 Federal Intermediate Credit Banks は元來割引銀行卽ち短期生產資金の卸賣銀行で、生產信用組合其他の地方金融機關に農業手形の割引をなし、又農業者の協同組合に對しても特定農產物の倉庫證劵を擔保として貸付を爲す。貸付資金は個人投資家に中期短期の債劵を賣つて調達する。

(三) 生產信用會社 Production Credit Corporations は自ら貸付は行はず、生產信用組合 Production Credit Associations の組織及び出資に援助を與へ、其の成立後は之が監督を業務とする持株會社である。生產信用組合とは農業者をして團體的に中期信用銀行から短期資金を借入せしめるために特許せられたる地方農業金融機關である。生產信用會社の資本金は特別聯邦支出金と以前農務大臣が取扱つてゐた作物貸付資金の殘金及び回收金より成る運轉資金を以て賄ひ、生產信用組合の資本の一部を給するに使用せられる。

(四) 十三の協同組合銀行 Banks for Cooperatives 卽ち一つの Central Bank for Cooperatives (ワシントン)と十二の District Banks for Cooperatives は購買販賣兩組合に對し長期の設備資金

及び短期の賣買資金の貸付を行ふ。その資本金は農產物販賣法運轉資金（前述參照）より出て居り、之をそのまゝ貸付金として使用するも、猶不足の場合には無擔保債券 debeuture を發行する事を得。

右の組織を圖示すれば次の如くである。

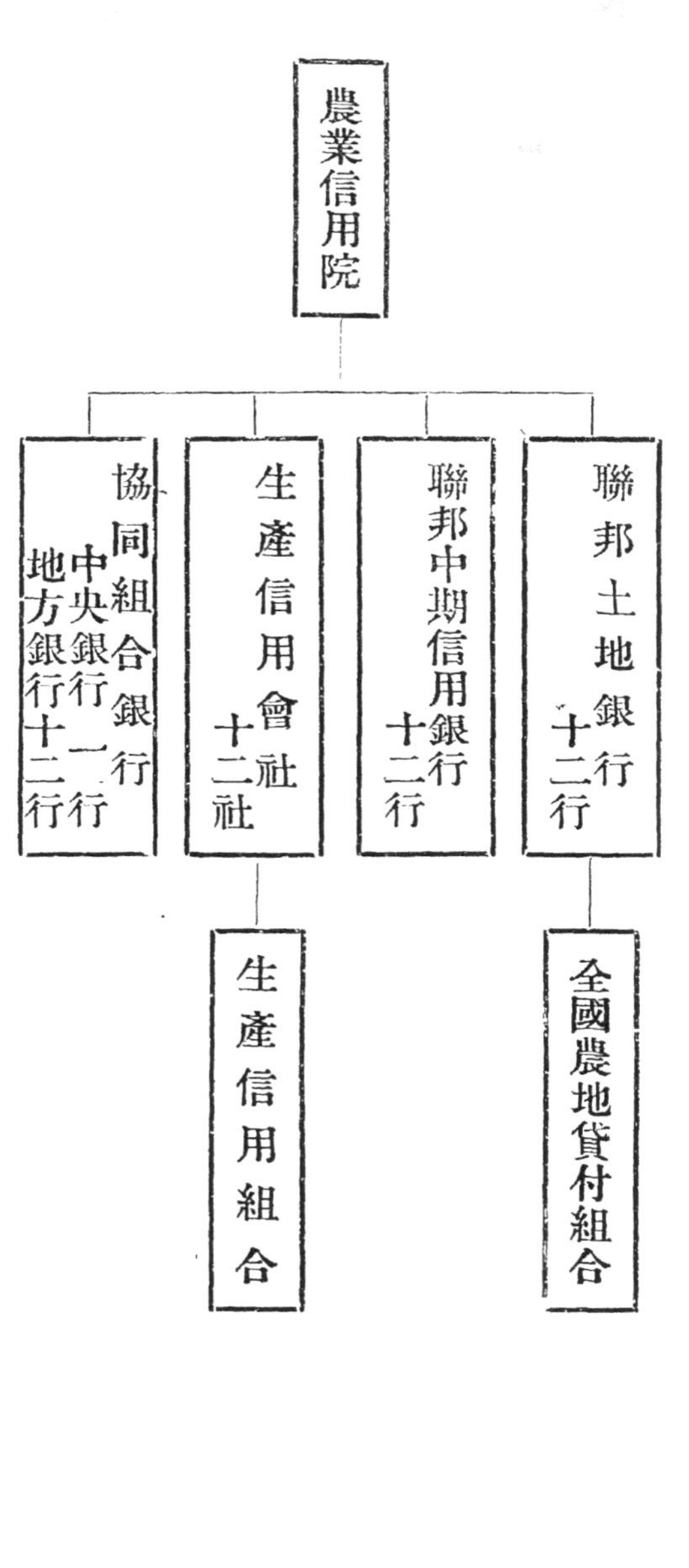

次に農業信用院の組織に就て少しく述べて置かう。農業信用院はワシントンに在り、全體の管理監督の機關で、その頭に一人の總裁と二人の總裁代理 deputy governors とを戴く。總裁は事業會社の社長に類し、大統領竝ひに議會に對し直接に全責任を負ひ、其下にある金融諸機關の政策運

營の調和並びに統一ある金融組織の發展を圖る。總裁代理は事業會社の副社長に當り、總裁を補佐し、内一名はその一課たる財務調査課の課長を兼ねる。

現在本院を土地銀行課、生産信用課、中期信用課、協同組合課、管理課、通報課、法制課、財務調査課、地方農業信用課の九課に分ち、各課は更に係に分けられる。右を圖表すれば次の如くである。

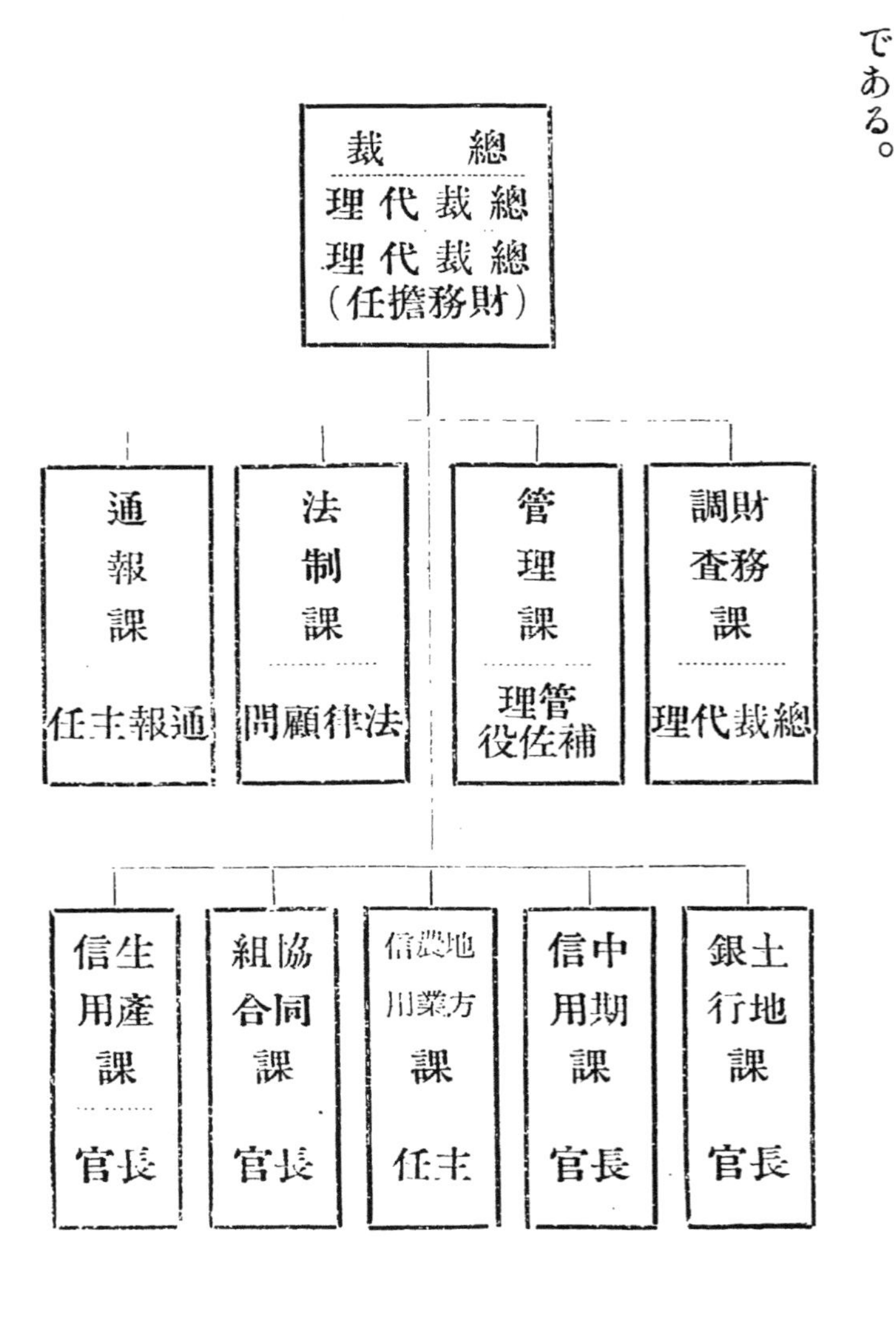

（一）土地銀行長官 Land Bank Commissioner は土地銀行課長として十二の聯邦土地銀行及び約五千の全國農地貸付組合及び株式土地銀行の活動を指揮監督し、各機關の政策運營に就いて直接總裁に對し責任を負ふ。土地銀行課は各土地銀行によつてなされる抵當貸付を調査し、土地銀行債券の擔保となり得るや否やを決定する。又各銀行の貸付利率貸付手數料率の認可、全國農地貸付組合の設立認可をなす。

（二）中期信用課は十二の中期信用銀行の活動を監督するもので、その課長を中期信用長官 Intermediate Credit Commissioner と云ふ。中期信用銀行債券の發行、賣出、金額、利率、期間等は當課の承認を要し、債券擔保に關する規定は當課で作られる。

（三）生産信用長官 Production Credit Commissioner は生産信用課の課長として十二の生産信用會社と其の會社が資本金を給せる六百五十餘の生産信用組合の經營活動を監督する。生産信用組合短期資金貸付の一般的取扱規定は當課で作られる。既説の作物及び種子貸付資金を管理するために緊急作物貸付係が當課内に存するが、之は右の貸付が無くなり次第廢止せらるべきものである。

（四）協同組合課の課長は即ち協同組合銀行長官 Cooperative Bank Commissioner で中央協同組合銀行に對して直接の責任を持ち、十二の地方協同組合銀行を指揮監督する。現在農産物販賣法運轉資金の貸付事務は當課に於て管理せられてゐる。

（五） 地方農業信用課の課長は十二の地方農業信用會社の活動を監督するもので、特に主任 director と呼ばれてゐる。當課は右會社の清算完了と共に廢止せらるべきものである。

（六） 總裁代理の一名がその課長を兼任する財務調査課は信用院管理下全機關の財政狀態、經營活動に關する統計を蒐集し、之が經營を誤まらざるやう監督指導するものである。當課はその管理下の銀行會社の債劵發行に就き監督をなし、且つ各土地銀行管區の管理官の手で之等債劵の擔保物の保管を行ふ。

（七） 管理課は院内の人事、用度、電話、電信、圖書、書類保管等の庶務を掌轄する。

（八） 法制課は當院管理下の諸機關に關係ある諸法律を解釋し、法律を作成し又は訴訟事務を扱ふ。四個の係り土地銀行係、中期及生產信用係、協同組合銀行係、訴訟係に分れ、訴訟係は訴訟關係の事項を、他の三係は夫々關係機關に關する法律問題を扱ふ。

（九） 通報課は各管區に分屬する通報係を監督し、信用院の諸種の事業に就て新聞記事を作成し又貸付方法や借入手續を書いたパンフレット、報告書、廻狀の作成配布を行ふ。

次に農業信用院の地方組織を一瞥するに、各聯邦土地銀行管區の四つの機關は同一都市の同一建物内に併合せられ、地方農業信用院協議會 Council of the Farm Credit Administration for the

Districtなる一つの理事會の下に統一政策が行はれる事となつた。更にその活動を有效ならしめ、人事及び諸機能の不必要なる重複を防ぐために、信用院總裁によつて任命せられたる總代理人General Agentと呼ぶ常務役員があり、各四機關の統卒者たる社長presidentの諮問委員たるの資格を有してゐる。

（附記）前節及び本節の叙述に關しては Farm Credit Administration pp. 121-141. Qureshi, Agricultural Credit pp. 138-143. を參照されたし。

第三節　新農業金融體制の特徵

アメリカの新農業金融制度の全般に亙つて最も詳細な解說を行つてゐる最新著はアメリカ銀行協會American Institute of Bankingの出版になるFarm Credit Administrationである。以下該書に示されたる本制度の特徵を擧列すれば次の如くである。

一、協同組織の機關たる事。　信用院管理下の諸機關は協同組織を通して農業者に信用を賦與せんとするもので、その引受ける農業手形の形式を標準化し、擔保に對する貸付の割引限度を規定する。普通不動產、動產、作物を擔保として債務者組合の共同保證によつてその組合員各自へ貸付をなすものである。全國農地貸付組合と生產信付組合とは卽ち斯くの如き一種の協同組合で、借入者はその借入高の五分に當る額だけ組合株を持ち、組合は之を銀行に添擔保additional collateral として提出する。土地銀行や中期信用銀行が比較的安い利子でその貸付資金を得る事が出來るのは之の協同組織の持つ信用性に據るのである。

二、農業者の自治機關たる事。　之の制度は大體に於て農業者の自治的機關である。債務者がその地方の生産信用組合や全國農地貸付組合の理事を選び、之が組合の役員や使用人を決めるのである。（但し生産信用會社が組合の株を持つてゐる間はその承認を經る必要がある）更に債務者或はそれを代表する地方組合が管區評議會の理事七名の內三名を選擧し、又信用院總裁の任命する三名の理事中一名は債務者代表たるを要すと規定され、斯くして債務者は之等の理事を通じて各管區の諸機關や地方組合に對して發言權を持つのである。

三、貸付資金は個人投資家より之を得る。　本機關は民間よりその貸付資金を吸收せんとするもので、政府の金を貸すものではない。聯邦土地銀行は全國農地貸付組合の貸出の擔保たる一番抵當物件及びその他の動産を擔保として債券を發行、普通之を一般市場に賣出してその貸付資金を獲得する。中期信用銀行や産業組合銀行も同樣にして債券を發行する。從つて各機關の資本金はその數倍に上る貸付金に對し保證の働をなすものである。

四、貸付は營業的基礎によつて行はれる。　各機關はその貸付費用並びに貸付より生ずべき損失を償ふやうに或る程度の利鞘を取る。即ち土地銀行は債券の利率より約一分、中期信用銀行も一分、生産信用は三分の利鞘を取るので、普通の場合ならこの利鞘を以て經費と損失を償ひ、更に準備金も出來る筈である。然し利鞘は小さく、貸付より生ずる損失は出來るだけ尠くする要があるから、貸付は出來るだけ健實なる事を要する。然し他方之れは農業者の機關であるから、眞面目な農業者でその資金の用途が正當であり支拂も確實と認められるものには誰にも利用し得るやうにしなければならない。

五、貸付は原價主義による。　各機關は最もコストの安い處で大量に資金を集めて之を農業者に貸付る。その場合若し現在の貸付利子がコストを償ふに足りなければ自然農業者の出資せる機關の資本を食ふ事となり、反對に多ければ各機關の資本は充實して利下げの可能性が生じ、更にうまく行けば農業者の持株に對して配當も出來るやうになる。いづれにしても農業者は借金に就いて原價に近い金額を支拂ふ譯である。

六、完全な統一的組織たる事。　各機關は完全にして統一せる一組織をなし、農業者がその希望する資金の借入を一機關に申出でれば、そこではその必要な資金を貸して呉れる許りでなく、長期間に亙る農業資金の問題にも相談に乘つて呉れる譯で、一個處で如何なる種類の金融の融通をも受け得られる便利があるのである。

第四節　聯邦土地銀行及び全國農地貸付組合

附　土地銀行長官貸付と聯邦農地抵當會社

聯邦土地銀行は既に述べたる如く、一九一六、七、一七、の聯邦農地貸付法によつて設立せられたるもので、農地抵當による貸付をその主たる業務とする。卽ち同法によつて先づ聯邦農地貸付局 Federal Farm Loan Board なる中央統制機關が設置せられ（八月十七日）財務大臣を主班とする五名の委員を以て組織せられた。（後一九二三年七名に擴張せらる）局は先づ十二個の銀行を設立すべき責務を帶び、由て第一に着手すべき仕事は、農業金融の必要程度に應じ且つ一州を分割せざる事を條件として、全國を十二の區域に分ける事であつた。かくて局はその設立後直ちに全國の農業者と會合し、彼等の資金需要に關し直接的な報告を得んとして、實に四十四州に亙り前後五十三回の會合が行はれた。

各管區を分けるに際し特に考慮せられた點は次の九項であつた。卽ち（一）土地總面積、（二）農場總面積、（三）農場內の改良土地面積、（四）抵當に入つてゐる農場數、（五）農地抵當負債現在高（六）農地及び建物の價格、（七）農產物總價額、（八）總人口、（九）農村人口、以上の各項である。右諸項を考慮して得たる結果を多少加減して、同一區域では農地抵當貸付の現在利率が略々同一なるやう、又農業進歩の狀態が大體同じであるやうにした。之は同一管區内に於ける抵當貸付利率は同一たるべき事により、同區内の既存金融機關に及ぼす影響を出來るだけ減少し、その存立を脅かさゞらん事を企圖したものである。又區域内の農業が一種類だと其の農業が不作なりし場合又は市況不振の場合に、その區間の土地銀行の信用狀態を惡化せしめる虞れがあるから、斯くの如き事情を出來るだけ避ける事とした。

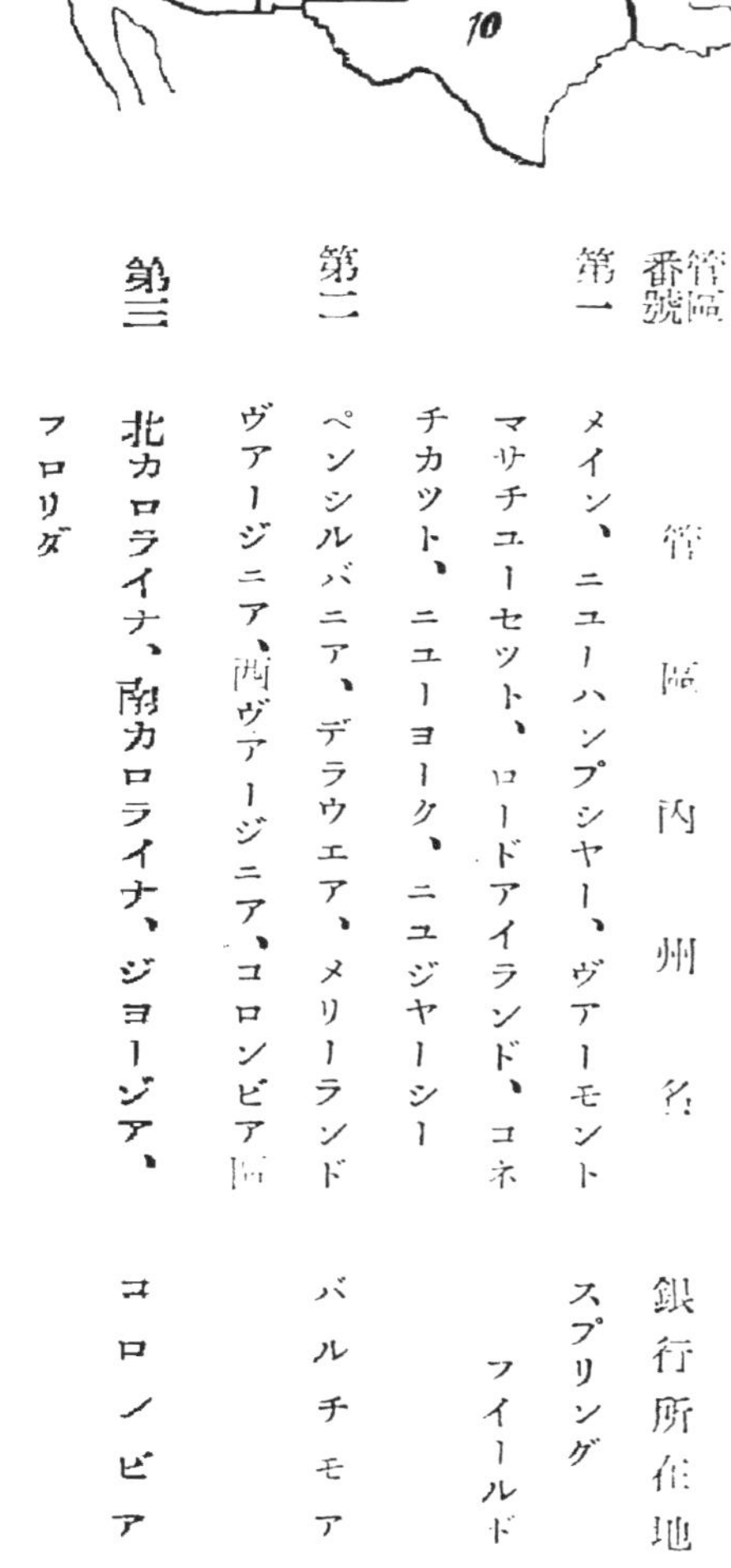

斯くて決定せられたる管區は次の如くである。

管區番號	管區内州名	銀行所在地
第一	メイン、ニューハンプシャー、ヴァーモント、マサチユーセット、ロードアイランド、コネチカット、ニューヨーク、ニュジャーシー	スプリングフイールド
第二	ペンシルバニア、デラウエア、メリーランド、ヴァージニア、西ヴァージニア、コロンビア區	バルチモア
第三	北カロライナ、南カロライナ、ジョージア、フロリダ	コロンビア
第四	オハイオ、インデイアナ、ケンタツキー、テネシー	ルイスビル

管區番號	管區内州名	銀行所在地
第五	アラバマ、ミシシッピー、ルイヂアナ	ニューオルレアンス
第六	イリノイ、ミズリー、アーカンソー	セントルイス
第七	ミシガン、ウイスコンシン、ミネソタ、北ダコタ	セントポール
第八	アイオア、ネブラスカ、南ダコタ、ワイオミング	オマハ
第九	オクラホマ、カンサス、コロラド、ニューメキシコ	ウイチタ
第十	テキサス	ヒューストン
第十一	カリフオルニア、ネバダ、ユタ、アリゾナ	バークレー
第十二	ワシントン、オレゴン、モンタナ、アイダホ	スポーケン

實際貸付高を以て其の區の農業金融需要度を示すものとすれば、結果より見てこの區分は必ずしも當を得てはゐなかつた。何となればオマハ區はその一區のみにてスプリングフィールド、コロンビア、バークレー三行の貸付高合計よりも多く、之に次いでヒューストン、セントポールは多いがバルチモア區はそれ等の半分に滿たない。各區銀行の創立以來一九三三、十二月末迄の貸付口數、金額、その百分比等を示せば次の如し。

管區別聯邦土地銀行の創立以來一九三三年十二月末迄の總貸付口數竝びに總貸付金額其他

管區	貸付口數	貸付金額	百分比	一口平均額
スプリングフイールド	二五、六〇五	弗 八一、九四六、一二〇	四・四	弗 三、一九五

バルチモア	三六、六三三	一〇〇、二四九、四八六	五・三	二、七三七
コロンビア	四二、四七三	九六、九六三、九一五	五・二	二、二八三
ルイスビル	五六、八四三	一八一、〇一七、八〇〇	九・六	三、一八五
ニューオルレアンス	七六、二三五	一五六、六四二、五五五	八・三	二、〇五五
セントルイス	四四、四三三	一六〇、五九一、七四四	八・六	三、六一四
セントポール	五六、五五〇	二一一、七二八、九〇〇	一一・三	三、七四四
オマハ	四六、二三一	二七六、六一四、一九〇	一四・七	五、九八三
ウイチタ	四三、〇〇三	一三九、八一六、六五〇	七・五	三、二五一
ヒューストン	七三、〇九九	二三〇、七九九、四九一	一三・三	三、一五七
バークレー	二二、五八三	九二、七九〇、四〇〇	四・九	四、一〇九
スポーケン	四五、六二五	一四七、七一三、〇二七	七・九	三、二三七
合計	五六九、三六二	一、八七六、八七四、三七八	一〇〇・〇	

cf. Farm Credit Administration, p. 149.

各管區内に於ける銀行設立地は(一)區域内の地理的中心地なる事、(二)交通郵便の便なる事、(三)事務の能率を阻害せざる程度に氣候の不良ならざる事、(四)農業に十分利害關係を有する都市たる事を條件として百餘の町を候補に擧げその内より以上の十二都市が選ばれた譯である。猶各土地銀行は農地貸付局の認可を經て（一九三三、五、二七以後は農業信用院）その管區内に支店を設置する事が出來る。然し實際は現在バルチモア銀行がポートリコに一支店を持つのみで其の他には例がない。

銀行の管理は理事會之に當る。一九二三年以來之は中期信用銀行の理事會を、更に一九三三年以後は他の二機關の理事會をも兼ね、行員任命の權限と土地銀行長官の承認を經て事業上の內規by laws を定める權限を有す。創立當時農地貸付局は各銀行に五名の暫定理事を任命し、全國農地貸付組合の持株が十萬弗に達した場合、即組合經由貸付が二百萬弗に達した時は九名に增員し內三名は農地貸付局の任命するもので一般の利益を代表し、他の六名は全區を六分してその各區內の組合及び代理者經由の債務者より一名宛選擧する筈であつた。此の狀態には間もなく達したが此の條規は遂に實現するに至らなかつた。(註)

(註) 聯邦農地貸付法のオリヂナルの形態に關しては H. Myrick, The Federal Farm Loan System, 1916. A. C. Wiprud, The Federal Farm Loan System in Operation, 1921. 等を參考せられたい。

一九二三、三、四、の農地貸付法の修正では理事の數を七名としその選擧方法も改められた。即ち土地銀行管區を三分しそれより一名宛計三名の地方理事を組合及び代理者經由の債務者をして選擧せしめ、他の三名は農地貸付局が任命、殘り一名は總理事 director-at-large として組合及び代理者經由の債務者による推薦選擧に於て最高點獲得者三席中より局が任命する事とし、同時に當理事會は新設の中期信用銀行の理事會をも兼ねる事となつた。

然るに一九三三年の農地信用法は更に之を變更して、本理事會は生産信用會社竝びに協同組合銀行の理事會を兼ねる事となり、從つてその組織も、七名の理事中三名の地方理事は夫々三種の債務者を代表する事となり、即ち内一名は全國農地貸付組合及び代理者經由債務者より、一名は生産信用組合より、一名は協同組合銀行債務者より選擧せられる譯であり、他の三名の管區理事及び總理事は信用院總裁が之を任命するが、管區理事中一名は必ず全國農地貸付組合及び代理者經由債務者を代表し且つ土地銀行よりの債務者たる事を要し、他の二名は一般利益の代表者たる事を要すとせられた。總理事に關しては何等右の如き制限を必要としない。

各理事の任期は三年で、地方理事と管區理事の一名づつが年々改選せられるやうに仕組まれて居り、總理事の任期は同じく三年であるが、總裁は何時にても之を更迭する事が出來、管區理事も相當の理由があれば總裁に於て之を罷めさせる事が許される。

土地銀行の役員は理事會が之を任命し、普通社長 president 副社長、祕書官、出納官より成る。内祕書官及び出納官は同時に副社長を兼ねる場合が多い。右の役員によつて常務委員會が組織されてゐるのが普通であるが、その場合内規によつて右委員三名以上の同意を以て貸付が決定せられる。一九三三年の緊急農地抵當法 Emergency Farm Mortgage Act（一九三三、五、一二）により申込が激増する迄は本委員會がその調査を行ひ貸付を決定したものであるが、同年五月以後仕事が激增したため一々の申込に對する調査は貸付委員 loan committee が之を行ひ、その推薦により、常務委員會が之を裁可する事となつた。

以上聯邦土地銀行の組織に關する說明を終り次に事業內容に就て見る事にしよう。

一、貸付資金。　既に屢々述べたる如く聯邦土地銀行は決して政府の金を貸す機關ではなく、その貸付資金は債券を一般投資家に賣る事によつて得られるのである。尤も債券市場が不況なりし一九二九年乃至三二年の大部分の期間は勿論、一九三三年及び一九三四年の初期に於ては右の債券は一般市場に賣出されなかつた。卽ち聯邦準備銀行又は復興金融會社に之を賣り、或は復興金融會社よりの借入金の擔保となし、又は聯邦農地抵當會社債券との交換に使つたが、之は莫大な農家負債再金融計畫といふ異常目的によるもので、金融情勢が許すならば當然銀行は一般金融市場にその資金を求むべきものである。

債券を發行するには農地貸付登記官 farm loan resitrar に發行債券と同額以上の一番抵當證書及び又は政府公債を供託する事を要する。然し一般に債券の擔保は殆んど前者により、その場合債券は抵當額の二倍以上の値打ちある農場に對する一番抵當證書を以て保證せられる外に、更に債券の發行額は十二行の資本金及び剩餘金の總額の二十倍以上を越え得ないといふ規定により、その發行額の五分迄は右の資本金及び剩餘金によつて保證せられてゐる譯である。猶一九三三年末の情況では右資本金及び剩餘金は債劵發行高の一割八分三厘に當つてゐた。

二、債劵。　創立の年一九一七年より一九三三年末迄の債劵發行累計額は一、七七一、八三二、八五〇弗、償還額累計は五二九、四九三、六九〇弗從つて現在高は一、二四二、三四〇、一六〇弗であり、發行額の最も多かつたのは一九二二年及び二三年で、前者は二億五千萬弗餘後者は二億三千萬弗餘の發行を見たが、一九二九年には二千萬弗以下に落ち、然も債劵市場不況のため一般市場に殆んど賣り出されなかつた事は既に述べた如くである。

債劵に二種類あつて、一は各銀行が別々に發行する個別債劵 individual bonds 二は十二行が共合して發行する合同債劵 consolidated bonds である。後者は債劵の利息、元金の支拂期が來た時にはその支拂に就て十二行が連帶責任を持つに對し、前者は一次的には只その發行銀行のみが責任を有する譯である。然し右の利子及び元金支拂に對し發行銀行が支拂不能に陷つた場合には、他の十一行が共同してその責任に當るが故に、いづれにしても土地銀行の債劵は結局十二行の共同責任によるものである。劵面は四十弗、百弗、五百弗、及び千弗の四種であるが、信用院の承認を經れば其の他の額面に於ても發行する事が出來る。利率は五分を越す事を得ない。

一九三四年六月末現在十二行總發行額は一、六〇二、三八八、七六〇弗で內一七四、九六〇弗は發行銀行の手持であるから、賣出總額は一、六〇二、二一三、八〇〇弗となる。之を債劵の種類別に示せば次の如し。

聯邦土地銀行債券利率別現在高（一九三四、六、三〇）

債券種別	利率	現在額	百分比
合同債券	四・〇〇分	四五八、三五〇、〇〇〇弗	二八・六
個別債券	四・〇〇	七一、三三一、九八〇	四・四
同	四・二五	二三六、四七四、七六〇	一四・八
同	四・五〇	五四一、八九四、九一〇	三三・八
同	四・七五	一三一、三七八、二四〇	八・二
同	五・〇〇	一六三、七八三、九一〇	一〇・二
合計		一、六〇三、二一三、八〇〇	一〇〇・〇

cf. Farm Credit Administration, p. 157.

右の如く債券の利率は合同債券は四分利附、個別債券は四分乃至五分利附で、債券としては低利であるが、信用が强固なると、更に聯邦、州、市等の税金を免除せられ、或は聯邦政府監督下の信託資金の投資物たる事を得又は貯蓄銀行の投資物として認められる等の特典により、その賣行は良好であり、既發債券も高値を維持し、二九年來の不況時にも政府公債よりは下つたが一流會社債券よりは常に高値を維持する事を得た。

三、貸付高。　十二の土地銀行は一九一七年三月乃至四月の間に認可設立せられ直ちに仕事を始めたが、年内に於て一八、一五四口、金額三九、一一二、一一五弗の貸付を行つた。斯くて次の二年間は順調な增加を見たが、一九二〇年に至り聯邦農地貸付法の違憲問題に引掛つて非常な減少となつた。然しその解決と共に一九二二年には約七萬五千口、二億五千萬弗といふ記錄的巨額に達した。爾來一九三二年に掛けて漸減し、一九三三年を以て再び囘復の緒に就いた。右の數字を表示すれば次の如し。

聯邦土地銀行貸付口數及び金額（一九一七―一九三三）

年度	口數	金額
一九一七	一八、一五四	三九、一一二、一一五弗
一九一八	四九、八〇八	一一八、一三九、八三六
一九一九	四五、四三六	一四四、九八七、一八〇
一九二〇	一七、九九七	六六、九八四、五三四
一九二一	二七、一五三	九一、〇三九、九七六
一九二二	七四、〇五五	二二四、三〇一、四〇〇
一九二三	六〇、一〇〇	一九二、〇八三、〇一五
一九二四	四七、三三七	一六五、五〇九、八四五
一九二五	三九、九〇五	一二七、三五五、四五一
一九二六	三六、八九三	一三一、三一七、七一五弗
一九二七	三九、三六八	一四〇、三八四、二〇〇
一九二八	二六、九八八	一〇三、三三六、四〇〇
一九二九	一七、一三三	六四、三五二、五〇〇
一九三〇	一三、五七二	四七、九七一、〇〇〇
一九三一	一〇、八九八	四二、〇一五、三〇〇
一九三二	七、二〇八	二七、五六九、八〇〇
一九三三	三八、五六八	一五一、六三四、一一一
計	五六九、三六二	一、八七六、八七四、三七八

cf. Frm. Credit Administration, p. 163.

猶銀行別に見るならば、一九三四年六月末現在にてその貸付額の最も多いのは順次オマハ、セントポール、ヒユーストンの各銀行でいづれも二億弗を越え、少いのはスプリングフイールド、バルチモア、コロンビアの三東部銀行でいづれも八千萬弗以下である。

四、收入。　聯邦土地銀行の收入には各種の途があるが、主なるものは貸付其の他投資による收入利息と債劵其の他負債に對する支拂利息との差額である。其の他業務上の收入として申込手數料及び貸付手數料等がある。

經營費の主なるものは理事、役員及び使用人への給料、各組合へ支拂ふ貸付取扱手數料、旅費、通信費、建物什器の減價償却、税金、營業用建物の營繕費、家賃、備品費、印刷費、文具費、其の他消耗品費である。

猶右の經營收支の外に銀行の資産殊に有價證劵又は不動産の處分による損益があり、之等を差引して玆に純益が計上される。

五、法定積立金 legal reserves 及び其の他積立金。　現在の法律では各土地銀行は毎半期毎に益金の半分を法定積立金として、其の額が資本金と同額になる迄積み立て、殘りの全部又は一部を信用院の承認を經て配當に充てる事が出來る。積立金が資本金と同額又はそれ以上に達した後は益金の一割を法定積立金に入れ殘部を配當に充てる事が出來る。

一九二八年以來各土地銀行は一部資産勘定の帳簿價格引下げのため特別評價積立金 special valuation reserves の積立を行つてゐる。其の主なるものは延滯年賦金に對する積立金と所有不動產に對する積立金とである。

一九三四年六月末現行の規定では經營により缺損が生じた時には、先づ繰越益金で償ひ、猶足らざる場合には特別評價積立金、法定積立金、拂込濟剩餘金を繰越益金に移して損失の補塡に當て、然も猶損失の生ずる場合始めて缺損として貸借對照表に表す事となつてゐる。

六、資產狀況。　一九三三年末現在十二の土地銀行の抵當貸付金額は全資產勘定の八割以上を占め、其の他主なる資產は有價證券　現金、所有不動產賣却代金未收分、延滯年賦金（延期せるものを含む）所有不動產、未收利息等で、右の內有價證券は殆んど全部合衆國公債と聯邦農地抵當會社債券とである。猶聯邦農地貸付法により土地銀行は全國農地貸付組合によつて所有されるその株式金額の二割五分だけは流動可能の資產 quick assets にて、特にその內五分は政府公債で所有する事を要求されてゐる。

負債及純財產勘定中最も大なるは債券で全體の八割二分、次は資本金の一割二分八厘である。

一九三三年末現在の十二土地銀行總資產狀況を示せば次の如くである。

一九三二年末現在聯邦土地銀行總資産状況

資産		
抵當貸付	一、二一三、一一〇、四六七・五九	八〇・一%
證券及び現金	九七、二〇三、一九〇・六二	六・四
延滯年賦金	五七、〇一四、六〇四・一〇	三・八
所有不動產賣却未收	三五、六六〇、三五八・一五	二・四
未收利息	二一、二五三、四二八・六六	一・三
所有不動產	七七、六八七、五六〇・九九	五・一
其他	一三、四八一、三七四・九〇	〇・八
計	一、五一四、四〇九、九八五・〇一	100・0

負債及び純財產		
債券	一、二四二、八四六、六〇五・〇〇	八二・一%
未拂利息	一七、六八一、五三五・一一	一・二
其他負債	二五、一七一、二八二・八三	一・七
資本金	一九四、二六七、六一六・七五	一二・八
法定積立金	一四、五四八、〇八八・七〇	〇・九
其他積立金	一、五〇一、七二一・一五	〇・一
拂込濟剩餘金	一七、四一七、五四七・〇六	一・一
繰越益金	九七五、五八八・四一	〇・一
	一、五一四、四〇九、九八五・〇一	100・0

cf. Farm Credit Administration, p. 173.

七、資本金。　聯邦農地貸付法は各土地銀行の株式は一口五弗にて最低資本は一行七十五萬弗と定め、其の株式は個人、法人、各州又は聯邦政府が持つ事が出來る。然し或る聯邦土地銀行の設立が計畫せられ、且つ其の資本金に關する登記が終了したる日より三十日間に一般の拂込が足りなければ、その分は財務省が引き受けなければならない事になつてゐる。扨株式募集の當初土地銀行の株式は一般の人氣なく、總計九百萬弗中個人申込は僅かに一〇七、八七〇弗に過ぎず、殘りの八、八九二、一三〇弗は財務省が聯邦政府の名に於て出資した。然るに全國農地貸付組合が擴張せられるにつれて、其の組合經由負債高の五分に相當する額の出資を要したので、之の組合による持株が急速に増加した。斯くて組合持株高が七十五萬弗を超ゆる時にはその超過額の四分の一は當初の株金の返還に充てられる規定により、一九一八年以來政府持株の拂戾が始まり一九三三年末には最初の持株中僅かに八一、九四三弗を殘す所まで行つた。尤も一九三二年に政府は十二行の增資株一二五、〇〇〇、〇〇〇弗を更に同樣の返還條件で所有する事となり、ために一九三三年の政府持株は全株式の六割四分二厘となつてゐる。

各年度末全聯邦土地銀行株式所有者別調（一九一七—一九三三）

年次	財務省	農地貸付組合	個人債務者	個人投資家	合計	政府持株割合
一九一七	八、八九二、一三〇弗	一、九三二、六八二弗	五、六二〇弗	一〇七、八七〇弗	一〇、九三八、三〇二弗	八一・三%
一九一八	八、七六五、四一五	七、八三八、五〇八	二一、〇八五	一〇三、四三一	一六、七二七、四三九	五二・四
一九一九	七、六九三、二四〇	一七、七八〇、八二三	五六、五四五	四四、四五〇	二五、五七五、〇五八	三〇・一
一九二〇	六、八三三、六八〇	一七、六六三、七二五	七九、二三〇	一五、八八〇	二四、五九二、五一五	二七・八
一九二一	六、五九八、七七〇	二一、九九七、一四五	一〇一、五三五	九、七二〇	二八、七〇七、一七〇	二三・〇
一九二二	四、二六四、八八〇	三二、六〇二、二一五	一三一、九三〇	三、八九〇	三七、〇〇二、九一五	一一・五
一九二三	二、四四四・二八五	四〇、九三六、三九〇	二五〇、〇四〇	二、〇四〇	四三、六三二、八五四	五・六

一九二四	一、六七〇、九六五	四七、五三四、三三五	四〇〇、一九〇	一、五八五	四九、五九七、〇七五	三・四
一九二五	一、三三一、九三〇	五一、九二九、八六七	五二一、六七五	—	五三、七八三、四七二	二・五
一九二六	一、〇五八、八八五	五六、〇七三、三六五	六三三、〇四五	—	五七、七六四、二九五	一・八
一九二七	七一〇、六五一	六〇、七〇四、三八五	七一一、八二五	—	六二、一二六、八六一	一・一
一九二八	四三九、二三五	六三、五四五、〇五四	七七三、〇三五	—	六四、七五七、三一四	〇・七
一九二九	三三五、九八三	六四、五九四、五三五	八一四、九三五	—	六五、七三五、四五三	〇・五
一九三〇	二六七、七三四	六五、〇二八、五六〇	八三七、一一五	—	六六、一三三、四〇九	〇・四
一九三一	二〇四、六九八	六四、六四五、三三七	八二六、一〇五	—	六五、六七六、一三〇	〇・三
一九三二	一三五、〇四三、四一〇	六三、一九七、〇三三	八〇四、四〇〇	—	一八九、〇四七、八四三	六六・二
一九三三	一三四、六四八、三九八	六八、二九二、八七四	一、三三八、三四五	—	一九四、二六七、六一七	六四・二

cf. Farm Credit Administration, p. 177.

八、配當。　規定により政府持株に對しては配當が附かないが、其の他の株式に對しては各銀行の事業成績により配當が附く事は勿論である。今十二行につきその情況を見るに、オマハ、ヒユーストン二行は十七年間に十五箇年の配當を行つてゐるが、コロンビア銀行は僅か六箇年しか配當を行つてゐない。一九三〇年以後に配當したのは僅か三行、三二年以後は何れの銀行も無配當で、十二の銀行が揃つて配當をなしたのは一九二四年のみである。配當率は各銀行により年度により極めて區々であるが最高は一割三分であつた。右の情況を表示すれば次の如くである。

管區別及び年度別による聯邦土地銀行の株式配當率（%）

	一九一七	一九一八	一九一九	一九二〇	一九二一	一九二二	一九二三	一九二四	一九二五	一九二六	一九二七	一九二八	一九二九	一九三〇	一九三一	一九三二	一九三三
スプリングフイールド	三	三	三	三	三	五 11/12	三 1/2	四	五 1/2	四	—	—	—	—	—	—	—
バルチモア	六	六	六	六	六	六	五 1/2	七	七	六	六	—	三 1/4	—	—	—	—
コロンビア	—	—	—	六	六	七	六	六	三	—	—	—	—	—	—	—	—
ルイスビル	八	八	五	一三	一〇	一〇	八	八	八	八	八	八	六	—	—	—	—
ニユーオルレアンス	八	八	八	八	八	七 1/2	八	八	八	八	—	—	—	—	—	—	—
セントルイス	八	八	八	八	八	一〇	八	八	八	八	四	—	—	—	—	—	—
セントポール	六	六	三	六 1/2	八	八	一〇	一〇	六	六	—	—	—	—	—	—	—
オマハ	九	九	一一	九	一〇	一三	一〇	一三	一〇	一〇	八	八	八	七	二	—	—
ウイチタ	九	九	九	九	一〇	一一	八	八	八	八	八	八	八	八	—	—	—
フーストン	八	八	八	八	八	一〇	八	一〇	一〇	一〇	一〇	一〇	一〇	六	一 1/2	—	—
バークレー	六	六	三	九	六	七	八	二	四	四	六	二	二	—	—	—	—
スポケーン	六	六	三	六	六	九	三	三	—	—	—	—	—	—	—	—	—

cf. Farm Credit Administration, p. 178.

全國農地貸付組合

全國農地貸付組合が聯邦土地銀行より貸付を受くるために地方の農業者によつて作られる協同組合なる事は既に屢々述べた如くであるが、その目的とする所はそれ等農民債務者をして其の地方の貸付事務に就き一層緊密な利害關係或は責任を持たせやうとするに外ならない。組合は二つの主要なる機能を持つてゐる。即ち一は聯邦土地銀行貸付金借入の發起及び裏書、二は年賦金の徴集であるが、此の外に土地銀行の內にはその所有する農地の管理及び賣却をその地方の組合の祕書出納役 secretary-treasurer に委託せるものもある。

一、組合の組織。　組合を設けんとせば先づ十名以上の發起人が集り、組合の目的、區域、事業方法等を定めたる組合定款を作つて其の管區の土地銀行へ送り、之に添へて右定款署名者は孰れも抵當物たり得る土地を所有し又は所有せんとしてゐる事、その借入金は合計二萬弗以上たる事、理事會、貸付委員、祕書出納役等の諸機關も暫定的に組織しある旨の宣誓書を提出し、同時に各發起人は土地銀行貸付金借入申込書を作り、暫定貸付委員が其の人物、支拂能力及び擔保物等に就て書面報告を作製せねばならない。銀行は定款、借入申込書其の他の書類を組合から受取ると鑑定員を派して農場の評價、申込人の支拂能力等の調査をなさしめ、之に基いて組合設立の必要ありや否やに就き意見を定める。次に先の定款宣誓書等と共に右の意見書が信用院へ廻附され、そこで最後的の認可か否かが決定せられる。

二、直接貸付。　聯邦農地貸付法は一九三三、五、一二の緊急農地抵當法によつて修正せられ、土地銀行は組合の存在せぬ地方、又は存在するも財政狀況より見て其の組合を通じての貸付が出來ないやうな地方では、個人に直接に貸付が爲し得る事となつた。之の場合適當區域内に十人以上の直接債務者が出來且つその債務合計が二萬弗以上に達した場合には、前述と同樣の手續によつて組合を結成する事が出來る。組合設立が認可されると各債務者の土地銀行持株は取消され、各員は同額の組合株を渡される。之によつて各組合員の債務は組合によつて裏書きされ、優良な債務者は之の信用によつて借金の利率を五厘下げて貰へる。（直接貸付に就ては後に詳述す）

三、資本金。　組合の借入金は二萬弗以上たる事を要し、それに對し各員は五分の出資をしなければならないから、結局組合の最低出資金は一千弗といふ事となる。最高には制限なし。各組合はその組合員によつて出資せられたると同額の出資をその管區の土地銀行に對して拂込む。

四、區域。　初め聯邦農地貸付局は組合設立の認可に當つて組合區域の重複を避けるやうに處理しなかつたため、無暗に小さな組合が設立せられて充分な機能を發揮し得ない憾みがあつた。由つて信用院の方針としては現に活動中の組合の無い所に限り新組合の設立を認め、既に一區域に數個の小組合の存する場合には出來るだけ之を合同せしめるやうにしてゐる。

五、組合員の資格。　組合員は組合區域内の農場を擔保として土地銀行から金を借り、組合株を持ち又は既に其の株の應募をしてゐる自然人に限る。發起人以外の者の組合加入には理事三分の二以上の贊成を要する。債務を完濟して組合株を拂戻されると組合員の資格を失ふ。

六、年次總會。　組合年次總會は定款所定の日時、場所に於て開催せられ、次年度理事の選擧をなし理事會秘書出納役、貸付委員等の報告を聞き、其の他普通總會に提出される事務を處理する。出席者は持株に應じ投票權を有するも、一人で二十票以上の權利を行使する事は出來ない。代理投票は夫が組合員たる妻を代理し、又はその反對の場合と、共有者中の一人が他の者の利益を代表する場合とに限り許される。臨時總會は理事會の要求又は組合員五名以上の要求によつて召集せられる。

七、理事會。　組合の事務は理事會の處理するものであり、年次總會によつて選擧せられたる普通五人の理事より成る。資格は組合區内に居住する組合株主なれば誰でもよい。

八、收入及び支出。　組合の主なる收入は借入申込手數料と貸付手數料とで、法定積立金の利息と土地銀行配當金も組合によつては相當の收入となつてゐる。申込手數料は十弗とし申込金額が千弗以下の場合は其の額の一分を徵するを例とするも、一九三三年借替を多く扱つた當時この料率による申込手數料は農業者により相當の負擔だつたので、組合の手數料は一弗とした。貸付手數料は貸付高の一分であるが之は最初の借入申込手數料を差引いて計算する。

支出の主なるものは祕書出納役の給料、郵稅、消耗品代、會合場所及び事務所借賃、理事の報酬、地方鑑定員費等で、右の收入支出を差引いて剩餘ある時は資本金の二割五分に相當する額迄法定積立金として毎半期純利益の一割を積立て、豫定金額に達したる後は利益の五分宛を之れに繰込む。右の積立をして尙生ずる殘餘は全部又は一部を株主配當に充てる事が出來る。然し法定積立金に喰込みがある場合は之を補塡する迄は配當し得ない。積立金は信用院の規定に從ひ普通土地銀行債券に投資せられてゐる。

九、組合の規模。　組合の規模とは貸付金額の高による區別であるが、五萬弗以下の小組合より四百萬弗以上の大組合迄種々の差等がある。一九三三年十一月末現在貸付現在額別組合數を示せば次の如くである。

一九三三年十一月末貸付現在額別農地貸付組合數及びその比率

貸付現在額	組合數	百分比	累計數	百分比
五萬弗以下	七六三	一六·〇	七六三	一六·〇
五萬弗—一〇萬弗	八六三	一八·一	一、六二五	三四·一
一〇萬弗—一五萬弗	六六一	一三·八	二、二八六	四七·九
一五萬弗—二五萬弗	八三八	一七·五	三、一二四	六五·四
二五萬弗—五〇萬弗	九七二	二〇·四	四、〇九六	八五·八
五〇萬弗—七五萬弗	三四六	七·二	四、四四二	九三·〇
七五萬弗—一〇〇萬弗	一六一	三·四	四、六〇三	九六·四
一〇〇萬弗—二〇〇萬弗	一五一	三·二	四、七五四	九九·六

87

二〇〇萬弗—三〇〇萬弗	一六	〇·三	四,七七〇	九九·九
三〇〇萬弗—四〇〇萬弗	三	〇·一	四,七七三	一〇〇·〇
四〇〇萬弗—五〇〇萬弗	一	—	四,七七四	一〇〇·〇
合計	四,七七四	一〇〇·〇		

cf. Farm Credit Administration, p. 191.

農地抵當貸付機關の受信業務

以上農地抵當貸付機關たる土地銀行及び全國農地貸付組合の大體の説明を終つたが、右の機關による受信業務に關しては玆に一括して之を述べる事とする。

一、申込。　聯邦土地銀行貸付金借入申込は大陸内では全國農地貸付組合又は地方の貸付代理者を經由し、ポートリコ島民はバルチモア銀行同地支店へ直接申込をする。

最初の聯邦農地貸付法によれば、土地銀行は組合經由貸付と代理者經由貸付と二樣の貸付をなす事が出來たが、代理者經由貸付とは組合が未だ組織されず、且つ將來にありても特殊の事情により之が設立を見ないであらうと推定せられる區域に限つて行はれ、法人組織の銀行、信託會社抵當會社或は貯蓄銀行が之れに當る事と定められた。代理者はその經由貸付を保證し土地銀行の要求によりては貸付の回收にも當つた。債務者は直接に土地銀行の株式を持つ。然し規定による代理者貸付は從來セントポール銀行だけに行はれてゐたが、今は全く行はれてゐない。

二、貸付期間。　一九二九年末土地銀行貸付現在高十一億九千八百萬弗中九割五分二厘に當る約十一億四千百萬弗は三十三箇年乃至三十六箇年の期間、四分五厘は二十箇年又はそれ以下であつた。

三、利率。　組合經由土地銀行貸付利率は該銀行の最近發行債劵の利率を一分以上越すを得ない規定により、土地銀行貸付利率はその銀行の資金獲得のための利率によつて定まる譯である。創業以來數年間は右の利率差を五厘としてゐたが、現在ではその最高額たる一分を取つてゐる。猶最高利率として組合經由貸付利率は年六分を超過し得ない事となつて居り、直接貸付はそれよりも五厘高とせられる。(直接貸付が組合經由貸付となつた場合その五厘が低下せしめられる事は既に述べた如くである)

一九三三年の緊急農地抵當法は右の利率の一時的引下げを規定したが、それによるとポートリコ支店貸付以外の全土地銀行貸付にして一九三三、五、一二、現在のもの及び同日以後二年間の組合經由貸付は總て一九三三、七、一一以降五箇年間其の利率を四分五厘に引下げ、直接貸付及びポートリコ支店貸付は之より五厘高の五分に引下げられた。(同法二十四條)尤も右は一時的のもので其の期間を經れば元に復する事は勿論である。

一九三三年末現在聯邦土地銀行利率別貸付高を示せば次の如し。

一九三三年十二月末現在聯邦土地銀行利率別貸付口數竝びに貸付額

年利率	貸付口數	貸付額	貸付額比率
分 五・〇〇	一二八、三六八	千弗 四〇一、八〇九	三三・一
五・二五	一四、二六七	五八、三二〇	四・八
五・五〇	二五〇、七五〇	六四八、六九八	五三・三
五・七五	一〇	四四	—
六・〇〇	四五、三八四	一〇五、七〇九	八・七
六・五〇	一八三	九四三	〇・一
合計	四二八、八〇一	一、二一五、五二三	一〇〇・〇

cf. Farm Credit Administration, p. 206.

四、償還方法。　土地銀行貸付は全部年賦償還方法で、之にはスプリングフィールド年賦償還法と標準年賦償還法の二種がある。前者は元金を平等に支拂ひ之に殘元金に對する利息を加へて毎年の償還金とする方法であり、後者は元利合計にて一定金額として之を年々償還する方法である。スプリングフィールド年賦償還方法は元金の減少早く從つて抵當物に對する貸付割合が低下するから銀行にとつては有利であるが、農業者にして見るを最初數年間の利息の支拂が多額に上るが故に標準方法による方が有利の譯である。

五、貸付金額。　最初の聯邦農地抵當法によれば一人當り貸付額の最低は百弗最高は一萬弗とせられてゐたが、其後一九二三、三、四、の改正によつて最高が二萬五千弗にせられ、更に一九三三、五、一二、以來五萬弗に引上げられる事となつた。但し二萬五千弗以上の場合には土地銀行長官の承認を要し、又土地銀行の規定により二人の鑑定員に別々にその抵當物件を評價させる事を必要とする。創立以來一九三三年來迄に全國の土地銀行で貸した平均金額は三、二九六弗であり銀行別に見るとオマハ銀行が最大、南部諸州を含むニユーオルレアンスとコロンビア銀行に於て少額である。

貸付金額はその抵當農場の値打によつて制限を受けるが、右貸付は土地價格の五割、恒久的改良施設價格の二割を越す事を得ない。此の評價は土地銀行鑑定員が行ふもので、果樹に對しても適當な價格が見積られる事がある。農場評價に當つては鑑定員はその收利力を以てその土地の農業用價値を決定するが、又正常價格又は市場價格を以てする場合もある。正常價格とは一九〇九年乃至一九一四年間の價格を基礎とし、その時以來の税金の増加、農産物の變化を考慮して決めた價格である。緊急農地抵當法による農地抵當負債の借替(後述)には、之の正常價格が利用せられた。猶土地銀行貸付の實際上の金額を見るに、右の法律によつて制限せられる最高貸付可能額の約八割五分に當つてゐる。

91

六、擔保。　土地銀行貸付金の擔保は右貸付申込以前に郡役所に於て登記濟みとなつた農地に對する一番抵當たる事を要する。

七、資金用途。　土地銀行貸付は次の五つの用途に對して爲される。

（イ）農業用土地の購買

（ロ）金融を受けてゐる農場の適切且つ合理的な經營のために必要なる設備、肥料、家畜の購入

（ハ）建物の築造修繕及び土地改良費

（ニ）農業目的のために、又は一九三三年一月一日以前に於て其他の目的のために生じたる土地所有者の舊債借替

（ホ）農地所有者の經營用運轉資金

統計によつて貸付の用途別割合を見ると、創立以後一九三四年四月末日迄の每年の貸付金に於て年々約六割が抵當負債の借替、一割一分三厘乃至三割七分六厘が他の負債の借替、卽ち全體として七割四分乃至八割七分が舊債の借換に使はれてゐる。一九三三、五、一、―一九三四、四、三〇、一年間の貸付資金用途別割合を示せば次の如くである。

聯邦土地銀行貸付資金用途別割合（一九三三、五、一―一九三四、四、三〇）

資金用途	百分比
抵當負債借替	六七・一
其他負債借替	二〇・四
土地購入	三・三
組合株又は銀行株購入	五・〇
農業經營資金	一・二
建物の建造修繕及び土地改良	一・一
貸付手數料	一・一
設備家畜肥料の購入	〇・八
合計	一〇〇・〇

cf. Farm Credit Administration, p. 212.

猶資金用途中第五の經營用運轉資金への流用は一九三三、五、一二、の改正に由つて許容せられたものである。

八、回收。collection　貸付金の回收方法には銀行、債務者間の直接交渉にして銀行から債務者へ直接に拂込通知書や領收證を送る所もあり、又總てを組合經由で行ふ地方もある。然し年賦金支拂が延滯した場合には普通延滯表を組合の秘書出納役に送り、それに徵集させる事としてゐる。

九、延滯。 delinquency　一九三〇年迄は回收には餘り困難がなく、二七、二八、二九、各年末の延滯口數は全貸付口數の六分以內であつたのが、其後增加して遂に一九三二年末には四割五分に達し、一九三三年七月を最高としてそれからは漸次減少しつゝある。右を表示すれば次の如し。

土地銀行貸付年度延滯情況（一九二七—一九三三）

年度	延滯貸付金		全貸付金に對する割合	
	口數	殘元金（千弗）	口數	殘元金
一九二七	二一、一〇〇	七八、三四一	五・四	六・八
一九二八	二一、二〇二	七一、四〇八	五・二	六・〇
一九二九	二四、二七二	七七、八六四	五・九	六・五
一九三〇	四三、八六八	一三七、四四七	一〇・七	一二・六
一九三一	九四、三三七	三〇四、九二八	二三・一	二六・一
一九三二	一八〇、三九二	五九三、五九三	四五・〇	五二・六
一九三三	二〇九、一六五	六二七、四〇四	四八・八	五一・七

cf. Farm Credit Administration. p. 217.

十、延期。 extension　支拂延滯に對し抵當流し處方を行ふ代りに長期に亙り支拂延期を行ふ事があるが、之れによつて銀行は債務の元利支拂、經營費の支辨等に必要なる豫定收入を得られない事となるので、之れを補ふために一九三二及び三三年に聯邦農地貸付法の修正が行はれ、右の延期額を財務大臣が各銀行へ拂込剩餘金として交付する事となり、そのために議會は一億二千五百萬弗の支出を認めるに至つた。猶一九三四年二月末現在で延滯年賦金の約半分が延期を認められてゐる。

十一、延滯金利子。　延滯金、税金、保險料其他の代拂金に對しては聯邦農地貸付法によつて銀行は年八分の利息を取る事が出來る。但し緊急農地抵當法は一九二八、三一、三迄の五箇年間を限り之れに新規貸付と同率の特典を與へてゐる。

十二、取得不動産。　土地銀行は場合によつてはその貸付金の一部を囘收するために抵當農地に抵當處分を行ふ事があるが、土地所有は銀行の本旨ではなく從つて可及的速かに之を農業者の手に返却せんとの方針を採つてゐる。規定によつて銀行は信用院の許可ある場合を除いては五年以上の所有を許されない事となつてゐる。右賣却の場合銀行はその價格の一部を現金で、殘額は買手の希望によつて之を長期年賦償還法によつて貸付けるのが普通である。

土地銀行長官貸付

一九三〇年より加速度的低落を續けつゝあつた農産物價格は三一、三二年の交に於て遂に農家經濟を最後の急迫に追ひ込み、累積せる負債の重荷は幾多農家をして彼等の生命と頼む農地を喪失するの止むなきに至らしめた。此の未曾有の農業恐慌を救ふためには又異常な手段が講ぜられなければならなかつた。一九三三年五月十二日公布せられたる農業救濟法 Farm Relief Act こそはルーズベルト政權が此の農村窮乏に對處せんがために發したる劃期間政策であつて、その法律の第一部が有名な農業調整法 Agricultural Adjustment Act であり、本篇に於て屢々觸れ來つた緊急農地抵當法は實にその第二部をなすものである。(拙稿AAA參照)前者が農產物の生產及び流通に關する統制策であるのに對して後者が、農業金融特に農地抵當金融制度に對する應急對策なる事は謂ふ迄もないが、緊急農地抵當法は本篇に於て屢々見たる如く聯邦農地貸付法の應急的修正をなすの外、一つの重要な非常金融政策が織り込まれてゐた。本項に述べんとする土地銀行長官貸付 Land Bank Commissioner's Loan がそれである。目的とする所は農地の抵當流し處分から農家を救はんとするもので、右のため土地銀行長官は復興金融會社より二億弗の基金を得、之を直接農業者に貸付ける權能が與へられた。然して一九三四、一三、一、の聯邦農地抵當會社法(後述)では更に同會社債券を以て六億弗迄の貸付を行ふ事が出來るやうになつた。猶之等資金の貸付取扱期間は一九三六年二月一日迄であるが、其後も借替は之を許す事となつてゐる。實績を見るに一九三三、五、一二、より一九三四、六、三〇、迄に二一八、七三四口、金額三八〇、八〇九、九〇一弗の貸付をなしてゐる。以下右の制度に關して略述する。

一、組織。　法律が公布せらるゝや各土地銀行に長官代理が置かれ貸付事務を行はしめる事となつた。即ち鑑定は銀行の鑑定員の手を借りたが、其他の仕事は別に職員を置き、借入申込書の如きも銀行貸付とは別に作らせ手數料も別にとるやうになつてゐたが、一九三三、八、二五、以來は土地銀行が右代理人の責任を採る事となつて事務が統一せられる事となつた。

二、申込。　土地銀行貸付申込の場合と同じ地方機關及び代理者によつて取扱はれる。

三、資格。　貸付を受ける者は農業者に限る。茲に農業者とは法律によれば、自ら又は代理人若くは小作人をして實際に農業に從事してゐる個人、主なる收入を農業より得てゐる個人、及び死亡農民の個人的代表者を云ふ。

四、期間。　抵當負債の借替にして一定の條件に適ふものは四十箇年迄認めるが、其の他の目的のものは十三箇年に限られてゐる。事業開始以來一年間の情況を見ると貸付口數の八割六分八厘、金額の八割三分六厘は十三箇年期限で、他はそれ以上、それ以下のものは極めて尠い。

五、利率。　利率は五分を超過し得ない事となつて居り、最初の一年間に於ける利率は右の最高限度によつて行はれた。

六、償還方法。　曩きに述べたスプリングフィールド式年賦償還方法により、最初の三年間は利子のみを支拂つて元金は据置かれ、以後年々又は半年毎に利子と共に同額の元金を分割償還する。

七、一口の金額。　一人に對する最高額は一九三四、一三、一、迄は五千弗であつたが、以後七千五百弗に増加せられた。右の絶對額に對する制限の外、擔保の評價額による制限があるが、之は擔保とせられる農場、恒久的改良施設、及び他の動産評價額の七割五分迄とせられ、二番抵當の場合は先順位のものと併せて七割五分迄が許された。

八、擔保。　右の如くこの貸付には一番抵當の外に二番抵當が許されてゐるが、この場合には先順位抵當權者が三年乃至五年間は自分の貸金の元金支拂を怠つたからと云つて借主に對し訴訟を提起しないと云ふ同意を必要とする。擔保物は農場及び恒久的土地改良の外に家畜、機械其他の動産も認められる。

九、用途。　貸付金の用途は抵當負債其他舊債の借替、農業用運轉資金、抵當流し處分に遭つた農地の買ひ戻し等である。

聯邦農地抵當會社

聯邦農地抵當會社　Federal Farm Mortgage Corporation　は一九三四、一、三一、の聯邦農地抵當會社法によつて設立せられたるもので、土地銀行長官貸付に對して六億弗の資金を提供するものである事は既に述べたが、同會社設立の主たる目的は聯邦土地銀行債券の市場性を擴大せしむるにあつた。

恐慌以來聯邦土地銀債劵の賣行は漸次惡化し來り、銀行はその貸付資金を得る事が困難になりつゝあつたが、之に反して農村の困窮は反つて益々その資金の需要を擴大せしめて行つた。然るに一九三三年五月土地銀行が舊債借替の緊急政策に乘り出す事になつて銀行は巨額の資金を必要とするに至り議會は一九三五、五、一三、以前に發行せらるへき土地銀行債劵に對し二十億弗を限度として、その利子四分を財務大臣が保證する事を決議した。然し斯くの如き利子保證のみでは尙一般から資金を吸收する力なく、由つて之等の債劵は復興金融會社にその借金の擔保として入れられる事となつた。右の次第で結局一般から資金を吸收するためには利子は勿論その元本も之を政府が保證するといふ方法を採るより他に途がなかつた。此の目的のために建てられたのが卽ち聯邦農地抵當會社である。

その方法は會社は先づ政府によつて利子竝びに元本を保證せられてゐる債劵を發行し、之を聯邦土地銀行發行の合同債劵と交換するか、又は會社がその債劵を賣つて得た資金を以つて改めて土地銀行合同債劵を買入れるか、いづれかの方法を以てせられる。要するに農地抵當會社は聯邦土地銀行の財務代理人に當る譯である。事務所は農業信用院内に置かれ、理事は財務大臣（又はその指名せる者）と土地銀行長官及び信用院總裁の三人で、議長は總裁が勤める。

會社の資本金は曩の緊急農地抵當法によつて土地銀行長官貸付に充てられたる二億弗（復興金

融會社出資）を以てし、財務大臣の認可を經て二十億弗迄の債券を發行する事が出來る。債券は元利を政府が保證する外、債券竝びにそれより生ずる收入は聯邦、州、市其の他地方税免除の特典が與へられてゐる。

一九三四年二月設立以來同年五月迄に會社は二種の債券を一般に賣出した。第一は三分二厘五毛利付債券で十年据置、二十年償還、第二は三分利付十年据置五年償還債券である。三四年六月二十七日現在前者が九九、九八〇、七〇〇弗、後者が九一、八〇〇、八〇〇弗出て居り孰れも發行以來額面以上の値段で賣られてゐる。

（附記）本節の記述に關しては Farm Credit Administration 第五章、第六章、第十章を參照されたし。

第五節　聯邦中期信用銀行

一九二三年の農業信用法によりて設立せられたる本銀行は當時その監督權は聯邦農地貸付局に與へられてゐたが、農業信用院設立と共にその管下に移され、中期農業信用の再金融機關として新農業金融體制の一支柱とせられたる事情は既に述べた如くである。猶その組織及び監督等に關しても既に見た所であるから之を略し、以下その事業內容を解說する。

一、資本金。　當初資本金は一行各々五百萬弗、十二行總體で六千萬弗で、財務大臣が引受け、銀行理事會より要求ある場合聯邦農地貸付局の承認を經て拂込む事とし、一九二三、四、二一、第一回拂込があり一九三三、六、二六、を以て全部の拂込を了した。然るに一九三四年の聯邦農地抵當會社法による聯邦農地貸付法の修正によつて多額の增資がなされる事となり、それによつて信用院總裁は財務大臣の承認を經て各中期信用銀行に對しその必要額を、資本金又は拂込濟剩餘金として政府に代つて應募するの權能と、更に必要に應じて右の資本金又は拂込剩餘金高を增減するの權能とを附與せられた。卽ち右の資金として四千萬弗の運轉資金が設定せられ、總裁はその權限によつて各十二銀行に對し合計一千萬弗の資本金と三千萬弗の拂込剩餘金を出資する事となり、一九三四年六、七兩月中にその全部の拂込を了し、斯くして十二銀行の拂込濟資本金は今や七千萬弗となり、その他に多額の剩餘金を擁するに至つた。

二、貸付資金。　銀行はその拂込濟資本金の大部分を政府公債と政府保證附の聯邦農地抵當會社債券とに投資して居り、貸付資金は主として擔保附短期債券を一般に賣却して之を集める。猶中期信用長官の承認を經れば各銀行は聯邦準備銀行及びその他の銀行で手形の再割引を受ける事が出來、又同じく長官の承認を經て他の中期信用銀行又は商業銀行から借入をなす事も出來る。

三、債券。　各銀行は法律の定むる所により信用院の承認を經て償還期限五箇年以內の擔保附債券を賣出す事が出來る。同債券は尠くとも額面と同額の現金、手形又は貸付證書を擔保とする事を要し、總額は拂込濟資本金と剩餘金との十倍迄に限られてゐる。

元利金は全國の各聯邦準備銀行、各中期信用銀行に於て支拂はれ、發行銀行が第一次的に責任を負ふは勿論、他の中期信用銀行も發行銀行の資産を以つてして支拂不能に陷つた元利に對して責任を負ふ。猶法律は數行間に於て支拂期限に達した債券の償還に就てその資金融通の公式協定をなす事を要求してゐる。

債券の賣出は紐育駐在の各銀行の財務代理人によつて行はれる。普通月の十日に賣出し十五日に債券を交附する。期限は當時の市場情勢並びに銀行の必要により區々なるも、なるべく毎月期限の來るものがあるやう、又貸付金償還の多い時節に多く期限が到來するやうに按配する。利率は各行で適當に決めて信用院の承認を經るのであるが、市場の情勢又は期限等によりて異り中期のものは短期のものに比して高率なのが普通である。

聯邦準備銀行は法律によつて定められたる範圍内に於て、六箇月以内に制限の到來すべき中期信用銀行債券の賣買をなす事が出來、之によつて一般市場の情勢不良で債券の消化困難なる時、中期信用銀行は大なる援助を準備銀行から得られる譯であるが、更に聯邦準備銀行はその加盟銀行に對し、六箇月以内に期限到來すべき中期信用銀行債券を擔保として十五日以内の貸付をなし得る事となつてゐる。猶聯邦中期信用銀行が聯邦準備銀行から再割引を受け得る事は既に述べたが、その手形は九箇月以内に期限到來すべきものに限られてゐる。

聯邦中期信用銀行創立以來一九三四、六、三〇迄の毎年の債券發行額及び年末現在高を表示すれば次の如くである。

中期信用銀行債券發行額竝びに未償還額（一九二三―一九三四）

年次	年度內發行額（千弗）	年末現在額（千弗）
一九二三	三〇、五〇〇	三〇、五〇〇
一九二四	八七、一五〇	四九、七一〇
一九二五	八〇、四五〇	五八、六九九
一九二六	一一〇、七五〇	六八、五八〇
一九二七	八〇、七五〇	四八、二七五
一九二八	一一〇、〇九〇	四四、九七五
一九二九	一一五、七一五	四九、一六〇
一九三〇	一九七、九二五	一〇三、四七五
一九三一	一九八、二〇五	七九、〇三〇
一九三二	二一五、一七〇	七三、六〇〇
一九三三	一七二、二七五	一三八、八八五
一九三四	一六六、四九〇	一八七、二一〇
合計	一、五六五、四七〇	

cf. Farm Credit Administration, p. 264.

猶債劵の償還期限は法律では五箇年迄認められてゐるが、實際は最短が十四日、最長が二年になつて居り、從來發行の分は大體に六箇月が多く、一九三四年六月末迄發行分の平均は六箇月三分となつて居り、全體の三割八厘は四箇月半以内、四割一分二厘は四箇月半乃至七箇月半、二割八分が七箇月半以上となつてゐる。

四、授信業務。　本銀行は預金、其の他一般銀行業務を營業とせず、又個人に直接貸付する事も許されない。即ちその業務とする所は次の如き農業に直接關係ある三種資金の貸付をなす事である。

（一）作物の生産及び收穫、家畜の飼育、蕃殖、肥育、竝びに販賣
（二）重要農産物の協同販賣
（三）農業用品の協同購入

以下之等に就て簡單な説明を加へやう。

（一）　生産信用。作物の生産、耕作、收穫のための資金、家畜の飼育、蕃殖、肥育、販賣及び酪農業資金竝びに一般農業經營資金は一九三三年の農業信用法による生産信用組合（後述）州法及び國法銀行、農業信用會社、家畜貸付會社、其の他州法又は國法による金融機關を通じて供給せられる。即ち右の諸機關は中付信用銀行に於てその農業手形の再割引を受け、又はそれを擔保と

して直接に借入をなす事が出來るのである。(註)

(註) 一九二三年の original Act では是等の金融機關は自己が農業者に對して割引した手形の再割引を中期信用銀行から受けるといふのが立前であつたが、一九三〇年六月の改正によつて、割引資格ある手形を擔保として、自己發行の手形によつて直接貸付を受ける事が出來るやうになつたのである。

本法はその制定の主旨が非常救濟を目的とするものでなく、最も堅實なる恒久的施設たらんとするものであつたから、その割引貸付に就ては種々の制限が附されてゐる。その第一は資金の用途で、貸付金の用途は農業目的に限られ(飼料、種子、肥料等の買入、器具の買入修繕、家畜の買入、雇人費、穀物の收穫及び脱穀、繰綿、青果類の包裝等の費用、農場及び牧場の地代、農場改良施設の維持費竝びに之等舊債の借替)農業目的以外に使つたものは農業者の振出せる手形であつても、又擔保が農業用動產や家畜であつても當銀行で再割引を受け、又は之を擔保に貸付を受ける事は出來ない。

第二は利率の制限で現在の規定では(一九三一年四月改正)中間機關の貸付利率が中期信用銀行の割引利率より年三分以上のものは割引貸付を受ける資格がない。例へば中期信用銀行の割引利率が二分ならば年五分迄の貸付利率の手形でなければ割引を受ける資格がない譯である。故にもしどうしても中期信用銀行から再割引を受け又はそれを擔保として借入せんとするならば、右の規定迄その手形の利子を下げなければならない。猶各中期信用銀行の再割引利率は今迄二分乃至六分であつた。

第三は手形の期限で、之は法律では三年以内とされてゐるか、實際には三年期限のものは殆んどなく、普通九箇月乃至十二箇月に限られ、大部分は大抵それ以下の短期間のものである。

第四は貸付の總額に對する制限で、銀行に於てはその拂込資本と剩餘金との合計の二倍迄、銀行以外の金融機關では右の十倍迄とせられてゐる。（但し生產信用組合では五倍迄とせられてゐる）

（二）　協同販賣組合金融。重要農產物の生產或は販賣に携れる者の協同販賣組合に對して中期信用銀行は直接貸付を行ふ事が出來る。以下此の種の貸付に對する法的條件を見るに、第一に組合の資格は一九二二年のカパー・ボルステッド法 Capper Volstead Act（拙稿アメリカの販賣及び購買組合參照）によつて規定せられたる組合たる事を要し、卽ち州法により組織せられたる農業者の協同販賣組合で、組合員の投票權は一人一票主義を採り、株式配當は年八分以下であり、組合員外生產物の取扱は組合員生產物と等量迄に限られてゐる組合たる事を要するのである。

第二に擔保物件は重要農產物の倉庫證劵、船荷證劵、又は信用院總裁の認めたる擔保物たるを要し、傷み易い青果類は不適當である。今迄擔保として取つたものは、小麥、米、亞麻種子、玉蜀黍、其他の穀物、棉花、羊毛、モヘア、煙草、アルファルファ、ロクーバー、綠草等の種子、豆類、罐詰の果物野菜、乾葡萄、乾菓、珈琲ォリーブ油、精蜜、楓蜜、砂糖、ミルク、粉ミルク、チーズ、堅果、乾草等諸生產物の倉庫證劵である。

第三は擔保價格に對する貸付割合の規定で法律上は七割五分を限度とするも、實際は六割五分乃至七割に止め、或場合には六割以內に限られる事もある。猶商品以外に添擔保を出せば七割五分以上を借りる事が出來る。右の添擔保には普通現に負債關係なき例へば農場建物に對する抵當權の如きものを以てする。又擔保の農產物を公認取引所で賣り繫いだ場合、信用ある仲買商との契約書を銀行に提出する事によつて同樣七割五分以上の貸付を受ける事が出來る。但し右の如く七割五分以上の貸付を受ける場合には豫め中期信用長官の承認を經る必要がある。

第四は貸付金の用途で、之は組合員が組合へ搬入する農產物代金の一部前渡金、品物の撰別包裝、出荷等の費用並びに事務所費の支拂に充つるものとせられる。

右の外組合の經營、倉庫設備、販賣計畫等が銀行の認むるが如きものたる事を要する。債務者たる多くの組合は其の組織が有限責任なるが故に債務不履行の場合貸付金の回收は主として擔保物の處分によらなければならず、從つて組合の經營如何は貸付上の重要事である。更に倉庫設置も完全でなければならない。即ち汽車汽船の積荷證劵の場合は別として、倉庫證劵の場合は何時でも品物が佳良の狀態で受戾し得られるやう完全な設備が施されて居なければ重大な損失となる譯である。普通合衆國倉庫法によつて認められた倉庫の證劵に限られ、それ以外の場合はその倉庫に證劵發行の權能があるか、品物に就いて十分責任を持ち萬一の場合辨償し得るか、經營が信賴するに足るかを調査した上適當と認められたものに限つて許される。

最後に組合への貸付利率は中期信用銀行債劵の利率によつて決まる譯であるが、從來に於ては最低二分最高六分となつてゐる。

（三）次に協同購買組合に就ては從來は協同販賣組合のみに限られてゐたが、一九三三年の農業信用法によりし購買組合へも同樣に貸付が許される事となつた。協同購買組合の事業は區々で此種の貸付取扱に就て一定の規則を設ける事は困難であるか、貸付は短期經營資金に限られ、且つ適當な擔保、確實な償還豫定が必要である。組合員に賣る爲めの在庫商品の倉庫證劵の如きは擔保として適當である。猶右貸付金の使途は嚴格に農業目的と限られ、家庭用品の購買には金融を爲す事を得ない規定である。

五、貸付額。　創立以來一九三四年七月末日迄の貸出額は二、一三七、二三五、〇三九弗、其内譯は協同組合に對し八六〇、〇九二、九三七弗、其他金融機關に對して一、二七七、一四二、一〇二弗である。一箇年間の貸付額は一九二三年には四千五百萬弗以下であつたが、一九三三年には略々二億八千萬弗に達した。猶次表に於て見られる如く、一般金融機關に對する貸付は大體に於て逐年增加の傾向にあるが、協同組合に對する貸付には年によつて非常な變動があり、特に一九二九年より三〇年にかけてその額激增し其勢は三一、三二年に迄及んでゐるが、之は一九二九年の農產物販賣法により設立を見た價格安定會社や、全國に亙る協同組合への多額の貸付によるものである。

聯邦中期信用銀行貸付割引額（一九二三―一九三四）

年度	協同組合に對する貸付	一般金融機關に對する貸付	合計
	弗	弗	弗
一九二三	三五、五一八、七六七	九、四〇四、六二九	四四、九二三、三九六
一九二四	八三、二三三、八四七	三四、四四六、九九九	一一七、六六九、八四七
一九二五	一〇〇、二四二、八八九	五三、〇〇八、〇四三	一五三、二五〇、九三二
一九二六	一〇三、九四一、三四〇	七三、五二一、二六九	一七七、四六二、六〇九
一九二七	五一、〇〇九、〇五七	八七、一二一、三八〇	一三八、一三〇、四三七
一九二八	五三、六〇一、四二五	八三、五六八、三六二	一三七、一六九、七八七
一九二九	四三、五八七、五六八	九四、六六九、四〇七	一三八、二五四、九七五
一九三〇	一〇九、九二七、〇八四	一〇九、〇四七、〇六九	二一八、九七四、一五三
一九三一	一四五、一二六、八七四	一二二、八六六、八七四	二六七、九九三、七四八
一九三二	八九、二四五、一一四	一五一、五七七、六五一	二四〇、八二二、七六五

一九三三	二七,九一〇,四九六	三五一,七五〇,六六四	三七九,六六一,一六〇
一九三四(七月末迄)	一六,七五九,四七五	二〇六,一六一,七五五	二二二,九二一,二三〇
計	八六〇,〇九二,九三八	一,二七七,一四三,一〇一	二,一三七,二三五,〇三九

Cf. Farm Credit Administration, P. 152

六、貸付利率。　中期信用銀行はその發行する債券の利率は自由に決める事が出來るが、割引利率には法律上の規定があつて、最近發行の債券利率より一分を越す事が出來ない、從來の例によれば一九二九年數銀行に於て行はれた利率六分が最高で、一九三四、五、一六、現在全銀行に於て採用されてゐる二分が最低である。各銀行の利率は必ずしも常に一定せる譯でなく資金コストが高く高利率の債券を最近發行した銀行はそれだけ割引利率を高め、反對に現に安い債券を發行した銀行は利率が低い譯である。尤も信用院としては十二の銀行の利率を一樣にせんとする方針を持つてはゐる。

七、純收益處分。　總收入から總支出を差引けば純收益が生ずる譯であるが、一九二三年の original Act では右純收益の半分は合衆國政府へ免許稅 franchise tax として納入し、他の半分は剩餘金として資本金と同額に達する迄積立て、其後は純收益の九割を免許稅に一割を剩餘積立に當てる事になつてゐたが、一九三二年一月一日以後は法律の改正により資本金と同額になる迄は剩餘金として全部を積立て、其後は半分を剩餘金に他の半分を免許稅に支拂へばいゝ事となつた。因みに右の改正實施迄に免許税として納入した總額は二、四九六、七七九弗でそれ以後は拂つてゐない。

（附記）本節の記述に關しては Farm Credit Administration 第七章を參照されたし。

第六節　生產信用會社及び生產信用組合

中期信用銀行金融が多く中間金融機關の救濟に利用せられて、その本來の目的とする農業者への生產信用附與の機能が充分發揮し得なかつた事は既に述べた如くであるが、之れには農業者自身が手輕に利用し得るやうな地方的中間機關が、從來缺如してゐたといふ制度上の缺陷を否定する事は出來ない。玆に於て土地銀行に對する全國農地貸付組合の如き地方機關を設け、以て中期信用銀行の短期資金利用の途を啓くの急務なる事が痛感せられたが、ルーズベルトの新農業金融政策の中に具現せられて、遂に一九三三、六、一六、の農業信用法 Farm Credil Act of 1933 により十二の生產信用會社 Produclion Credit Corporations と多數の生產信用組合 Production Credit Associations とが設立せらるゝに至つた。

生產信用會社

一九三三年の農業信用法により農業信用院總裁は十二の生產信用會社を各聯邦土地銀行管區に

立するの權能を與へられ、之によつて同年八月九日より十二月十九日の間にその全部が設立せられた。

一、資本金。各銀行の資本金は最初七百五十弗萬宛であつたが、一九三四年五、六月中に更に全體で一千五百萬弗が追加せられ、一九三四年七月末現在の各社拂込濟資本金は次表の如く最低八百萬弗最高千二百五十萬弗總計一億一千萬弗である。猶信用院總裁は各社資本金を必要に應じて増減する事が出來る。

生產信用會社拂込濟資本金竝びに會社所有の組合A種株の金額と比率

管區名	拂込濟資本金額	會社所有組合A種株金額	組合投資比率
スプリングフイールド	弗 八、〇〇〇、〇〇〇	弗 四、九六八、〇〇〇	六二・一
バルチモーア	九、〇〇〇、〇〇〇	五、九二五、〇〇〇	六五・八
コロンビア	一二、五〇〇、〇〇〇	五、九〇五、一二五	四七・二
ルイズビル	八、〇〇〇、〇〇〇	五、三八三、三〇〇	六七・三
ニユーオルレアンス	八、五〇〇、〇〇〇	四、七三八、〇七五	五五・七
セントルイズ	八、五〇〇、〇〇〇	五、五九一、三五〇	六五・八
セントポール	九、〇〇〇、〇〇〇	五、七五九、〇〇〇	六四・〇
オマハ	九、五〇〇、〇〇〇	六、〇三〇、四七五	六三・四

ウイチタ	九,五〇〇,〇〇〇	四,〇五〇,〇〇〇	四二・六
ヒユーストン	九,〇〇〇,〇〇〇	五,七三〇,〇〇〇	六三・七
バークレー	九,〇〇〇,〇〇〇	五,五八五,〇〇〇	六二・一
スポーケン	九,五〇〇,〇〇〇	七,五三六,五〇〇	七九・三
計	一一〇,〇〇〇,〇〇〇	六七,一九一,六二五	六一・一

Cf. Farm Credit Administration P. 280

二、機能。　各生産信用會社は(一)生産信用組合の設立を援助し、(二)其の資本金の一部を供給し、(三)その運營竝びに事務を監督する。猶法律によつて定められたる右の義務の外、會社はその管區内の組合を代表して中期信用銀行との交渉に當り、組合提出の借入申込を中期信用銀行が拒絶せる場合、會社は再調査を行ひ、中期信用銀行に再考方を交渉する。

一九三三年九月十二日、最初の生産信用組合がセントルイス銀行管區内に出來てより、一九三四年三月二十一日迄に六五八組合が全農業地方に設立せられた。其後數組合の合併せらるゝものありて、一九三四年四月末現在では大陸内に六五一組合ポートリコに六組合となつてゐる。

各會社は其の管區内の組合のA種株（後述參照）を右組合貸付豫定額の二割に相當するだけ應募拂込みすべきものとし、その額は組合の同意ある場合を除き五千弗を下る事を得ない。尤も右の如き規定にも拘はらず、信用院總裁はその權能を以て、必要の場合には會社をして二割以上の

A種株を所有せしめる事も、或は組合に充分な資金ありと會社が認めた場合にはその株金の拂戻をさせる事も出來るやうになつてゐる。一九三四、七、三一、現在各會社所有の組合株總額は六七、一九一、六二五弗である。

三、收入及び支出。　創立以來一九三四、七、三一、迄の收入の殆んど全部は證券（政府公債其他）利息、證券買入れの際の實價と額面との差額、竝びに證券賣却益である。將來組合が配當するやうになればその收入も相當額になるであらう。次に經營費目中最も大なるは給料及び役員報酬で全體の半ば以上を占め、旅費、文具、印刷、消耗費等が之に次ぐ。

四、純收益處分。　收入より支出を差引きたる純收益は、資本金に缺損ある場合には先づその補塡に充て、次に拂込濟資本金の少くとも二割五分に達する迄剩餘金を作り、之を維持するに使ひ最後の殘りで信用院總裁の出資せる會社資本の返還が行はれる。

五、資產狀況。　資產の大部分は政府公債其他債券、組合A種株及び現金である。組合信託基金は組合のために會社が預かれる金で主としてB種株賣上金を以て充てる。負債勘定の殆んど全部は資本金である。一九三四、七、三一、現在の資產狀況を示せば次の如くである。

全生産信用會社資産狀況表（一九三四、七、三一現在）

	金額	百分比
資産		
政府公債其他債券	三四、九三〇、七三八弗	三〇・九
生産信用組合A種株式	六七、一九一、六二五	五九・五
現金	八、五四六、〇七二	七・六
組合信託基金	一、六三九、七八七	一・五
證券未收利息	二七一、四三七	〇・二
其他	三〇〇、〇三三	〇・三
計	一一二、八七九、六九二	一〇〇・〇
負債及び純財産		
資本金	一一〇、〇〇〇、〇〇〇	九七・四
組合信託基金	一、六三九、七八七	一・五
未拂利息	一三九、四八一	〇・一
未拂勘定	五、七一三	—
繰越益金	二〇四、五一一	〇・二
積立金	八九〇、二〇〇	〇・八
計	一一二、八七九、六九二	一〇〇・〇

Cf. Farm Credit Administration, P. 287

生産信用組合

一、機能。　生産信用組合は農業者に農業生産用短期資金を貸付くるを目的とする。普通の手續は組合は先づ農業者の振出す手形及びその他の借用證書に裏書し、中期信用銀行でその割引の承認を得たる後貸す事になつてゐるが、組合の内には直ちに貸付が出來るやうに現金貸付資金を持つ事を許されてゐるものもある。その場合には貸付後裏書をして銀行に廻送し割引を受ける順序となる。各組合は又貸付金回收業務に對して責任を持つてゐる。本組合設立以前に於ては私的資本を以て組織せられる農業信用會社が右の中間機關の役割を演じたのであるが、その設立に對しては一萬弗以上の資本金を必要とする所から充分普及するに至らず、由つて之に代り政府の充分な援助の下に農業者に短期資金利用の途を開いたのが本組合である。

二、組合の設立。　生産信用組合を組織するには、生産信用會社の代表者が組合組織に適當なりと認むる地域内の農業者と會合し、組合の組織、目的等を充分に説明した後、借入資格を有する農業者十八以上が自分等のため又はその地域内の他の農業者のため組合の設立を希望すれば、茲に一定の定款を作成して之に署名し、暫定理事を選び生産信用會社と信用院總裁の承認を經て設立が許可せられる。B種株の株主のみが理事となり得るが故に、各暫定理事は當然一株以上のB種株に應募しなければならない。

三、區域。　組合區域に就ては生產信用會社より意見を信用院に申出で、信用院總裁が之を決定する。區域竝びに事務所所在地に就ては通常取引中心地、そこから交通上便利な距離內の區域、其の區域內の豫想貸付高等が考慮せられる。

組合には一般組合と特殊組合との二種がある。特別組合は特別の大口貸付を目的とするもので其の區域廣く普通一州全體を含んでゐる。大體果樹栽培者や特別の家畜業者のために出來てゐて全國に十五組合があり、その內十二は一州を區域とし二組合は同一州內に一組合は五州に跨る。一般組合の方は之と反對に一定區域內の農業者にして特殊組合を利用し得ぬ者のために出來て居り、一九三四、六、三一、現在でその大きさは平均四・八郡 county 南カロライナ州の一・八郡が最小、ユター州の二九郡が最大である。尤もその目的上組合の廣さはさして重要でなく、寧ろ區域內の農業者數或は農場數が大切である。一組合當り農場數は全國平均が九、八〇〇で、最少がフロリダ州の二、六〇〇、最大がミシシッピー州の三四、七〇〇である。

四、資本金。　組合の株式はA種とB種の二種に分れ、A種株は生產信用會社及び一般投資家とに賣り出されるもので、その額は常に尠くとも組合貸付金の二割に相當する額たるを要すと規定されてゐる。A種株には投票權がないが、組合解散の場合にはその資產に對し優先權を有する。但し配當率はB種株と同率である。此の株の賣上金は普通政府公債と一流債券とに投資され、中期信用銀行へ再割引の擔保として供託せられる。

次にB種株とは債務者又は債務有資格者の持つもので、投票權は株數の如何に拘はらず一人一票の協同組合主義が採られ、配當率はA種株と同樣である。各債務者は帳簿價格（額面價格を超過せざる）に於て借入額の五分に相當する額だけ此の株を持つ義務があり、只一九三四、六、二七の國民住宅法 Housing Act による住宅の模樣替、修繕、改良のための資金借入には之の要がない。此の株の賣上金は有價證券に投資する事が出來る。B種株は理事會の承認を經て他の債務者又は債務有資格者にのみ讓渡し得る。B種株主は組合に借金がなくなれば、二年以內にその株を賣拂ふかA種株と交換しなければならない。A種株主が組合債務者となつた場合には反對にB種株と交換する事が出來る。

五、貸付資金。　生產信用組合はその貸付資金を主として中期信用銀行其の他信用用院總裁の認むる機關に於て、再割引を受けるか借入するかによつて調達する。然し小口貸付の取扱を迅速にし又は肥育用家畜其の他同種のものゝ買入に對し貸付をなすために、その職員に充分事務的能力ありと認められたる組合に於ては、中期信用銀行から直接に資金を借受けて現金貸付資金を持つてゐる所もある。作物生產資金を主として貸出す組合では、普通この資金の高は拂込濟資本金の一割以內とされ、中には一口五百弗以下の貸付に限つて使用する組合もあり、家畜貸付を主とする

組合では、拂込濟資本金の二割五分迄許され、一口當り貸付額の制限に關しては普通貸付の場合と同樣である。（後述參照）

貸付資金の大部分は農業手形の中期信用銀行再割引によつて得られるが、貸付の方法には次の三つの方法がある。卽ち借入申込書を中期信用銀行に出し、銀行が之を承認して組合へ貸付金に相當する小切手を送る方法、組合が銀行に對し手形を振出す權限を與へられてゐる場合、組合が現金貸付資金から貸付をして、後銀行で再割引を受けて右資金を補つて置く方法のいづれかに據る。

六、貸付高。　創立以來一九三四、六、三〇迄に於ける全國の生産信用組合經由聯邦中期信用銀行貸付高はその口數八七、四一八、金額は略々四千萬弗である。各管區別にその數字を示せば次の如くである。

管區別生産信用組合經由聯邦中期信用銀行貸付高（創立以後一九三四、六、三〇迄）

管區	件數	金額
スプリングフイールド	六、〇三〇	五、一六〇、四一九弗
バルチモア	四、四四八	二、五八八、〇四〇
コロンビア	二八、〇〇三	七、四二九、一七八
ルイズビル	五、四〇七	一、二四八、八八六

ニユーオルレアンス	一一、三四八	四、八二二、四五六
セントルイス	九、七四七	三、五一一、三六九
セントポール	六、〇八一	二、四二六、七〇七
オマハ	一、〇三四	八九二、二三〇
ウイチタ	三、九四四	一、九四九、三五七
ヒユーストン	六、八三六	二、五四七、七三〇
バークレイ	二、一七九	三、七五八、一〇五
スポケーン	二、三六一	三、六二七、四一〇
合計	八七、四一八	三九、九六一、八八七

Cf. Farm Credit Administration, P. 299

猶同期日迄の一組合平均貸付口數は一三四口、少いのはユター州の一組合一口、多いのはメーン州の八九〇口であり、全六五三組合中五割九分の三八三組合は百口以下、一四五組合は百口乃至二百口、一千口以上のものは二組合、五百口以上は二十七組合である。

生産資金供給者としての組合の位置は、創業以來數箇月のものではあるが、中期信用銀行の貸付割引高を組合に對するものと、農業信用會社及び家畜貸付會社に對するものとに分けて比較するとよく分る。即ち一九三四、六、三〇、貸付現在高は組合に對するものが三八、五一七、九四七弗農業信用會社、家畜貸付會社へのものが六二、三七五、六二四弗となつて居り、農作物生産貸付金の家畜貸付金よりも多い州では組合への貸付が多く、然らざる州では反對である。

七、授信業務。　借入申込は申込人住所を區域とする組合へ提出する。其の區域が數郡に亙る組合では各地に代理人を置き區域内の者が誰でも簡單に自動車で行けるやうにしてある。組合より借入れをなし得る者は家畜の飼育、蕃殖、肥育をも含む農業に從事せる自然人、組合及び會社である。故に會社は土地銀行より抵當借は出來ないが、生産資金を中期信用銀行より借りる事は出來る譯である。自然人と組合の場合には其の時間と勞力を實際に農業に用ひ、其の業務に對して實際に責任を負ふ者でなければならない。農業が主たる業務である事、其の農場内に居住する事は必ずしも必要條件ではない。會社の場合は主たる業務が農業であり、資産の大部分が農業用財産で、總收入の尠くとも半分が農業より生じ、又その常務職員及び使用人の時間の半分以上が農業經營に使用せられてゐなければならない。

貸付期間は中期信用銀行の法律規定による譯で、生産期間が一年以内のものならば、その對象となるべき作物或は家畜の生育期間に應じて期限が定められる。返濟は何時でも出來利子も實際使用せる期間の分のみを拂へばよい。

組合の貸付利率は中期信用銀行の割引利率によつて定まる。即ち現在組合は三分の利鞘が許されて居るが、生産信用會社は生産信用長官の承認を得て之を引下げる事が出來る。實際を見ると當初組合の貸付利率は六分であつたが、一九三四年三月十六日より二十一日の間五分五厘とせられ、五月に五分となつて現在(一九三四、六、三〇)に至つてゐる。一九三四、六、三〇現在組合の貸付總額約四千萬弗中二百萬弗が六分、二千萬弗が五分五厘、殘りも五分、平均五分三厘である。

次に一口の貸付金額に對しては最高最低の制限あり、最低は五十弗、最高は組合の拂込濟資本金と保證基金の額によつて異り、次の除外例ある外一人に對する貸付は右金額の二割迄に限られてゐる。除外例の一は生産信用會社の認むる擔保ある場合には右の五割迄を借りる事が出來、其の二は生産信用會社と中期信用銀行で貸付を可と認め、更に生産信用長官が之を承認したる場合には右の五割を超過する事が出來る。

一九三四、六、三〇迄に組合より中期信用銀行へ出して承認を受けた貸付金の一口平均金額は五七四弗で、最低はテネシー州の一九四弗、最高がネバダ州の七、四九六弗となつてゐる。

擔保に關しては生産信用會社と、中期信用銀行の承認を經れば組合は無擔保貸付をも爲し得るが、普通の場合には充分なる擔保を必要とする。擔保の種類は貸付金の用途によつて異り、不動産抵當は普通主たる擔保とせられず唯添擔保としてのみ認められる。猶作物或は家畜に對し先取特權 first lien を得る事が出來ないやうな場合には、銀行は先順位者から權利の放棄又は順位の讓渡を受けるものとし、擔保物件は分割を許さないのが普通である。之は例へば二十頭の乳牛の内十頭だけを擔保として取るといふやうな事は後に爭ひの生ずる恐れがあるので許さないのである。

最後に貸付金の用途を見るに次の如く分類せられてゐる。

（一）販賣用農作物の生産、收穫、販賣に必要な現金支拂のために使用せられる農作物貸付。

（二）販賣用家畜の購入、飼育、蕃殖、肥育のために要する、或は右の舊債借替のために使用せられる家畜貸付。

（三）乳牛の購入費、その舊債の借替、酪農製品の生産資金として使ふべき酪農貸付。

（四）鷄、七面鳥、家鴨等の經驗ある飼育者に對しその買入、餌の買入、或はその舊債の借替のために使用せらるべき家禽貸付。

（五）農業目的のために生じたる舊債の借替、役畜諸設備の購入、農場及び諸設備の修繕の費用竝びに運轉資金を供する所の一般目的貸付。

即ち組合は農業者の必要とする凡ゆる短期信用を附與する譯である。

八、收入及び支出。　收入の主なるものは貸付純利息と資本金投資による證劵の利息とである。貸付純利息とは農業者より受取る利子と中期信用銀行へ支拂ふ利子との差額で、現在法律によつて最高三分の利鞘を取る事が許されてゐる事は既に述べた如くである。經費の主なるものは職員俸給、旅費、使用人給料文具消耗品費、通信費、家賃等である。

九、純收益處分。　右收入及び支出の差額たる純收益は法律によつて、(一)積立金を以て尙補ひ得ざる不良貸付の損失補塡に、(二)資本に缺損ある場合はその補塡に、(三)不良貸付に對する豫備として生產信用會社の命ずる額の積立金を設定維持するため、(四)拂込資本金の二割五分を下らざる程度の保證基金 guaranty fund の設定維持のために使用せられる。殘額は生產信用會社の承認を經て配當に充てる事が出來る。但し配當は年七分を超過し得ず、右配當をなして殘つた分は生產信用會社持株の返濟に充てられる。

十、資產狀況。　組合の資產狀況は極めて簡單で、主な資產は貸付現在額と所有有價證券、負債は割引現在額と拂込濟資本金である。貸付現在額と引割現在額とは大體同額である。之は最初から銀行で割引を受ける場合は勿論、一應組合で現金貸付基金を以て貸出すにしても結局全部中期信用銀行へ廻して割引されるからである。拂込資本金と所有有價證券とは、株式拂込金の一部を生產信用會社でそのまゝ保管してゐる場合の外は之も大體同額である。

十一、組合組織。　(一)組合總會、組合の年次總會は定款所定の場所日時に開催され、臨時總會は組合長の要求又は理事若くはB種株主の過半數の書面による要求により組合長之を召集する。(二)理事會、組合の理事は普通五人で年次總會で種株主中より選擧し、生產信用會社がA種株主たる場合にはその承認を經て決定する。任期は三年。理事會は年四回以上開き組合長は何時でも臨時會を召集する事が出來、三人以上の理事の書面要求ある場合にも召集せねばならない。事務處理には理事半數以上の出席を必要とする。理事に缺員を生じたる時には他の理事の多數決により殘存年限間後任を決めるか、之も生産信用會社がA種株主たる間はその承認を要する。信用院總裁及び生産信用會社がA種株主たる間はその社長は組合理事を何時にても更迭する權能を有する。(三)委員會、理事はその中より二名を選び、組合の祕書役と共に貸付委員會を作らねばならない。總て組合へ提出される借入申込を取扱ふべき實行機關である。(四)役員として組合長、一名又は二名の副組合長、祕書役、出納役を置く事が出來るが普通は組合長副組合長、祕書兼出納役の三名で理事會で決定生産信用會社の承認を經る必要がある。

(附記) 本節の記述に關しては Farm Credit Administration 第八章及第十一章を參照されたし。

第七節　協同組合銀行

世界大戰以後合衆國に於ける協同組合は著しい發展の途を辿り、聯邦政府も之に對して深い關心を持つに至つた。その第一の現れは一九二二年のカパー・ヴォルステッド法の通過で、次で一九二三年の農業信用法による協同組合への金融通路の開拓、更に一九二九年の農産物販賣法の制定に至つて協同組合政策がアメリカの農業政策の中核をさへなすに至つた。右の一聯の協同組合助長政策がアメリカの農業經濟界の進展に對して如何程の貢獻をなし得たかは茲に論ずべきではないが、之等諸政策實施の經驗が新農業金融體制下に協同組合銀行を編成するに當り極めて貴重なる參考となつた事は云ふ迄もない事である。一九三三、六、一六、の農業信用法は協同組合金融の統制のために一協同組合中央銀行 Central Bank for Cooperatives と十二の協同組合地方銀行 District Banks for Cooperatives の設立を規定した。

中央銀行

協同組合中央銀行は一九三三、九、一二、設立せられたるもので全合衆國をその營業區域とする。中央銀行と地方銀行との區別はその管區によるに非ず借入申込額の大小によるものとする。卽ち三十萬弗以上の申込は中央銀行へ提出されるものとし、その場合五十萬弗以下のものは更にその所在の地方銀行へ廻されてそこで貸付せられる。一般に中央銀行は協同組合の全國的並びに地方的聯合會に對する貸付を扱ふものである。

一、經營。　協同組合銀行長官を議長とする七名の理事によつて經營せられ、最初の理事六名は信用院總裁が之を任命し、その任期は内二名は一年、二名は二年、二名は三年とせられる。以後は六名中三名は中央銀行債務者の選擧せる最高點者三名中より總裁が任命するものとする。役員は協同組合銀行長官が社長を兼ね、その下に副社長、總支配人、秘書役及び出納役がある。

二、資本金。　資本金額は借入要求に應ずるに適當した程度に於て總裁が定め、法律の制限内で必要に應じて之を增減する事が出來る。株式は各々百弗づゝに分けられ、設立と同時に五千萬弗が總裁によつて拂込まれた。一九三四、六、三〇、現在に於て右の金額に何等の變更が加へられてゐない。右資本金は地方銀行の資本金と同樣に農產物販賣法によつて設定せられた五億弗の運轉資金の殘額中より拂ひ込んだもので、此の資金による貸付の囘收金は將來中央及び地方銀行の增資に充てる事になつてゐる。

中央銀行から借入せんとするものは借入に當り帳簿價格で借入金の五分に相當する株を持たねばならない。右帳簿價格は協同組合銀行長官が決定し常に額面價格を超過しない事とする。協同組合に中央銀行の株を持つ事を許さない州では、組合は右の場合と同額の保證基金を銀行に拂込まねばならない。組合が借入金を全部償還した場合には株金又は保證基金はその時の帳簿價格で拂ひ戾されるか或は最終の償還金の一部に充てられる。

三、貸付資金。　貸付資金には資本勘定と債劵賣上金との二給源がある。前者は拂込濟資本金、剩餘金、繰返益金及び保證基金を含み後者は未だ發行せられてゐない。總裁に與へられたる權限に於て資本金は前述の如く農產物販賣法運轉資金殘額によつて增す事も出來、又地方銀行の資本金中不要分を中央銀行に廻して增資する事も出來る。

中央銀行は理事會の定めた時期條件で債劵を發行する事が出來、將來資本金で貸付資金に不足する場合は之によつて資金を得る筈である。その發行に就ては中期信用銀行債劵發行に關する法律の條項は支障なき限り當行債劵にも準用され、發行高は資本金と剩餘金との五倍に限り、利率は理事長が決定する。債劵の擔保は發行額と同額以上の現金、合衆國公債、又は當行に於て貸付割引せられたる手形證書の類で、信用院總裁の定めた管理人 custodian によつて保管せられるものとする。

四、貸付額。　創立以後一九三四、六、三〇、迄の貸付累計は二八、四八六、六五七弗で其内販賣資金貸付二八、〇九四、八九四弗、設備費貸付三九一、七六三弗、同期日の貸付現在高は一三、九八二、七一〇弗、内前者は一三、三七六、八六一弗後者は三〇五、八一九弗となつてゐる。

五、收入及び支出。　收入の主なるものは貸付利息と投資證劵利息とで、一九三四年六月中の全收入一〇一、三八七弗中前者は四四、七三七弗で四割四分一厘、後者は五六、六五〇弗で五割五分九厘に當つてゐる。支出の主なるものは役員報酬、使用人給料及び旅費である。

六、純收益處分。　右の差額たる純收益は先づ貸付損を償ひ、資本金、保證基金に缺損ある時は之を補ひ、殘りの少くとも二割五分を剩餘金として資本金、保證基金の二割五分に達する迄積立て或はその維持に充て、更に殘餘は理事長の承認を經て配當に充てる事が出來る。但し配當率は七分を超過するを得ない。猶保證基金を拂込める者も株式所有者と同率の配當を受け、總裁持株の配當金は農產物販賣法運轉資金に繰込む事となつてゐる。

七、資產狀況。　中央銀行の主なる資產は組合への貸付金、投資證券及び現金で、純財產は政府竝びに組合出資の資本金及び繰越益金である。一九三四、六、三四、現在では負債勘定はない。同期日に於ける中央銀行の資產狀況を示せば次の如くである。

協同組合中央銀行資產狀況（一九三四、六、三〇、現在）

資產	金額	百分比
組合への貸付金	一三、六八二、七一〇弗	二六・六
政府公債其他證券	三二、〇八五、〇〇〇	六二・五
現金	五、一七六、六九五	一〇・一
未收利息	四二一、三一六	〇・八
其他	八二四	—
計	五一、三六六、五四五	一〇〇・〇
純財產		
資本金（政府出資）	五〇、〇〇〇、〇〇〇	九七・四
資本金（組合出資）	六八五、八〇〇	一・三

繰越益金	六八〇、七四五	一・三
計	五一、三六六、五四五	一〇〇・〇

Cf. Farm Credit Administration, P. 325

協同組合地方銀行

各土地銀行管區に一行づゝ建てられた十二の協同組合地方銀行はその管區内の地方的組合に對して金融事務を取扱ふ事を目的とし、前述の如く三十萬弗以下の申込を受付け、五十萬弗以下の貸付を取扱ふ事となつてゐる。十二の地方銀行は一九三三、八、九、より一二、一九、迄の間に順次設立せられた。

一、經營。　各土地銀行の理事が當銀行の理事をも兼ねる事は既に述べた如くであるが、毎月の理事會に於て一日或は數時間が當銀行の事務經營に充てられる事となつてゐる。役員には社長、副社長、秘書役、出納役がある。

二、資本金。　資本金額は信用院總裁が借入申込に應ずるに適當なりと認むる程度で之を定め、必要に應じて增減する事が出來る。各行は創立の際夫々五百萬弗宛の拂込を受けたが、一九三四年六月末迄にその額には何等の更變がない。株式の金額は一株百弗である。右總裁の出資金は中央銀行の場合と同樣農產物販賣法運轉資金の中より出てゐる。

借入組合は借入に際し、額面價格以下に於て銀行の定めたる帳簿價格により借入金の五分に相當するだけの株を持ち、組合に銀行の株を所有する事を許さぬ州では同額の保證基金を拂ひ込む事は中央銀行の場合と同樣である。

三、貸付資金。　貸付資金としては資本勘定即ち拂込濟資本金、剩餘金、繰越益金及び保證基金と協同組合中央銀行よりの借入金若くは割引がある。地方銀行には債劵發行權はない。猶必要に應じて總裁は右の資本金額を增加せしめる權能を有する事は既に述べた如くであるが、この增資の場合には農產物販賣法運轉資金殘額中より拂込むか或は中央銀行又は他の地方銀行の利用せられざる資本を之に廻すかによつてなされる。但し一九三四年六月末迄には斯くの如き處置は一度も採られてゐない。

四、貸付高。　創立以來一九三四、六、三〇、迄の十二行の組合への貸付累計は八、二六四、四八七弗貸付現在高は六、八五六、七四八弗、其の內販賣資金貸付三、七〇九、四五六弗、設備費貸付三、一四七、二九二弗である。銀行別に同期日の貸付現在高を、見ると最小はヒユーストン銀行の四六、六八二弗、最高はバークレー銀行の二、〇八八、一七一弗である。

五、收入及支出。　收入の主なるものは貸付利息と證劵利息とである。五つの銀行では貸付手數料を取つてゐるが之も幾分の收入となる。一九三四年六月中の十二銀行の收入は一一三、三七四弗で、其内八割一分七厘の九二、六二一弗は證券利息、一割七分の一九、二八六弗が貸付利息で、其他に一、四六七弗の貸付手數料がある。支出の主なるものは報酬及び給料で全體の六割五分を占めてゐる。

六、純收益處分。　純收益處分の方法は中央銀行の場合と同樣で、年度中に生じた貸付損を償ひ資本金、保證基金の缺損を補ひ、殘りの二割五分以上を剩餘金として資本金保證基金との二割五分に達する迄積立て、殘りを理事會の承認を經て配當に充てる。配當率は七分を限り保證基金に對しても株式同樣に配當する。

七、資產狀況。　資產の主なるものは公債其他證券への投資、組合への貸付金及び現金で、純財產には政府持株、組合の持株と保證基金、剩餘金、繰越益金、積立金等がある。負債勘定は極めて僅少である。一九三四、六、三〇、現在十二地方銀行の資產狀況を示せば次の如くである。

十二地方銀行資產狀況（一九三四、六、三〇、現在）

資產	金額	百分比
協同組合への貸付金	六、八五六、七四八弗	一一・三
政府公債其他證券	四八、二〇二、五七三	七九・二
現金	五、三六三、九八六	八・八
未收利息	三九八、二五七	〇・六

其他資産	五五、一三〇	〇・一
計	六〇、八七六、六九四	一〇〇・〇
負債及び純財産		
支拂勘定其他負債	四、〇一四	―
資本金(政府出資)	六〇、〇〇〇、〇〇〇	九八・五
資本金(組合出資)	三四八、四〇〇	〇・六
保證基金	三四、九〇〇	〇・一
剰餘金及び利益	四三七、九八二	〇・七
積立金	五一、三九八	〇・一
計	六〇、八七六、六九四	一〇〇・〇

Cf. Farm Credit Administration, P. 333

授信業務

中央、地方兩銀行の貸付業務を一括して以下に述べる事とする。協同組合が銀行より借入をなすには先づ資金の用途、償還方法、其の他必要事項を詳しく申込書に認め、設立認可、書定款、細則、資産表、損益表等を添へて提出する。之等の書類により銀行は借入資格の有無を調べその貸付を決定する。

一、借入資格。　農業者の協同販賣及び購買組合を有資格と認め、右組合に對しては一九二二、

二、一八、のカパー・ボルステッド法に定むる條件を具備する事を必要とする。（農産物販賣法による金融では販賣組合のみを對象とした）又組合の組織、經營　事務方針等は農産物販賣法に述べてあるが如き議會の方針に合致するものでなければならない。卽ち販賣方法を合理化し農業を他産業と同一の經濟的地位に引上げる事、從つてそのために販賣上の投機を尠くし、非能率的浪費的分配方法を改め、協同組合の發展を圖り、生産過剩の防止及び統制を援助し、以て農産物市場の保護統制並びに安定を圖る事をその方針とするものでなければならない。猶農産物販賣法による組合貸付資金の用途は販賣資金、設備費、手形交換所、教育費、前渡金補助の五種とせられてゐたが（前述參照）一九三三、六、一六、の修正によつて協同組合銀行では販賣資金と設備費との二種のみを取扱ふこととなつた。

二、設備費貸付。　設備費貸付は協同販賣組合に對してのみなされるもので、農産物の保管、取扱、加工、處理、販賣のための建物及び設備を建設、購入、借受けるために必要な資金に對し金融又は再金融する。

利率は信用院總裁が決定するが、三分乃至六分の間でなるべく當時の土地銀行貸付利率に近く定める。創立以來引續き四分五厘とせられてゐる。

償還方法は二十年以內の年賦償還とせるも、實際は組合の記錄に示されたるその償還能力により、新規組合ならば將來の發展を内輪に見積つて之を定める。從來十年以内の期限が普通である。擔保は當該設備に對する一番抵當權である。價格の六割以上は貸さず、年々の償還額は擔保物件の年々の減價額よりも大きいやうに割當てられる。

三、販賣資金貸付。　此の貸付は販賣組合と購買組合の兩方へなされるもので、農産物の取扱、加工、販賣或は農業用品の購入、檢査、選別、加工のための運轉資金を協同組合へ供給するを目的とする。

利率は總裁によつて決定せられるが、三分乃至六分の間で當時の中期信用銀行割引利率より一分以上を越す事を得ない。實際を見ると創立當時四分だつたのが其の後三分五厘となり、一九三四、五、一五、以來は三分となつてゐる。猶利率改定は新規貸付に對してのみ適用せられる。

期限は販賣組合に對するものは農産物販賣季節の終りを以て滿期となるやうにし、場合によつては延長する事が許される。購買組合への貸付は短期で、その條件は組合の業務の種類、資金の用途によつて定まる。

擔保は農業生産物又は農業用品に對する先取特權を以てせられる。擔保價格に對する貸付割合は其の種類、組合の資産狀況、經營振り等諸種の事項を參酌して決定し、從來の成績又は償還方法も考慮せられる。

四、地方銀行に對する中央銀行の貸付。　中央銀行は地方銀行に對し貸付割引をなす事が出來る。利率は中央銀行理事長たる協同組合銀行長官が決定する。尤も一九三四年六月末迄には此の種の貸付は行はれてゐない。

協同組合に對する其の他の援助

以上述べ來つた金融的援助の外、農業信用院の協同組合課では農業者の協同販賣又は購買組合に對し、その組織及び經營上の諸問題、竝びにその健全財政政策の運用等に關して助力を與へる。又そのために組合の能率的經濟的運營に必要な諸要素の調査が行はれ、組合の求めに應じて組織經營上の種々の助言が與へられる。

是等の助力は銀行の貸付とは別のものゝやうではあるが、實際上組合の能率を增し、その收入を殖やし、以て貸付の安全性を確立せしめる事により、兩者は密接に關聯するものである。

（附記）本節の記述に關しては Farm Credit Administration 第九章及第十二章を參照されたし。

第八節　商品信用會社

以上の記述を以てルーズベルト政權により企圖せられたる新農業金融の一大組織化の輪廓を畫き終つたのであるが、かの不死鳥の如く未曾有の經濟的混亂の火中から生れ出でたルーズベルト政權の、非常時局に對する非常對策の華かにして多彩なりし事は未だ我等の記憶に明かな所であらう。然して之等非常對策中特に農業金融に對するものとして、商品信用會社 Commodity Credit Corporation の設立がある。非常對策として固より一時的機關に過ぎないが、農業恐慌期に演じたる役割の重大なりしことを思ふ時、その一應の記述はアメリカ農業金融の歷史的考察を問題とした本編の當然及ぶべき範圍であらう。

商品信用會社は、一九三三、六、一六、の全國產業復興法 National Industrial Recovery Act により附與せられたる權能により同年十月十六日の大統領の行政命令により設立せられたるものにして、その最初の株式資本金三百萬弗は合衆國政府のために農務大臣と農業信用院總裁とが共同して保有することゝし、且つその金額は全國產業復興法による特別資金一億弗中より大統領の割當により支出せられることゝなつた。猶右資本金は一九三六、四、二八、復興金融會社による九千七百萬弗の增資により、合計一億弗となつた。(一)

(1) Agricultural Adjustment Administration, Agricultural Conservation 1836, P. 141

商品金融會社は大統領によりて適時指名せられたる商品に對してのみ貸付をなす機關であり、農業者をしてその生產物を擔保とする金融の便を得せしめ、該商品の市場への投賣りを防止し、以てその價格の維持に寄與せしめんとするものである。從つてこの方策は農業調整法 Agricultural

Adjusl ment Act により展開せられたる生産及び販賣調整方策と竝行して行はれる事を原則とする。以下同會社の經營に關し若干の點を述べやう。

一、貸付資金。　貸付資金は二つの給源から之を求める。一は卽ち自己の資本金であり、他は復興金融會社よりの融通金で年三分の利子を以て必要に應じ隨時借入する。前述の如く當初その資本金は僅かに三百萬弗に過ぎず、農業者による利用は相當盛んだつたので貸付資金の大部分は後者によつて賄はれ、組織的には全く復興金融會社の補助機關の如きものであつた。

二、貸付利率。　貸付利率は一樣に年四分であるが、貸付金額、貸付期間は夫々の商品に就て異り、新貸付の計畫每に發表せられる。

三、會社の收入。　貸付利子が年四分であるから、自己資本に對してはその利子全體、復興金融會社借入金に對してはその利子差額一分が會社の經費を支辨すべき總收入となる。

四、貸付計畫。　從來商品信用會社による貸付計畫は四種の商品に就てなされた。棉花、玉黍蜀、ゴム樹液、煙草の四種で、重要なのは前二者であるからそれに就て若干の說明を加へやう。

（イ）棉花に對する貸付。之は一九三三年、一九三四年、一九三五年の三期の生產棉に對して行はれ、先づ一九三三年作に對しては、銘柄 low middling $^{7}/_{8}$ 吋以上のものには一封度當り一〇仙を、同じく $^{7}/_{8}$ 吋以下のものには一封度當り八仙の融資をなすこととし、期限を一九三四年七月末として發表したが、後期限は一九三五、二、一、迄に延長せられた。發表の數字を見るとこの總貸付金額は九九、四九八、四九一弗、その擔保に提供せられたる棉花總量は一、九二五、七八七ベール（一ベールは五百封度）となつてゐる。一九三五年十二月末その大部分は償還せられてゐるが猶金額にして三一七、三三一弗、擔保六八、五〇一ベールの未償還がある。

第二回の貸付計畫は7/8吋以上に對しては一二仙、以下に對しては一一仙の貸出をなす事とし貸付は一九三五七月末と發表せられたが、再び一九三六、二、一に延期された。これによる成績は貸付總額實に二八、二六四三、九七七弗、擔保俵數四、六三二、八一〇ベールとなつて居り、然もこの分の償還成績は極めて不良で、一九三五年十二月末未濟分二六八、九七六、七二二弗、擔保物四、四〇七、四二四ベールを殘してゐる。

第三回の貸付計畫は同じく7/8吋以上のものに對して一〇仙、以下のものに對して九仙と前年度よりも貸付金額を低下せしめ、償還期限を一九三六年七月末として發表した。貸付總額は一一四、五一九ベールに對して五、七七七、一九九弗に及んだが、この償還成績も前回同樣極めて不良で、一九三六年十二月末現在に於て猶二六、二六八ベールに對し一、二九五、六二三弗の未濟分が殘されてゐる。（二）

（二） Agricultural Adjustment Administration, Agricultural Adjustment 1938, pp. 72–P. 74.

（ロ）　玉蜀黍に對する貸付。玉蜀黍に對する貸付は一九三三年作、三四年作、三五年作、三六年作と四回に亙つて行はれた。第一回貸付額は一ブッシェル當り四五仙、期限は一九三四、七、三一、第二回は一ブッシェル當り五五仙期限は一九三五、七、一、第三回は再び四五仙、期限は一九三六、七、一、第四回は五五仙期限は一九三七、七、一とせられた。然して之等の貸付總額は順次一二〇、四九一、二六五弗、一一、〇四二、三九二弗、一二、九三三、五三八弗、六〇、三七六弗と發表せられて居り前記の棉花の場合と考へ併せて商品信用會社による金融的援助が未曾有の不況時代に可成り一般に利用せられた事が推察せられるのである。然しその農家經濟に對する影響效果に關しては本編の觸れるべき範圍外としてその考察を他の機會に讓るであらう。

最後に商品信用會社は一九三五、一、三一、の議會決議によりその存續期限を一九三七、四、一、と規定せられた。（三）

（三）ibid, P. 71

昭和十六年八月二十五日印刷
昭和十六年八月三十日發行

政學科研究年報 第七輯
定價 三圓二十錢

編輯兼發行者 臺北帝國大學政學科研究會
代表者 堀 豊彦
臺北市大正町二丁目三七番地

印刷者 穎川 育
臺北市榮町四丁目三二番地

印刷所 臺灣日日新報社

發賣所 野田書房
臺北市兒玉町三丁目九番地
振替口座臺灣六一九三番